La Capricieuse (1855) : poupe et proue

Les relations France-Québec (1760-1914)

Cultures québécoises
Collection dirigée par Yvan Lamonde

Cette collection fait place à des travaux historiques sur la culture québé-coise, façonnée par diverses formes d'expression : écrite et imprimée, celle des idées et des représentations ; orale, celle des légendes, des contes, des chansons ; gestuelle, celle du corps et des formes variées de manifestations ; matérielle, celle des artefacts ; médiatique, celle des média de communi-cation de masse, portée par la technologie et les industries culturelles. Ouverte aux travaux comparatifs, aux défis de l'écriture et de l'interprétation historiques, la collection accueille aussi des essais ainsi que des travaux de sémiologie et d'anthropologie historiques.

Titres parus

Damien-Claude Bélanger, Sophie Coupal et Michel Ducharme, *Les idées en mouvement : perspectives en histoire intellectuelle et culturelle du Canada*, 2004.

François Labonté, Alias *Anthony St-John, Les patriotes canadiens aux États-Unis, décembre 1837-1838*, 2004.

La Capricieuse (1855) : poupe et proue

Les relations France-Québec (1760-1914)

Sous la direction de
Yvan Lamonde et Didier Poton

Les Presses de l'Université Laval

b2925079/

Les Presses de l'Université Laval reçoivent chaque année du Conseil des Arts du Canada et de la Société d'aide au développement des entreprises culturelles du Québec une aide financière pour l'ensemble de leur programme de publication.

Nous reconnaissons l'aide financière du gouvernement du Canada par l'entremise de son Programme d'aide au développement de l'industrie de l'édition (PADIÉ) pour nos activités d'édition.

Mise en pages et maquette de couverture : Capture communication

En couverture : Photographie (anonyme) de la corvette *La Capricieuse* à son départ du port de Québec, sur les 10 heures du matin, le 25 août 1855.

ISBN 10: 2-7637-8399-6
ISBN 13: 978-2-7637-8399-4

Distribution de livres Univers
845, rue Marie-Victorin
Lévis (Québec)
Canada G7A 3S8
Tél. (418) 831-7474 ou 1 800 859-7474
Téléc. (418) 831-4021
www.pulaval.com

FC
247
.C38
2006

Mot de bienvenue

MARCEL MASSE
Président, Commission franco-québécoise
sur les lieux de mémoire communs

Les Français et les Québécois entretiennent depuis toujours des relations privilégiées dont les fondements se trouvent dans leur histoire, leur culture et leur langue communes. Pendant plus de 150 ans, du début du XVIIᵉ au deuxième tiers du XVIIIᵉ siècle, le destin de ces deux peuples a été intimement lié. Ils ont vécu une même aventure, celle de l'Amérique française.

En dépit du traité de Paris de 1763, qui semblait ratifier un abandon, les liens ne se sont pas rompus. Malgré l'éloignement géographique, les deux sociétés ont su développer, au fil des ans et des générations, des relations exceptionnelles qui se caractérisent aujourd'hui par leur richesse, leur diversité et leur pérennité.

L'Amérique française, œuvre des Français et de ceux qui sont devenus en majorité des Québécois, constitue un point de convergence de notre histoire commune. Bien qu'elle ait profondément marqué la langue, les savoir-faire, les arts et la culture, l'architecture, l'urbanisme et les paysages, force nous est de constater un important déficit de la connaissance de cette histoire de part et d'autre de l'Atlantique.

Il était impérieux de développer des axes d'échange sur les lieux de mémoire communs aux Français et aux Québécois si nous voulions actualiser notre rencontre.

C'est en ce sens qu'en décembre 1996, alors Délégué général du Québec en France, j'ai proposé, à l'occasion de la 55ᵉ session de la Commission permanente de coopération franco-québécoise, la création d'une commission binationale sur les lieux de mémoire communs. Cette suggestion, qui établissait un nouveau champ de coopération entre la France et le Québec, fut retenue.

Présidée conjointement par M. Henri Réthoré, ancien consul général de France à Québec, et moi-même, la Commission s'est donné comme objectifs d'inventorier et de célébrer notre mémoire commune. Elle considère à cette fin que les lieux de mémoire signifient l'ensemble des repères culturels de l'époque de Champlain à aujourd'hui – expressions, pratiques, espaces issus d'expériences communes.

La notion admet une variété d'approches, qu'elles soient historiques, ethnologiques, sociologiques, scientifiques, musicologiques, muséologiques, littéraires, etc. Elle présente également des dimensions multiples : mémoire personnelle, mémoire régionale, mémoire nationale, ce qui permet une démarche multidisciplinaire et l'admission aussi bien d'éléments prestigieux que d'autres moins connus.

Pour nous Québécois, la France est le lieu d'origine de notre mémoire commune et l'Amérique française, le lieu de son accomplissement. Regroupant des deux côtés de l'Atlantique plus d'une cinquantaine de membres qui apportent aussi bien leurs responsabilités professionnelles que leurs champs d'intérêt personnels, la Commission a mis sur pied plusieurs comités thématiques devenus de véritables réseaux qui varient selon les besoins et qui représentent autant de sujets de prédilection : histoire, archéologie, musées, inventaires, mise en valeur, communication, jeunesse, université d'été, commémoration, toponymie, généalogie.

Depuis sa création, la Commission s'est également associée avec plusieurs partenaires institutionnels et associatifs, ce qui assure l'intégration de ses thèmes dans les sociétés de nos deux pays.

* * *

La Commission franco-québécoise sur les lieux de mémoire communs nous réunit aujourd'hui à l'Assemblée nationale du Québec, dans la salle Louis-Joseph-Papineau, nommée en l'honneur de l'un de nos grands parlementaires du XIXᵉ siècle. Un colloque scientifique, regroupant Français et Québécois, marquera pour nous le 150ᵉ anniversaire de la venue au Québec de la corvette *La Capricieuse* battant pavillon français et placée sous le commandement du capitaine Henri de Belvèze.

Profitant du climat favorable qui régnait à l'époque de Napoléon III entre la France et l'Angleterre, les autorités françaises, après quelques discussions, acceptent la suggestion du capitaine de Belvèze d'effectuer une mission purement commerciale dans le fleuve Saint-Laurent. Pour la France, il se révèle que cette « excursion » n'a qu'une importance commerciale, avant de prendre bientôt d'autres orientations.

Mais il n'en est pas de même au Québec qui en juillet 1855 vit un moment important de son histoire ; ce n'est pas l'aspect « mission commerciale » qui suscite son intérêt, mais le retour des « leurs ». La venue de *La Capricieuse* soulève un large enthousiasme patriotique chez les descendants français de la vallée du Saint-Laurent. Autant à Québec qu'à Montréal et Trois-Rivières, l'accueil est tel qu'il indique bien ce que Crémazie disait, à savoir que la France a toujours le cœur des gens de ce pays laurentien.

Nous voulons ici analyser cet événement perçu comme symbolique dans des perspectives nouvelles dont celles de l'amont et de l'aval de la venue de *La Capricieuse*. À son départ, côté poupe, la corvette laisse dans son sillage la levée du blocus économique napoléonien (1815), une décennie 1830 décisive dans le refaçonnage de liens communs, une trame économique importante dans la redécouverte du Canada et quelques points cardinaux incertains sur la politique extérieure américaine de Napoléon III. En aval, côté proue, *La Capricieuse* prépare des voies au commerce, au renouveau religieux, à des intérêts pour la colonisation incarnés par François-Edmé Rameau de Saint-Père, à l'officialisation des rapports entre la France, le Québec et le Canada qu'André Siegfried viendra observer de son regard perçant.

* * *

Grâce au partenariat réalisé avec le ministère des Relations internationales et le Consulat général de France au Québec ; à la coopération avec la Société du patrimoine politique du Québec et l'Amicale des anciens parlementaires ; au travail de MM. Yvan Lamonde, côté Québec, et Didier Poton, côté France, tous deux conseillers scientifiques de la Commission des lieux de mémoire communs pour l'organisation de cette rencontre ; à l'accueil exceptionnel du président de l'Assemblée nationale du Québec, M. Michel Bissonnet, nous vivrons deux journées bien remplies. Je les remercie de nous donner à tous, participants et observateurs, l'occasion d'apprécier l'importance de la relation Québec-France au XIXe siècle.

Avant-propos

Nous portons à l'attention des lecteurs la mise en ligne par la Bibliothèque nationale du Québec d'un site sur *La Capricieuse* (www.bnquebec.ca) et par la Commission de toponymie du Québec d'une liste de toponymes associés au vaisseau et à son commandant (www.toponymie.gouv.qc.ca, voir «Capsule», «À l'abordage»).

La publication des Actes de ce colloque est partiellement rendue possible grâce à l'appui de la Chaire James McGill en histoire comparée du Québec dont Yvan Lamonde est titulaire. Nous voulons enfin souligner le travail de Jennifer Préfontaine, étudiante à la maîtrise au Département de langue et littérature françaises de l'Université McGill, qui a contribué au travail d'édition des textes.

Yvan Lamonde
Didier Poton

Les relations commerciales entre la France et l'Amérique du Nord au XIXe siècle

BRUNO MARNOT

Université de Bordeaux

Introduction

Le volume des échanges entre la France et l'Amérique du Nord représente 2,6 % du total des échanges français en 1835, 8,6 % en 1850 et redescend à 5,5 % en 1895; en valeur, ces proportions, aux trois mêmes dates, passent de 16,1 à 14 puis à 9 %[1]. Le volume des échanges avec l'Amérique du Nord connaît donc une évolution globale en cloche au cours du XIXe siècle, mais une baisse régulière en valeur. En valeur toujours, l'espace nord-américain représente le deuxième ensemble commercial de la France, en 1830, loin derrière l'Europe, puis il est rétrogradé à la troisième place à partir des années 1880, derrière l'Europe et l'Amérique du Sud, à la troisième place toujours en 1910, derrière l'Afrique qui est devenue le cœur de l'Empire français[2].

---

1. Sauf mention contraire, les chiffres sont extraits du *Tableau général du commerce de la France avec l'étranger et ses colonies*, établi par l'Administration des Douanes.

2. Cf. P. Bairoch, « La place de la France sur les marchés internationaux », dans M. Levy-Leboyer (dir.), *La Position internationale de la France*, Paris, EHESS, 1977, p. 42.

Ces quelques chiffres pour rappeler que l'Amérique du Nord est un espace commercial secondaire pour la France au XIXᵉ siècle. Cependant, les deux partenaires qui constituent cet espace n'ont pas eu la même position en ce qui concerne les échanges qu'ils ont pu développer avec la France. L'objet de notre propos consistera donc à comparer l'évolution du volume, de la valeur et de la structure des échanges des États-Unis et du Canada avec la France.

Cette comparaison nous conduira à tenter de répondre à la question suivante : pourquoi y a-t-il développement des relations commerciales entre la France et les États-Unis, alors que le négoce franco-canadien est, au contraire, remarquable par sa quasi-nullité tout au long du XIXᵉ siècle, malgré la présence des Canadiens français du Québec ?

La mesure des échanges avec les États-Unis et le Canada

Source statistique qui a permis d'établir ces graphiques : *Tableau général du commerce de la France avec l'étranger et ses colonies*. Nous avons opéré par relevés quinquennaux.

Les échanges en volume

Premier fait notoire : l'écart énorme entre le volume de biens échangés entre la France et les États-Unis par rapport à celui des biens échangés entre la France et le Canada. Ce constat vaut autant pour les importations (graphique 1) que pour les exportations (graphique 2). Ce rapport est de 1 à 43 en 1835, de 1 à 31 en 1850 et de 1 à 36 en 1895. L'écart n'est donc jamais comblé entre les deux pays et tend même à se creuser à nouveau à la fin du siècle malgré les efforts, au moins théoriques, pour animer le commerce franco-canadien.

Dans le détail de chaque pays, on note une faible progression des exportations et des importations américaines jusqu'en 1860, suivie d'une chute temporaire jusqu'en 1865 liée à la guerre de Sécession[3], puis une vigoureuse reprise des importations françaises jusqu'en 1880 (graphique 1), dans la grande période libre-échangiste, avant une nouvelle chute d'une longue

---

3. Claude Fohlen, «La guerre de Sécession et le commerce franco-américain», *Revue d'histoire moderne et contemporaine*, (octobre-décembre 1961): 259-270.

dizaine d'années due au marasme économique, et enfin une nouvelle et forte reprise à l'extrême fin du siècle. Le mouvement des exportations françaises aux États-Unis (graphique 2) entre 1860 et 1900 suit une évolution plus complexe en raison de la part très importante des navires partis sur lest, c'est-à-dire sans cargaison. Ce phénomène n'est en fait pas propre au commerce franco-américain. Il est le mal global du commerce extérieur français et de ses ports qui souffrent d'un arrière-pays qui exporte trop faiblement.

Graphique 1
Importations en volume (tjn) tous pavillons confondus

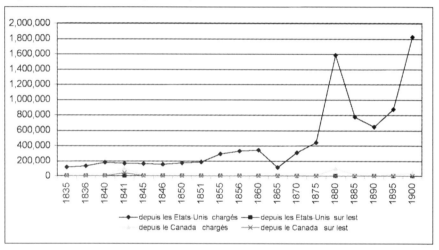

Graphique 2
Exportations en volume (tjn) tous pavillons confondus

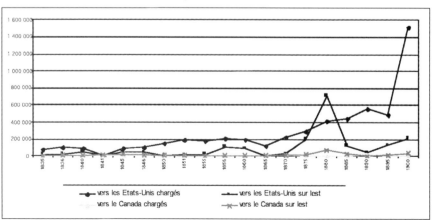

Le volume des échanges franco-canadiens est plus difficile à évaluer en raison de l'imprécision des mentions jusqu'à une date tardive dans la nomenclature établie par l'administration des Douanes. En 1835, le Canada est englobé dans la rubrique générale « possessions anglaises d'Amérique » ; on gagne en précision à partir de l'année 1865 avec la mention « possessions anglaises d'Amérique du Nord », qui devient clairement « Canada » seulement en 1895.

Les échanges franco-canadiens, même s'ils sont insignifiants par rapport aux précédents, présentent une évolution plus complexe (graphique 3). Trois brèves périodes d'accélération brutale du trafic, entrecoupées de plus ou moins longues périodes d'atonie : d'abord entre 1840 et 1842, puis entre 1875 et 1880, enfin un nouveau redressement s'esquisse à partir de 1890. Ces périodes d'intensification sont essentiellement dues aux importations françaises de produits canadiens. Le volume annuel de navires chargés en direction du Canada augmente, pour sa part, de façon très laborieuse. On a donc, à la différence du commerce avec les États-Unis, deux rythmes bien distincts à propos des importations depuis le Canada et des exportations vers ce pays.

Graphique 3
Commerce avec le Canada en volume (tjn)

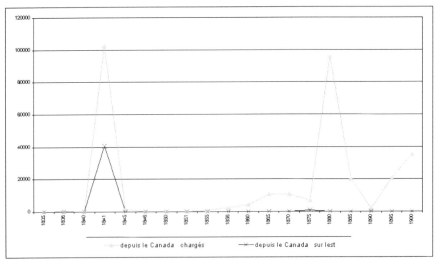

Les échanges en valeur

Ils présentent le même déséquilibre général entre États-Unis et Canada (graphique 4). La valeur des échanges franco-canadiens est aussi insignifiante que celle du volume par rapport aux échanges franco-américains. Il faut noter, à propos de ces derniers, que la valeur des exportations françaises l'emporte régulièrement sur celle des importations depuis les États-Unis. Le commerce franco-américain présente donc une balance commerciale régulièrement positive. On notera également que la valeur des échanges franco-américains suit une courbe ascendante sur l'ensemble du siècle, au moins jusqu'au début des années 1880.

En ce qui concerne les échanges franco-canadiens, la même imprécision sémantique demeure sur une partie du siècle : de 1831 à 1844, la valeur des échanges canadiens est incluse dans le total des valeurs des «possessions anglaises»; à partir de 1845, le Canada appartient à la rubrique «Antilles anglaises»; on gagne en précision en 1865 avec la mention «Antilles anglaises du Nord» qui devient «possessions anglaises du Nord» en 1870, puis le Canada est là aussi individualisé à partir de 1895. Comme pour le commerce en volume, les chiffres ne sont donc réellement fiables qu'à partir de 1865.

Graphique 4
Échanges en valeur (en f.) avec les États-Unis et le Canada

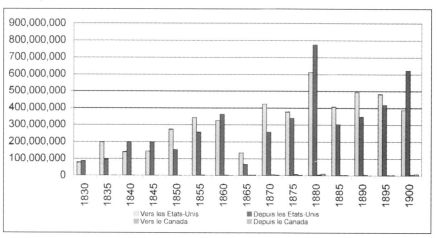

Une fois ces précautions prises, on peut établir des constats similaires pour le commerce franco-canadien (graphique 5) : une croissance structurelle de la valeur des échanges, avec un bond à partir de 1870, et un solde de balance commerciale favorable à la France[4]. Le solde franco-canadien présente néanmoins un déséquilibre plus important que dans le cas précédent. Il faut néanmoins relever que la tendance est inversée en 1880 où, comme dans les échanges franco-américains, le solde positif est cette fois du côté canadien. Il tend à le demeurer régulièrement jusqu'à la fin du siècle.

La structure et la direction des échanges

Les tableaux relatifs à la valeur du commerce extérieur français donnent également une idée de la structure des échanges effectués entre la France et chacun de ses partenaires. En ce qui concerne le négoce entre la France et l'Amérique du Nord, l'administration des Douanes a retenu jusqu'en 1880 trois types de biens à l'importation et deux types de biens à l'exportation[5].

Graphique 5
Échanges en valeur (en f.) avec le Canada

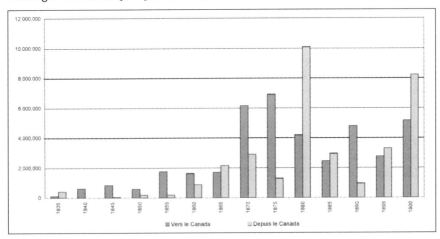

4.   Il est à relever que les transactions de numéraires entre la France et le Canada sont nulles tout au long de la période.

5.   La nomenclature est modifiée en 1885 : le *Tableau* distingue trois types de biens à l'importation comme à l'exportation : « objets d'alimentation », « objets fabriqués », « matières nécessaires à l'industrie ».

Dans son commerce avec les États-Unis, le poste « matières premières nécessaires à l'industrie » domine en valeur (graphique 6). Étant donné la faible valeur de ces matières à l'unité, on peut en déduire que le volume de ces importations à destination de la France a été encore plus important. Dans ce commerce, prédomine le coton du Sud, puis viennent le tabac, le bois et ses dérivés. Les « objets de consommation naturels », c'est-à-dire les denrées alimentaires, occupent pendant longtemps une part insignifiante, mais ils connaissent un envol dans le dernier tiers du siècle avec l'importation massive de blés américains qui transitent par le port de New York qui monopolise ce trafic. En revanche, les exportations françaises aux États-Unis (graphique 7) sont dominées par les « objets manufacturés ». Ce commerce est considérable en raison de la forte valeur ajoutée des produits exportés, essentiellement des textiles de grande qualité, comme les soieries lyonnaises ou les impressions d'Alsace, ainsi que les articles de Paris. Tous ces produits sont destinés à une clientèle aisée. On note également la progression régulière des « produits naturels », au premier rang desquels il faut mettre les vins et spiritueux dont les Américains sont de grands consommateurs. Leur valeur est nettement inférieure aux produits précédents, mais il s'agit là aussi de produits de luxe, particulièrement appréciés par l'élite sociale du Vieux Sud, et qui donnent d'ailleurs lieu à un commerce de fraude actif.

Graphique 6
Importations en valeur (en f.) par catégories de produits

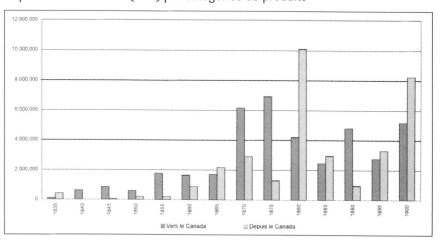

Graphique 7
Exportations en valeur (en f.) par catégories de produits

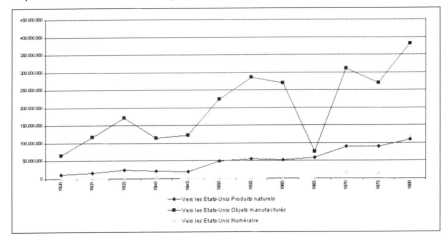

Deux ports français se placent en tête pour les échanges avec les États-Unis : Le Havre qui domine le commerce d'importation du coton et Bordeaux qui y exporte vins et cognac. Du côté américain, en revanche, on assiste dès 1850 (graphique 8), donc avant même la guerre de Sécession, à une perte de vitesse des ports du Sud (Mobile, Charleston et surtout la Nouvelle-Orléans) au profit quasi exclusif de New York qui s'affirme comme le grand *emporium* américain.

Graphique 8
Mouvement total des principaux ports américains en tonnage (tjn)

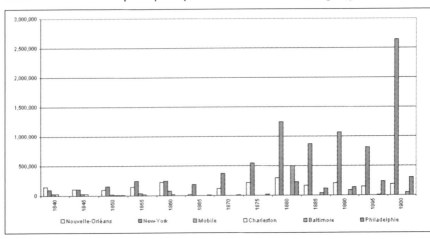

Au total, on peut conclure que la structure des échanges franco-américains traduit un commerce de type colonial sur la majeure partie du siècle : la France fournit aux États-Unis des biens manufacturés à haute valeur ajoutée contre des matières premières et des denrées alimentaires. C'est la structure normale d'un commerce entre un pays déjà industrialisé et un partenaire qui est en cours d'industrialisation qu'il finance par l'exportation de ses richesses naturelles. À la fin du siècle, la structure des échanges franco-américains tend d'ailleurs à se modifier. Les États-Unis, qui sont devenus la première puissance industrielle du monde, exportent désormais massivement des machines et des biens manufacturés à destination de la France, ce qui explique que le rapport de force commercial tend à tourner à leur avantage.

Graphique 9
Importations en valeur (en f.) par catégories de produits

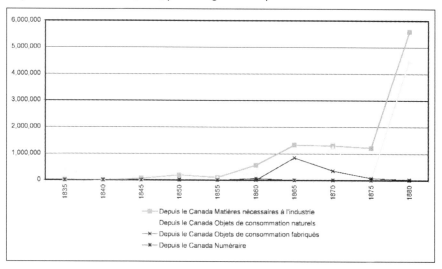

On pourrait s'attendre à observer le même type de structure à propos des échanges franco-canadiens. La valeur des importations françaises depuis le Canada demeure extrêmement faible jusqu'en 1865 (graphique 9). Le premier poste, jusqu'en 1880, est alors occupé là aussi par les « matières nécessaires à l'industrie », suivi des « objets de consommation naturels ». Le constat est, en revanche, plus déconcertant en ce qui concerne les exportations (graphique 10) : à la différence des États-Unis, les valeurs des « objets manu-facturés » et des « produits naturels » sont très proches l'une de l'autre, celle des « produits naturels » devenant même supérieure à celle des « objets manu-facturés » après 1865.

Graphique 10
Exportations en valeur (en f.) par catégories de produits

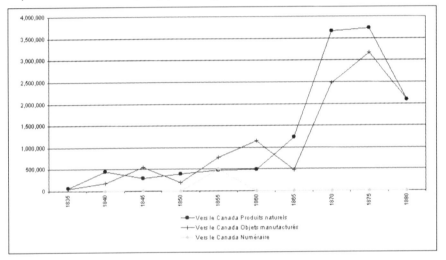

Autre différence avec les États-Unis : on assiste, au Canada, à une diver-sification des ports qui commercent avec la France (graphique 11). Le mono-pole de Québec est entamé à partir des années 1860, à une période qui correspond à un frémissement des échanges entre la France et le Canada. À partir des années 1880, l'activité du port de Québec régresse, face à la pro-gression de Saint John's, de Miramichi, de Montréal et plus encore d'Halifax qui occupe avec Saint John's la position la plus avancée sur le littoral.

Il reste que la multiplication des lieux de rupture de charge dans les échanges franco-canadiens ne change rien à la donnée essentielle qui est celle de la faiblesse chronique des relations commerciales entre les deux pays.

Graphique 11
Mouvement total des principaux ports canadiens en tonnage (tjn)

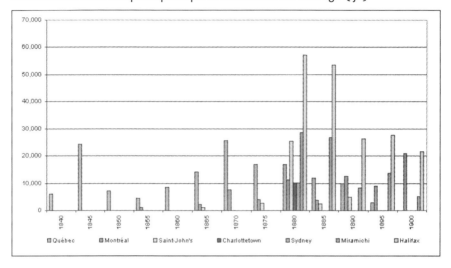

La faiblesse chronique des relations commerciales franco-canadiennes

Il faut dès lors tenter de comprendre pourquoi cette atonie tranche si fortement avec la vitalité des échanges franco-américains. Quatre séries de causes peuvent être invoquées.

1° La structure des échanges franco-canadiens : à la différence du commerce avec les États-Unis, la structure des échanges franco-canadiens ne présente pas le même caractère de complémentarité.

La France importe des bois, produit d'exportation quasi exclusif du Canada jusqu'en 1880. Mais la France se fournit surtout en bois de Scandinavie. D'où des importations durablement faibles : la France importe 1 % du bois canadien.

Quant aux exportations françaises à destination du Canada, elles sont essentiellement composées de vins, d'eaux-de-vie et de tissus[6]. Cependant,

---

6. Or, la vente de vin se heurte à l'opposition farouche des sociétés de tempérance particulièrement actives dans les Provinces maritimes. Jacques Portes, « La reprise des relations entre la France et le Canada après 1850 », *Revue d'histoire d'outre-mer*, vol. 62, n° 228 (1975) : 456.

la catégorie essentielle de produits par laquelle la France s'insère dans les échanges internationaux au XIXᵉ siècle est celle des produits de luxe, qui représente un commerce faible en volume mais extrêmement fructueux en valeur. Or, à la différence des États-Unis, le marché canadien ne présente pas le même intérêt pour ces produits, en raison sans doute d'un taux d'urbanisation plus faible et aussi d'un pouvoir d'achat assez faible chez les Canadiens français que les exportateurs de l'Hexagone visaient en priorité. L'agent consulaire français en poste à Sydney imaginait ainsi que les Canadiens français avaient conservé le goût de l'originalité et de la qualité des produits français, ainsi qu'il le déclare en 1854 :

> [...] je fais observer à ce sujet que la moitié de la population canadienne est d'origine française et qu'elle est naturellement portée sur tout ce qui vient de ce pays. Les marchandises des fabriques de France y trouveraient donc un placement avantageux[7].

De ce point de vue, les désillusions ont été cruelles car ce marché ne s'est jamais développé.

2° Des initiatives trop isolées : les relations commerciales sont quasi inexistantes avant 1850. Cependant, on constate un soubresaut dans la décennie 1840, comme le signalent d'ailleurs les chiffres (graphique 3). Deux évolutions législatives majeures du côté de la métropole anglaise offrent de nouvelles opportunités au commerce canadien : d'une part, le désarmement douanier avec l'abolition des *Corn Laws* en 1846 et la réduction des droits sur les bois étrangers ; d'autre part, la fin du mercantilisme avec l'abrogation des Actes de Navigation entre 1849 et 1852[8]. D'un côté, les mesures libre-échangistes mettent fin au vieux système colonial de marché protégé et donc contraignent les Canadiens à trouver d'autres partenaires commerciaux ; de l'autre, l'acte de 1849 signifie que le commerce canadien peut théoriquement s'ouvrir à toutes les puissances non anglaises.

Très rapidement, la France lance une série d'initiatives qui semble indiquer qu'elle cherche à renouer les contacts. Dès 1850, création de deux agences consulaires à Québec et à Sydney, suivie de la création du premier

---

7. Cité par J. Portes, *ibid.* : 451.

8. En vertu des Actes de Navigation du XVIIᵉ siècle, aucune marchandise d'Asie, d'Afrique ou d'Amérique ne pouvait être importée en Angleterre ou dans une colonie anglaise, si ce n'est sur un vaisseau construit en Angleterre, possédé par un Anglais et monté par un équipage en majorité anglais.

consulat en 1859. Les intentions canadiennes s'affichent par la participation des produits du pays aux deux premières expositions universelles de 1855 et 1867[9]. Qui sont les promoteurs de ce rapprochement ?

• Du côté français :

Des personnalités isolées, tel le capitaine de vaisseau Belvèze, commandant de la Station navale de Terre-Neuve, qui obtient l'envoi d'une mission à Montréal : en 1855, le premier bâtiment militaire français depuis 1760, *La Capricieuse*, entre dans le port de Montréal. Le but de cette visite est, en fait, essentiellement commercial, puisqu'il consiste à sonder les autorités canadiennes à propos d'allègements douaniers qu'elles pourraient consentir à la France. Il faut en fait attendre les accords intervenus entre 1860 et 1863 pour assister à quelques diminutions des tarifs canadiens sur les vins, les eaux-de-vie et les fruits français.

Le ministère du Commerce, un temps dirigé par Rouher, l'un des hommes forts du régime, qui avertit à plusieurs reprises, entre 1860 et 1866, les chambres de commerce des possibilités offertes par le marché canadien.

• Du côté canadien : essentiellement des Canadiens français, en particulier la Chambre de commerce de Montréal.

Au total, assez peu d'engagement de chaque côté. Napoléon III n'a pas de politique canadienne. Il n'intervient jamais personnellement pour faire avancer ce dossier. Sa politique américaine est essentiellement concentrée sur le Mexique et la défense d'une Union latine face à l'Amérique anglo-saxonne. D'autre part, les bonnes relations développées entre la France et l'Angleterre au cours des années 1850 expliquent les initiatives françaises au Canada mais également ses limites : le gouvernement français souhaite moins que tout éveiller les soupçons de l'allié britannique.

Par ailleurs, le milieu du négoce français est demeuré assez sourd aux sollicitations du ministère du Commerce. On y trouve peu d'initiatives, à l'exception de quelques expéditions de firmes bordelaises, havraises et marseillaises. Le Canada n'entre pas davantage dans le champ d'action du commerce français au long cours.

---

9. J. Portes, « La reprise des relations entre la France et le Canada après 1850 », *Revue d'histoire d'outre-mer, loc. cit.* : 448-449.

À cette indifférence répond celle des milieux commerçants canadiens, essentiellement dominés par des anglophones, par conséquent plus enclins à travailler avec la Métropole.

3° L'absence d'un commerce direct entre la France et le Canada : l'abrogation des Actes de Navigation a eu, en réalité, peu d'effets sur l'évolution des relations commerciales du Canada. Ces Actes n'étaient en réalité plus nécessaires du fait même de la domination écrasante du pavillon britannique sur toutes les mers du globe, en particulier sur l'Atlantique après la disparition quasi totale des armements américains consécutive à la guerre de Sécession. De fait, le commerce franco-canadien s'effectue essentiellement par l'intermédiaire des vaisseaux anglais. La plupart des marchandises françaises exportées au Canada sont réexpédiées par des marchands de Liverpool. À la fin du siècle, c'est la puissante compagnie hambourgeoise, la HAPAG, qui s'impose face aux armateurs privés havrais qui ne disposent évidemment pas de la même assise commerciale et financière. La première ligne Le Havre-Québec a vu le jour en 1883 seulement, mais ce fut une expérience sans lendemain. Il faut attendre 1913 pour que la Compagnie Générale Transatlantique retente l'expérience[10].

4° L'intégration économique et commerciale du Canada à l'ensemble américano-britannique s'avère être la raison fondamentale de l'échec français. Comme elle avait échoué à détourner les marchands américains de l'Angleterre après la guerre d'Indépendance, la France semble impuissante à s'insérer dans les relations anciennes qui lient, de façon quasi exclusive, le commerce canadien aux économies de l'Angleterre et des États-Unis, qui en accaparent 90 %. La France parvient certes à devenir le troisième fournisseur du Canada à la fin du siècle, mais ses ventes ne représentent jamais plus de 2 % des importations canadiennes. En sens inverse, le Canada est également demeuré un partenaire marginal de la France avec des ventes qui ne dépassent pas 0,1 % des importations françaises.

---

10.   A. Vigarié, *Les Ports de commerce de la Seine au Rhin. Leur évolution devant l'industrialisation des arrière-pays*, Paris, S.A.B.R.I., 1964, p. 239.

Conclusion

Il semble qu'en dépit des efforts, parfois tenaces, tentés par des personnalités isolées à partir du milieu du siècle, le Canada soit resté, pour la plupart des milieux politiques et commerciaux, ces « quelques arpents de neige » où le négoce français avait plus à perdre qu'à gagner. Si les échanges avec les États-Unis, et surtout, il faut y insister, avec la clientèle riche du Sud, sont apparus complémentaires et même fructueux, la chose est apparue beaucoup moins évidente avec la population canadienne, même francophone, qui, en définitive, avait peu à proposer et était peu intéressée par les articles français d'exportation. En outre, le Canada était l'expression même, aux yeux des marchands français, de la puissance des milieux d'affaires britanniques et américains vis-à-vis desquels toute lutte paraissait perdue d'avance. À cet égard, la tentative sans lendemain du trois-mâts le *Bordelais*, qui en 1817-1819 tenta d'animer un commerce de peaux depuis la baie de Nootka vers la Chine, est significative[11]. Ce sentiment d'infériorité, justifié par les faits, explique le tropisme du grand négoce français vers les façades centrale et méridionale du continent américain au XIXᵉ siècle.

---

11. J.-P. Poussou, « Le voyage du "Bordelais" et le commerce des fourrures du Nord-Ouest américain : une tentative de rénovation du commerce bordelais au début de la Restauration », dans H. Bonin et S. Marzagalli (dir.), *Négoce, ports et océans, XVIᵉ-XVIIᵉ siècle*, Bordeaux, Presses universitaires de Bordeaux, 2000, p. 303-319, note p. 315.

Le pays perdu :
le négoce rochelais et le
Canada (1763-1820)

DIDIER POTON

Université de La Rochelle

Dans un colloque récent, il a été démontré que le port de La Rochelle fut, par la régularité de son trafic et par le nombre de navires armés aux XVIIe et XVIIIe siècles, le « port canadien » du royaume de France[1]. Aussi fut-il le port le plus touché par le traité de Paris. Les manœuvres des Rochelais pour soulever le négoce français contre la cession du Canada échouèrent. La France avait choisi les îles à sucre des Antilles au détriment de la colonie canadienne[2]. L'histoire est connue.

Il faut toutefois ajouter que si la perte de la colonie a entraîné des faillites et des effets négatifs non négligeables sur certaines productions

1. Mickaël Augeron et Didier Poton, « La Rochelle "port canadien" », dans Philippe Joutard, Thomas Wien et Didier Poton (dir.), *Mémoires de Nouvelle-France. De France en Nouvelle-France*, Rennes, Les Presses universitaires de Rennes, 2005, p. 107 et suivantes.

2. Jean-Pierre Poussou, Philipe Bonnichon et Xavier Huetz de Lemps, *Espaces coloniaux et espaces maritimes au XVIIIe siècle*, Paris, SEDES, 1998, p. 53-54 ; Jean Tarrade, *Le commerce colonial de la France à la fin de l'ancien régime. L'évolution du régime de « l'exclusif » de 1763 à 1769*, Paris, Presse universitaire de France, 1972, 2 volumes, p. 11-15 ; Gilles Havard et Cécile Vidal, *Histoire de l'Amérique française*, Paris, Flammarion, 2003, p. 451-452.

industrielles poitevines et charentaises, elle a eu en fait des conséquences limitées sur les profits des maisons de commerce de La Rochelle. Elle fut loin d'entraîner les négociants rochelais sur la voie du déclin économique et financier. En effet, la plupart avaient conservé des activités dans les échanges traditionnels avec l'Europe du Nord et déjà diversifié leurs investissements dans l'économie coloniale antillaise plus profitable. Le rebond des années 1770 est spectaculaire, car s'ajoute à ces activités un évident développement de la traite négrière, l'intégration dans de nouveaux réseaux commerciaux qui ouvre des perspectives vers l'Asie, le développement de l'assurance maritime et pour quelques-uns des activités financières au sein du monde bancaire protestant. Enfin, n'omettons pas les revenus de biens familiaux et des multiples acquisitions foncières en Aunis et sans doute dans d'autres provinces, Saintonge et Poitou. Ces stratégies ne doivent toutefois pas occulter une évidence : Bordeaux, Marseille, Nantes et Rouen-Le Havre contrôlent l'essentiel du négoce maritime. La Rochelle, avec Saint-Malo et Lorient, se situe loin derrière[3]. Croissance sectorielle et fortunes négociantes cachent une certaine atonie. La démographie rochelaise témoigne de cette perte d'attractivité.

On comprend dès lors l'intérêt que va susciter l'ouverture d'un nouveau marché : celui de la jeune nation américaine. Bien avant l'indépendance des États-Unis en 1783, quelques négociants perçoivent tout le parti que La Rochelle pourrait en tirer. L'un d'entre eux est particulièrement actif dès le milieu des années 1770 : Samuel-Pierre Meschinet de Richemont. En 1774, il arme son premier bateau. Quand il s'intéresse aux affaires nord-américaines, il est donc au début de sa carrière d'armateur. Il a de qui tenir : son père est un armateur considéré sur la place rochelaise[4]. Une étude précise de sa correspondance permet d'appréhender ce premier mouvement qui, dès le début, voit dans la révolte des patriotes américains contre Londres

---

3.   Olivier Pétré-Grenouilleau, *Les négoces maritimes français, XVIe-XVIIIe siècle*, Paris, Belin, 1997, p. 119-120 ; Nicole Charbonnel, « Le commerce maritime à La Rochelle : la Révolution et ses précédents », dans *La Rochelle, ville frontière*, La Rochelle, Rumeurs des Âges, 1989, p. 66-67.

4.   Elsa Guerry, *Samuel-Pierre Meschinet de Richemont, négociant rochelais*, mémoire de maîtrise, Université de Poitiers, 1996 ; Didier Poton, « Le négoce huguenot rochelais et le Canada aux XVIIe et XVIIIe siècles », dans Mickaël Augeron et Dominique Guillemet (dir.), *Champlain ou les portes du Nouveau Monde. Cinq siècles d'échanges entre le Centre-Ouest français et l'Amérique du Nord*, La Crèche, Geste Éditions, 2004, p. 193 et suivantes.

une double opportunité commerciale : l'ouverture d'un nouveau marché d'importations et d'exportations en Amérique du Nord anglaise, certes, mais aussi le retour au Canada, c'est-à-dire la reprise du trafic des pelleteries et la renégociation des bancs de pêche à Terre-Neuve. Avec un beau-père important négociant hambourgeois, c'est l'extension de sa florissante activité de redistribution des produits américains en mers du Nord et Baltique qu'il vise. La revanche sur l'Angleterre est aussi un bon motif mais secondaire. Les entreprises de Meschinet de Richemont pour voir aboutir ce projet nous semblent un fil de rouge efficace pour aborder la question des relations entre l'Amérique du Nord et La Rochelle à la fin du XVIIIᵉ siècle. Après ces actes fondateurs de Meschinet et de son associé Garnault, d'autres prendront le relais, mais dans une conjoncture différente, celle de la Révolution française et du Premier Empire.

Samuel-Pierre Meschinet de Richemont, La Rochelle et la Révolution américaine

À l'annonce de l'insurrection des patriotes américains, les sentiments du négoce rochelais sont partagés entre la satisfaction de voir l'Angleterre en difficulté en Amérique du Nord et l'inquiétude de voir se déclencher des hostilités toujours défavorables aux échanges commerciaux. L'envoi dès 1775 à Philadelphie par Vergennes de Julien Achard de Bonvouloir pour apporter officieusement aux Américains l'aide de la France – avec la perspective d'un nouveau conflit avec Londres – renforce ce double sentiment[5].

Premiers contacts

Le 17 décembre 1776 arrive à Nantes le représentant du Congrès, Benjamin Franklin. Dans les premiers jours de 1777, il s'installe à Passy près de Paris. Le contact est immédiatement établi avec lui par Samuel-Pierre Meschinet de Richemont puisqu'au printemps 1777 celui-ci peut écrire aux « seigneurs de Philadelphie » :

> Encouragé par M. le docteur Franklin qui a eu la bonté de me donner lui-même l'adresse, j'ai l'honneur de vous faire mes services et de vous inviter à faire passer quelques-uns de vos navires dans ce port ; il est très certain que vous y trouverez les mêmes et peut-être plus d'avantages qu'à Nantes et à

---

5. Bernard Cottret, *La Révolution américaine*, Paris, Perrin, 2004, p. 181.

Bordeaux soit pour la vente des denrées de vos colonies soit par l'achat des marchandises de notre crû ou des manufactures de notre royaume. Si vous m'adressez de l'indigo, du tabac, du riz, des pelleteries, des huiles etc. je vous en promets le débouché le plus prompt parce que recevant ici de presque tous les articles venant de nos Îles et ou de la Louisiane il y a toujours des ordres existants chez les commissionnaires. D'ailleurs vous savez sans doute messieurs qu'autrefois la ville était en quelque sorte exclusivement en possession du commerce du Canada à cause de son heureuse position et de la préférence que lui accordaient les marchands pelletiers de la Suisse, de l'Allemagne etc.

Notre Province exporte de l'eau-de-vie, des vins, des vinaigres ; elle est à proximité d'une manufacture de poudre très considérable et les marchandises de fabriques telles que les grosses et fines toiles de laine, bonneterie, bas, couvertes, draps, toiles et autres ; les marchandises dis-je sont tout autant à la portée de La Rochelle que de Nantes et plus que de Bordeaux et comme j'en connais les sources, vous serez certains de les avoir toujours au plus bas prix de la manufacture.

Au reste Messieurs, M. le Docteur ne m'a donné votre adresse de sa propre main que sur les recommandations les plus favorables d'une des premières maisons et banque de Paris et il m'a promis de vous prévenir en ma faveur. Ainsi, je me flatte que mes offres ne seront pas dédaignées et dans l'attente de votre réponse [...] je fais le vœu les plus sincères pour la prospérité de vos entreprises [...] vous m'obligerez beaucoup messieurs en me recommandant à vos amis qui peuvent être dans le cas de m'adresser aussi des navires [...][6].

Cette lettre adressée « Au docteur Franklin Gentilhomme Anglais à l'hôtel de Hambourg rue Jacob à Paris » est accompagnée d'une feuille sur laquelle est mentionnée :

> Sir, I was extremely proud of the favourable and kind reception where with you were pleased to honour, Garnault, and the promises you granted him in my behalf relative to the connections. I am desirous of propagating between Messrs your American Brethen and myself.

Ce courrier anticipe de quelques mois le traité de commerce signé au début de l'année 1778 entre la France et les États-Unis. Une partie des négociants rochelais avait eu à l'évidence connaissance du texte de traité modèle adopté par le Congrès en septembre 1776 destiné à faciliter les transactions commerciales entre l'Amérique et l'Europe continentale. En fait, le pays désigné

---

6. Fonds Meschinet de Richemont [FMR], Ms 2245, Médiathèque de La Rochelle ;
    B. Cottret, *La Révolution américaine*, op. cit., p. 196-198.

par le traité commercial rédigé par John Adams est la France, même si la formulation était suffisamment vague pour pouvoir être, si nécessaire, réemployée dans un accord avec l'Espagne. Une lettre adressée par Samuel Meschinet de Richemont à Benjamin Franklin datée du 25 juillet 1778 témoigne de la régularité des relations établies entre eux deux et même d'une entrevue dans la résidence de Franklin à Passy[7].

Samuel Meschinet de Richemont : premier consul des États-Unis à La Rochelle ?

Mais, cette lettre est adressée dans un tout autre contexte : le traité d'alliance entre la France et les États-Unis a été signé le 6 février 1778, précédé quelques jours avant du traité de commerce. Le traité d'alliance « éventuelle et défensive » n'envisageait la possibilité de mener des actions militaires communes qu'en cas d'atteinte à la liberté de commerce. En juillet – Londres n'a eu connaissance de ces traités qu'au mois de mai –, la guerre est ouverte entre la France et l'Angleterre. Un courrier de Garnault à son associé Meschinet de Richemont fait état de la situation :

> Il est très certain que la déclaration de guerre a été envoyée hier matin à l'imprimerie royale, j'en ay vu une copie [...]. Il parut le 14 un règlement

---

7. FMR, Ms 2245, Médiathèque de La Rochelle : « Daignez vous pardonner mon importunité ? Après avoir été honoré de vos bontés dans la personne de M. Garnault auquel vous donâtes de votre propre main l'année dernière deux adresses pour Philadelphie j'ai eu moi-même l'avantage de vous rendre mes respects à Passy en septembre. Dans les deux circonstances, je ne dois sans doute votre accueil favorable qu'à la recommandation de Mrs Jean Cotrin l'aîné et fils mes amis et parents. C'est encore sous les mêmes auspices que je me retrouve à votre souvenir persuadé que le désir que je conserve toujours d'être utile à votre respectable patrie pourra enfin acquérir de la réalité [...] Les Cottin sont des banquiers parisiens, protestants, impliqués dès les années 1720 dans les Compagnies du Sénégal et des Indes et au cœur d'un réseau financier, industriel et commercial complexe. Par les alliances matrimoniales, ils sont au milieu du 18e siècle des membres influents de la bourgeoisie protestante parisienne et d'actifs administrateurs de la Compagnie des Indes. L'alliance avec les Fromayet ont conduit un cousinage avec un grand négociant rochelais Gabriel Rasteau. La Maison Cottin l'aîné & fils fut l'une des huit banques appelées par Necker en 1778 pour renflouer la caisse d'escompte ! Et surtout pour les négociants rochelais, régissant les vivres de la marine après la guerre d'Amérique ! Outre les liens religieux, la sociabilité maçonnique a du jouer un rôle fondamental dans ce réseau. » Herbert Luthy, *La Banque protestante en France de la Révocation de l'Édit de Nantes à la Révolution*, Paris, SEVPEN, 1961, vol. 2, p. 300-314.

concernant la grande police des corsaires et des prises qui doit nécessairement engager les armateurs mais ces sortes d'expéditions ne peuvent réussir
qu'à Bayonne, Saint-Malo, Le Havre ou Dunkerque, je ne crois pas qu'on
soit tenté à La Rochelle d'en faire l'essai [...]. Cette déclaration du Roy y sera
bientost connue et vous y verrés des avantages réels offerts aux armateurs.

J'ai su d'un commis de la marine que l'intention du roi serait en cas de
guerre d'accorder quelques convois au commerce mais gratuitement il n'a
paru avoir connaissance de votre mémoire et savoir qu'on n'a point goûté
votre proposition tout favorable qu'elle soit au commerce dont les intérêts
sont indivisibles de ceux de l'État [...]. M. de Sartines est en effet fort occupé
mais il pourra peut estre vous répondre avant peu de temps [...]

On parle de nous rendre l'île Royale il y a tout lieu de croire que nous
l'aurons et point de doute que cette possession contribue à remonter notre
place de La Rochelle

Comme M. Franklin est l'homme du congrès ce sera moins à lui qu'il
faudra s'adresser qu'aux divers particuliers de l'Amérique septentrionale
pour avoir des commissions ou des consignations pour cela il faut avoir de
bonnes adresses et écrire souvent[8].

Mais il fait aussi état d'une autre entreprise de Meschinet :

> Le sort de votre projet, celui de vous faire nommer consul du Congrès me parait
> mieux vu que le premier et la chose n'est pas impraticable si toutefois le
> congrès n'a rien résolu à ce sujet. On me dit qu'il y aurait des consuls améri-
> cains dans quelques ports de France. Mais écrivez en anglais une lettre au
> docteur Franklin parlez-lui de M. Cottin qui vous y avoit recommandé, de ma
> visite, des adresses qu'il m'avait données de ses amis de Philadelphie et
> Boston, du commerce de La Rochelle, de l'avantage que peuvent y trouver
> ses concitoyens [...], des cargaisons, enfin de la place de consul que vous
> desirez, que vous êtes protestants que la majeure partie des négociants de La
> Rochelle le sont. Faite moi passer votre lettre ouverte, je la cachetterai et la
> ferai remettre par une personne de considération. J'irai après qu'il l'aura reçu
> voir ce respectable vieillard aidé d'un ami qui le connaît [...], je ferai tout ce
> qui dépendra de moi pour obtenir votre demande.

---

8. FMR, Ms 2247, Médiathèque de La Rochelle.

Tel est bien l'objet principal de la lettre du 18 juillet à Franklin :

> Cependant comme il y a tout lieu d'espérer que les relations entre le Royaume
> et vos états deviendront de plus en plus intimes, il sera nécessaire aussi que
> ces derniers ayent dans chacun de nos ports quelque personne de confiance
> pour assister les équipages de leurs navires, prendre leurs intérêts en main,
> correspondre avec Mrs les représentants des États-Unis suivant les circons-
> tances [...], j'offre Monsieur de me charger de cet emploi à titre de consul
> présumant que vous n'aurez encore fait aucune disposition à ce sujet.
> Mrs Cottin pourront vous rendre les témoignages convenables à tous égards
> même touchant ma profession religieuse s'il est nécessaire d'être protestant
> pour occuper la place de consul[9].

Fort de cette fonction, notre négociant entend défendre un autre projet : faire
de La Rochelle un port franc pour le commerce avec les États-Unis.

La Rochelle : port franc du commerce avec les États-Unis ?

L'article 30 du traité de commerce conclu entre la France et les
États-Unis prévoit effectivement l'ouverture d'un ou plusieurs ports francs
de droits pour les marchandises américaines importées. Sous l'impulsion de
Meschinet de Richemont, La Rochelle propose de recevoir ce privilège.

Premières tentatives

Dès octobre 1778, Meschinet adresse une lettre à Sartines avec lequel
il entretient une correspondance suivie :

> Sa Majesté en promettant aux États-Unis de l'Amérique septentrionale
> un ou plusieurs ports francs en Europe, par l'article 30 du traité de Paris du
> 6 février dernier [...]

Il serait difficile de trouver ces conditions réunies à un degré plus éminent qu'elles le sont à La Rochelle ; cette ville jadis florissante a été écrasée
par les pertes que lui a fait éprouver la dernière guerre et à peine commençait-
elle à se relever qu'un nouveau dérangement dans les affaires politiques la
menace d'en faire de toute aussi fortes. Des circonstances ont enrichi à ses
dépens les places de Bordeaux et de Nantes, et si par malheur, les expéditions qu'elle a faites à la veille et depuis les hostilités devenaient la proie de

---

9. *Ibid.*

La Capricieuse (1855) : poupe et proue

l'ennemi, elle se verrait anéantie, car quoique les productions de son sol soient précieuses en elles-mêmes, le commerce auquel elles peuvent servir d'aliment sera toujours très borné, à moins d'une révolution dans le système des finances.

S'il n'est point de port qui se trouve dans un besoin plus pressant de protection spéciale que celui de La Rochelle, il n'en est assurément point non plus dont la position serait plus propre à fixer le commerce de l'Amérique Unie. Et d'abord son local est des plus commodes. Ses rades, surtout celle de l'Eguillon, sont très sures et servent journellement d'asile aux vaisseaux des autres places maritimes lorsque le gros temps les surprend dans nos parages. On y éprouve tous les secours nécessaires pour l'équipement, le radoub et les autres besoins des navires. Les sels, vins et eaux-de-vie s'y trouvent en abondance ; les manufactures de grosses étoffes du Poitou qui servent à l'assortiment des cargaisons pour l'Amérique Unie et celles de Rouen, Paris, Lyon arrivent à La Rochelle avec tout autant d'économie qu'à Nantes et à Bordeaux ; nous avons même un avantage par rapport à Nantes relativement à certains droits de fermes. Enfin les liaisons de nos négociants avec ceux de la Hollande, de l'Allemagne et de tout le nord assurent aux Américains unis le débouché certain et avantageux de toutes les marchandises qu'ils importeront dans notre ville.

Ainsi donc, monseigneur, tout semble se réunir pour déterminer le Roi à rendre à La Rochelle un port franc et cette grâce qui ranimera notre commerce prêt à s'éteindre ne doit point exciter la jalousie des autres ports mieux favorisés que le nôtre par les circonstances [...][10].

Parallèlement à ce courrier, un mémoire est adressé par la Chambre de commerce d'Aunis à Vergennes, de Castries et Franklin. On y retrouve les arguments présentés par Meschinet à Sartines. Citons, toutefois, la conclusion :

> Les négociants rochelais pour avoir fait longtemps le commerce du Canada en grand ont encore une expérience particulière de la méthode d'assortir ces peaux du soin qu'il faut prendre pour leur conservation & des lieux où il faut les offrir. On trouvera sûrement à propos de procurer à ce Royaume les bénéfices de la revente que l'on en ferait comme autrefois à l'Allemagne & à la Suisse outre l'avantage de ne point aller chercher dans les ports étrangers & d'avoir de la première main ces peaux propres aux fourrures dont il se fait en

---

10. FMR, Ms 2243, Médiathèque de La Rochelle. Lettres publiées avec quelques oublis dans les *Archives Historiques d'Aunis et de Saintonge*, 1903, p. 11-12.

France même une consommation assez considérable. L'étendue des terrains, les nations de chasseurs que le traité du 30 novembre a mis sous la dépendance du congrès, les lacs, les fleuves et les rivières qui arrosent ces terrains donnent encore plus de poids à ce dernier motif pour accorder au Port de La Rochelle la franchise pour les navigateurs des États-Unis.

En 1782, la Chambre de commerce doit renouveler sa demande, la rumeur faisant état du choix de Lorient, un port déjà favorisé par le commerce avec l'Inde. L'année suivante, Daniel Garesché, un des principaux négociants, informe ses collègues que l'intendant Sénac de Meilhan, qu'il avait sollicité, a évoqué le souhait rochelais avec le marquis de La Fayette, « qui est parfaitement instruit des intérêts des Américains et qui a déjà sollicité pour la ville de Bayonne la faveur que demande la ville de La Rochelle », et qu'il serait à propos de lui envoyer un mémoire. La Chambre de commerce lui adresse, vraisemblablement, une copie du mémoire de 1782[11].

L'intervention de La Fayette

Ce n'est qu'en juillet 1785 que la Chambre de commerce reçoit une lettre de La Fayette datée du 1er juin. Un retard compréhensible puisque le marquis de La Fayette a passé toute l'année 1784 en Amérique. Un an après le traité de Versailles qui reconnaissait l'indépendance des États-Unis, son voyage est triomphal :

En fixant les limites entre les Français et les Américains les points principaux du commerce sauvage vont tombé en partie aux États Unis. Une communication va de New York à Albany, Skenectady et par la rivière des Mowacks et Swood Cork qu'on y joindra bientôt ; elle s'étend à travers les lacs à Niagara, Michilimakinac et d'étroits établissements français. Par Philadelphie, Lancastre ou Alexandrie, l'on pénètre au fort Duquesne et dans le pays des Illinois où l'on retrouve les familles françaises. Partout on va percer des canaux, faciliter la navigation et si les Anglais s'obstinent à garder les postes, on prendra les moyens violents pour exécuter le traité

Mon intime connaissance des sauvages de leur pays m'a prouvé que nous pouvions reprendre avec succès ce commerce. Il faut se lier à des maisons américaines et ceux-ci entendant mieux le transport, la navigation, les établissements à New York, Skenectady, et le fort Schuyller d'une part et Philadelphie,

---

11. Commerce extérieur. États-Unis de l'Amérique du Nord. Carton XVIII, 6384, Archives de la Chambre de commerce et d'industrie de La Rochelle [ACCIL].

Lancastre, Alexandrie et le Fort Duquesne de l'autre. Les Français fourniront le rhum, l'eau de vie, la poudre, balles, vermillon, et ouvrages manufacturés. Les uns et les autres s'occuperont des exécutions et des facilités à obtenir dans leur pays, mais l'attachement des sauvages pour nous et la population française de plusieurs endroits rend intéressant de mêler des français aux coureurs des bois et dans les établissements de l'intérieur [...]

Je pense donc que nous pouvons reprendre la traite des pelleteries et les importations de l'ancien commerce canadien : mais ce peut-être qu'à travers les États-Unis et ceux-ci faisant les frais d'administration n'ont pas trop de la moitié du profit

C'est à La Rochelle qu'il appartient de relever cette branche intéressante. Tout ce qui tient à l'énergie, à l'intelligence et à la constance a des droits particuliers sur les Rochelais. Ils ont des liaisons intimes avec nos villes manufacturières. Ils trouveront en Amérique une foule de parents proches que la funeste révolution de l'Édit de Nantes et l'horrible système qui la suivit força de s'expatrier. C'est au bout de cent ans (époque remarquable) que les habitants de la Nouvelle Rochelle formeraient des liaisons avec l'ancienne. Mon intention est d'y aller moi-même mais je prie monsieur de Gouvion de vouloir bien s'informer si l'on serait disposé à spéculer sur le commerce des sauvages et si cette idée plait à quelques négociants rochelais, il leur offrira les faibles moyens que je puis avoir pour faciliter leurs projets [...][12].

Cette lettre est intéressante à plusieurs titres. Il faut d'abord rappeler que, dès le début de l'insurrection, La Fayette avait intégré le Canada dans la guerre contre les Anglais. L'échec américain de 1775 sur Québec, Montréal fut certes occupé quelque temps, ne l'en dissuada pas. En 1778 son plan de conquête du Canada n'est pas soutenu par Vergennes qui limite ses consignes à l'amiral d'Estaing à d'éventuelles croisières et des attaques de postes conçues comme des manœuvres de diversion. Mais La Fayette avait, toutefois, obtenu « l'autorisation de donner des déclarations au nom du roi pour promettre aux Canadiens et aux sauvages la protection de sa majesté s'ils cessent de reconnaître la suprématie de l'Angleterre ». Il peut ainsi lancer de Boston le 28 octobre 1778 une « Déclaration adressée au nom du roi à tous les anciens Français d'Amérique septentrionale »... suffisamment équivoque : la France n'entendait nullement récupérer le Canada[13]. D'ailleurs

---

12. Commerce extérieur. États-Unis de l'Amérique du Nord. Carton XVIII, 6384, 11, ACCIL.

13. G. Havard et C. Vidal, Histoire de l'Amérique française, op. cit., p. 463-464.

les Canadiens le souhaitaient-ils après les garanties obtenues en 1774 par le Quebec Act ? En tout cas l'Église catholique, satisfaite, veillait à l'obéissance des Québécois envers le roi d'Angleterre. Des patriotes américains de confession catholique auraient sans doute changé la donne, mais tel n'était pas le cas. De plus, la brutalité des patriotes américains ne servait guère la cause américaine. L'invasion du Canada devint peu à peu plus une opération d'intoxication qu'un réel projet militaire[14].

Mais, pour persuader ces interlocuteurs réticents, à côté de l'argument stratégique, La Fayette utilisait aussi l'argument économique, comme l'atteste un courrier à Vergennes en 1779 : « Rendrons-nous la liberté à nos frères opprimés pour retrouver à la fois le commerce des fourrures, la correspondance des sauvages, tous les profits de nos anciens établissements ? » Un objectif poursuivi par La Fayette après l'indépendance. En octobre 1784, La Fayette a assisté à une grande conférence avec les Iroquois. Dans le compte-rendu qu'il fit à Vergennes, il écrit : « Il est impossible de ne pas jouir de l'attachement que ces nations ont conservé pour nous. » Il faut dire que les Américains usèrent des bonnes relations entre les officiers français et les Indiens pour obtenir l'allégeance de ces derniers. Dès 1776, les Américains répandirent la nouvelle de l'alliance avec les Français chez les Indiens. En 1778, George Washington chargea deux officiers français d'obtenir le ralliement des Delawares et des Schawnees. La Fayette, lui-même, avait passé l'hiver 1777-1778 avec deux nations iroquoises. Il faut toutefois noter que cette politique n'était pas sans quelques contradictions. C'est ainsi qu'un colonel français qui s'efforçait de gagner à la cause franco-américaine les Indiens de l'Ohio et de l'Illinois fit part de son écœurement face à la conduite des Américains qui entendaient plus exterminer les Indiens pour s'installer sur leurs terres que nouer une alliance avec eux[15]. Pour conclure sur ce point, mentionnons que l'idée de La Fayette de reprendre le commerce canadien par l'Hudson, la rivière Mohawk, le lac Oneida et le lac Ontario s'appuie sur une réalité qui sera à l'origine d'une proposition aux Rochelais : « la vente de terres et d'emplacements de maisons dans la ville de Heurville qui sera le centre de tout le commerce de cette partie du continent ». Joint à cette lettre un prospectus au titre suivant : « Établissements français sur le lac Oneida, État de New York, d'où résultent les plus belles opérations de

---

14. B. Cottret, *La Révolution américaine, op. cit.*, p. 174-177.

15. G. Havard et C. Vidal, *Histoire de l'Amérique française, op. cit.*, p. 465-467.

La Capricieuse (1855) : poupe et proue

commerce et le rétablissement de celui des pelleteries en France » et une carte où figurent les parcelles proposées à la vente[16].

Tout aussi intéressante est l'allusion à la situation des protestants français après la « funeste » révocation de l'Édit de Nantes qui força des dizaines de milliers d'entre eux « à s'expatrier », notamment, pour quelques centaines, à s'installer dans les colonies anglaises d'Amérique. Compte tenu de la part importante des protestants des provinces atlantiques françaises dans cet exil, il n'est pas étonnant de pouvoir chiffrer à quelques centaines de familles charentaises celles qui ont un cousin à New York ou dans sa périphérie (« New Rochelle »), Boston, Charleston[17]. Pour La Fayette ces liens peuvent servir dans le développement du commerce avec l'Amérique du Nord. Sans doute faut-il intégrer dans cette perspective la proposition faite aux Rochelais de s'installer à Heurville comme nous l'avons évoqué plus haut. Mais en 1790, les négociants rochelais sont plus préoccupés par le climat révolutionnaire et les bouleversements politiques qu'il entraîne que par une hasardeuse entreprise coloniale.

L'échec du trafic avec les États-Unis

Le trafic maritime avec les États-Unis ne prend réellement une place dans l'activité portuaire rochelaise qu'à partir de 1795 et va vite être perturbé par le traité anglo-américain du 17 novembre 1795. Certes pays neutre, les États-Unis sont désormais considérés comme pro-anglais et des mesures d'embargo sont édictées à plusieurs reprises, ce qui conduit le Congrès à autoriser la capture des navires français et à lancer un embargo général sur les intérêts français.

---

16. Commerce extérieur. États-Unis de l'Amérique du Nord. Carton XVIII, 6394 et 6395, ACCIL. La carte correspondant à ce projet est conservée à la côte 6398.

17. Bertrand Van Ruymbeke, « Un refuge atlantique : les réfugiés huguenots et l'Atlantique anglo-américain », dans Guy Martinière, Didier Poton et François Souty, *D'un rivage à l'autre. Villes et protestantisme dans l'aire atlantique*, Paris, Imprimerie Nationale, 1999, p. 195 et suivantes ; *id.*, « Présence francophone en Amérique du Nord britannique (vers 1670 – vers 1770) », dans P. Joutard, T. Wien et D. Poton, *Mémoires de Nouvelle-France, op. cit.*, p. 81 et suivantes ; *id.*, « Les Français chez les Anglais : les réfugiés huguenots du Centre-Ouest installés aux Treize Colonies », dans M. Augeron et D. Guillemet (dir.), *Champlain ou les portes du Nouveau Monde [...]*, *op. cit.*, p. 137 et suivantes (liste p. 408-409).

Des relations ambivalentes et fragiles avec les États-Unis

Ce ne sont pas les produits américains convoités par le négoce rochelais (riz, tabac, indigo) qui génèrent un premier courant d'échange entre les ports américains et La Rochelle, mais une denrée de première nécessité : le blé. Les céréales manquent en France à cause d'une série de mauvaises récoltes, aussi la Chambre de commerce décide d'engager à ce commerce par une souscription à laquelle ont répondu quelques négociants dont la préoccupation reste pour l'essentiel le maintien des trafics triangulaires ou en droiture avec Saint-Domingue et de quelques armements pour Terre-Neuve et Miquelon. Et ce jusqu'en 1791[18].

Assurer le ravitaillement en blé, c'est, pour les édiles, le comité de subsistance et les structures d'assistance catholiques et protestantes, répondre à une de leur mission, nourrir la population, et... éviter un mouvement social qui peut prendre des formes radicales et dangereuses pour le pouvoir municipal. En avril, un premier navire arrive des États-Unis avec 2 400 barils de farine. D'autres navires américains vont suivre : 2 en 1791, 3 en 1792, 4 en 1793 et 4 en 1794. En 1795, le trafic s'intensifie avec 13 entrées et atteint son apogée en 1796 avec 22 navires, pour retomber à 8 en 1797. À son maximum, les navires américains représentent près d'un quart des entrées. À l'exception de Charleston, ils arrivent de tous les grands ports de la côte Est des États-Unis (Boston, New York, Baltimore, Philadelphie, Alexandria, Savannah et Plymouth). Mais, ils assurent aussi des liaisons avec les Antilles, les grands ports de la mer du Nord et de la Baltique et même avec l'Angleterre ! La liste des marchandises témoigne d'un évident élargissement commercial puisque qu'à l'entrée dominent le tabac, le maïs, le riz, mais aussi du coton, du café, du cacao, des épices et du sucre, et qu'en échange sont chargés à La Rochelle, vinaigres, vins, eaux-de-vie et même du sel pour Terre-Neuve[19]. Ce ressaut commercial dans lequel les trafics

---

18. N. Charbonnel, « Le commerce maritime à la Rochelle : la Révolution et ses précédents », dans *La Rochelle, ville frontière, op. cit.*, p. 65 et suivantes ; M. Augeron, « Renouer avec un "passé commercial prospère" : La Rochelle et l'Amérique du Nord (c. 1780-1900) », dans M. Augeron et D. Guillemet (dir.), *Champlain ou les portes du Nouveau Monde [...], op. cit.*, p. 271-273.

19. N. Charbonnel, « Le commerce maritime à la Rochelle [...] », dans *La Rochelle, ville frontière, op. cit.*, p. 65 et suivantes ; M. Augeron, « Renouer avec un "passé commercial prospère" [...] », dans M. Augeron et D. Guillemet (dir.), *Champlain ou les portes du Nouveau Monde [...], op. cit.*, p. 271-273.

assurés par les navires américains jouent un rôle majeur n'est pas propre à La Rochelle. Tous les ports de la façade atlantique le connaissent, notamment Bordeaux. Silvia Marzagalli ne recense-t-elle pas 2 764 navires sous pavillon des États-Unis dans les ports de la Gironde entre 1793 et 1815, dont 354 au cours de la seule année 1795[20] ! Mais cette bouffée d'oxygène :

> permettait aux jeunes États-Unis de développer de manière accélérée leur marine marchande jusqu'au deuxième rang mondial, et d'accaparer dans leurs ports, de Philadelphie à New York et Boston, une large part des fonctions d'entrepôts du commerce colonial aux dépens des ports français – Bordeaux le premier – auxquels ils offraient leurs services[21].

En 1799 les échanges sont interrompus. Faute de tabac et de sucre, les manufactures et les sucreries cessent peu à peu toute activité. Les Rochelais ont repris une activité qu'ils connaissent bien, la course. En 1797, 10 navires sont armés à la course, 7 en 1798. En l'an VI, 22 navires sont pris et amenés à La Rochelle. Trois sont américains et ont été pris par des navires armés à La Rochelle. Mais au final, le bilan est catastrophique pour les Thouron, Garesché, Fraigneau, Rasteau et Noël qui s'étaient lancés dans l'aventure[22]. Seuls les Chegaray, originaires de Bayonne, ont tiré quelques profits avec leurs trois navires dont une partie des équipages était américaine. Sur les 153 hommes que portait *L'Abeille*, il y avait des Américains de Boston, de Charleston, de New York et de Virginie ! Victor Dupont de Nemours résume bien dans une lettre à son père la situation de la ville à la fin de l'année 1799 :

> La Rochelle a essuyé plusieurs banqueroutes qui ont ébranlé toutes les fortunes. Elle a armé beaucoup de corsaires qui ont tous été pris ; elle a tenté quelques expéditions sous pavillon danois et prussien qui ont été livrées aux Anglais par le peu de bonne foi des capitaines. La plupart des négociants n'ont ni le moyen ni le désir d'en tenter d'autres, ils attendent la paix [...][23].

---

20. Silvia Marzagalli, *Bordeaux et les États-Unis, 1776-1815 : politique et stratégies négociantes dans la genèse d'un réseau commercial*, Paris, Dossier d'habilitation de l'Université de Paris I, 2004.

21. Jacques Bottin, Gilbert Buti et André Lespagnol, « Acteurs sociaux et dynamique des places portuaires », dans Alain Cabantous, André Lespagnol et Françoise Péron (dir.), *Les Français, la terre et la mer (XIIIe-XXe siècle)*, Paris, Fayard, 2005, p. 354.

22. M. Augeron, « Renouer avec un "passé commercial prospère" [...] », dans M. Augeron et D. Guillemet (dir.), *Champlain ou les portes du Nouveau Monde [...], op. cit.*, p. 274.

23. N. Charbonnel, « Le commerce maritime à la Rochelle [...] », dans *La Rochelle, ville frontière, op. cit.*, p. 88 ; Claude Laveau, *Le monde rochelais des Bourbons à Bonaparte*, La Rochelle, Rumeur des Âges, 1988, p. 217-220.

La paix avec l'Angleterre ! Une idée récurrente dans la correspondance qui circule entre les deux rives de l'Atlantique et que transportent plus ou moins discrètement les marins américains qui, dans les périodes de tension et de pression de la marine britannique, cessent de rendre ce service qui était essentiel dans la pérennité des contacts entre les négociants rochelais et leurs commis établis dans les ports américains. Des commis qui ont dû se réinsérer dans d'autres trafics dont ceux avec les Antilles[24].

Des relations interrompues

Les guerres de l'Empire et surtout le blocus maritime imposé par la marine britannique plongent La Rochelle dans un marasme économique catastrophique. Le port ne profite guère de la reprise liée à l'éphémère paix d'Amiens (1805-1807). Même à Bordeaux les trafics s'effondrent à partir de 1809. Seuls les permis octroyés aux neutres, notamment américains, permettent un sursaut en 1812-1813, mais qui ne semble pas avoir eu le moindre effet positif sur les trafics rochelais, sinon un timide regain du cabotage, une activité qui ne relève pas de notre étude.

La paix en 1815 et l'établissement de la Restauration tardent à apporter leurs effets bénéfiques dans les ports atlantiques qui dans un premier temps tentent de réactiver les anciens trafics de l'époque prérévolutionnaire, notamment la traite négrière et ce malgré l'ordonnance de 1817 et la loi abolitionniste de 1818. Il est vrai que cet appareil juridique n'est réellement appliqué qu'à partir de la fin des années 1820. Ce phénomène est dû autant au manque de renouvellement des élites négociantes qui ne pensent la renaissance de l'économie maritime française qu'à partir d'une refondation à l'identique de l'empire colonial d'avant 1792 sous la protection de l'État[25]. La cause principale de l'échec des tentatives nantaises de renouer au plan commercial avec les États-Unis est symptomatique du cadre nouveau dans lequel les échanges doivent entrer. L'effondrement des entreprises nantaises en 1818-1820 résulte de l'établissement d'un droit de 100 francs par tonneau imposé aux navires français accostant dans les ports américains afin de contraindre la France au principe de la réciprocité des échanges[26].

---

24. M. Augeron, « Renouer avec un "passé commercial prospère" [...] », dans M. Augeron et D. Guillemet (dir.), *Champlain ou les portes du Nouveau Monde [...]*, *op. cit.*, p. 274.

25. Olivier Pétré-Grenouilleau, *Les négoces maritimes français*, *op. cit.*, p. 162-163.

26. *Ibid.*, p. 167.

Et La Rochelle ? Les relations reprennent entre maisons de commerce. Quelques navires américains accostent ; à vide ! Ils viennent en fait charger de l'eau-de-vie. Les cargaisons américaines sont déchargées ailleurs dans d'autres ports qui peuvent assurer la redistribution des marchandises par un cabotage actif ou qui, comme Le Havre avec Paris, sont à proximité d'un marché important de consommateurs. Enfin, la politique protectionniste entraîne, comme nous l'avons vu avec le cas nantais, des représailles qui n'aident guère au développement des liens commerciaux. Sur un produit comme l'eau-de-vie, le Cognac, la Charente n'ayant guère de concurrents à cette époque, les exportations sont possibles, mais entièrement soumises au dynamisme d'agents de quelques maisons comme celui de la société Seignette et Pellevoisin, Paul Garesché, membre d'une grande famille protestante rochelaise, qui à partir de New York prospecte le marché américain de Charleston à Boston. Un réseau qui permettra à cette société d'élargir son activité, comme le souligne Mickaël Augeron[27].

Et le Canada ? Qui y pense encore ? L'essentiel du trafic maritime de la colonie anglaise s'effectue désormais avec les ports de la Métropole et les ports des États-Unis, notamment New York qui s'affirme dès les années 1820 comme le carrefour des échanges maritimes de l'Atlantique Nord. L'ouverture du canal Érié en 1825 intègre les Grands Lacs dans son hinterland[28]. Le projet dessiné par La Fayette du développement de l'intérieur du pays par un réseau de rivières et surtout de canaux devient une réalité. Sans les Français. La seule entreprise qui se réorganise après 1815 concerne Saint-Pierre-et-Miquelon et Terre-Neuve. En 1815, la France peut reprendre possession de sa colonie de Miquelon et du *French Shore*. Dès cette année-là, une ordonnance du roi instaure des primes d'encouragement pour la pêche de la morue et un règlement de police afin de pacifier les relations entre capitaines d'armements différents et concurrents. Dès 1817, la France jette les bases d'une présence militaire, la Station navale de Terre-Neuve[29]. En 1817, quatre navires quittent Lorient pour Saint-Pierre. Un des officiers du brick

---

27. M. Augeron, « Renouer avec un "passé commercial prospère " [...] », dans M. Augeron et D. Guillemet (dir.), *Champlain ou les portes du Nouveau Monde [...], op. cit.*, p. 277-278. Analyse reprise par l'auteur dans le cadre de ce colloque.

28. Paul Butel, *Histoire de l'Atlantique*, Paris, Perrin, 1997, p. 237.

29. Voir ci-après l'étude de Jean-Marie Huille, « La Station navale de Terre-Neuve et le centenaire de *La Capricieuse* en 1955 ».

Le Railleur, François Leconte, esquisse un tableau de la situation de la côte ouest de Terre-Neuve à cette date[30].

Deux années plus tard, un autre officier produit un texte de même nature. La gabare *L'Expéditive* quitte Rochefort, plus précisément l'île d'Aix, le 13 mai 1819. Il jette l'ancre six semaines plus tard dans la rade de Saint-Pierre. Du 5 au 14 août cet enseigne de vaisseau se voit confier par le commandant du navire, Zaepfel, la responsabilité d'effectuer la «tournée du nord», c'est-à-dire la visite «des hâvres entre la baye du Croc et la baye aux Mauves». Dans le premier paragraphe de son carnet d'inspection, il note la finalité de la mission qui lui a été confiée : «Conformément à mes instructions j'ai interrogé tous les capitaines et spécialement les capitaines prud'hommes, j'ai consulté les pêcheurs [...].» Cet officier porte le nom de Samuel-Louis Meschinet de Richemont[31]. C'est un des fils de notre négociant, Samuel-Pierre, dont nous avons évoqué les projets d'établir des relations commerciales avec la jeune nation américaine et par elle reprendre pied en Amérique du Nord. Lors de cette expédition, il croisera un autre Rochelais : Guy-Victor Duperré, qui après une formation de matelot dans la marine de commerce aux Antilles pendant la Révolution, avait effectué une brillante carrière dans la marine impériale qui l'amena à assurer pendant les Cents-Jours la fonction importante de Préfet maritime de Toulon. Fonction éphémère qui lui valut trois années de purgatoire, sans commandement. Mais, en 1818 il est nommé commandant de l'escadre des Antilles. Saint-Pierre-et-Miquelon et le *French Shore* relèvent de son autorité[32]. C'est à ce titre qu'en ce mois de juillet 1819, son navire mouille dans la rade de Saint-Pierre[33]. Il affirme par ce geste la présence française dans le golfe du Saint-Laurent. Ils ne rencontreront pas de navires rochelais mais bretons et normands. La Rochelle n'arme plus pour la grande pêche morutière ! La concurrence bordelaise, bretonne et normande est trop forte[34].

---

30. Ronald Rompkey, *Terre-Neuve. Anthologie des voyageurs français, 1814-1914*, Rennes, Presses universitaires de Rennes, 2004, p. 33-40.

31. FMR, Ms 2302, Médiathèque de La Rochelle.

32. Étienne Taillemite, *Dictionnaire des marins français*, Paris, Éditions maritimes et d'outre-mer, 1962.

33. FMR, Ms 2302, Médiathèque de La Rochelle.

34. M. Augeron, «Renouer avec un "passé commercial prospère" [...]», dans M. Augeron et D. Guillemet (dir.), *Champlain ou les portes du Nouveau Monde [...]*, *op. cit.*, p. 277-278.

En 1820, les relations de La Rochelle avec le Canada ne sont plus qu'un souvenir. Comme pour les autres ports français. Mais, compte tenu de la domination rochelaise sur le trafic avec la Nouvelle-France au cours du siècle qui a précédé le traité de Paris, le souvenir est plus particulièrement amer. L'abandon de la colonie canadienne par la monarchie française sert encore sous la Restauration, avec la perte concomitante de la Louisiane, d'argument justifiant l'atonie du trafic portuaire et la perte d'attractivité de la ville. Les élites n'hésitent pas dans leur discours légitimiste à reprendre celui-ci : « La Rochelle, il y a trente ans occupait un rang distingué parmi les places commerçantes de l'Europe. Il ne lui reste maintenant que le souvenir douloureux de son ancienne splendeur passée, de cet état de prospérité et de bonheur. » Dans ces évocations des temps heureux, le Canada est toujours présent : « la perte du Canada, celle de la Louisiane en 1763 portèrent les coups les plus sensibles au commerce de La Rochelle avec qui ces colonies avaient leurs plus importantes relations[35] ».

Les tentatives de renouer avec le Canada, pour reprendre essentiellement le commerce florissant des peaux et fourrures, soit pour les faire traiter dans les industries poitevines soit pour les redistribuer en Europe du Nord, par une entreprise de séduction des dirigeants de la jeune nation américaine échoue. Le recours aux liens de certains négociants rochelais avec la grande banque protestante parisienne, facilité par la sociabilité maçonnique, aurait pu déboucher sur des entreprises commerciales prospères en Amérique du Nord. Encore eût-il fallu que la bourgeoisie rochelaise ne trouve, tout compte fait, pas plus profitable les trafics avec les Antilles et l'Asie, que les événements politiques et sociaux des années 1790 ne détournent petit à petit les esprits du grand commerce atlantique, que les capitaux ne quittent la place pour les cités plus dynamiques comme Bordeaux, que les guerres impériales et le blocus continental n'anéantissent pas une flotte en fort mauvais état.

Sous la Restauration, quelques Rochelais retrouvent les routes maritimes de l'Atlantique Nord. Mais sur des navires de la Royale. Certes participent-ils ainsi à la réinstallation et à la défense des intérêts de la France en Amérique. Ils agissent comme officiers français. Toutefois, en participant à la fondation de la Station navale de Terre-Neuve, un Meschinet de Richemont pouvait-il oublier le temps des armements de ses aïeux pour Québec et pour Terre-Neuve ? Et la nomination d'un consul des États-Unis,

---

35. Cité dans *ibid.*, p. 275.

la même année, en 1819, ne témoigne-t-elle pas à la fois d'une reconnais-sance de la place de La Rochelle dans le monde atlantique et de la volonté de celle-ci de reprendre sa place en Amérique du Nord ? Encore eût-il fallu que la légitimité historique soit un instrument efficace dans les nouveaux enjeux et face aux nouveaux acteurs de la compétition capitaliste entre l'Europe et l'Amérique du Nord à l'aube du XIXᵉ siècle.

Le réseau Bossange dans trois récits de voyage

ANTHONY GROLLEAU-FRICARD

Université Paris I

Introduction

Ce sont deux petits cahiers identiques à la couverture vieillie. Sur leurs pages jaunies, se dessinent deux écritures, deux histoires, celles d'un père et de son fils découvrant la vie parisienne, y couchant le détail de leurs journées. Le père est Édouard-Raymond Fabre (1799-1854), libraire montréalais, patriote engagé. Au printemps 1843, accompagné de son fils Charles-Édouard (1827-1896), il s'embarque pour l'Europe afin de se rendre à Paris pour affaires mais aussi pour visiter sa sœur, Julie, qui a épousé le libraire français Hector Bossange, et ses amis, parmi lesquels figure Louis-Joseph Papineau, en exil. Similaires par l'apparence, les contenus de ces cahiers sont pourtant bien différents par la période qu'ils couvrent mais aussi par leurs styles. Le carnet du père[1] relate son séjour à Paris et en Angleterre depuis le 4 mai 1843, pour finir lors de son retour en Amérique en juin 1843. Il se plaît à y décrire ses journées mais aussi ses humeurs, ses impressions et ses états d'âme. Celui du fils[2] commence le 10 mai 1843 et

---

1. Édouard-Raymond Fabre, *Journal de voyage à Paris*, Université McGill, Bibliothèque McLennan, Division des livres rares, côte MS287.

2. Charles-Édouard Fabre, *Journal de voyage à Paris*, Archives de la chancellerie de l'archevêché de Montréal, fonds C.-É. Fabre, RCD 29.

se termine le 17 octobre 1844, lorsque celui-ci entre au séminaire des sulpiciens d'Issy-les-Moulineaux. Charles-Édouard est plus laconique que son père et, bien souvent, ne fait que citer une série d'événements plus ou moins détaillés en ne s'épanchant que rarement sur ses émotions. Ces deux carnets de voyage sont édifiants pour comprendre la vie familiale des Bossange, mais aussi pour tisser les toiles du réseau de cette famille de libraires parisiens aux liens particuliers avec le Canada. Si nous ajoutons à ces deux témoignages le journal de voyage en Europe de Louis-Hippolyte La Fontaine (1807-1864), qui s'arrête à Paris de la fin février 1838 au début de mai de la même année, nous obtenons assez d'informations pour voir clairement la place particulière des Bossange dans les liens entre la France et le Bas-Canada.

Avec ces trois personnes qui racontent leur séjour à Paris, nous avons bien trois histoires personnelles et trois motivations dans le voyage. Louis-Hippolyte La Fontaine quitte la colonie en rébellion pour tenter de maintenir le dialogue avec la métropole britannique. Il est convaincu que la violence n'est pas la solution et espère pouvoir défendre sa position à Londres. Arrivé trop tard, selon ses propres mots, malgré tout persuadé qu'il aurait pu changer le cours des débats au Parlement, il reste néanmoins en Angleterre quelque temps avant de se décider à visiter Paris[3]. Si son voyage est essentiellement politique, son séjour à Paris est plus léger, puisque ses espoirs sont déçus. C'est de retour au Canada qu'il s'efforcera de faire de l'Union de 1840 « la planche de salut[4] » d'un Bas-Canada qui vient d'essuyer plusieurs échecs, en tête desquels se trouvent les rébellions de 1837 et de 1838 et la tentative de rappel de l'Union.

Édouard-Raymond Fabre, quant à lui, est également un patriote. Proche de Papineau, sa librairie montréalaise était devenue un des centres nerveux du mouvement patriote. Son séjour à Paris est essentiellement un voyage d'affaires. Durant ces quelques semaines de 1843, il visite plusieurs fournisseurs et ne cesse de rassembler diverses marchandises pour expédition. Mais il en profite également pour voir sa sœur Julie, mariée à Hector Bossange, chez qui il loge. Son carnet de voyage dévoile à plusieurs reprises

---

3. Louis-Hyppolyte La Fontaine, *Journal de voyage en Europe 1837-1838*, Sillery, Septentrion, 1999, p. 51.

4. Yvan Lamonde, « Le lion, le coq et la fleur de Lys : l'Angleterre et la France dans la culture politique du Québec », dans Gérard Bouchard et Y. Lamonde (dir.), *La Nation dans tous ses états*, Montréal, L'Harmattan, 1997, p. 172.

des passages touchants qui sont autant de preuves de la tendre affection qu'il porte à cette sœur installée à Paris. Il va d'ailleurs lui confier son fils aîné, Charles-Édouard. Fabre est aussi satisfait de pouvoir revoir son ami Louis-Joseph Papineau.

Charles-Édouard a étudié au Séminaire de Saint-Hyacinthe. C'est là qu'il apprend qu'il part avec son père pour la France. C'est qu'Édouard-Raymond a de grands projets pour son fils de seize ans. Il compte le faire étudier à Paris. Son journal parisien s'ouvre d'ailleurs sur un cours d'escrime chez un maître d'arme. De plus, il semble que Charles-Édouard travaille chez son oncle, ce que nous apprend, non pas ce journal, mais une lettre que son père lui aurait envoyée[5]. Il s'agit donc pour le jeune homme de se former aussi au métier de libraire, comme son père et son oncle. Pourtant, cette longue année parisienne marquera la vocation religieuse de Charles-Édouard. Il fréquente de nombreux prêtres. Il assiste autant que possible à la messe, et même parfois plusieurs fois par jour. Si bien qu'en juin 1844 il annonce à son père qu'il veut entrer dans les ordres. En octobre 1844, il rejoint le séminaire des sulpiciens d'Issy-les-Moulineaux. Pour Charles-Édouard, commence un sacerdoce qui le conduira jusqu'au rang d'évêque de Montréal.

Trois voyages parisiens au sein desquels Hector Bossange et sa famille sont présents. Trois voyages de Canadiens à Paris s'organisant autour de Bossange. Dans ces trois carnets de voyage, nous plongeons directement dans la vie parisienne bourgeoise de la Monarchie de juillet. Nous y découvrons donc la vie sociale et publique des Bossange, rythmée par des dîners, sorties, visites, promenades. Autant d'événements mondains qui nous ont permis de dresser une liste des personnes côtoyées et de qualifier leur relation avec les Bossange. En effet, des journaux des deux Fabre, ce n'est pas moins de 63 personnes citées à 374 reprises qui ont été rencontrées par le père et de 264 noms cités 1 785 fois par le fils. Pour La Fontaine, nous en dénombrons vingt-neuf, ce qui est peu compte tenu qu'il passe un peu plus de deux mois à Paris, plus que la période couverte par le journal de Fabre père. Quant aux noms figurant dans *chacun* des trois journaux, nous en avons compté trois. Cette faible fréquence s'explique aisément par les années qui séparent les deux périodes de séjour à Paris des auteurs, mais également par la différence du lien qui les unit aux Bossange. Par contre, les personnes

---

5. Jean-Louis Roy, *Édouard-Raymond Fabre, libraire et patriote canadien*, Montréal, Hurtubise HMH , 1974, p. 46.

citées dans chacun des deux journaux des Fabre représentent quarante-cinq noms; ce qui est relativement important vu le nombre de noms cités par Édouard-Raymond, le peu de temps qu'il y passe à Paris, et les activités qu'il y a sans son fils. Quarante-trois de ces personnes sont associées ou associables aux Bossange. Si nous comparons les journaux, un peu plus de 13,8 % des noms cités par La Fontaine représentant 15,4 % des citations touchent aux Bossange ou à des personnes qui les connaissent. Pour les Fabre, si on exclut les époux Bossange et leur progéniture, 94,5 % des noms cités par Édouard-Raymond et presque 67 % de ceux cités par Charles-Édouard sont au contact d'au moins un Bossange ou rencontrent l'un d'entre eux dans lesdits journaux.

Dans ces trois témoignages, il faut garder à l'esprit la relation particulière de chacun des trois auteurs avec les Bossange, car c'est elle qui pondère la place de cette famille dans leur récit. Louis-Hippolyte La Fontaine est trop jeune pour avoir connu Hector Bossange lorsqu'il possédait une librairie à Montréal durant la décennie 1810. Il ne possède également aucun lien familial ou relationnel particulier avec lui. Ce qui les lie c'est plus leurs connaissances communes dans le milieu des patriotes canadiens, mais aussi la situation exceptionnelle qui frappe le Bas-Canada en 1837 et 1838. Il est bon de noter que La Fontaine ne partage pas le quotidien des Bossange puisqu'il loge dans un hôtel situé près de la Bourse, c'est-à-dire sur la rive droite de la Seine, tandis qu'Hector Bossange a ses bureaux et son logement sur la rive gauche. Pourtant, il voit tout de même Hector Bossange quatorze fois en un peu plus de deux mois, ils s'organisent tous deux pour faire ensemble le voyage de retour vers l'Amérique. Pour les deux Fabre, la question du logement est presque superflue. De par leurs liens familiaux, ils vivent chez les Bossange et sont donc en contact constant avec leur réseau de connaissances. Ils partagent leur quotidien. Néanmoins, Charles-Édouard, qui reste plus d'un an dans la famille, tend à prendre plus de libertés au fur et à mesure qu'il s'habitue à la société parisienne. Il jouit donc d'un réseau parallèle essentiellement ecclésiastique. Cela explique la part moins importante qu'occupe le réseau Bossange dans son carnet de voyage.

Quoi qu'il en soit, ces trois carnets de voyage soulignent l'importance de Bossange dans les relations entre le Bas-Canada et la France. Ce sont des connexions diverses dont la première et principale se fait par le biais des liens familiaux et d'affaires qui existent entre Fabre et son beau-frère. Cela fait de Bossange une tête de pont parisienne autour de laquelle s'orchestre le ballet des Canadiens qui viennent à Paris en séjour, aux études ou en exil, et pour lesquels s'ouvre alors le réseau bourgeois du libraire du quai Voltaire.

Famille et affaires : les liens inextricables

Le 28 août 1843, Édouard-Raymond Fabre écrit à son fils à Paris :

> Lorsque je reçois des lettres de Paris, nous quittons les affaires et nous nous assemblons en famille pour faire la lecture des lettres de nos amis, de nos bons et chers parents de la rue Varennes, comme cela nous fait du bien, nous fait plaisir[6].

Si, dans cette lettre, il fait la différence entre les affaires qu'il met de côté pour lire les nouvelles de sa famille parisienne, il n'en reste pas moins que ces deux mondes sont imbriqués l'un dans l'autre et que leurs stratégies respectives se confondent le plus souvent.

Le séjour d'affaires de Fabre

Tout d'abord, il faut garder à l'esprit que le séjour de Fabre à Paris est essentiellement un séjour d'affaires, qui se doit donc d'être rentable sur tous les plans. Le fait d'emmener avec lui son fils n'est pas gratuit. Le but est de le faire étudier sur place ; études qui lui coûteront de l'argent. Roy cite d'ailleurs une lettre que Fabre père écrit à sa sœur en janvier 1844 et dans laquelle ses propos illustrent bien l'idée d'investissement sur l'avenir qu'il fait sur ses enfants :

> Beaucoup d'amis nous compliment sur nos enfants, cela fait du bien au cœur d'un père et d'une mère, nous dépensons beaucoup d'argent pour nos enfants, c'est vrai, mais cet argent sera remboursé au centuple par le contentement que nous aurons et le bon usage qu'ils en feront[7].

Il s'agit donc d'un saisissant exemple du capital symbolique que représentent ces études parisiennes pour le père. Or, en bon commerçant, il sait que pour faire fructifier ses avoirs, il faut investir. Et c'est ce qu'il fait.

Dès le début du séjour, il paye des cours d'escrime à Charles-Édouard. Son maître d'arme semble être reconnu puisque son fils y croise des grands

---

6. *Ibid.*, p. 36.

7. *Ibid.*, p. 27.

noms de la noblesse française, des fils de Rohan, de Broglie, mais aussi des comtes et des marquis en tout genre. Après le départ d'Édouard-Raymond, son fils se rend au collège Bourbon afin de s'y inscrire. Sans que l'on sache pourquoi, le proviseur refuse l'inscription de Charles-Édouard. Ce dernier de rajouter que, dans la foulée, M. Bobé, le professeur l'accompagnant au rendez-vous, ne peut plus s'occuper de lui. Nous apprenons aussi que le 17 juin, soit trois jours avant cela, Bobé et lui se rencontrent et que, suite à cela, le professeur doit s'informer des livres dont Charles-Édouard aura besoin. Il semble donc que Bobé jouait l'intercesseur pour faire entrer le jeune Fabre dans le prestigieux collège. Devant ces deux échecs, sa tante, Julie Bossange, prend les choses en main, si bien que, le jour même, elle se rend avec Charles-Édouard chez un précepteur. Il s'agit de M. Tardieux qui va, pendant un temps, être le professeur particulier de Charles-Édouard. Cette fin juin 1843 est la seule période pour laquelle le laconique fils Fabre parle de ses études ou de professeurs. Mais il n'est pas question de lectures. Cela signifie-t-il qu'il n'étudie plus ? Assurément pas. En janvier 1844, Édouard-Raymond parle encore des études de son fils dans une lettre qu'il lui écrit, sans pour autant donner une quelconque information sur la manière dont celles-ci se déroulent[8]. De plus, jusqu'au 16 février 1844, Charles-Édouard note, à plusieurs reprises et sans aucun détail sur ces visites, qu'il se rend chez M. Tardieux, ledit précepteur.

Grâce à une lettre de son père du 11 novembre 1844, nous savons aussi que Charles-Édouard travaille chez son oncle et y touche de l'argent[9]. C'est une information capitale pour comprendre la nature du séjour voulu par son père. Mais le journal du fils donne une vision tout autre de cet aspect de sa formation. En effet, à 35 reprises, il se rend au bureau de son oncle Bossange. Sur un peu plus d'un an et demi, c'est peu. Mais il ne faut pas oublier que Charles-Édouard ne note pas tous ses déplacements. Et lorsqu'il le fait, c'est souvent pour signaler une rencontre particulière, parce que la journée a été des plus ennuyantes, parce que l'humeur du jour fait qu'il se sent obligé de citer la chose ou bien parce que ce déplacement a des conséquences sur le reste de ses activités. Mais Charles-Édouard évoque peu ce qu'il fait au bureau. Il y retrouve son père ou son précepteur, y récupère des journaux canadiens, du courrier ou de l'argent. Peu de choses nous laissent à penser

---

8. *Ibid.*, p. 30.

9. *Ibid.*, p. 46.

que Charles-Édouard travaille beaucoup chez son oncle, d'autant plus que ses sorties mondaines ou religieuses rythment bien ses journées. Un événement vient confirmer cette situation. Le 16 juin 1843, soit le lendemain du départ de son père, son cousin, Édouard Bossange, lui demande de venir travailler au bureau. Il semble que cette demande émane indirectement de son oncle Hector Bossange. Une dispute éclate entre les deux jeunes hommes, Charles-Édouard refusant de s'y rendre car il attend la visite de l'abbé Joseph-Sabin Raymond du Séminaire de Saint-Hyacinthe[10]. Cette petite crise est significative de l'attitude du fils Fabre à l'égard du travail qui l'attend au bureau, quai Voltaire. Mais elle permet aussi de supposer, à juste titre, des attentes de son oncle et de son père quant à une formation dans le monde de la librairie. N'ont-ils pas eux-mêmes été formés dans le même contexte ? Hector Bossange a d'abord travaillé dans des librairies en Angleterre puis à New York avant d'avoir de plus amples responsabilités à Montréal dans un commerce qu'il dirigeait librement. De la même manière, Édouard-Raymond Fabre a lui aussi traversé l'Atlantique pour apprendre son métier dans les ateliers de Martin Bossange, le père de son beau-frère. Et il en est de même pour les fils Bossange puisque Édouard, l'aîné, séjourne plusieurs fois en Angleterre, tandis que Léopold a fait son éducation en Allemagne.

Enfin, très tôt, comme le précise Roy, les relations entre le père et le fils se dégradent avec comme trame de fond la vocation de Charles-Édouard empiétant sur son apprentissage et limitant certainement la motivation pour son apprentissage professionnel. En effet, dès le 12 octobre 1843, le père réprimande le fils lorsque celui-ci s'est ouvert sur ses intentions. Ce qu'il déclare illustre bien le fait qu'Édouard-Raymond perçoit le séjour de son fils comme un investissement que la vocation ne va pas rentabiliser :

> [...] je ne t'ai pas envoyé à Paris pour cela [la vocation], mais bien pour y finir tes études et étudier, lorsque tu auras fini tes études, eh bien alors il sera temps de t'en occuper, et nous en causerons ensemble, pense donc pauvre ami que tu me coûtes joliment de l'argent à Paris et que je ne t'ai pas envoyé là pour t'occuper de ta vocation[11].

Il s'agit bien ici d'attentes du père pour augmenter le capital symbolique que représente son fils, qui ne prennent absolument pas en compte les désirs de

---

10. Yvan Lamonde, « Raymond, Joseph-Sabin », *Dictionnaire biographique du Canada* [*DBC*], tome 11, www.biographi.ca

11. J.-L. Roy, *Édouard-Raymond Fabre, op. cit.*, p. 29.

ce dernier. Ceci n'a rien d'étonnant lorsque l'on sait comment Édouard-Raymond a su placer sa fille Hortense en la mariant à George-Étienne Cartier, ou bien son neveu Édouard Bossange en jouant l'entremetteur entre celui-ci et le riche seigneur de Terrebonne.

Beaucoup plus concret est l'investissement à court et à moyen terme que Fabre fait en allant à Paris. Son voyage a pour but de rencontrer ses fournisseurs, mais également de faire plusieurs achats de produits qu'il pourra revendre dans sa librairie de la rue Saint-Vincent. Son carnet de voyage est donc parsemé d'informations relatives à ses démarches d'affaires. Comme le note Roy, à la suite de ce voyage, la marchandise de sa librairie à Montréal sera beaucoup plus diversifiée[12]. Il ne s'agit donc pas de se procurer uniquement des livres. Sans que nous n'en connaissions la quantité, Édouard-Raymond achète des bottes, des chiffons, différents genres de papier, du cuir pour relier des ouvrages, de l'absinthe, du vin, de l'eau-de-vie et du champagne. Le 10 mai 1843, il se rend également chez Cavaillé, un facteur d'orgues, qui, selon Fabre, a reçu pour commande de faire ceux de la Madeleine et de l'église de Saint-Denis. Il précise que ce monsieur doit lui envoyer ses prix ; ce qui sera fait puisque, dans une publicité parue dans *La Minerve*, il informe ses clients qu'il est en contact avec ledit facteur et que celui-ci « se chargerait volontiers de toutes commandes qu'on voudrait bien lui confier[13] ». Édouard-Raymond semble avoir également reçu mandat de s'occuper des affaires de Canadiens ne pouvant faire le déplacement à Paris. En effet, toujours le 10 mai, il se rend chez les Dames du Sacré-Cœur pour leur demander l'adresse de leur papetier, mais surtout pour récupérer la facture de seize rames de papier envoyées à leurs consœurs du Canada. Dans la foulée, il se rend chez le papetier qu'il dit s'appeler Vanblotague ; semble-t-il pour régler la note. De la même manière, le 1er juin 1843, avec son fils et l'abbé J.-S. Raymond, ils rencontrent un dénommé Dumansais, curé aux Missions étrangères de la rue du Bac, afin d'avoir des bons de charité pour la maison de la Providence à Montréal.

Outre ces achats les plus divers, Fabre s'occupe aussi de la librairie. Pour ce faire, il rencontre ses fournisseurs habituels, mais aussi d'autres libraires plus spécialisés. Le 6 mai, avec son neveu Léopold, il visite la librairie Curmer, chez qui Fabre achètera plusieurs reliures et des livres de

---

12. *Ibid.*, p. 64.

13. *La Minerve*, lundi 24 juillet 1843.

grande qualité[14]. Le 13, il se rend rue Saint-Jacques, chez un dénommé Basset, négociant en estampes[15]. Le 26 du même mois, il se rend chez le libraire Aubert, place de la Bourse, chez qui il achète un album de caricatures. Il y retourne le 29 mai. Le 12 juin, accompagné des abbés Kelly et Raymond, il visite l'imprimerie de l'abbé Migne. Il est d'ailleurs fort impressionné par son travail et ses méthodes. Enfin, le 30 mai, la famille du libraire Thiérôt, spécialisé dans les ouvrages catholiques, annonce la mort de celui-ci à Fabre. Le 8 juin, il se rend chez la veuve pour lui présenter ses condoléances. Cela laisse penser que Fabre faisait affaire avec Thiérôt.

Édouard-Raymond rencontre également à quatre reprises les frères Gaume, ses plus importants fournisseurs. Une première fois, le 18 mai, il s'y rend seul et n'y rencontre que l'aîné des frères. Ce dernier lui vend une caisse de livres qu'il nomme des 13/12 Saint-Pères. Cette marchandise va être l'objet d'une pomme de discorde avec ses fournisseurs de Meudon. En effet, Édouard-Raymond n'est pas satisfait de cet achat pour lequel on semble lui avoir forcé la main. Il pense qu'il va avoir des difficultés à les vendre. Si bien que, le lendemain, il se rend de nouveau chez les Gaume pour renégocier les conditions du paiement pour ces livres. Au lieu de l'accord initial qui lui laissait trois ans pour payer, il réussit à obtenir un crédit qu'il pourra payer quand bon lui semblera. Le 4 juin, avec sa sœur Julie et son fils Charles-Édouard, il va déjeuner chez les Gaume. Ils y rencontrent des employés de ces messieurs, mais aussi un autre libraire, Méquignon, et un imprimeur de Besançon, Chalandre. On n'y parle pas des livres, qui semblent d'ailleurs être partis le 26 mai pour Le Havre. Pourtant, le 12 juin, alors que Fabre visite l'imprimerie de l'abbé Migne, il en vient à la conclusion qu'il a fait une bien mauvaise affaire avec les Gaume et note dans son journal : « je garde un peu rancune avec ces messieurs ». Le 15 juin, date du départ d'Édouard-Raymond, il passe les voir à nouveau, mais ils sont absents. Toutefois, en fin de journée, l'un des deux frères vient saluer leur client de Montréal qui monte dans la diligence qui le mènera au Havre. Jusqu'au bout, Fabre aura fait de ce voyage un séjour d'affaires.

---

14. J.-L. Roy, *Édouard-Raymond Fabre, op. cit.*, p. 77.

15. *Ibid.*

La famille Bossange

Il ne faut pas ignorer l'aspect familial du séjour des Fabre. Tout d'abord, parce que c'est au sein de la famille Bossange qu'il prend place, ensuite, parce que, justement, ces liens familiaux et les affaires sont indéniablement liés. Dans les journaux du père et du fils Fabre, deux niveaux peuvent être distingués : la cellule familiale composée du couple Hector et Julie Bossange et de leurs enfants ; les autres membres de la famille Bossange avec lesquels les relations sont plus éloignées.

Du couple Hector et Julie Bossange, c'est assurément Julie qui est la plus appréciée des deux Fabre. Dès qu'il le peut, Édouard-Raymond consacre son temps à sa sœur. Cette dernière est citée 26 fois par Édouard-Raymond dans le cadre des événements qu'il note dans son journal. Elle arrive en tête des personnes citées. Dans le journal du fils Fabre, elle est citée 78 fois et arrive en deuxième position parmi les membres de la famille Bossange. Naturellement, elle est associée aux loisirs, aux sorties et à tous les domaines qui se rapportent à une femme bourgeoise, mère de famille de surcroît, qui gère son intérieur et s'occupe des enfants. Les relations d'Hector Bossange avec les deux Fabre sont plus complexes. Les tensions d'affaires qui peuvent et ont pu perturber les sentiments d'Édouard-Raymond à son égard jouent évidemment un rôle dans ces rapports souvent ambigus. Le libraire de la rue Saint-Vincent semble apprécier son beau-frère. Attitude partagée par Hector. Celui-ci lui laisse volontiers sa chambre. Il lui demande également deux exemplaires de son portrait qu'il vient de faire faire pour les mettre dans son bureau et dans son salon. Pourtant, le ton employé à quelques reprises par Édouard-Raymond laisse transpirer des pointes d'agacement. Ne serait-ce que dans les différentes manières qu'il a de nommer Bossange, nous pouvons saisir ces humeurs. S'il l'appelle « mon beau-frère », qui semble être la marque d'estime la plus prononcée, il lui sert aussi du Hector et du Bossange ; et l'attitude critique tient surtout à l'article qu'il accole à l'appellation beau-frère, subtilité qui fait passer le chaleureux « mon beau-frère » au froid et distant « le beau-frère ». De plus, le 15 mai, tandis qu'il passe la soirée avec sa sœur, à son domicile rue de Varennes, Édouard-Raymond note sarcastiquement : « le beau-frère se couche toujours à 8 heures ». Pour Charles-Édouard, plus laconique, il est difficile de savoir s'il apprécie son oncle. Ce dernier n'est cité que 46 fois lors d'événement divers, il arrive ainsi en cinquième position des membres de la famille Bossange. Ce n'est donc pas un interlocuteur privilégié pour Charles-Édouard avec lequel il semble avoir une relation peu intime et bien distante. La plus grande complicité qu'ils aient pu connaître a lieu le 3 octobre 1843, occasion où Hector et Charles-Édouard récoltent des pommes de terre dans le jardin de Martin Bossange à Maisons. La seule remarque que le fils Fabre note sur son oncle est celle où il écrit sommairement que Bossange fait une scène à son fils Léopold.

Les relations des deux Fabre avec les enfants du couple sont variées. Charles-Édouard est plus proche des deux filles, l'aînée Adèle et la puînée Maria. C'est avec cette dernière qu'il va fréquemment assister aux messes. Née en 1825, soit deux ans après son cousin germain, elle est dans la même tranche d'âge que lui. Quant à Adèle, mariée avec Théodore Salles, elle ne vit plus rue de Varennes. Sa forte présence dans le journal de Charles-Édouard ne peut que nous laisser à penser qu'ils étaient assez proches. Chez les garçons, ses sympathies se tournent vers Léopold, de trois ans son aîné. Il semble que, pendant un temps, ils partagent une chambre hors du domicile familial. Ils sortent souvent ensemble, comme c'est le cas à l'occasion du Nouvel An pour souhaiter leurs vœux aux amis des Bossange, ou bien pour apprendre à nager aux bains. Léopold a fait ses études en Allemagne. En bon fils de bourgeois, il est garde national et, lorsqu'il est tiré au sort pour devenir conscrit, son père n'hésite pas à payer les 2 000 francs nécessaires pour lui trouver un remplaçant. Paul, alors âgé de dix ans, est l'autre enfant mâle des Bossange souvent cité dans le journal de Charles-Édouard. Mais, à part le fait qu'il accompagne régulièrement Maria et son cousin à la messe, nous ne savons que peu de choses de leur relation. Les rapports d'Édouard-Raymond avec ses neveux sont moins facilement identifiables du fait de la durée de son séjour mais aussi de la différence d'âge. Il est d'ailleurs intéressant de noter qu'Édouard, le fils le plus âgé, est le plus cité de la fratrie. Il a presque vingt-trois ans en mai 1843, et est donc intéressé aux affaires de son père, comme le montre la petite dispute entre lui et Charles-Édouard, le 16 juin 1843, au sujet du peu de motivation de ce dernier pour aller travailler dans les bureaux de son oncle. C'est ce neveu qu'Édouard-Raymond essaiera de marier à la fille Masson.

Hors de la cellule familiale restreinte, il reste toute une partie du réseau Bossange bâti par les alliances du sang. Et ce n'est pas la moindre puisqu'elle est la conséquence de stratégies d'alliances à plus long terme, sur plusieurs générations. Dans les deux carnets de voyage des Fabre, nous rencontrons plusieurs personnes qui font partie de cette famille éloignée, relais vers d'autres réseaux de connaissances tout aussi vastes. Tout d'abord, Martin Bossange, le père d'Hector. Édouard-Raymond ne le rencontre qu'une seule fois lors de son séjour à l'occasion d'une visite chez lui, à Maisons. Fabre connaît le vieil homme puisque c'est chez lui qu'il a appris le métier en 1822, lors de son précédent séjour à Paris. Charles-Édouard, de son côté, cite 11 fois ses rencontres avec Martin Bossange. Mais il donne peu d'information sur ce personnage. Il en est de même pour madame Bossange mère, sa femme, et pour la plus jeune sœur d'Hector, Pauline, qui en 1843-1844 n'est pas mariée. Si Fabre père ne parle pas du frère puîné d'Hector Bossange, Charles-Édouard, par contre, le cite 11 fois. Il l'appelle soit M. Adolphe, soit M. Adolphe Bossange, soit encore M. A. Adolphe, comme son frère, a été formé au métier de libraire en travaillant pour son père à Londres. Et, de 1821 à 1825, il s'associe avec Hector dans leur première librairie parisienne, rue de Seine[16]. Enfin, deux autres sœurs Bossange sont citées. L'une d'entre elles se nomme Adélaïde. Elle est mariée avec Nicolas Baignières, un banquier dont la famille est liée à Jacques Laffitte[17]. Édouard-Raymond la rencontre deux fois : une fois chez Adèle, lors d'un dîner qui réunit Adélaïde, sa mère, trois de ses enfants, sa sœur Pauline, Maria et Léopold ; une autre fois lors d'une soirée chez les Bossange où elle vient encore accompagnée de trois de ses enfants. Charles-Édouard, quant à lui, cite 18 fois son nom. Adélaïde est donc le membre de la famille éloignée le plus cité, ce qui laisse supposer des liens plus étroits avec son frère Hector. De plus, si nous nous en tenons au journal du jeune Fabre, sa fille Marie, qui est dans sa tranche d'âge, fréquente plus assidûment les Bossange, puisqu'elle y apparaît 27 fois. De plus, dans son carnet de voyage, Édouard-Raymond a repris les dates et lieux de naissance de chacun de ses neveux en indiquant qui sont leurs parrains et marraines. Nous y découvrons la place prépondérante des Baignières puisque Léopold Bossange a pour parrain Edmond Baignières, que le parrain et la marraine de Maria sont M. et Mme Baignières, et que Gustave, le plus jeune des fils d'Hector, a pour parrain son homonyme Gustave Baignières, un de ses cousins. La branche Baignières de la famille

---

16.   Nicole Felkay, « La librairie Bossange », dans Claude Galarneau et Maurice Lemire (dir.), *Livre et lecture au Québec, 1800-1850*, Québec, Institut québécois de recherche sur la culture, 1988, p. 51-52.

17.   Jacques Laffitte (1767-1844), banquier et homme politique parisien. Député libéral sous la Restauration, il participe activement à la Révolution de juillet en 1830 et devient président du conseil du roi Louis-Philippe de novembre 1830 à mars 1831. Il est très influent dans les milieux politiques et banquiers.

Bossange semble donc être la plus proche d'Hector et de ses enfants. L'autre sœur rencontrée est Claudine Demachy. Absente du carnet de Fabre père, Charles-Édouard la cite cinq fois, tandis que sa fille Céline apparaît six fois. Cette Claudine Demachy est la sœur aînée d'Hector Bossange. Comme sa sœur Adélaïde, elle est mariée à un banquier. Au moment de la visite des Fabre à Paris, elle est veuve puisque son mari Hector Demachy meurt en 1828. Un de ses fils et deux de ses petits-enfants dirigeront un établissement financier nommé *Banque Demachy, Seillière et Cie*, et l'un d'eux sera même régent de la Banque de France. La relation entre Claudine Demachy et son frère Hector semble importante puisqu'elle est la marraine d'Édouard Bossange et qu'une autre de ses filles, nommée Léonie, est la marraine de Gustave Bossange. Lactance Papineau, dans son journal, parle deux fois des Demachy : une première fois à Maisons, lieu de résidence de Martin Bossange, d'Adolphe Bossange mais aussi, semble-t-il, des Baignières et des Demachy, lorsque son père et lui vont présenter leurs vœux à leurs amis ; et une seconde fois en juillet 1843 lors d'un dîner chez Hector Bossange.

Restent deux personnes qui ne sont pas des enfants de Martin Bossange mais qui sont toutefois classables dans la catégorie de la famille éloignée. Il s'agit de Théodore Salles et de madame Castaing. Théodore Salles est le mari d'Adèle, l'aînée de Julie et Hector Bossange. Tandis qu'Édouard-Raymond le cite 18 fois, son fils note 76 événements auxquels il participe. Évidemment, le fait qu'il soit l'époux d'Adèle, une des Bossange le plus citée, donc fréquentée par Charles-Édouard, joue sur la fréquence de ses apparitions. Quoi qu'il en soit, il est, de fait, un proche des Bossange. Madame Castaing, quant à elle, apparaît 45 fois dans le journal de Charles-Édouard qui la présente comme étant une tante de Maria. Nous savons qu'elle habite place de la Madeleine et qu'elle fréquente régulièrement les Bossange. Ce n'est pas une sœur d'Hector, qui n'en avait que quatre, Claudine, Adélaïde, Zoé et Pauline. Il semble plutôt que ce soit une sœur de Martin Bossange ou de l'une de ses deux femmes ; pour être précis, ce serait donc une grand-tante de Maria.

Les affaires de Fabre avec Hector Bossange et Théodore Salles

Sur l'ensemble de ces noms, nous en retiendrons deux pour lesquels les liens d'affaires avec Édouard-Raymond sont capitaux. Il s'agit de son beau-frère Hector Bossange et du mari de sa nièce, Théodore Salles.

Nous ne savons pas quelle profession exerce ce dernier. Néanmoins, nous savons qu'il est en affaires avec Édouard-Raymond Fabre. En effet, il semble gérer quelques commandes et envois pour l'oncle de sa femme. Si bien que le 15 juin 1843, jour de son départ, Fabre lui rend l'argent qu'il lui devait. La somme s'élève à 8 128 francs. Fausse politesse ou sincères sentiments d'amitié, Théodore refuse d'abord l'argent qu'Édouard-Raymond lui tend. Et puis, il se laisse convaincre. Les deux hommes décident donc de passer un accord tacite qui fixera les coûts des services de Théodore. Celui-ci prendra 3 % de commission quand il ne fera pas l'avance de fonds pour Fabre, et lorsqu'il devra avancer l'argent, sa commission montera à 4 %. Malheureusement, nous ne pouvons que faire des suppositions sur le véritable rôle qu'occupe le mari d'Adèle dans les affaires de Fabre en Europe.

Les relations d'affaires entre Hector et Édouard-Raymond sont beaucoup mieux connues et plus anciennes. Tout d'abord, il semblerait que Fabre ait travaillé dans la librairie montréalaise d'Hector à la fin des années 1810[18]. Puis, après son séjour dans les galeries de Martin Bossange en 1822-1823, il rachète le fond de commerce de la librairie qui fut celle de son beau-frère, puis de Denis-Benjamin Papineau[19]. Ensuite, jusque vers 1828, Bossange est le fournisseur exclusif du libraire de la rue Saint-Vincent. Là, quelques tensions et la nécessité pour Édouard-Raymond de s'approvisionner en livres essentiellement religieux rompent les liens privilégiés entre les deux hommes et poussent Fabre vers les frères Gaume. Il n'en reste pas moins que Bossange et Fabre continuent à faire des affaires, mais sans la notion d'exclusivité qui prévalait. Quoi qu'il en soit, lors du séjour de son beau-frère à Paris, Hector met son bureau à sa disposition. En effet, Édouard-Raymond y est souvent et s'y fait livrer certaines marchandises comme par exemple des chiffons. Il envoie également Charles-Édouard y chercher des factures. D'ailleurs, preuve de l'importance de son activité au bureau d'Hector, le 15 juin, avant d'aller prendre la diligence pour Le Havre, Fabre s'y rend une dernière fois pour y saluer les commis. Mais ce n'est pas tout. Hector fait plus que cela : il l'aide dans ses démarches. Tout d'abord, il lui trouve des vendeurs de champagne et d'absinthe à Reims et à Toul. Pour l'occasion, il reçoit chez lui, à dîner, M. Muler Ruinant qui lui vend le champagne. Ensuite,

---

18.   J.-L. Roy, *Édouard-Raymond Fabre, op. cit.*, p. 57.

19.   Claude Baribeau, « Papineau, Denis-Benjamin », *DBC, op. cit.*, tome 8, www.bio graphi.ca

Hector fait lui-même les démarches pour faire assurer les marchandises qu'Édouard-Raymond envoie au Canada. À ce sujet, nous apprenons que les marchandises partant de Bordeaux – il doit s'agir du vin acheté sur place – ont été assurées pour une valeur de 45 000 francs. Dès lors, Bossange ne met pas que ses infrastructures au service de son beau-frère, mais bien tout son réseau d'affaires. Pourtant toute cette bonne volonté d'Hector n'est pas gratuite. En effet, les deux hommes continuent de faire directement des affaires. Des affaires lucratives. Le 5 juin 1843, Édouard-Raymond note qu'il vient d'offrir une pendule à Hector. Il précise que ce cadeau est pour le remercier car Hector ne lui charge aucune commission cette année, parce que les affaires qu'il lui fait faire lui ont bien rapporté. Peut-être est-ce aussi le fait que les affaires de Fabre sont lucratives qui explique la même générosité de Théodore Salles ?

Le séjour d'Édouard-Raymond à Paris se fait sous la double raison des affaires et de la famille. C'est donc tout naturellement qu'il prend place au sein de la cellule familiale issue de Julie et Hector Bossange. Il est à l'image de la relation entre les deux libraires où se mélangent les liens du sang et les liens d'argent, ces deux facettes étant naturellement admises à tous les échelons de la vie familiale. Comme nous avons pu le voir, les relations entre Martin et ses fils, entre Hector et son frère, entre Hector et ses fils sont aussi des relations d'affaires. Édouard-Raymond ne démord pas de la règle puisqu'il s'associera avec Hector, mais également avec son beau-frère Louis Perrault, puis avec son neveu Jean-Adolphe Gravel. Quoi qu'il en soit, la famille forme une partie non négligeable du réseau Bossange.

Le réseau bourgeois des Bossange

En plus de la famille proche ou éloignée, les Bossange entretiennent un ensemble de relations amicales ou d'affaires – les deux étant là aussi très liées – assez variées. À l'occasion d'événements divers, nous découvrons ainsi différents niveaux de proximité, d'intimité qui restent malgré tout fragiles en raison des sources que nous utilisons.

Les activités des Bossange

Ce qui fait le réseau de connaissances, ce qui le crée, ce qui l'élargit, ce qui le maintient, ce sont les événements, les rencontres, les sorties diverses. Ce sont donc ces éléments qui nous permettent essentiellement de connaître les fréquentations des Bossange et la nature des relations qu'ils entretien-nent avec ces connaissances. Pour connaître les habitudes mondaines des Bossange au début de la décennie 1840, nous avons à notre disposition les journaux des deux Fabre, mais aussi ceux des deux fils Papineau, Lactance et Amédée, et celui de La Fontaine. Évidemment le premier constat que fera leur lecteur, c'est de voir l'importance des sorties touristiques de ces messieurs. Ceux-ci sont avant tout des étrangers qui découvrent ou redécouvrent la capitale française. Il ne faut donc pas s'étonner de la prédominance de ce type de sorties ; les charmes de Paris les enivrent. Mais cette réalité cana-dienne ne correspond en rien aux réalités des Bossange qui y vivent. D'ailleurs, lorsqu'ils deviennent résidents, les Canadiens deviennent naturellement moins sensibles à cet environnement qu'ils ont apprivoisé.

Les Bossange reçoivent au moins une fois par semaine à dîner et pour la soirée. Ainsi, leurs amis qui dînent ne restent pas forcément passer la soirée avec eux, et inversement. Nous assistons donc à un va-et-vient régulier ces soirs-là. Le 10 juin 1843, dans son journal, Édouard-Raymond note que ce genre de dîner coûte cher. Celui de la veille chez sa sœur a coûté 50 francs alors qu'il comptait six invités. De son côté, le 8 juin, sa nièce Adèle a dû débourser 100 francs pour un dîner d'un peu plus de dix personnes. Il explique ces sommes par le coût des denrées, mais aussi par la malhonnêteté des cuisinières qui gonflent volontairement la note. Si nous nous en tenons au carnet de Charles-Édouard, les Bossange vont peu à la messe. Nous notons peu de sorties autres que chez des amis ou des parents. Le 29 juin 1843, les deux Fabre, Julie, Léopold, Adèle et son mari se rendent ensemble à l'Odéon. Ils y vont car ils ont reçu des billets de loge de la part de la femme du minis-tre de l'Intérieur. Charles-Édouard et sa tante retournent à l'Odéon les 1er novembre 1843 et 29 avril 1844 avec des enfants Bossange différents à chaque fois. Le 12 octobre 1844, nous retrouvons les deux mêmes avec Léopold à l'Opéra comique. À part cela, il n'y a pas vraiment de sortie pour des spectacles. Nous trouvons quelques rares fois des dîners au restaurant, mais c'est essentiellement Hector Bossange qui s'y rend seul avec un ou plusieurs clients.

Enfin, les deux années pendant lesquelles il loge chez les Bossange, Charles-Édouard se rend avec toute la famille à Maisons. Ces deux séjours vacanciers, dans une maison qu'ils louent, ont lieu en septembre 1843 et en août 1844. Le choix de Maisons est des plus intéressants pour la famille. Tout d'abord, la ligne de chemin de fer qui y marque un arrêt permet à Hector

Bossange ou à ses fils de retourner à Paris la journée, pour les affaires. Ensuite, cette petite ville est celle où vit une partie non négligeable du réseau Bossange : Martin Bossange, les Baignières, les Demachy et le banquier Laffitte, ami des Bossange. Notons que pendant leurs villégiatures dans la banlieue parisienne, ils continuent de recevoir la visite de leurs amis et des habitués des dîners et soirées chez les Bossange.

Le réseau des Bossange gravite donc essentiellement autour de leur maison rue de Varennes et prend la forme de soirées et dîners réguliers qui animent la vie mondaine de la petite famille. Les sorties se font essentiellement chez les membres de ce réseau.

Les amis et relations de la famille

La récurrence de certains noms lors de ces événements et les quelques détails que nous avons pu glaner ici ou là dans les carnets des deux Fabre nous ont permis de discerner des relations de proximité plus fortes, sans toutefois que nous puissions affirmer que cette proximité est synonyme de franche amitié. Quoi qu'il en soit, ces personnes sont admises plus régulièrement dans le cercle des Bossange et sont donc des rouages importants du réseau.

De fait, nous comptons deux amis déclarés d'Hector Bossange. En tête de liste figure le fameux banquier Laffitte, ancien président du Conseil. Ce grand financier influent est un vieil ami de la famille puisqu'il est un intime de Martin Bossange, qui tout comme lui réside à Maisons[20]. Sa relation avec Hector semble du même ordre. Tout d'abord, nous savons l'admiration que lui porte ce dernier. En effet, le 13 juin 1843, Édouard-Raymond Fabre note que son beau-frère a trois portraits dans son bureau : un de Louis-Joseph Papineau, un de son père et un de Laffitte. Notons à ce stade que Roy, dans son étude sur le libraire de la rue Saint-Vincent, décrit justement l'attitude admirative de celui-ci à l'égard du banquier français[21]. Hector, quant à lui, a plus que des liens amicaux avec le grand homme. Felkay nous apprend, par le biais d'un rapport de syndic de 1831, que Laffitte l'a soutenu financièrement en devenant son créancier à deux reprises lors de moments

---

20.   N. Felkay, « La librairie Bossange », dans Claude Galarneau et Maurice Lemire (dir.), *Livre et lecture au Québec, 1800-1850, op. cit.*, p. 43 et 46.

21.   J.-L. Roy, *Édouard-Raymond Fabre, op. cit.*, p. 42-43.

difficiles. Il y aurait injecté un total de 175 000 francs[22]. L'autre ami déclaré n'a pas la même position sociale ni la même notoriété. Il s'agit d'un dénommé Nizard, qui rend visite régulièrement aux Bossange, seul ou avec sa femme. C'est encore Fabre qui nous en apprend plus sur l'homme le 28 mai 1843, à l'occasion d'un dîner chez les Bossange. Il le présente comme un excellent ami d'Hector, professeur de rhétorique au Collège Bourbon ; celui-là même où, quelques semaines plus tard, Fabre fils tentera d'entrer en vain.

Hormis ces deux noms bien identifiés comme des amis d'Hector Bossange, nous en trouvons plusieurs autres réguliers. Parmi les relations, nous trouvons un peu de tout : des grands noms de la librairie française comme Gosselin et Renouard, des hommes politiques comme ce général d'Empire membre de la Chambre des pairs qui fréquente le bureau d'Hector[23], ou bien ce député homonyme de l'ami d'Hector nommé Nizard. Nous ne pouvons dresser ici une liste exhaustive de tous ces noms ; nous nous attarderons sur ceux qui ont un lien de proximité avec les Bossange et que nous connaissons le mieux, grâce aux journaux des deux Fabre. Commençons par les Naudin. Il s'agit de la famille qui possède le logement que louent les Bossange rue de Varennes. Leur relation est donc essentiellement économique. Néanmoins, Charles-Édouard Fabre noue avec eux des liens plus forts. Durant la deuxième moitié de 1844, il se rend régulièrement dans leur jardin particulier et visite l'atelier des trois fils du couple. Ensuite, citons les Quertier, le père et ses fils, qui semblent toujours aller ensemble. Ils fréquentent avec une grande assiduité le foyer des Bossange lors des dîners et soirées qui y ont lieu. N'oublions pas Dufour. Pendant tout son séjour, Charles-Édouard cite le nom de Dufour 11 fois, dont une seule au bureau de Bossange. Il est également cité dans le journal de Lactance Papineau et dans celui de Louis-Hippolyte La Fontaine lors de leurs séjours à Paris. Ce dernier fait de Dufour l'associé de Bossange[24]. Aubin, qui a établi le texte de Lactance pour publication, fait une note sur ledit Dufour où il le présente comme libraire chez Bossange en 1842[25]. Enfin, nous avons deux irréductibles habitués

---

22.   N. Felkay, « La librairie Bossange », dans Claude Galarneau et Maurice Lemire (dir.), *Livre et lecture au Québec, 1800-1850, op. cit.*, p. 49.

23.   Il nous est impossible de donner son nom exact qui est illisible dans le journal de Fabre père.

24.   L.-H. La Fontaine, *Journal de voyage en Europe, op. cit.*, p. 129.

25.   Lactance Papineau, *Journal d'un étudiant en médecine à Paris*, Montréal, Éditions Varia, 2003, p. 238.

des soirées chez les Bossange : Édouard Lelegard et le docteur Chassaignac. Comme nous l'apprend Aubin dans les notes du journal de Lactance Papineau, ce dernier est connu pour avoir traduit les *Œuvres chirurgicales complètes* de l'Anglais Astley Paston Cooper[26]. Édouard Lelegard, quant à lui, est un employé. Nous ne savons pas exactement dans quelle branche il travaille. Pourtant, nous savons que son patron, M. Laurent, est en contact avec le duc Decaze, ancien chef du gouvernement sous Louis XVIII et Grand Référendaire de la Chambre des pairs. C'est par son entremise que Louis-Joseph Papineau et Édouard-Raymond Fabre recevront des billets du duc leur permettant d'assister aux séances de la chambre haute. Lelegard, en novembre 1843, se lie également d'amitié avec madame Barron, Canadienne installée à Paris, qu'il rencontre chez les Bossange. La description naïve que fait le fils Fabre de ces deux personnes lors d'une promenade à Versailles nous laisse à penser que, peut-être, entre les deux adultes un jeu de séduction s'était mis en place. Il ne durera assurément pas, le caractère difficile de la dame décrit par Charles-Édouard en étant certainement la cause.

Les liens internationaux

Le réseau des Bossange a cette particularité de compter dans ses rangs un ensemble de connexions internationales, qu'il s'agisse d'étrangers ou de Français vivant ou ayant vécu à l'étranger. À ce stade, nous ne traiterons pas des Canadiens auxquels nous réservons un chapitre particulier. L'aspect international de ce réseau est évidemment dû aux affaires des Bossange et à leur commerce du livre dans le monde entier.

Parmi les étrangers cités dans les journaux des deux Fabre, nous trouvons plusieurs Américains. Nous en avons identifié une dizaine, mais il y a de nombreux patronymes anglo-saxons dont nous ne connaissons pas la nationalité et qui pourraient très bien être également des citoyens des États-Unis. Par exemple, le 7 mai 1843, Édouard-Raymond, à l'occasion d'un dîner et d'une soirée chez les Bossange, note le nom de deux étrangers, Eaton et Summer. Il a beau préciser que ce dernier est un ami de son beau-frère, il n'écrit pas quelle est sa nationalité. Pourtant, quelques jours plus tard, le 28 mai, lors d'un autre dîner rue de Varennes, le même Summer réapparaît aux côtés de deux personnes identifiées comme américaines. Ce qui nous laisserait à penser qu'il est leur compatriote. Il n'y a qu'un seul

---

26. *Ibid.*, p. 324.

Américain pour lequel nous pouvons donner des précisions sur son identité. Il s'agit de George Palmer Putnam, un éditeur américain de New York qui vient dîner chez les Bossange deux soirs de suite en avril 1844. En 1838, il s'est lancé activement dans le commerce international du livre et a installé des bureaux à Londres. À partir de cette date et pendant la première moitié de la décennie 1840, il prend divers contacts avec les plus importants éditeurs et libraires de Grande-Bretagne et d'Europe continentale[27]. Putnam semble être un habitué des Bossange lors de ses séjours à Paris puisqu'il est reçu chez eux à plusieurs reprises en novembre 1840. Il qualifiera d'ailleurs Hector Bossange de « one of the best men in the world[28] ». Pour ce qui est des autres Américains, à part leur nom, nous avons très peu d'éléments biographiques. De quels États viennent-ils ? Nous ne pouvons le dire que pour deux d'entre eux : un dénommé Walker de Nashville dans le Tennessee et un autre de Baltimore dans le Maryland. Quelle est leur profession ? Le seul pour lequel nous le savons est un docteur de Baltimore dont nous ne connaissons pas le nom. C'est assurément peu d'informations. À part les Américains qui fréquentent les Bossange, nous trouvons également plusieurs Brésiliens. Tout d'abord, le 8 juin 1843, Édouard-Raymond nous apprend que sa nièce Adèle reçoit à dîner plusieurs dames du Brésil. Ensuite, trois jours plus tard, le 11 du même mois, c'est Hector qui accueille chez lui une famille de Brésiliens, les Howden. Fabre père note que M. Howden est un Écossais qui s'est installé à Rio de Janeiro et y a rencontré sa femme. Enfin, un dénommé Verneck se rend plusieurs fois chez les Bossange pour dîner. C'est aussi un jeune Brésilien. Très vite, il se lie d'amitié avec Charles-Édouard Fabre avec lequel il sort à quelques reprises. À part Putnam, nous n'avons trouvé qu'un seul étranger avec lequel Hector Bossange semble entretenir des relations d'affaires. Il s'agit de M. Leftley. Lorsque Fabre père, accompagné de Julie Papineau et de ses filles, arrive en Angleterre pour embarquer pour le Canada, il se rend chez ce dénommé Lefltey de la part de Bossange pour organiser leur voyage vers Liverpool. Après leur départ, celui-ci envoie une lettre à Hector pour leur signifier qu'ils ont bien pris la route et qu'ils devraient embarquer sous peu[29]. Puis, quelques semaines plus tard, autour

27.   Ezra Greenspan, « The house of Putnam, 1837-1872 : a documentary volume », dans *Dictionary of Literary Biography*, Détroit, Gale Group, 2002, vol. 254, p. 13.

28.   Ezra Greenspan, *George Palmer Putnam : Representative American Publisher*, University Park, Pennsylvania State University Press, 2000, p. 97.

29.   *Ibid.*, p. 447.

du 21 juillet 1843, ledit Leftley vient à Paris et dîne à plusieurs reprises chez les Bossange. Il y rencontre à cette occasion Lactance Papineau[30].

L'autre partie de ce réseau international est composée de Français vivant à l'étranger. L'inconnue ici est la nature des liens entre les Bossange et ces personnes qui n'ont pas forcément à voir avec le milieu de la librairie. Mais nous pouvons aisément nous imaginer la place qu'occupent les Bossange dans les différentes régions du monde où ils exportent. Ils sont connus de l'élite des communautés françaises qui y vivent car ils y sont les principaux fournisseurs de livres en français. Bien évidemment, nous trouvons dans ces Français de l'étranger des liens d'affaires. C'est le cas du dénommé Renaud. Du 1er au 13 août 1844, les Bossange le reçoivent à plusieurs reprises. Il dîne et passe la soirée chez eux. Charles-Édouard, plus prolixe qu'à l'habitude, note que cet homme est un libraire qui vit à Moscou. Hormis les affaires, les Bossange entretiennent des relations avec d'autres Français de l'étranger. Les carnets des deux Fabre nous donnent quelques pistes. En effet, en juin 1844, les Bossange accueillent chez eux Sophie Picot, une jeune fille qui doit aller dans un pensionnat parisien pour étudier. Elle est Française et vient de Philadelphie. Elle pourrait être la fille de Charles Picot, qui, selon le *Courrier des États-Unis*, journal français de New York, tient une école à Philadelphie et publie des ouvrages pour populariser la langue française aux États-Unis[31]. Sophie Picot doit être dans les âges de Charles-Édouard et de Maria avec qui elle sort plusieurs fois et s'entend fort bien. À la même période, en juillet 1844, une autre jeune fille fréquente la rue de Varennes. Elle n'y loge pas comme Sophie Picot, mais y vient dîner et passer la soirée. Il s'agit de la demoiselle d'Espenville. Or, ce nom est lié aux Amériques puisqu'il existe un comte et un marquis d'Espenville, tous deux frères, qui vivent à Cuba en 1808 et sont inquiétés par les autorités locales lors du soulèvement de Madrid[32]. De plus, dans les années 1830, il y a un fonctionnaire du consulat de Philadelphie qui se nomme d'Espenville. Or cette demoiselle et Sophie Picot se connaissent puisque, comme nous l'apprend Charles-Édouard le 18 juillet 1844, elles fréquentent le même pensionnat. Enfin, nous pouvons citer le docteur Berger dont la fille est également élève

---

30.   *Ibid.*, p. 452.

31.   *Courrier des États-Unis*, 24 septembre 1844.

32.   Gabriel Debien, « Réfugiés de Saint-Domingue expulsés de la Havane en 1809 », dans *Anuario de estudios americanos*, tome 35, p. 575.

au même pensionnat que mademoiselle Picot. Le 28 mai 1843, Édouard-Raymond et son neveu Édouard Bossange se rendent chez ce médecin. Fabre en profite alors pour nous en dresser un rapide portrait. Il a vécu à Saint-Domingue de 1784 à 1794. Il y a combattu les Noirs et perdu toute sa fortune. Il s'est alors installé à New York et y a vécu pendant 26 ans. C'est pendant son séjour qu'il a su faire de bonnes affaires qui lui ont donné une fortune encore plus grande. Charles-Édouard, quant à lui, le rencontre le 9 juillet 1844 lors d'une visite chez sa cousine Adèle. Ce docteur Berger est un membre connu de la communauté des Français de New York puisque le *Courrier des États-Unis* le cite à plusieurs reprises, soit pour sa qualité de médecin[33], soit en tant que membre actif de la société de bienfaisance française de New York[34]. D'ailleurs, en 1848, il participe à la souscription faite parmi les Français pour aider les veuves et les orphelins de la révolution de février[35].

Le réseau bourgeois des Bossange est hétérogène. Nous y trouvons des grands noms de la finance ou de la librairie, mais également des professeurs de collège, des employés, qui fréquentent la rue de Varennes plus ou moins régulièrement. Néanmoins, ce réseau de connaissances est marqué par les liens internationaux que les affaires à l'étranger d'Hector et de sa famille ont favorisés.

Les Canadiens à Paris

À ce stade, nous n'avons pas encore étudié le pendant canadien du réseau international des Bossange. Or, le séjour d'Hector à Montréal dans la deuxième moitié de la décennie 1810, les amitiés qui ont pu en naître et son mariage avec Julie Fabre donnent à cette partie du réseau un poids considérable. Néanmoins, il faut garder à l'esprit que la place des Canadiens dans les journaux des Fabre et de La Fontaine, mais aussi dans ceux des deux frères Papineau, est accentuée du fait de leurs amitiés personnelles avec leurs compatriotes qui vivent à Paris ou ne font qu'y passer.

---

33. *Courrier des États-Unis*, 12 décembre 1843.

34. *Ibid.*, 30 décembre 1843.

35. *Ibid.*, 17 mai 1848.

Les Papineau

Bien évidemment, les Papineau occupent une place de choix dans le journal de Fabre père. Celui-ci n'a pas vu Louis-Joseph, cet ami et quasi-mentor, depuis plusieurs années et l'a quitté dans des circonstances tragiques. Leurs retrouvailles sont touchantes et l'admiration qu'Édouard-Raymond porte au chef des patriotes alors en exil à Paris est palpable à chacune de leurs rencontres. Par contre, le journal de Charles-Édouard est moins marqué par cette relation. Certes, il a ses propres amitiés pour les Papineau, mais elles n'ont pas la même nature dévote et passionnée que celles de son père. Il faut donc piocher rigoureusement dans chacun de ces deux carnets de voyage les éléments qui nous permettent de dresser la nature des relations, non pas entre les Fabre et les Papineau, mais plutôt entre ces derniers et les Bossange.

Le 21 mai 1843, Édouard-Raymond décrit la chambre à coucher d'Hector Bossange. Fabre note qu'elle est ordinaire mais surtout qu'il y a deux portraits : un d'Hector et un de Louis-Joseph Papineau. Le 13 juin, il nous apprend également que dans le bureau d'Hector le portrait de Papineau côtoie ceux de Martin Bossange et de Laffitte. Cette place de choix du tableau représentant Louis-Joseph, à la fois dans le bureau et dans la chambre, c'est-à-dire aussi bien dans le milieu personnel que professionnel, intime que public, illustre la relation particulière qui existe entre les deux hommes. De plus, si nous ajoutons à cela le choix des portraits qu'Hector Bossange fait dans chacun de ces lieux, à savoir un portrait de son père, un portrait du fameux banquier, personnage politique important, ancien président du Conseil qui l'a aidé financièrement dans les moments difficiles, et enfin un portrait de lui-même, nous ne pouvons que conclure à l'admiration et à la sincère amitié que le libraire parisien porte au chef des patriotes. Nous savons également que c'est Hector Bossange qui organise le départ de Julie Papineau et de ses filles en juin 1843, en même temps qu'Édouard-Raymond. Louis-Joseph Papineau fréquente alors le bureau d'Hector pour se tenir au courant de l'avancement des préparatifs du départ. Louis-Joseph et Lactance Papineau sont cités 41 fois chacun par Charles-Édouard durant tout son séjour à Paris. Louis-Joseph Papineau apparaît 17 fois chez les Bossange pour des visites ou des dîners et soirées. Il fréquente aussi Adèle Salles, la fille aînée des Bossange, chez qui il s'attable à plusieurs reprises. Par contre, Charles-Édouard ne l'associe au bureau de son oncle que quatre fois ; ce qui s'explique certainement par le peu de temps qu'il y passe lui-même. Enfin, l'amitié d'Hector pour Louis-Joseph existe également entre les femmes des deux hommes. En effet, le 14 juin, la veille du départ de Julie Papineau et de ses filles de Paris, Julie Bossange, accompagnée de son frère et de son fils Édouard, se rend au domicile des Papineau. Les deux femmes se disent adieu et pleurent abondamment. La scène que nous décrit Fabre est déchirante. Elle tend à nous montrer les sentiments sincères qui les lient. Il s'agit de deux amies à la veille d'une séparation ultime. Julie Bossange, Canadienne vivant loin de ses compatriotes à Paris, voit partir Julie Papineau sans savoir si elles se reverront un jour.

Par contre, il est intéressant de noter que les Papineau ont leur propre réseau de connaissances et que celui-ci n'est pas forcément lié aux Bossange. Le journal d'Édouard-Raymond s'ouvre le 4 mai 1843 par une visite chez les Papineau. Il y trouve Amédée avec une Américaine et un Irlandais. Si nous nous référons aux journaux d'Amédée Papineau et de son frère Lactance, nous apprenons que ces deux personnes sont madame Koch et M. Dowling[36]. Madame Koch est une veuve d'origine irlandaise dont le mari, un Américain de Philadelphie, lui a laissé une importante fortune[37]. Elle est une intime des Papineau à Paris. Dowling est un médecin qui, avec sa famille, fréquente régulièrement les Papineau. Irlandais, vivant à Paris, il aurait des liens avec madame Koch[38]. Or, dans les journaux des deux Fabre, en aucun moment ces personnes sont citées. Pire, Édouard-Raymond ne donne pas leur nom lorsqu'il les rencontre. De plus, le 23 mai 1843, Fabre père écrit que Papineau est un ami du fameux abbé de Lamennais, auteur du très contesté *Paroles d'un croyant*. Et Fabre de préciser que, devant l'affluence des visiteurs chez Lamennais, celui-ci a délivré un billet permettant à Papineau d'être reçu immédiatement, sans avoir à attendre. Ce qu'il appert de tout cela, c'est que les Papineau, malgré une grande proximité et une forte amitié, ne sont pas dépendants du réseau des Bossange et qu'ils ont très vite su créer un nouveau réseau de connaissances qui, s'il est moindre, n'en reste pas moins indépendant de celui du libraire du quai Voltaire.

---

36. L. Papineau, *Journal d'un étudiant en médecine à Paris*, *op. cit.*, p. 440 ; Amédée Papineau, *Journal d'un fils de la liberté, 1838-1855*, Sillery, Septentrion, 1998, p. 582.

37. L. Papineau, *Journal d'un étudiant en médecine à Paris*, *op. cit.*, p. 99.

38. *Ibid.*, p. 171.

Les Canadiens résidents

Hormis les Papineau, nous découvrons plusieurs Canadiens vivant à Paris qui gravitent autour des Bossange. Étudiants, patriote en exil, veuve fantasque cherchant une nouvelle vie outre-Atlantique, voilà un bref aperçu de la diversité des destinées des Canadiens que nous pouvons croiser dans le Paris du début des années 1840.

Madame Barron apparaît dans le journal de Charles-Édouard, le 13 novembre 1843. À partir de cette date, elle visite plusieurs fois les Bossange. D'ailleurs, le fils Fabre écrit qu'avec sa tante Julie Bossange, ils cherchent un appartement à la dame. Les rencontres sont régulières et rapprochées jusqu'au 7 décembre 1843, date après laquelle elles deviennent plus rares. Or, il semble que cet éloignement soudain entre les Bossange et madame Barron soit le fait de tensions. En effet, en février 1844, Édouard-Raymond Fabre écrit à son beau-frère parisien pour s'excuser de l'attitude de cette femme qu'il avait dirigée vers lui lors de son départ pour la France[39]. Nous ne connaissons pas la nature des divergences entre les Bossange et madame Barron. Néanmoins, l'argent pourrait en être à l'origine puisque le 22 novembre 1843 Charles-Édouard note qu'il se rend au bureau de son oncle pour aller y chercher de l'argent pour madame Barron. Aubin nous présente cette dernière dans une note du journal de Lactance Papineau. Elle est veuve et quitte le Bas-Canada le 19 octobre 1843. Elle est accompagnée d'une servante et de son enfant, dont Charles-Édouard ne parle jamais[40]. Elle serait une amie de madame Rankin qui vit à Lyon, qui connaît bien les Papineau et qui est la sœur du Dr Lusignan, un patriote mort en prison[41]. Madame Barron restera à Paris jusqu'en novembre 1844 ; pourtant, après décembre 1843, elle ne sera citée par Charles-Édouard que quatre fois, dont une seule en présence des Bossange.

Parmi les Canadiens vivant à Paris, nous trouvons également Guillaume Lévêque. Nous le rencontrons essentiellement pendant le séjour de Fabre père. Il sera d'ailleurs présent lors du départ de la diligence qui conduira Édouard-Raymond mais aussi Julie Papineau et ses filles vers l'Angleterre puis le Canada. Amédée Papineau le présente comme suit : « Guillaume

---

39. *Ibid.*, p. 477.

40. *Ibid.*

41. *Ibid.*, p. 149.

Lévesque, dont la condamnation à mort par la Cour martiale, en suite de l'insurrection de 38, fut commuée en bannissement perpétuel, et qui sous le nom de D'Ailleboust est employé ici au ministère des Affaires Étrangères [...][42].» Il est à noter qu'il est plus proche des Papineau qu'il fréquente régulièrement, si nous en croyons le journal de Lactance.

Enfin, il reste les quelques Canadiens qui viennent à Paris pour étudier. Nous en trouvons trois réguliers. Ils étudient la médecine avec Lactance et fréquentent, avec ou sans lui, les Bossange. Ils se nomment Louis Dubois, Louis Boyer et Hector Peltier. Le seul pour lequel nous ayons des informations est Hector Peltier. Selon Aubin, il arrive à Paris en 1838 avec Hector Bossange qui revient alors d'un voyage en Amérique. Après avoir étudié la philosophie, il se lance dans des études de médecine[43]. Ce lien particulier de Peltier avec les Bossange le place en tête des citations par Charles-Édouard puisque son nom apparaît 48 fois dans les événements que ce dernier enregistre dans son journal. Néanmoins, nous retrouvons ces trois étudiants canadiens à plusieurs reprises avec Charles-Édouard mais aussi avec Léopold Bossange qui sont dans la même tranche d'âge.

Notons que La Fontaine cite deux autres noms de Canadiens vivant à Paris en 1838. Le premier se nomme McKay, un Montréalais travaillant comme clerc chez Bleakley à Paris et qui est en fort mauvaise santé[44]. La seconde est la sœur de sa femme, madame Lavalard, née Berthelot[45]. Mais nous ne savons pas si son mari, Olympe Lavalard, est Canadien ou Français. Quoi qu'il en soit, La Fontaine fréquente régulièrement le logis des Lavalard avec lesquels il se sent comme « en famille[46] ». Jamais ces noms n'apparaissent dans les carnets de voyage des Fabre, cinq ans plus tard. Le temps est peut-être la cause de cette absence. Dès lors, avec La Fontaine, nous découvrons un autre réseau, celui d'Amable Berthelot[47], son beau-père qui a vécu quatre années à Paris de 1820 à 1824 et qui y a donc ses propres attaches, indépendantes des Bossange. Par le biais de ce réseau, La Fontaine

---

42.   A. Papineau, *Journal d'un fils de la liberté [...]*, *op. cit.*, p. 543.

43.   L. Papineau, *Journal d'un étudiant en médecine à Paris*, *op. cit.*, p. 104.

44.   L.-H. La Fontaine, *Journal de voyage en Europe 1837-1838*, *op. cit.*, p. 128.

45.   *Ibid.*, p. 78.

46.   *Ibid.*, p. 71.

47.   Gilles Gallichan, « Berthelot, Amable », *DBC*, *op. cit.*, tome 7, www.biographi.ca

rencontrera A. Laffitte et M. Couscher qu'il présente comme des amis intimes de son beau-père[48]. Or, le 9 octobre 1843, nous trouvons dans le journal de Charles-Édouard un dénommé Adolphe Laffitte qu'il rencontre à Maisons, la ville où vit le banquier du même nom. Cela ne peut que confirmer la réflexion d'Aubin qui fait de ce A. Laffitte un parent de son homonyme bien connu[49]. Lavalard lui permettra également de retrouver M. Huber, un Français qui avait vécu quelques années au Bas-Canada et avec qui il s'était lié d'amitié[50]. Lui non plus ne figure pas dans les journaux des deux Fabre.

Les Canadiens de passage et les amis du Canada

Toute proportion gardée, nombreux sont les Canadiens qui ne font que passer à Paris, pour visiter la capitale française, pour voir leurs proches, pour affaires, ou pour ces trois raisons à la fois. Lors de leurs séjours, ils sont pris d'une frénésie touristique qui les pousse à visiter le plus grand nombre possible de monuments ou de sites remarquables. Par exemple, Amédée Papineau, venu voir ses parents, ne s'en cache pas. Il décrit pieusement ce qu'il voit et pense même à faire une annexe à son journal consacrée aux monuments parisiens[51].

Le journal de La Fontaine donne une idée claire de la manière dont un Canadien en voyage à Paris, sans lien particulier familial ou amical avec les Bossange, vit son séjour. Il visite tout ce qu'il peut. Il se rend chez ses amis, sa famille, ou bien chez des connaissances que certains de ses compatriotes lui ont recommandées. Il court les commerces où il pourra effectuer les achats que lui ont commandés ses proches et ses amis restés au pays. Dans le cas de La Fontaine, il se rend à plusieurs reprises chez les frères Gaume et chez le libraire Videcoq pour y acheter des livres pour son beau-père[52]. La place des Bossange y est nettement moindre que pour Édouard-Raymond, qui y loge lors de son séjour d'affaires. Pourtant, le libraire du quai Voltaire y occupe une place non négligeable. En effet, La Fontaine rencontre Hector Bossange à quatorze reprises, soit autant que M. Lavalard,

---

48. L.-H. La Fontaine, *Journal de voyage en Europe 1837-1838*, *op. cit.*, p. 78.

49. *Ibid.*

50. *Ibid.*, p. 110-111.

51. A. Papineau, *Journal d'un fils de la liberté [...]*, *op. cit.*, p. 541.

52. L.-H. La Fontaine, *Journal de voyage en Europe 1837-1838*, *op. cit.*, p. 89.

avec lequel il est lié et avec lequel il a à faire pour régler les achats de son beau-père Berthelot[53]. De plus, c'est Bossange qui organise le voyage de retour de La Fontaine, avec lequel il part. Par contre, La Fontaine ne nous parle en aucune façon des connaissances qu'il a pu faire grâce à Bossange. Pourtant il se rend sept fois chez les Bossange, dont deux fois pour y dîner et y passer la soirée.

Parmi les Canadiens de passage qui fréquentent les Bossange, nous trouvons une grande diversité d'origines et d'orientations politiques. Le 5 avril 1844, le libraire montréalais Robert Armour[54] dîne chez les Bossange. Or, cet Armour est l'ancien propriétaire et éditeur de la *Montreal Gazette*, tory convaincu, qui durant la décennie 1830 s'était attaqué à Papineau. Il faut croire que les affaires passent parfois avant bien des amitiés. Le 16 mars 1844, Joseph Masson[55], seigneur de Terrebonne, et sa fille Marie arrivent à Paris[56]. Le 19 mars, ils dînent chez les Bossange avec Louis-Joseph Papineau. Le père et sa fille reviennent le 21 mars. Le 28 du même mois, Julie Bossange semble s'occuper de Marie Masson puisqu'elles passent rendre visite à Charles-Édouard dans sa chambre. Enfin le lendemain, les Masson dînent à nouveau chez les Bossange et y rencontrent Théodore Salles, le gendre d'Hector Bossange, mais aussi plusieurs membres de l'influente famille Baignières que nous avons présentée plus tôt. Puis, ils quittent Paris le 30 mars. Notons que cette Marie Masson est celle qu'épousera Édouard Bossange après qu'Édouard-Raymond Fabre eut joué l'entremetteur[57]. De mars à mai 1844, un dénommé Sauvageau fréquente les Bossange et les Papineau. Il s'agit de Tancrède Sauvageau, qu'Aubin présente comme un ami d'Amédée Papineau avec lequel il fréquentait le Collège de Saint-Hyacinthe.

Nous rencontrons aussi plusieurs ecclésiastiques canadiens dont le poids dans le journal de Charles-Édouard est le fait de son amitié pour ces messieurs, mais également de sa vocation. Tous ces ecclésiastiques logent sur la rive gauche de la Seine, rue du Bac aux Missions étrangères, qui accueillent les prêtres étrangers venus en visite à Paris. Dès lors, ils ne sont

---

53. *Ibid.*

54. George L. Parker, « Armour, Robert », *DBC*, *op. cit.*, tome 8, www.biographi.ca

55. Fernand Ouellet, « Masson, Joseph », *DBC*, *op. cit.*, tome 7, www.biographi.ca

56. L. Papineau, *Journal d'un étudiant en médecine à Paris*, *op. cit.*, p. 483.

57. J.-L. Roy, *Édouard-Raymond Fabre*, *op. cit.*, p. 37.

pas très loin de la rue de Varennes, ni du quai Voltaire, et donc des Bossange. Nous avons deux groupes de prêtres. Le premier est composé du curé Kelly[58] et de l'abbé Raymond, qui sont envoyés en 1842 en Europe par Mgr Lartigue. Le 5 juin 1843, ils sont tous deux à Versailles avec les Fabre et les Papineau, puis à Saint-Denis le lendemain avec les mêmes avant d'aller dîner chez Louis-Joseph Papineau. Durant tout le mois de juin, nous les retrouvons avec Charles-Édouard. Le 18 juin, c'est Kelly qui, lors d'une messe au Sacré-Cœur, donne la communion au fils Fabre et à Maria Bossange. Le 20 juin, dans la même église, Charles-Édouard sert la messe dite par Raymond. Puis le 9 juillet, les deux prêtres dînent chez les Bossange en compagnie de Lactance, d'étudiants canadiens et de Guillaume Lévêque. Le 17 juillet 1843, Kelly prend la diligence qui le conduira vers Le Havre. Lactance, Charles-Édouard, Peltier et Raymond sont venus lui dire au revoir. Raymond quant à lui reste plus longtemps à Paris, ce qui permet à Charles-Édouard de le rencontrer régulièrement. Entre Raymond, professeur au Collège de Saint-Hyacinthe qui fut un temps sensible aux idées de Lamennais, et le fils Fabre, une relation particulière naît. C'est au même moment que la vocation de Charles-Édouard s'affirme. Cette relation ne plaît donc pas à son père qui lui écrit le 13 juin 1845, alors que le jeune Fabre est déjà élève à Issy-les-Moulineaux et qu'il n'a pas revu Raymond depuis longtemps : « J'estime beaucoup Monsieur Raymond, c'est un homme très aimable, poli, etc., mais je n'ai aucune confiance dans son jugement, malgré sa soutane[59]. » Quoi qu'il en soit, si Raymond se rend chez les Bossange, c'est uniquement par l'intermédiaire de Charles-Édouard. D'ailleurs, le 30 juin 1843, il y dîne et y passe la soirée. Mais tout ne se passe pas pour le mieux puisque entre Hector Bossange et Raymond, une conversation politique animée mine la soirée. Bossange y critique ouvertement les prêtres ainsi que « ceux qui sont employés dans le gouvernement en Canada », c'est-à-dire ceux qui soutiennent l'Union. Il aurait également cité en mal le nom de M. Morin, qui se trouve être depuis février 1843 le beau-frère de Raymond. Ce dernier quittera définitivement Paris le 4 septembre 1843[60].

---

58.   James H. Lambert, « Kelly, Jean-Baptiste », *DBC*, *op. cit.*, tome 8, www.biographi.ca

59.   J.-L. Roy, *Édouard-Raymond Fabre*, *op. cit.*, p. 31.

60.   L. Papineau, *Journal d'un étudiant en médecine à Paris*, *op. cit.*, p. 461.

C'est en juillet 1844 que trois autres prêtres canadiens arrivent à Paris. Il s'agit des curés Leduc, Bélanger et Gingras[61], ce dernier étant le directeur du Grand Séminaire de Québec. Leduc quitte Paris le 1er août, tandis que ses deux comparses restent jusqu'à la fin du mois. C'est encore Charles-Édouard qui passe du temps avec ces messieurs. Ils ne viendront jamais dîner chez les Bossange et ne seront pas en contact avec eux. Sans doute le jeune Fabre était-il peu enclin à les présenter aux Bossange depuis l'attitude désobligeante de son oncle Bossange à l'égard de M. Raymond. Néanmoins, ils lui font rencontrer la famille d'Alexandre Vattemare[62], ventriloque bien connu pour avoir mis en place un système d'échange culturel entre l'Europe et les Amériques. Par la suite, Charles-Édouard s'y rend plusieurs fois et devient ami avec un des fils Vattemare qui se destine à une carrière ecclésiastique. Quoi qu'il en soit, Charles-Édouard fait connaître les Vattemare à madame Castaing que nous avons précédemment identifiée comme parente des Bossange.

Enfin, notons que, en février 1844, Fabre fils fait la connaissance de deux religieux bien particuliers. Il s'agit de Mgr Provencher[63], évêque dans l'Ouest canadien qui est alors en séjour à Paris, et de Mgr Forbin-Janson[64], évêque de Nancy, bien connu pour un important voyage apostolique aux États-Unis et au Canada entre 1839 et 1841. Le jeune Fabre se fait accompagner à deux reprises par son cousin Léopold Bossange chez l'évêque de Nancy et lui présente les deux hommes.

Nombreux sont les Canadiens vivant à Paris ou ne faisant qu'y passer qui rencontrent les Bossange. Mais il appert que ce réseau repose pour beaucoup sur quelques piliers qui sont des relais essentiels à l'extension des connaissances canadiennes. Il s'agit des Fabre et des Papineau qui présentent aux Bossange d'autres Canadiens ou les leur recommandent.

61. Philippe Sylvain, « Gingras, Léon », *DBC*, *op. cit.*, tome 8, www.biographi.ca

62. Claude Galarneau, « Vattemare, Nicolas-Marie-Alexandre », *DBC*, *op. cit.*, tome 9, www. biographi.ca

63. Lucien Lemieux, « Provencher, Joseph-Norbert », *DBC*, *op. cit.*, tome 8, www.bio graphi.ca

64. Philippe Sylvain, « Forbin-Janson, Charles-Auguste-Marie-Joseph de », *DBC*, *op. cit.*, tome 7, www.biographi.ca

Conclusion

Au final, le réseau Bossange est très traditionnel dans sa manière de fonctionner. Il est constitué de plusieurs niveaux de connaissances, de proximité et de liens, chacun offrant un relais vers un niveau moindre. Entre ces différents niveaux peuvent exister des relations transversales connues ou inconnues des Bossange. En réalité, ce qui caractérise ce réseau, c'est la place qu'y occupent les affaires, mais également ce qui en découle, c'est-à-dire le poids important des étrangers et parmi eux des Canadiens. La place des affaires dans ce réseau n'est pas exceptionnelle puisque Hector Bossange est avant tout un bourgeois vivant du commerce. Néanmoins, nous découvrons que ces affaires sont très liées avec la famille, qui forme le premier niveau de ce réseau. Le séjour de Fabre, qui est essentiellement un séjour d'affaires, prend place dans la famille de sa sœur et de son beau-frère qui est un de ses principaux approvisionneurs. Les associations professionnelles que Fabre ou Bossange ont faites ou feront par la suite laissent une place de choix à la famille, frère, neveu, beau-frère, etc.

Pour Hector Bossange, ce sont ses affaires qui, par leurs ramifications internationales, favorisent la création de liens à l'étranger. Bossange a fait ses débuts dans le monde de la librairie à New York avant de se rendre au Bas-Canada. Or, nous constatons que les Nord-Américains, Canadiens ou Américains, forment le gros de ses relations internationales. Il exporte vers Rio de Janeiro et nous trouvons des Brésiliens dans les carnets des deux Fabre. Assurément, les affaires ont permis la constitution du réseau, mais également son maintien et son expansion. De la même manière, Hector entretient avec des Français vivant à l'étranger et susceptibles d'être ses clients, des relations de proximité.

Pour ce qui est des Canadiens, nous pouvons identifier deux piliers dans le réseau Bossange : Louis-Joseph Papineau et Édouard-Raymond Fabre. Ce sont eux qui, de par leurs relations avec Hector, canalisent vers lui le flot irrégulier de leurs compatriotes venant vivre à Paris ou visiter la ville. Bossange devient alors l'arrêt quasi obligatoire pour tous ces Canadiens. Les Canadiens qui fréquentent les Bossange appartiennent à plusieurs groupes bien différents. Ils peuvent être des étudiants envoyés en France par leurs parents pour apprendre la médecine ou la philosophie. D'autres sont des patriotes en exil qui se sont réfugiés en France après l'échec des rébellions de 1837 et 1838. Parmi ceux-là, figure le plus illustre d'entre eux : Louis-Joseph

Papineau. Certains sont des prêtres qui, en plus de venir voir les Bossange, profitent des liens congréganistes entre le clergé canadien et le clergé français. Beaucoup sont des touristes qui viennent visiter la France et l'Europe.

Chacun de ces groupes de Canadiens représente autant de motivations de voyage vers la France qui, bien avant *La Capricieuse*, témoignent de la diversité des liens personnels qui existaient entre le Bas-Canada et son ancienne métropole. Les Bossange ont été un des pôles importants par le nombre des Canadiens reçus, mais également par le statut de ces Canadiens : hommes politiques influents, religieux connus, hommes d'affaires fortunés. Pourtant, les Bossange ne sont qu'un réseau parmi d'autres. À l'instar de La Fontaine ou de Papineau, ces Canadiens ont leurs propres relations françaises qu'ils fréquentent en même temps que les Bossange durant leur séjour parisien.

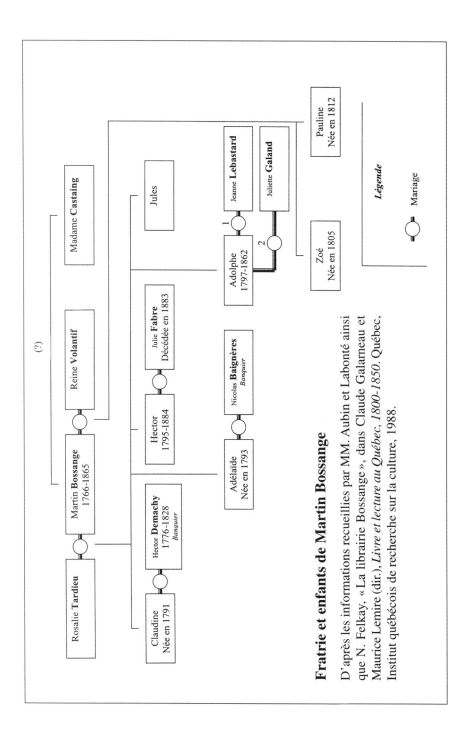

Fratrie et enfants de Martin Bossange

D'après les informations recueillies par MM. Aubin et Labonté ainsi que N. Felkay, « La librairie Bossange », dans Claude Galarneau et Maurice Lemire (dir.), *Livre et lecture au Québec, 1800-1850*. Québec, Institut québécois de recherche sur la culture, 1988.

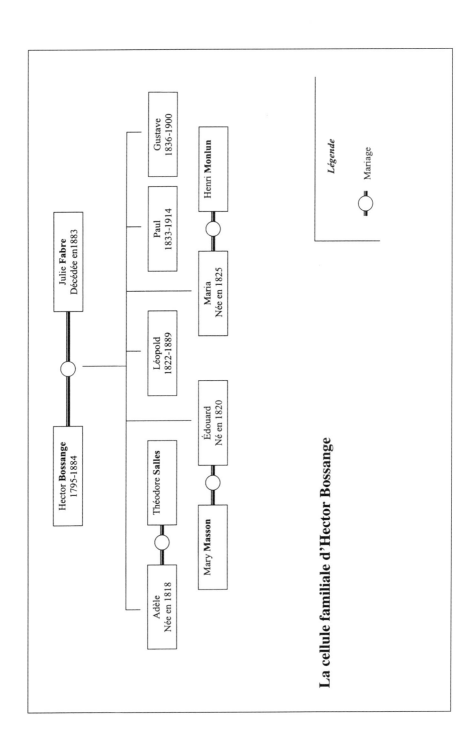

La cellule familiale d'Hector Bossange

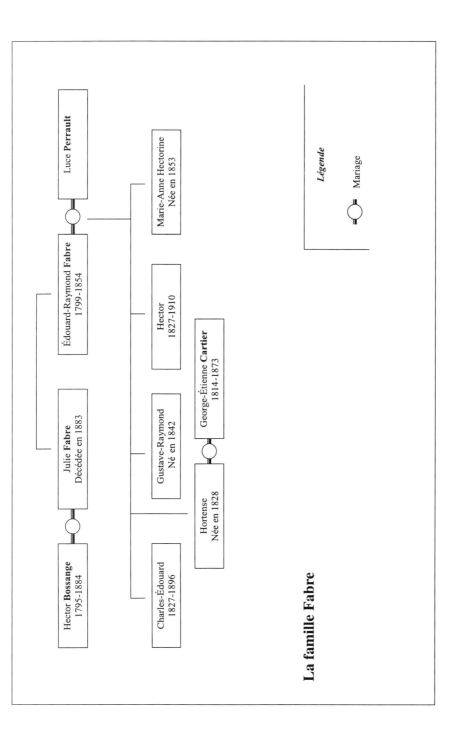

La famille Fabre

La famille Bossange dans la correspondance de la famille Papineau

FRANÇOIS LABONTÉ
réalisateur de cinéma, Montréal

Lorsque deux peuples, tout comme deux individus, nouent de solides liens commerciaux, nous constatons que très rapidement les échanges dépassent de beaucoup le simple négoce. L'aspect économique de ces liens représentera toujours un facteur essentiel, mais, la qualité des partenaires aidant, la culture, les idées, l'amitié finiront par remplir tous les interstices que laisse la grossièreté d'une vulgaire opération commerciale. Il faut toutefois nuancer. Lorsque ces liens sont imposés unilatéralement, dans le seul but de piller légalement les richesses naturelles de l'autre – comme dans certains systèmes coloniaux –, l'espace offert aux échanges autres que commerciaux se raréfie et les effets collatéraux prennent difficilement racine. La relation qui s'est établie entre Hector Bossange (1795-1884) et Louis-Joseph Papineau (1786-1871) relève de la première figure.

L'étude de la correspondance et des documents de la famille Papineau donne un éclairage nouveau sur ces effets collatéraux. Nous avons retrouvé neuf lettres de Bossange à Papineau entre les années 1838 et 1864, mais nous n'avons retrouvé aucune lettre de Papineau à Bossange. Les seules traces des Bossange qui existent dans la correspondance Papineau se trouvent dans des lettres adressées à d'autres correspondants ou encore dans des actes notariés. Nous verrons comment, en prenant l'exemple du partenariat

Bossange-Papineau dans un établissement commercial montréalais, les liens entre les fournisseurs et les détaillants sont tissés serrés et qu'ils répondent à des règles précises, en l'occurrence, à des règles britanniques. Dans le cas qui nous occupe principalement, l'amitié entre Hector Bossange et Louis-Joseph Papineau, la distance séparant l'économique et le politique est mince. Que ce soit l'intervention de Bossange auprès de l'administration britannique pour favoriser le retour de Papineau au pays, ou bien celle du libraire français pour lever un « tribut Papineau » ou encore l'assistance pécuniaire offerte à un chef politique par un homme d'affaires qui l'admire, tous ces efforts sont le résultat d'une amitié qui a commencé par une simple relation d'affaires. Celle du genre que le capitaine de *La Capricieuse*, Paul-Henry de Belvèze, a pour mission d'établir entre la France et le Canada, colonie britannique.

Amitiés montréalaises

L'hypothèse qui nous apparaît la plus probable situe la rencontre de Louis-Joseph Papineau et d'Hector Bossange à Montréal, à l'automne de l'année 1815. À cette époque, Papineau passe ses journées à la cour où il pratique son si peu motivant métier d'avocat : « [...] quand on est en cour, c'est tout comme en enfer : on n'en peut pas sortir[1]. » Ce ne serait donc pas étonnant de voir Papineau, le bibliophile, faire un crochet du côté de chez Bossange qui a ouvert une première librairie située en face du palais de justice, « chez M. Louis Lamontagne devant l'Audience », où il offre des « Livres Français et Latins, consistant principalement en Livres de Piété, Littérature et de Jurisprudence[2] ».

Quelques mois plus tard, Hector Bossange déménage son commerce sur la rue Bonsecours. Ce déménagement n'est pas une coïncidence, mais plutôt le résultat d'une entente commerciale. Au mois d'avril 1816, Papineau revient de Québec où il a siégé – pour la deuxième année consécutive – comme orateur de la Chambre d'assemblée du Bas-Canada. La demeure dut paraître bien grande à ce célibataire de 30 ans, propriétaire de la maison paternelle depuis deux ans. Il décide donc de la partager avec

---

1. Louis-Joseph Papineau à Rosalie Papineau-Dessaulles, Montréal, 15 mai 1816, Archives du Musée McCord [AMMC], fonds Dessaulles.

2. *Montreal Gazette*, 20 novembre 1815.

Hector Bossange, lui-même célibataire au début de la vingtaine. Louis-Joseph écrit à sa sœur Rosalie Papineau-Dessaulles, la toute nouvelle seigneuresse de Saint-Hyacinthe : « M. Bossange demeure avec moi. Il fait son magasin de mes études. Je fais mon étude de la salle d'entrée que remplace la chambre dite de compagnie[3]. » Alors, non seulement Bossange utilise la maison de Louis-Joseph pour son commerce, mais il y demeure. Papineau et Bossange sont, pour utiliser une expression contemporaine, colocs.

Malgré son jeune âge, Hector Bossange n'est pas un amateur. Fils de Martin Bossange, important libraire français, il a d'abord fait ses classes à New York où il a appris l'anglais, l'espagnol ainsi que les rudiments du commerce international, incluant les règles qui régissent les taux de change qui se raffinent avec le développement rapide des moyens de transport maritime. Puis, pour des raisons qui ne sont pas encore évidentes aujourd'hui, Hector Bossange choisit le Bas-Canada, plus particulièrement Montréal, pour y installer son commerce[4]. Le choix de cette ville est-il motivé par la fin du blocus économique napoléonien ?

Bossange et Papineau partageront la maison de la rue Bonsecours pendant un an. Papineau utilise le loyer qui lui est dû en déduction de ses achats de livres. Avoir un libraire à la maison, c'est toute une tentation. Lorsqu'ils font leurs comptes, Papineau se retrouve parfois déficitaire[5]. Maintenant qu'il en a les moyens, lui qui rêve de posséder une importante bibliothèque personnelle ne se privera certainement pas. Pendant que Papineau exerce son métier d'avocat, ne siégeant à Québec que pendant la saison hivernale, à Montréal, Bossange s'occupe activement d'augmenter sa clientèle en publiant ses catalogues et en faisant de la publicité dans les journaux. Il vient de recevoir de Londres « 3 Caisses de Livres Français, Musique et Gravures »,

---

3. L.-J. Papineau à R. Papineau-Dessaulles, Montréal, 15 mai 1816, AMMC, fonds Dessaulles.

4. Sur les établissements commerciaux de la famille Bossange, Nicole Felkay, « La librairie Bossange » ; sur l'histoire de la librairie montréalaise, Yvan Lamonde, « La librairie Hector Bossange de Montréal (1815-1819) et le commerce international du livre », dans Claude Galarneau et Maurice Lemire (dir.), *Livre et lecture au Québec (1800-1850)*, Québec, Institut québécois de recherche sur la culture, 1979, p. 43-92.

5. L.-J. Papineau, état des revenus et dépenses pour la période du 4 juin 1816 au 28 avril 1817, Archives nationales du Québec à Québec [ANQQ], fonds Papineau-Bourassa, P417/1, 1.2.3.

ainsi que des « tapis de Toile cirée ». Il ajoute qu'il attend incessamment un « grand assortiment de Livres Français[6] » par les prochains bateaux.

Les deux célibataires partagent non seulement la maison, mais aussi leurs loisirs. Papineau a certainement éprouvé un malin plaisir à entraîner Bossange à la seigneurie de la Petite-Nation, propriété de son père Joseph. Il a fait découvrir au jeune Français la route qu'empruntaient les ancêtres – les coureurs des bois autant que les Iroquois –, à l'époque de la florissante traite des fourrures. Quelle aventure ! Plus tard, Papineau confiera à son fils Amédée : « Je finis en hâte pour aller promener sur l'île Roussin, où lui [Hector Bossange] et moi étions en promenade chez mon père, conduits en canot d'écorce depuis Lachine jusqu'à l'île, il y a cinquante ans passés[7]. » Les deux hommes ont-ils eux-mêmes conduit l'embarcation ? Rien ne le prouve. Papineau et Bossange ont vraisemblablement accompagné un chargement de vivres destinés aux censitaires de la seigneurie. Un tel voyage demande du nerf. Ce n'est pas rien de ramer quelque 150 kilomètres sur le lac Saint-Louis, celui des Deux-Montagnes et puis remonter la rivière Outaouais, sans mentionner la difficulté des portages et des cordelles. Sport extrême. « Le trajet durait plus d'une semaine. Il y avait le Long-Sault à surmonter. L'on arrivait enfin à l'île Arousen et à sa cabane de troncs d'arbres, qui était le manoir primitif[8]. » Bossange confirmera avec nostalgie l'exotique expédition américaine : « Combien j'aimerais visiter une seconde et dernière fois les rives de l'Ottawa ! Malheureusement j'y chercherais en vain les canots d'écorce et la nature vierge d'il y a 30 ans ! Les beaux arbres ont disparu, les rapides sont remplacés par des canaux et les embarcations d'écorce ont fait place aux bâtiments à vapeur[9]. » Les deux hommes ont raison d'en profiter parce que le célibat tire à sa fin. En octobre 1816, Hector Bossange épouse une jeune Montréalaise, Julie Fabre. Papineau suivra son exemple dix-huit mois plus tard en épousant Julie Bruneau.

---

6. *Le Spectateur*, 9 septembre 1816.

7. L.-J. Papineau à Amédée Papineau, Montebello, 1er septembre 1864, dans Louis-Joseph Papineau, *Lettres à ses enfants*, texte établi et annoté par Georges Aubin et Renée Blanchet, introduction par Yvan Lamonde, Montréal, Éditions Varia, (Documents et Biographies), 2004, tome 2, p. 533-534.

8. Amédée Papineau, *Souvenirs de jeunesse, 1822-1837*, texte établi avec introduction et notes par Georges Aubin, Sillery, Septentrion, (Les Cahiers du Septentrion, no 10), 1998, p. 82.

9. Hector Bossange à L.-J. Papineau, Paris, 1er février 1846, ANQQ, P417/2, 398.

Le succès commercial de Bossange se confirme. Au printemps 1817, il installe son commerce rue Saint-Vincent, dans un quartier plus commercial. Un an plus tard, il loue un magasin rue Notre-Dame. Il semble obéir à ce que nous qualifierons de « technique Bossange ». Hector n'est pas à Montréal pour y rester, mais bien pour y établir un marché, un débouché pour la maison mère, celle de son père Martin qui est à Paris. Effectivement, en 1814, le père d'Hector a ouvert une succursale à Londres en s'associant avec des Britanniques. En 1816, il y envoie Adolphe, son deuxième fils, y faire son apprentissage. Nous croyons que les démarches d'Hector Bossange dans le Bas-Canada procèdent du même plan. Celui-ci veut vraisemblablement établir les bases d'un commerce florissant avant de s'associer avec un ou des partenaires sérieux qui deviendront des importateurs et des clients de la maison de Paris. Louis-Joseph Papineau aurait pu devenir ce partenaire, mais il est trop pris par son travail d'avocat, et surtout par celui d'orateur de la Chambre d'assemblée, travail qui lui procure des honoraires plus qu'acceptables et vraisemblablement supérieurs à ce que pourrait lui rapporter un tel commerce dans une ville comme Montréal. S'il est relativement facile d'imaginer Papineau au milieu des livres, il est par contre plus difficile de se le représenter en train de vanter telle ou telle dentelle, tel parfum ou encore tels corsets féminins[10] ! Papineau, qui a d'autres ambitions, se trouvera quelqu'un pour assurer la perpétuité du commerce.

En 1818, le commerce de Bossange est très bien établi et, souhaitant retourner vivre en France, il se cherche sérieusement un partenaire. Denis-Benjamin Papineau est installé à la Petite-Nation depuis la fin de ses études. Il administre maintenant la seigneurie pour le compte de son frère Louis-Joseph qui en a fait l'acquisition de son père l'année précédente. Denis-Benjamin, marié à Angelle Cornud et père de trois jeunes enfants, ferait un candidat idéal. La seigneurie est isolée et il manque de médecins et surtout d'écoles. La famille veut se rapprocher de la civilisation. Louis-Joseph presse donc son jeune frère de venir à Montréal pour négocier une association avec Hector : « Comme je suis persuadé que tu feras très bien de venir t'aboucher avec Mr Bossange auparavant de te déplacer [de déménager], je t'attends de bonne heure. Le parlement est convoqué pour le douze de Janvier mais je partirai d'ici dès la fin de Décembre[11]. » Denis-Benjamin et Hector ne sont pas des

---

10.   Publicité : « Ladies' stays of a newiest fashion », *Montreal Gazette*, 18 janvier 1819.

11.   L.-J. Papineau à Denis-Benjamin Papineau, Montréal, 5 décembre 1818, ANQQ, P417/2, 2.1.3.

étrangers puisqu'au mois de juin le premier vend au second un terrain – héritage d'Angelle Cornud – du côté des «Eastern Townships», près de Granby[12]. Pressé par son frère et encouragé par son père Joseph, Denis-Benjamin s'entend avec Bossange. Les deux nouveaux associés signent un contrat notarié, un contrat valable – mais renouvelable – pour une période de trois ans à compter du premier janvier 1819[13].

L'examen de ce contrat confirme les liens qu'entend établir Bossange entre Paris et Montréal, et il corrobore la théorie de la «technique Bossange». La nouvelle société *Bossange et Papineau* installe la librairie au n⁰ 77, rue Notre-Dame et, toujours selon l'entente, Denis-Benjamin prend possession de la maison voisine où l'on installera une épicerie au rez-de-chaussée et sa famille à l'étage. Malgré la diversification, le commerce des livres demeurera prioritaire. L'article six stipule: «La librairie étant considérée comme principale branche, il ne pourra être employé plus de deux mille livres [£] aux autres branches mentionnés en l'article premier.» Le premier article précise très clairement les objectifs commerciaux de la société: «Que les objets dont sera fait commerce et Négoce par la dite Société consisteront en articles de librairies, ornemens d'Eglise, vins, épiceries et comestibles qui peuvent être légalement importés en cette Province.» Les loyers seront payés par la société. Les deux associés investissent un capital de 1 000 £ chacun, les deux tiers de la part de Bossange venant de son inventaire.

Malheureusement, le contrat ne stipule pas d'où proviennent les sommes investies par Denis-Benjamin. Il est peu probable que le frère de Louis-Joseph ait eu une telle somme à sa disposition. La Petite-Nation n'est pas alors une seigneurie très riche et les honoraires de Denis-Benjamin, l'administrateur, peuvent à peine faire vivre une famille. Nous n'avons trouvé aucune entente où il serait fait mention d'un emprunt auprès de Joseph ou de Louis-Joseph. Mais nous ne croyons pas faire fausse route en disant que la somme investie par Denis-Benjamin dans l'affaire provient d'une manière ou d'une autre de la «famille Papineau».

Toujours selon l'entente, Hector s'engage à négocier un crédit de 2 000 £ auprès de *Bossange et Masson* de Paris, somme payable et remboursable au

---

12. Contrat de vente, 27 juin 1818, Nicolas-B. Doucet (notaire) [NBD], Archives nationales du Québec à Montréal [ANQM], 601-134, #5345.

13. Établissement d'une société, 31 décembre 1818, NBD, ANQM, 601-134, #5768.

fur et à mesure que les articles seront vendus. Les associés ne sont pas autorisés à faire d'emprunt ou à négocier quelque crédit que ce soit, à moins que la maison *Bossange et Masson* – soit à Paris, soit à Londres – refuse de souscrire. Dans un tel cas, Hector Bossange – qui fait inscrire au contrat qu'il s'en retourne vivre à Paris – s'engage à trouver du crédit ailleurs. L'acte notarié est clair. Un partenariat oui, mais les liens avec la maison parisienne auront préséance.

Denis-Benjamin n'aura que quelques semaines pour se familiariser avec ce commerce qui diffère grandement de sa tâche d'administrateur et de fournisseur pour les censitaires de la Petite-Nation. Montréal est une ville où il y a de la concurrence, il faut donc bien paraître et faire de la publicité. Un extrait paru dans la *Montreal Gazette* annonce la nouvelle société *Bossange et Papineau* : « [...] les relations qui existent entr'elle et les maisons établies par MM. Bossange et Masson, en France et en Angleterre, mettront les soussignés à portée de servir le public avec précision et célérité[14]. » Bossange prend la peine d'ajouter un *nota bene* qui rappelle aux débiteurs qu'ils ont jusqu'au premier jour du mois de mars pour s'acquitter de leurs dettes à son endroit. Puis quelques jours plus tard, une autre publicité donne plus de détails sur les assortiments. L'espace publicitaire réservé aux livres est très restreint : « French and English Books and Stationnery[15] ». Il faut constater que si, selon l'entente, le commerce du livre doit demeurer la plus importante succursale, cela ne se reflète pas dans la publicité. Il faut aussi noter que, dès le début, les associés vont installer une épicerie dans la maison adjacente à la librairie. Est-ce parce que le commerce du livre ne peut suffire à faire vivre une famille montréalaise ?

Le 5 mars de la même année, la société engage un commis, François-Philippe Cordeliers[16], et le 22 mars, vraisemblablement à la veille de son départ pour Paris, Hector Bossange autorise, par acte notarié, Denis-Benjamin Papineau à « gérer ses biens sans permission spéciale[17] ». Les ententes sont bouclées et la mission montréalaise d'Hector Bossange est terminée.

---

14. *Montreal Gazette*, 6 janvier 1819.

15. *Montreal Gazette*, 18 janvier 1819.

16. Contrat d'engagement, 5 mars 1819, NBD, ANQM, 601-134, #5965.

17. Procuration de H. Bossange, 22 mars 1819, NBD, ANQM, 601-134.

Bossange rentre en France où, après avoir demandé et obtenu un brevet de libraire, il s'associe avec son frère Adolphe. Les deux frères ouvrent une importante librairie qui vient compléter la déjà célèbre maison de leur père Martin.

Malheureusement, à Montréal, tous les efforts de Denis-Benjamin s'envolent en fumée dans la nuit du 26 au 27 octobre 1819. Le feu s'est déclaré dans la maison voisine et, après avoir complètement consumé la maison qui abritait l'épicerie et la famille, il s'est propagé jusqu'à la librairie et plusieurs livres ont été endommagés. Nous n'entrerons pas dans les détails des discussions entre les propriétaires et les assureurs – au lieu d'indemniser les sinistrés, ils suggèrent plutôt de faire réparer les livres –, mais soulignons quelques détails qui viennent nuancer la « technique Bossange ». Devant le peu d'empressement manifesté par les assureurs, Denis-Benjamin signe une procuration à son père, le notaire Joseph Papineau[18], laquelle confie le mandat de régler cette affaire à un homme d'expérience. Comme la police d'assurance n'est pas au nom de la société, mais bien au nom d'Hector Bossange, le notaire Joseph agit donc en tant que procureur de Bossange :

> Ces effets ont été beaucoup endommagés, surtout les livres, et quelques-uns totalement perdus par suite de l'Incendie de la nuit du 26 au 27 Octobre dernier, qui ayant commencé dans une maison voisine, s'est communiqué à la maison et au magasin où les effets étoient exposés en vente ; mon fils y demauroit. La maison a été entièrement consumée. Les effets en ont été enlevés dans le tumulte ordinaire en pareil cas, jettés dans les boues et entapés de manière à les briser et détériorer considérablement[19].

Joseph demande un dédommagement pour « livres et papeteries » ainsi que pour les « groceries et merchandises » qui appartiennent à *Reiffenstein & co.* et qui étaient consignés chez *Bossange et Papineau*. La compagnie *Reiffenstein & co.*, qui appartient à John Christoph Reiffenstein de Québec et à James Robinson de Londres, est une très importante maison d'encanteurs qui se spécialise dans diverses importations, dont les livres. Pendant les années 1820, elle annoncera dans la *Gazette de Québec* des arrivages de 3 000 à 5 000 volumes, dont beaucoup de livres français[20]. Le 20 juin 1819, la

---

18.   Substitution du notaire Joseph Papineau, 20 janvier 1820, NBD, ANQM, 601-134.

19.   Joseph Papineau à Louis Guy, Montréal, 20 janvier 1820, ANQQ, P417/1.

20.   Claude Galarneau, « Reiffenstein, John Christopher », *Dictionnaire biographique du Canada*, VII, www.biographi.ca

Montreal Gazette mentionne l'arrivage, sur le *Brig Britannia*, de marchandises – «Goods» – en provenance de Londres. On peut supposer qu'une partie de cette marchandise se soit retrouvée dans les locaux de *Bossange et Papineau* à Montréal.

Si on ajoute à l'analyse du contrat entre Hector Bossange et Denis-Benjamin Papineau celle du contrat d'assurance, les liens entre la France, l'Angleterre et le Bas-Canada apparaissent plus clairement. Après la levée du blocus, la Grande-Bretagne ne s'oppose pas au commerce pourvu que les biens transitent par Londres ou par une autre colonie britannique. Chacun des intermédiaires prend sa juste part de profit à laquelle il faut ajouter les droits de douane prélevés à Québec. Mais il serait injuste de parler ici de «pillage légal» puisque le système, s'il favorise les commerçants, finance aussi l'entretien et la croissance des colonies du Haut et du Bas-Canada. Et, en fin de compte, Downing Street se retrouve souvent déficitaire parce que ces droits ne réussissent pas à couvrir toutes les dépenses. Ce système favorise donc le commerce et les commerçants, qu'ils soient britanniques, français ou canadiens. Plus le commerce est florissant, plus les revenus douaniers sont importants. Si l'on se réfère à la «technique Bossange», on constate que les Bossange ont très bien compris les règles du jeu et que l'établissement d'un partenariat avec un commerçant montréalais, en l'occurrence Denis-Benjamin Papineau, ne pouvait se faire sans une complicité avec des partenaires britanniques qui n'hésitent pas à se transformer en bailleurs de fonds et à consigner des articles chez des détaillants canadiens. D'ailleurs, la prépondérance française stipulée par Bossange dans l'acte notarié ne cède en rien aux exigences que n'importe quelle autre compagnie britannique aurait réclamées.

Libéré de sa charge, mais demeurant toujours l'associé d'Hector jusqu'à la dissolution de la société, le 7 mars 1822[21], Denis-Benjamin retourne à la Petite-Nation, mettant ainsi fin à son aventure montréalaise qui aura duré moins d'une année. Ajoutons toutefois que, lors du règlement avec les assureurs, Denis-Benjamin fut en partie payé par des livres. À l'automne 1824, Louis-Joseph confie à son frère qu'il n'est pas en mesure de l'aider à vendre ses livres, mais, au mois de mars de l'année suivante, il se ravise :

---

21. Dissolution de la société, 7 mars 1822, NBD, ANQM, 601-34, #5768 ; en annexe des 19 articles constituant la société (31 décembre 1818).

Tu avais envie de te défaire de quelques livres que tu avais été forcé de prendre au lieu d'argent. Si tu le désire encore envoie moi la liste et les prix les plus modérés auxquels tu pourrais t'en défaire. Je pourrais en choisir au montant de £80 à £100 pour la Bibliothèque de la Chambre, repons moi sur cet article le plutot possible. Nous avons presque tous les livres de droit à l'exception je crois du Corps de droit romain. Ainsi ce sont surtout les ouvrages historiques que nous serions dans le cas d'acquérir[22].

Toute cette mésaventure – accidentelle – ne semble toutefois pas avoir jeté un froid entre les Papineau et les Bossange.

Amitiés américaines

Les chemins de Louis-Joseph Papineau et d'Hector Bossange ne se recroiseront pas avant plusieurs années. En 1823, Papineau traverse en Angleterre parce qu'il veut empêcher que l'on adopte une loi pour unir le Haut et le Bas-Canada. Lors de ce voyage, il séjourna environ cinq semaines à Paris. Il serait donc étonnant qu'il n'ait pas pris la peine d'aller visiter son ami Bossange, mais, si c'est le cas, ni l'un ni l'autre n'ont laissé de traces de cette rencontre. Mais nous savons qu'à l'été 1838, à Philadelphie, Bossange et Papineau se sont serré la main. Les deux hommes ont bien changé.

Depuis plusieurs années et particulièrement depuis 1834, Papineau, face à une administration coloniale britannique qu'il juge corrompue, a pris la tête de la résistance politique. On le compare à l'Irlandais O'Connell. Après avoir bloqué le vote du budget pendant plusieurs années, voilà qu'il s'en prend au revenu de l'État en demandant aux Canadiens d'assécher le trésor public en cessant de consommer le maximum d'articles importés, donc taxés. Une arme redoutable : « L'or est le dieu qu'ils adorent, tuons leur dieu, nous les convertirons à un meilleur culte[23]. » Mais à l'automne 1837 ce mouvement dérape, les gestes politiques de Papineau et l'agitation des Patriotes mènent à une résistance armée. Le chef des Patriotes choisit de s'exiler aux États-Unis avec la ferme intention de financer un retour en force au pays et aussi de convaincre le gouvernement américain d'appuyer

---

22. L.-J. Papineau à D.-B. Papineau, Montréal, 29 mars 1825, ANQQ, P417/2, 2.1.3.

23. L.-J. Papineau, « Discours de Saint-Laurent » (15 mai 1837), dans Louis-Joseph Papineau, *Un demi-siècle de combat. Interventions publiques*, choix de textes et présentation par Yvan Lamonde et Claude Larin, Montréal, Fides, 1998, p. 435.

politiquement et militairement cette invasion[24]. Malheureusement pour les réformistes, il n'a réussi ni l'un ni l'autre. « Par des voies indirectes, j'ai connu les sentiments qui prévalent à Washington. De toutes parts, ils sont pour la paix à tout prix. L'influence avilissante des banques, l'égalité entre les deux partis paralyse l'action du gouvernement [américain][25]. » À l'été 1838, insatisfait des décisions du nouveau gouverneur Durham qui n'a promulgué qu'une amnistie partielle, excluant plusieurs chefs patriotes – ne faisant évidemment pas d'exception pour Papineau –, on le retrouve à Philadelphie, où il voyage en compagnie de sa femme Julie et d'une partie de sa famille. Hector Bossange, lui, fait un voyage d'affaires en Amérique. Après la mésaventure de son premier essai à Montréal, Bossange, homme d'affaires obstiné, n'a pas abandonné son rêve. En 1822, au même moment où l'on procédait à la dissolution de la société montréalaise *Bossange et Papineau*, la « technique Bossange » se remettait en marche et l'on accueillait à Paris Édouard-Raymond Fabre, le frère de la femme d'Hector, pour un apprentissage d'une année dans la librairie de Martin. Revenu à Montréal en 1823, Fabre a repris le collier et réalisé le rêve d'Hector. Mais dans les années qui suivirent, si l'entreprise de Fabre fleurit à Montréal, les affaires vont moins bien à Paris. Dans la foulée de ce qui prépare et de ce qui suit la révolution de 1830, Martin, Adolphe et Hector Bossange doivent déposer, tour à tour, leur bilan. En 1838, Hector est donc un homme d'affaires diminué lorsqu'il entreprend ce voyage en Amérique. Diminué, mais toujours aussi combatif puisqu'il n'a pas abandonné le métier. Il est toujours en relation avec des correspondants américains et canadiens qui s'approvisionnent encore en partie chez lui.

Hector s'est embarqué sur le même bateau que Louis-Hippolyte La Fontaine[26] qui, après les affrontements violents de l'automne 1837, a traversé en Angleterre pour inciter le gouvernement britannique à faire preuve de

---

24. François Labonté, *Alias Anthony St-John*, Québec, Les Presses de l'Université Laval, (Cultures québécoises), 2004, p. 47-77.

25. L.-J. Papineau à Edmund Bailey O'Callaghan, 26 mars 1838, dans Louis-Joseph Papineau, *Lettres à divers correspondants*, texte établi et annoté par Georges Aubin et Renée Blanchet, avec la collaboration de Marla Arbach, introduction par Yvan Lamonde, Montréal, Éditions Varia, (Documents et Biographies), 2006, tome 1, p. 386.

26. Louis-Hippolyte La Fontaine, *Journal de voyage en Europe (1837-1838)*, texte présenté et annoté par Georges Aubin, Sillery, Septentrion, (Les Cahiers du Septentrion, n° 14), 1999, p. 129.

modération dans ses représailles, mais sans succès. Craignant une arresta-
tion arbitraire s'il rentre trop rapidement au pays, La Fontaine a décidé d'aller
visiter la France où il attend patiemment que le nouveau gouverneur Durham
soit bien installé à Québec. Pendant son séjour, La Fontaine visita Hector
Bossange au nᵒ 11, quai Voltaire à plusieurs reprises. La décision de Bossange
de faire un voyage en Amérique n'est-elle qu'une décision d'affaires ? Il
semblerait qu'il ait eu un autre motif : user de ses relations pour aider son ami
Papineau. La Fontaine et Bossange, partis ensemble pour l'Amérique le
6 mai, débarquent à New York le 5 juin 1838.

Bossange s'est vraisemblablement occupé de ses affaires à New York
pendant tout le mois de juin. Ce ne sera pas avant le 8 juillet, à Philadelphie,
qu'il s'entretiendra avec Papineau. Le fils aîné de Louis-Joseph, Amédée,
évoque cette rencontre dans son journal : « M. Bossange a résidé plusieurs
années au Canada où il était libraire, en société avec mon oncle [Denis-]
Benjamin Papineau. Je le voyais pour la première fois. Il se rend au
sud [vraisemblablement Washington], sera de retour dans une quinzaine,
et ira ensuite en Canada[27]. » Rien n'a transpiré des propos échangés
entre Papineau et Bossange, mais, comme nous le verrons par la suite,
Bossange ne fait pas qu'un voyage d'affaires, il a aussi l'intention de
se rendre à Québec pour plaider la cause de Louis-Joseph Papineau auprès
de l'administration britannique.

Effectivement, un mois plus tard, on retrouve Bossange à Montréal.
Il y rencontre Joseph Papineau, règle des affaires avec son beau-frère
Fabre, fait un crochet par Saint-Hyacinthe pour saluer Rosalie, la sœur de
Papineau, mais surtout se rend à Québec pour avoir un entretien avec Charles
Buller, le secrétaire privé de Durham. Bossange semble bien déterminé.
Agit-il de sa propre initiative ? Peut-être, mais certainement pas sans avoir,
au préalable, eu l'aval de Papineau qui, dans une lettre adressée à John
Arthur Roebuck, donne plusieurs détails sur cette importante rencontre :

> Un monsieur français qui m'avait bien connu et avec qui j'avais formé des
> liaisons intimes d'amitié, mais qui était parti du Canada depuis 16 ans, avait
> aussi formé des liaisons avec M. Charles Buller, soit à Londres ou à Paris, et
> est venu se promener en Amérique cette année. Il a vu M. Buller à Québec, il
> y a 15 jours [vers le 3 ou 4 septembre selon la chronologie des déplacements

---

27. Amédée Papineau, 8 juillet 1838, *Journal d'un Fils de la Liberté (1838-1855)*, texte
établi avec introduction et notes par Georges Aubin, Sillery, Septentrion, 1998, p. 201.

de Bossange], avant que Durham eût été blâmé [pour avoir déportés huit chefs patriotes aux Bermudes], et, sans aucune autorisation de ma part, a amené la conversation sur ce qui me concernait par l'observation que j'avais été accueilli par la meilleure société aux États-Unis et que l'on y regardait mon exil comme bien injuste ou du moins rigoureux, puisque d'autres qui avaient été plus loin que moi dans les voies de la résistance étaient tranquilles en Canada, quand j'en étais proscrit après l'avoir si longuement servi dans la vie publique[28].

Il faut nuancer l'affirmation de Papineau à savoir qu'il n'aurait pas donné l'autorisation à Hector Bossange de plaider en sa faveur. La correspondance de Papineau à cette époque établit clairement que Papineau n'aurait jamais autorisé qui que ce soit à servir d'intermédiaire entre lui et l'administration britannique. Mais il est plus que probable qu'il ait approuvé la démarche de Bossange, sans toutefois lui reconnaître officiellement un rôle de négociateur. Après son entretien avec Buller, Bossange quitte le Bas-Canada et s'arrête à Saratoga Springs où il revoit Papineau le 9 septembre.

Papineau, dans sa lettre à Roebuck, résume la conversation intervenue entre Bossange et Charles Buller. Il faut toutefois interpréter ces « citations de Buller » avec prudence puisqu'elles sont reformulées par le principal intéressé. Selon Buller, Papineau ne serait pas accusé d'avoir préparé une rébellion :

> D'après tout ce que nous avons appris, nous croyons que M. Papineau n'a pas prévu ni voulu d'abord la résistance qui a éclaté. Le défaut absolu de toutes préparations, la certitude acquise qu'il n'y a eu nulle part cent bons fusils à opposer aux troupes partout où l'on s'est battu, prouve une détermination soudaine et de désespoir, nullement un plan calculé et réfléchi[29].

On peut deviner les arguments invoqués par Bossange à la lumière de ce qu'aurait ajouté Buller :

> Je crois comme vous que M. Papineau est un homme de talent et honnête ; il n'en est pas moins coupable pour avoir été aussi imprudent. Il ne voulait que de l'agitation comme O'Connell, se renfermer dans une résistance constitutionnelle, détruire le revenu et l'influence morale du gouvernement sur le peuple. Il n'y a que trop réussi[30].

---

28. L.-J. Papineau à John Arthur Roebuck, Saratoga Springs, 28 et 30 septembre 1838, dans Louis-Joseph Papineau, *Lettres à divers correspondants*, *op. cit.*, tome 1, p. 404-405.

29. *Ibid.*, p. 405.

30. *Ibid.*

On ne pardonne pas à Papineau d'avoir utilisé son ascendant sur la Chambre d'assemblée pour bloquer le budget et ainsi mettre en péril l'économie de la colonie dans une période particulièrement difficile de crise économique internationale. Candidement, Buller aurait avoué à Bossange que les Britanniques n'avaient pas prévu que cette résistance mènerait à un tel gâchis. Pourtant, les mises en garde de l'ancien gouverneur Gosford ne laissaient aucun doute. Pourquoi a-t-on fait la sourde oreille à Londres ? La description de la situation politique dans le Bas-Canada qu'aurait faite Buller à Bossange ressemble étrangement à la genèse du rapport Durham. Papineau rapporte les propos de Buller :

> Les Canadiens sont agités et mécontents parce que l'amnistie n'a pas été complète ; les Anglais le sont parce que le sang n'a pas coulé abondamment. Une poignée d'aventuriers ont fait de l'argent par le commerce : ils sont d'un orgueil et d'une ignorance sans bornes, ainsi que leurs prétentions. Ils se croient tous hommes d'État. Pour leur plaire, il faudrait tout bouleverser et leurs liaisons en Angleterre nous obligeront à faire beaucoup plus pour eux que nous n'y serions portés ; encore ne seront-ils pas satisfaits[31].

Ces réflexions sont corroborées par Durham dans sa correspondance avec Glenelg, le secrétaire colonial à Londres[32]. Puis, Bossange le confirme, Papineau ne peut pas rentrer au pays. Buller a été catégorique :

> Pour M. Papineau, il ne peut pas rentrer de longtemps dans son pays. Avec l'influence sans bornes qu'il conserve encore sur ses compatriotes, ses ennemis ne consentiront jamais à son retour. D'ailleurs, je le répète, il est bien coupable. Il devait prévoir ce qui est arrivé. Les Irlandais ont appris par de longs malheurs à savoir jusqu'où ils peuvent avancer dans les voies de l'agitation et à quel point il faut s'arrêter. Le sang français est trop bouillant. On leur a exagéré les injustices qu'ils souffrent, ils ont cru qu'ils pouvaient les réparer à coups de fusils. L'erreur est d'avoir donné le système représentatif à un peuple trop peu préparé, trop ignorant pour cette forme de gouvernement[33].

---

31. *Ibid.*

32. Lord Durham à lord Glenelg, Québec, 9 août 1838, *British Parliamentary Papers* [*BPP*], Correspondence relating to Canada and Lord Durham's visit thereto, 1839, Colonies – Canada, vol. 10, p. 152-159.

33. L.-J. Papineau à J. A. Roebuck, Saratoga Springs, 28 et 30 septembre 1838, dans Louis-Joseph Papineau, *Lettres à divers correspondants, op. cit.*, tome 1, p. 405.

On en revient toujours aux privilèges de cette Chambre d'assemblée, source de tous les malheurs. Buller s'est plaint à Bossange. Papineau avait les moyens d'empêcher une résistance armée et il aurait dû agir :

> – Pourquoi M. Papineau n'a-t-il pas arrêté l'effusion de sang ? Si, un jour ou deux avant les batailles de Saint-Denis et de Saint-Charles, il avait lancé une proclamation pour enjoindre à ses compatriotes de mettre bas les armes, il aurait été obéi. Le sang a coulé, qu'il en réponde.

> – Mais il n'a pas autorité de publier de proclamation.

> – Non, c'est une mauvaise expression, mais il devait par un écrit public *avec son nom* arrêter le mal.

> – Mais ce n'est là qu'un péché d'omission et vous avez pardonné à bien d'autres qui en ont de commission. Il est père d'une famille nombreuse qui se trouve dispersée, dont il a négligé les intérêts pour s'occuper de l'intérêt de son pays. Par votre bannissement, vous lui ravissez près de 20 000 piastres qu'il n'a pas retirées, ce qui prouve que son opposition était consciencieuse. Sa punition paraît disproportionnée.

> – Il s'est fait beaucoup d'honneur par sa consistance et la fixité de ses principes en ne retirant pas cet argent. D'un autre côté, il y était forcé : il avait tant dit que la législature provinciale seule pouvait l'approprier. Mais je pense qu'il a d'ailleurs des propriétés et que sa famille ne souffrira pas à l'excès. D'ailleurs il fallait quelque punition ; je crois juste celle qui lui est infligée[34].

Papineau ne peut s'empêcher d'ajouter : « Tel est l'arrêt final du dictateur ! » Selon ce dialogue, Papineau aurait péché par omission en ne prenant pas la parole pour empêcher une résistance armée ? On ne peut que conclure qu'il s'agit là de toute une omission ! Dans sa missive, Papineau reprendra la parole pour se défendre en long et en large, mais là n'est pas notre propos. Le dialogue cité est-il une reconstitution exacte de l'entretien de Bossange et de Buller ? Difficile à dire puisque nous devons prendre en considération les nuances qu'aurait apportées l'auteur de cette mise en situation quasi théâtrale. Chose certaine, un entretien a eu lieu à Québec au cours duquel Bossange plaida longuement pour le retour de son ami au pays. Le fit-il aussi habilement que Papineau le décrit ?

Avant de repartir pour la France, Bossange offre à Papineau de prendre sous son aile son deuxième fils, Lactance, et de lui procurer une

---

34. *Ibid.*, p. 406.

formation dans le commerce. Ce qui ne se réalisera pas, Lactance choisissant plutôt d'étudier la médecine. À New York le 25 septembre 1838, avant de s'embarquer pour Londres – toujours les affaires –, Bossange en profite pour répondre à une lettre de Papineau. Les deux hommes auraient discuté de la possibilité de faire le voyage ensemble. Selon Bossange, à partir du moment où Durham refuse à Papineau de retourner dans son pays, sa place est à... Londres :

> Votre lettre m'a cruellement désappointé : j'avais cru y trouver l'annonce de votre prochaine arrivée en Europe, et je vois avec infiniment de regrets que vous êtes toujours dans l'irrésolution. À en croire ce qu'on nous dit ici [New York], vous serez bientôt à même de retourner en Canada, mais il me semble que votre présence serait bien plus utile en Angleterre. C'est là votre terrain. Je ne vous répéterai pas tout ce que mon amitié et mon admiration pour vous m'ont fait dire [...]. Vous pouvez en tout temps me considérer comme étant à vos ordres[35].

Le fait que Bossange suggère à Papineau de se rendre en Angleterre dénote qu'il ne possède qu'une vision partielle de la réalité politique du moment. On ne fait pas de la politique comme on fait des affaires. Le principal correspondant de Papineau à Londres, John Arthur Roebuck, est beaucoup plus avisé. Si Papineau doit aller en Europe, c'est en France qu'il doit aller et il ajoute que s'il y allait ouvertement, il ne serait probablement pas en sécurité. Quant à se rendre en Angleterre, Papineau y serait carrément en danger[36].

La démarche de Bossange auprès de Buller est-elle une démarche purement politique ? L'homme d'affaires avait-il aussi un intérêt pécuniaire dans cette affaire ? On ne peut nier que Bossange souhaite le retour de Papineau dans le Bas-Canada dans un avenir prochain parce qu'il croit sincèrement que Papineau est le seul homme qui puisse, à court terme, stabiliser politiquement la province, mettre fin aux rumeurs d'un deuxième soulèvement – qui aura lieu – et redémarrer l'économie du pays qui est en ruine. Effectivement, la situation économique du Canada est désastreuse et Bossange n'est pas le seul à le constater. Durham : « [...] the vessel of the State is not in great danger only, as I had been previously led to suppose, but looks like

---

35. H. Bossange à L.-J. Papineau, New York, 24 septembre 1838, Bibliothèque et Archives Canada [BAC], collection de la famille Papineau, MG24-B2, 3134-3136.

36. J. A. Roebuck à L.-J. Papineau, Londres, 14 août 1838, BAC, MG24-B2, 3080-3083.

a complete wreck[37]. » Ce serait toutefois faire preuve de mesquinerie que de voir en Bossange un homme d'affaires intéressé uniquement par les gains économiques d'un retour de Papineau.

Frustré par la décision de Papineau, Bossange s'embarque seul, mais les événements vont faire en sorte que les deux hommes se retrouveront plus tôt que prévu.

Amitiés parisiennes

Le 7 mars 1839, Louis-Joseph Papineau débarque au Havre. Depuis sa dernière rencontre avec son ami Bossange, les événements se sont précipités. Les Patriotes réfugiés aux États-Unis, sans l'appui officiel de Papineau et encore moins celui du gouvernement américain, sont entrés dans le Haut et le Bas-Canada. Une désastreuse aventure qui s'est terminée par une amère défaite pour les Patriotes. Papineau, sans vraiment croire au succès de l'opération, s'est résolu à jouer une dernière carte : convaincre le gouvernement français d'intervenir dans le conflit. Il ne réussira pas plus en France qu'il n'a réussi aux États-Unis.

Lorsque sa famille le rejoindra à Paris, à l'été 1839, Papineau louera un appartement au n° 5, rue Madame, ce qui n'est pas très loin de chez Bossange. Pendant toute cette période où Papineau séjourne en France, son ami Bossange lui sert de poste restante et surtout de banquier. Son fils Lactance en donne un bon exemple : « Vais avec papa et maman chez M. Bossange ; vois madame et mademoiselle. Recevons 5 653 FF. par lettre de change de New York pour 297 £, monnaie du Canada[38]. » On retrouve dans les papiers de Papineau un reçu pour la somme de 400 francs pour rembourser Bossange d'autant. Mêmes les petites sommes sont comptabilisées. Bossange : « Voici votre valeur acceptée et payable à vue chez MM. F. Durand & Cie, banquiers 30 rue basse du rempart. Ce n'est pas loin de la Madeleine. J'ai débité votre compte pour timbre et port de lettres de f. 2,70 c.[39]. » Papineau n'aime pas emprunter à Bossange. Lorsque Lactance retourne au

---

37. Lord Durham à lord Glenelg, Québec, 9 août 1838, *BPP*, vol. 10, p. 152.

38. Lactance Papineau, 7 janvier 1841, *Journal d'un étudiant en médecine à Paris*, texte établi avec introduction et notes par Georges Aubin et Renée Blanchet, Montréal, Varia, (Documents et Biographies), 2003, p. 105.

39. H. Bossange à L.-J. Papineau, Paris, [22 avril] 1840, ANQQ, P417/2, 401.

Canada, il confie à Julie : « Si je n'ai pas d'argent demain, je serai bien contrarié d'avoir été obligé d'emprunter de M. Bossange pour son passage [celui de Lactance][40]. » Heureusement, avant de fermer sa lettre, il reçoit l'argent nécessaire de Montréal.

Papineau ne vit pas richement à Paris, il peut heureusement compter sur Bossange. Aussi, lorsque la chance se présente de lui rendre service, le fait-il avec empressement. En 1840, apprenant que le seigneur et marchand Joseph Masson, en voyage en Écosse, vient de passer une commande chez Bossange, Papineau lui écrit et offre ses services pour la sélection des ouvrages. Masson lui répond : « [...] vu l'occasion favorable où vous [Papineau] voulez bien me prodiguer un peu de votre temps et de vos brillants talents, j'écris à M. Bossange d'augmenter l'achat de mes livres à 100 et 150 £ sterling, et vous voyez que vous m'aviez donné un pied et j'en prends dix[41]. » Papineau agit promptement en répondant à l'importante commande :

> J'ai avec M. Bossange complété l'envoi de livres que vous nous aviez chargés de vous choisir. J'espère que vous et Mme Masson trouverez qu'ils joignent l'utile et l'agréable, jamais la frivolité et la dissipation. La plupart sont encore peu connus ; faites-les voir à ceux de nos compatriotes qui sont dans le cas d'acheter des livres, pour faire naître le goût d'en avoir dans cette ligne. [...] Pour la gestion de votre belle propriété, je pense que le *Traité des censives* de Prudhomme et le *Droit commun de la France* de Bourjon vous suffisent pour bien connaître les relations de seigneurs à censitaires. Je les ai indiqués[42].

Plus tard, une longue histoire liera la famille Masson à celle des Bossange. Édouard, le fils d'Hector, lors d'une incursion à Montréal chez son oncle Édouard-Raymond Fabre, tombera amoureux de la fille de Masson qui ne voit pas cette union d'un très bon œil. Il s'agit là d'une histoire qui déborde de notre sujet, mais qui indique néanmoins une autre filière canadienne des Bossange.

---

40. L.-J. Papineau à Julie Papineau, Paris, 1er juin 1844, dans Louis-Joseph Papineau, *Lettres à Julie*, texte établi et annoté par Georges Aubin et Renée Blanchet, introduction par Yvan Lamonde, Sillery, Septentrion et Archives nationales du Québec, 2000, p. 483.

41. Joseph Masson à L.-J. Papineau, Glasgow, 6 avril 1840, BAC, MG24-B2, 3552-3554.

42. L.-J. Papineau à J. Masson, Paris, 10 avril 1840, dans Louis-Joseph Papineau, *Lettres à divers correspondants, op. cit.*, tome 1, p. 498.

À l'automne 1841, Hector Bossange fera un autre voyage en Amérique. Préoccupé par la piètre situation financière de Papineau à Paris, il aimerait instaurer un « tribut Papineau », à l'image de ce qui s'est fait en Irlande pour O'Connell. Bossange : « Le denier de l'habitant ne se ferait pas attendre et il serait abondant, car il est impossible d'être plus populaire que vous l'êtes auprès de ceux pour lesquels vous n'avez rien fait personnellement[43]. » Mais il ne réussira pas. Avant de reprendre la mer, Bossange s'est entretenu avec le fils de Louis-Joseph, Amédée Papineau, jeune avocat qui éprouve de la difficulté à se faire une clientèle à New York. Le jeune Papineau donne plus de détails :

> M. Bossange a songé au tribut-O'Connell et a voulu vous en fonder un semblable. Mais il fallait s'adresser aux chefs actuels des phalanges populaires. Et c'est là qu'à sa surprise il a rencontré des obstacles : « une demi-douzaine d'hommes ambitieux », pour me servir de ses expressions, qui se veulent faire un marchepied de votre nom et se constituer vos successeurs à la faveur populaire.

Doit-on s'étonner de cette réaction ? Pas vraiment. Bossange ne se trompe pas lorsqu'il dit constater la très grande popularité de Papineau chez les Canadiens, mais il ne réalise pas que l'élite canadienne-française ne peut être disposée à lever un « tribut Papineau » parce que ce serait, par la même occasion, confirmer qu'elle reconnaît Papineau comme chef. Ce qui n'est pas le cas. Pas depuis que La Fontaine qui, s'étant dans un premier temps opposé à l'union du Haut et du Bas-Canada, s'en accommode maintenant plutôt bien. Devant cette fin de non-recevoir, Bossange s'est tourné vers la famille Papineau. Amédée : « Se voyant repoussé là et ne pouvant s'entendre directement avec le peuple, il voulut créer ce tribut, ce fonds, dans la famille. Et c'est là qu'il est poignant de voir le résultat[44]. » Bossange raconte :

> Je me suis permis de dire aux différents membres de votre famille que j'ai eu l'occasion de voir, et notamment à M. Denis[-Benjamin] Viger, à M. Louis[-Michel] Viger et à M. Côme[-Séraphin] Cherrier qu'à mon sens, vous étiez un peu négligé, que vous viviez dans une retraite telle et avec une économie si grande que peut-être souffriez-vous de l'irrégularité des envois d'argent et de leur insuffisance ! J'ai dit qu'il était impossible à une famille de six personnes de vivre médiocrement avec moins de dix mille francs par an et j'ai demandé à ces messieurs s'il ne leur conviendrait pas de se réunir pour vous ouvrir chez moi un crédit annuel de cette somme, quitte à eux de

---

43.   H. Bossange à L.-J. Papineau, New York, 6 novembre 1841, ANQQ, P417/2, 397.

44.   A. Papineau à L.-J. Papineau, New York, 8 novembre 1841, ANQM, P7, 4.

se rembourser plus tard de leurs avances sur les revenus de vos propriétés. J'ai offert de payer cette somme de dix mille francs par douzième, de mois en mois et de me rembourser en traites sur Montréal à 30 jours de sa vue. J'ai regret de dire que cette proposition n'a pas été acceptée. M. L. Viger n'a cessé de me dire ce que je ne lui demandais pas, à savoir qu'il envoyait ce qu'il pouvait réunir ; moi je demandais qu'on vous fasse passer non pas seulement ce qu'on pourrait réunir, mais encore tout ce qui pourrait vous être nécessaire[45] !

Bossange comprend mal cette attitude de la part de la famille et juge sévèrement ceux qui s'occupent des affaires de Papineau au pays. Il a confié à Amédée : «Je ne crois pas les affaires de votre père entre des mains assez actives ; vous [Amédée] devriez être là pour en avoir soin[46].» Mais Papineau ne veut pas que son fils rentre au pays pour s'occuper de ses affaires. Il préfère le voir rester aux États-Unis. D'ailleurs, il ne manque plus à Amédée que quelques mois de séjour pour être admissible à une demande de citoyenneté américaine. Démarche jugée antipatriotique par les Bossange, autant par Hector que par son fils Édouard qui vit et travaille maintenant à New York.

En 1845, resté seul en France, Papineau apprend que le gouvernement est sur le point de lui verser les honoraires qu'on lui doit pour son travail des dernières années en tant qu'orateur. Avant de rentrer au pays, il envisage de faire un voyage en Italie et il cherche à emprunter. Bossange demeure toujours un excellent conseiller :

> Quand j'ai dit à M. Bossange que j'avais envie de tirer sur la maison de M. Masson, en Écosse, il m'a dit : «Il [Masson] a parfaitement bien fait de laisser un pareil ordre à ses correspondants, mais il est mieux pour vous de n'en pas profiter. Au moment où vous serez prêt à partir, j'aurai toujours à votre disposition l'argent que vous voudrez, et l'on ignorera en Canada, dans le cercle des amis de M. Masson, que vous avez emprunté[47].»

Bossange ne veut pas donner de munitions à certains faux amis qui en profiteraient pour miner la réputation de Papineau. Lors de ce voyage en Italie, Bossange lui fait suivre son courrier, poste restante, à Rome :

---

45.   H. Bossange à L.-J. Papineau, New York, 6 novembre 1841, ANQQ, P417/2, 397.

46.   A. Papineau à L.-J. Papineau, New York, 8 novembre 1841, ANQM, P7, 4.

47.   L.-J. Papineau à Julie Papineau, Paris, 15 novembre 1844, dans Louis-Joseph Papineau, *Lettres à Julie, op. cit.*, p. 524.

Voici quatre plis reçus hier pour vous en même temps qu'une lettre de change de cent livres sterling sur Londres, à 60 jours de vue et à votre ordre. Je l'ai envoyée à Londres pour l'acceptation.

Je joins ici une copie de cette traite. Si vous le trouvez bon, retournez-moi cette copie en l'adressant à mon ordre après les mots « jusqu'ici copie ». De cette manière les fonds seront chez moi à votre disposition[48].

Un dévouement qui ne se démentira jamais.

Vieilles amitiés

À l'automne 1845, Papineau rentre finalement au pays. Bossange lui promet une visite, mais ce ne sera que plusieurs années plus tard que les deux hommes se reverront. Entre-temps, ils correspondent. En 1846, Bossange promettait à Papineau d'aller le visiter tout en lui donnant des nouvelles de sa famille :

[...] et moi... je rame au Quai Voltaire dix heures par jour ! Heureusement que ma barque avance. Elle ne peut aller vite, vu l'encombrement, vous savez, 6 enfants, 15 commis et 3 domestiques... Par bonheur, la clientèle ancienne est fidèle et je vois que chaque année les correspondants nouveaux augmentent en nombre. Dieu merci, ça va et je crois qu'un de mes enfants (je ne sais lequel) pourra continuer sans peine l'œuvre de son père[49].

Bossange vient au pays en 1850, mais il ne semble pas avoir rencontré Papineau qui est trop occupé à finaliser l'aménagement de son manoir à la Petite-Nation.

La dernière rencontre entre Papineau et Bossange aura lieu en 1864. Papineau est veuf depuis quelques années. Bossange, qui a cédé son commerce à son fils Pierre-Gustave deux ans auparavant, fait un dernier voyage en Amérique. Il sollicite la permission de rendre visite à son vieil ami Louis-Joseph :

Je suis venu serrer la main, une fois encore, aux personnes qui m'ont honoré de leur bienveillance depuis tout près d'un demi-siècle ; votre nom est en tête de la liste de ces bons amis. C'est pourquoi je vous demande la permission, mon cher Monsieur Papineau, d'aller vous voir chez vous lundi prochain. [...]

---

48.   H. Bossange à L.-J. Papineau, Paris, 17 avril 1845, BAC, MG24-B2, 4097-4098.

49.   H. Bossange à L.-J. Papineau, Paris, 1ᵉʳ février 1846, ANQQ, P417/2, 398.

> Je cherche des souvenirs et des émotions de ma jeunesse, j'en trouve à chaque pas que je fais dans les rues de Montréal, mais nos amis, nos parents, nos connaissances, ils ont, hélas, disparu. Ma visite ici a été trop longtemps ajournée, je le reconnais avec douleur[50].

Bossange, accompagné de son fils Édouard, remontera une dernière fois l'Outaouais jusqu'à Montebello. Papineau, l'horticulteur :

> Nous avons visité toutes nos agrestes promenades par terre. Elles jettent dans l'enchantement nos amis qui ont de beaux châteaux, mais n'ont point mes beaux rochers perpendiculaires du domaine, ni notre chute d'eau et ses roches si bien parées de leur grande variété de lichen et de mousses si fraîches, vertes et touffues. Ils admirent tout de l'établissement : le goût des constructions et de l'ameublement, et la prodigalité de la nature à en faire un des plus beaux sites possibles[51].

Après sa visite et avant de retourner en France via les États-Unis, Bossange se rend à Toronto. Il remercie Papineau pour son accueil chaleureux, puis ajoute : «Notre séjour aux États-Unis sera plus ou moins long suivant les circonstances. Nous avons besoin de régler des affaires pécuniaires. Or, comme nous pensons que l'élection du mois de novembre aura une grande influence sur le prix de l'or, nous attendrons qu'elle soit faite avant de songer à notre retour en Europe[52].» Un Bossange peut se retirer des affaires, mais il est plus difficile de retirer les affaires d'un Bossange. Il invite affectueusement Papineau à aller faire ses adieux à la France, comme il est en train de les faire à l'Amérique :

> Au moyen de la vapeur, le voyage se fait sans fatigue et avec une rapidité extrême... quinze jours, seize jours au plus, de Montebello à Citry [Île-de-France]... C'est à n'y pas croire. Vous trouveriez chez moi, sur les bords de la Marne, chez Édouard sur les bords de la Loire, des amis et amies dévoués ; venez donc jouir de l'hospitalité qu'ils peuvent vous offrir, maintenant qu'ils sont retirés des affaires[53].

---

50. H. Bossange à L.-J. Papineau, Montréal, 24 août 1864, ANQQ, P417/2, 399.

51. L.-J. Papineau à A. Papineau, Montebello, 1er septembre 1864, dans Louis-Joseph Papineau, *Lettres à ses enfants, op. cit.*, tome 2, p. 533.

52. H. Bossange à L.-J. Papineau, Toronto, 15 septembre 1864, ANQQ, P417/2, 400.

53. *Ibid.*

Bossange, toujours soucieux du bien-être de son ami termine sa lettre par ce post-scriptum : « Je vous prie de me donner vos commissions en vins comme en tous autres articles. J'aurai grand plaisir à les remplir. Les vins que j'ai goûtés à Montebello sont bons assurément, mais le prix m'a paru fort élevé. J'ai oublié de vous faire cette ouverture avant de vous quitter[54]. »

Papineau ne fera pas ce voyage, mais, malgré son âge avancé, il continuera à suivre attentivement l'évolution de la politique européenne, particulièrement lorsqu'il correspond avec son fils Amédée qui visite l'Europe avec sa famille, en pleine guerre franco-allemande. Papineau s'inquiète non seulement pour les siens, mais aussi pour les Bossange :

> Aujourd'hui il faut marcher dans le sang et dans les pleurs, dans toute l'étendue de la France et de la Germanie. Pendant mon absence Mme Levêque est venue à la maison pour me lire des lettres de M. Bossange père [Hector], qui regarde sa fortune, celles de ses enfants et de son gendre comme plus ou moins profondément entamée, qu'il n'entrevoit de termes aux maux de la France et que lui et plusieurs des siens veulent finir leurs jours en paix au Canada[55].

> C'est au point que les MM. Bossanges, père, et Édouard, réfugiés en Suisse, écrivaient à la mi-janvier, il n'y a plus à rester en Europe, il faut se réfugier au Canada. Mais la paix faite, peut-être penseront-ils autrement[56] ?

Papineau aimerait bien rendre la politesse aux Bossange, mais cela ne se réalisera pas.

La description des liens qui se sont établis entre Bossange et Papineau, en plus de décrire des situations concrètes et réalistes de la vie au XIXᵉ siècle, ajoute à la compréhension des relations franco-québécoises. Lorsque le commandant de Belvèze reçoit le mandat d'établir un corridor commercial entre le Canada et la France, nous constatons qu'il ne vient qu'officialiser un état de fait. Ce corridor existe déjà, mais sur une base individuelle, tel le corridor Bossange-Papineau.

Ce n'est pas un hasard si Hector Bossange fait son apparition en Amérique au lendemain de la levée du blocus napoléonien. Attiré dans un premier temps par l'exotisme de l'aventure américaine, il y découvre, comme

---

54. *Ibid.*

55. L.-J. Papineau à A. Papineau, Montréal, 22 décembre 1870, dans Louis-Joseph Papineau, *Lettres à ses enfants*, *op. cit.*, tome 2, p. 670.

56. L.-J. Papineau à A. Papineau, Montréal, 3 février 1871, *ibid.*, tome 2, p. 685.

d'autres avant lui, tout le potentiel commercial que représentent ces villes qui poussent comme des champignons au milieu de ces grands espaces sauvages. Anticipant l'abolition des barrières qu'avait engendrée le blocus, son sens des affaires s'éveille. Pour ce Français, l'avenir, c'est l'Amérique ; l'exotisme cédant le pas au commerce.

Même si le blocus n'existe plus, Londres impose tout de même un protectionnisme, tout en favorisant le commerce international. L'établissement de la maison *Bossange et Papineau* démontre bien les rouages de cette mécanique toute britannique. D'ailleurs, cette attitude mènera à des négociations du genre libre-échange avec les États-Unis ; en 1846, l'abrogation du *Canadian Corn Act* (1843) en est un excellent exemple. Ce système est un argument de taille pour ceux qui affirment que la politique coloniale de l'Angleterre a été bien meilleure que celle de la France. Les Bossange, qui ont un pied-à-terre à Londres, ne peuvent que se réjouir et exploiter un tel système qui a l'avantage d'établir des règles claires pour les commerçants.

Cet intérêt commercial se double d'un intérêt humain. Hector Bossange épouse une Canadienne française et plusieurs Canadiens deviennent de proches amis, Louis-Joseph Papineau se situant, comme il le confirme lui-même, au sommet de la liste.

L'amitié entre ces deux hommes qui habitent sur deux continents différents est durable et réelle ; non seulement en paroles, mais en actes. L'aide financière apportée par Bossange en est un bon exemple, mais nous pourrions aussi parler du soutien moral et de la confiance inébranlable que professe Bossange à l'endroit de Papineau. En 1838, le voyage de Bossange en Amérique n'était pas essentiellement commercial. Il s'est rendu jusqu'à Québec pour plaider auprès de Charles Buller le retour de Papineau. Et lorsqu'il découvrit que le gouvernement britannique tenait à garder Papineau loin du Bas-Canada, il n'a pas manqué de s'arrêter à Saratoga Springs pour faire son rapport et analyser d'autres alternatives pour l'avenir de son ami. Quelques années plus tard, les démarches de Bossange pour lever un « tribut Papineau » montre à quel point le prestige de Papineau était grand pour ses amis européens qui n'hésitaient pas à le comparer à O'Connell. Du même coup, l'échec de Bossange à lever ce tribut confirme une dure vérité : dans un Canada-Uni, l'élite n'est plus intéressée à reconnaître – ni à revoir – Papineau comme chef politique du Bas-Canada. Ce n'est donc pas étonnant de voir la bourgeoisie bouder un « tribut Papineau » qui viendrait confirmer le contraire. Le craignait-on à ce point ?

En 1816, deux jeunes célibataires remontaient l'Outaouais en canot d'écorce à l'époque où il n'existait ni canaux, ni écluses et encore moins de bateaux à vapeur. En 1864, les deux mêmes hommes passaient quelques jours à Montebello admirant le manoir, la rivière et ses alentours, tout en se rappelant la belle époque d'avant *La Capricieuse*.

Les relations France–Bas-Canada entre 1837 et 1855 : *Le Canada reconquis par la France* ou la France reconquise par le Canada ?

FRANÇOISE LE JEUNE

Université de Nantes

En 1855, dans ses « Voyages dans l'Amérique septentrionale, États-Unis et Canada », effectués entre 1854 et 1855, le Français Michel Deville note à propos du Canada français, dans lequel il séjourne quelques semaines à partir de la fin août 1855, le plaisir qu'il a éprouvé à son arrivée à Montréal « à entendre sa langue natale, lorsqu'on est éloigné de sa patrie[1] ». Après avoir admiré l'emplacement de la ville et souligné sa position commerciale stratégique en Amérique du Nord lui garantissant « son accroissement et sa prospérité future », le voyageur s'intéresse aux coutumes des « anciens Français ».

Contrairement aux récits des voyageurs qui ont précédé Deville, comme celui publié en 1849 par Xavier Marmier, dans cet ouvrage de 1855, les Canadiens ne sont pas décrits comme « attardés dans leur développement[2] »,

---

1. Michel L. Deville, « Voyages dans l'Amérique septentrionale, États Unis et Canada (1854-1855) », dans *Nouveau journal des voyages*, Paris, Libraire Hachette, (Le tour du monde), 1855, p. 249.

2. Joseph-Guillaume Barthe, dans *Le Canada reconquis par la France*, Paris, Librairie Le Doyen, 1855, p. 310, souligne les stéréotypes que Xavier Marmier a accumulés dans son récit de voyage au Bas-Canada : « Xavier Marmier, littérateur élégant, publiciste estimé, et voyageur dilettante décrit le Bas-Canada comme un pays de cocagne et lui

mais comme tournés vers l'avenir grâce au «*self-government*» britannique et à l'ouverture du Saint-Laurent aux bateaux étrangers, depuis la fin des obligations douanières (*Navigation Acts*) en 1849. En d'autres termes, les Canadiens appartiennent au continent nord-américain et Deville n'exprime aucune sympathie particulière pour la situation politique des Canadiens français au sujet de laquelle il ne s'exprime d'ailleurs à aucun moment. En dépit du dynamisme de la ville de Montréal, il note cependant un attachement nostalgique et quelque peu suranné de la part des habitants envers «le vieux pays de France», à travers des tournures de phrases et des expressions à la «Rabelais ou Bonaventure des Périers» dont il se moque gentiment.

Des relations de la France avec son ancienne colonie, il ne dit mot en dehors de la mention d'un événement récent : l'arrivée «du premier bâtiment de commerce, portant notre pavillon devant Montréal», qui «fut, dit-il, dans toute la colonie l'occasion d'une fête, qu'on pourrait à juste titre qualifier de fête de famille[3]». Ainsi par cette courte phrase, le voyageur français résume-t-il l'arrivée de *La Capricieuse* au Bas-Canada. Le nom du bateau n'est pas mentionné, l'occasion de la visite de l'équipage de Belvèze non plus. Par ailleurs, Deville se trompe car *La Capricieuse* n'avait jamais remonté le fleuve jusqu'à Montréal[4], Belvèze s'étant rendu à Montréal sur un steamer canadien arborant le pavillon français. Pour Deville, le premier bateau de commerce français profitait simplement de la fin des «droits énormes, prélevés sur les navires français» qui avaient empêché «pendant longtemps ceux-ci de venir au Canada». La reprise des échanges commerciaux entre la France et le Canada (Bas ou Haut-Canada) ne s'expliquait donc, selon le voyageur français, que par le fait que l'Empire britannique avait mis fin à des mesures protectionnistes «dans *ses* colonies». Deville ne fait

---

prête des mœurs si naïves qu'elles le feraient croire à peine sorti des temps primitifs, comme dans une enfance un peu trop voisine du bon roi Dagobert.»

3. M. L. Deville, «Voyages dans l'Amérique septentrionale [...]», dans *Nouveau journal des voyages, op. cit.*, p. 251.

4. Belvèze explique qu'il avait préféré accepter «l'offre faite par M. Baby, armateur des steamers remorqueurs, de me conduire à Montréal sur un de ses bateaux à vapeur». Ses réticences concernent le «curage du lac St Pierre» dont les travaux en cours n'offraient pas de garanties suffisantes pour Belvèze, «malgré les détails et les assurances qui m'étaient donnés par l'ingénieur de la Compagnie, venu à cet effet à Québec»; propos cités par Henri Cangardel, «Voyages de "La Capricieuse" dans les eaux du St Laurent en 1855», *Communications et mémoires*, Académie de Marine, (juin 1947) : 9.

référence à aucune mission particulière de ce bateau. Pour le voyageur, il s'agissait simplement d'un bateau de commerce dont les Canadiens avaient fêté la présence dans les eaux du Saint-Laurent avec toute la nostalgie qui caractérise les habitants de cette ancienne colonie française.

À partir de ce type de récit sur le Bas-Canada (ici un récit publié par épisodes à partir de 1855 dans une collection populaire de la librairie Hachette) dans lequel l'auteur semble dénué de sentiments ou d'intérêt envers les Canadiens, il est intéressant de se pencher sur la connaissance que les Français, et parmi eux particulièrement les membres de la bourgeoisie éduquée qui s'informaient et qui voyageaient, avaient du Canada en 1855, au moment où, selon la légende, Henri Belvèze aurait reçu du gouvernement français l'ordre de reprendre des relations commerciales, et non diplomatiques, avec le Bas-Canada. Selon les recherches d'Henri Cangardel dans les archives de la Marine, les ordres envoyés à Belvèze étaient clairs. Le ministre lui rappelait : « Votre mission est purement commerciale et il importe qu'elle ne reçoive pas une fausse interprétation [...]. Votre mission n'ayant pas un caractère diplomatique[5]. »

Cet événement qui est célébré comme un « lieu commun de mémoire », qui marque une apparente reprise des contacts entre la France et le Canada, interrompus depuis 1763, appartient davantage à l'histoire des Canadiens qui en font une « fête de famille », qu'à l'histoire des Français pour lesquels ce moment est, comme semble le faire comprendre Deville, un non-événement. La célébration de l'arrivée de ce premier bateau battant pavillon français dans les eaux canadiennes participe à l'écriture de l'histoire nationale pour les Canadiens, entreprise depuis 1837 par Michel Bibaud et François-Xavier Garneau. Cette écriture est liée à la survivance de la nationalité canadienne-française menacée d'anglicisation. L'inscription française, le patronage de la France semblent former une partie essentielle et nécessaire de cette histoire. Il s'agit de montrer que la France depuis 1763 a maintenu des liens sentimentaux avec les Canadiens. La reconnaissance et le soutien moral de la France, depuis toutes ces années, permettraient de justifier et de nourrir l'affirmation, l'ancrage et la survivance de la nationalité française dans le Canada unifié en 1840 et encore aujourd'hui.

---

5. H. Cangardel reste imprécis sur les sources qu'il consulte aux archives de la Marine, mais il fait néanmoins référence à un courrier du ministère de la Marine à Belvèze en date du 28 avril 1855, *ibid.* : 3. Cangardel conserve à Henri Belvèze la particule que ce dernier semble s'être attribué dans ses mémoires.

Nous allons voir dans cet article que ce que les Canadiens ont vu comme un signe de reconnaissance de la part de la France, la visite de *La Capricieuse*, fait partie d'un ensemble de signes de rapprochement initiés non par les Français mais par les Canadiens eux-mêmes en 1854 et 1855. Ainsi, avant l'arrivée de *La Capricieuse* au Canada français, diverses tentatives de rapprochement entre le Bas-Canada et son « ancienne patrie » avaient été tentées par quelques Canadiens en visite à Paris. Ces derniers contribuèrent à « populariser » la connaissance du Canada auprès des Français qui ignoraient pour certains jusqu'à son existence. En vérité, l'arrivée du bateau commandé par Henri Belvèze, le 14 juillet 1855 à Québec, apparaît comme le couronnement de deux années, 1854 et 1855, que l'on peut considérer comme un point d'orgue dans les échanges France/Canada depuis 1763, en raison de ces multiples démarches de la part des Canadiens pour reprendre contact avec les Français.

1837-1838 : l'insurrection des Patriotes au Bas-Canada, la presse redécouvre momentanément son ancienne colonie[6]

L'attention de quelques Français avait déjà été attirée vers le Bas-Canada à la fin de l'année 1837 et au début de l'année 1838. L'agitation politique et les mouvements patriotes qui secouaient les provinces du Bas et du Haut-Canada avaient d'abord attiré l'attention de la presse britannique, avant d'intéresser les journalistes français. Les Britanniques étaient bien évidemment directement concernés par ce qui ressemblait, depuis septembre 1837, à la préparation d'une nouvelle révolution sur le continent américain. Les Français quant à eux n'avaient aucunement prêté attention aux conditions de vie ou aux conditions politiques dans lesquelles se trouvaient leurs anciens colons en Amérique du Nord. Rares étaient les voyageurs qui avaient publié des récits populaires sur l'Amérique française. En 1831, Alexis de Tocqueville et son ami Gustave de Beaumont n'avaient séjourné au Bas-Canada qu'une semaine, et encore y étaient-ils arrivés par hasard. Dans un extrait de la correspondance privée entretenue avec son ancien précepteur, Alexis de Tocqueville, homme de lettres éclairé et instruit par excellence, mentionnait son ignorance sur la condition des Canadiens qu'il

---

6. Voir mon article déjà paru sur ce sujet. J'en reprends ici quelques citations extraites du journal *Le National* : « Lecture par la presse française des rébellions nationalistes canadiennes (1837-38) », *Revue d'histoire de l'Amérique française*, LVI, 4 (printemps 2003) : 482-512.

avait découverte en 1831 en visitant la colonie, à travers quelques conversations avec des prêtres et avec John Neilson. Il avouait ainsi à son correspondant l'abbé Le Sueur :

> Je m'étonne que ce pays soit si inconnu en France. Il n'y a pas six mois, je croyais, comme tout le monde, que le Canada était devenu complètement anglais. J'en étais toujours resté au relevé de 1763 qui n'en portait la population française qu'à 60.000 personnes[7].

Le récit de voyage au Bas-Canada de Beaumont et Tocqueville ne paraîtra cependant qu'après la mort de Tocqueville en 1860, lorsque Gustave de Beaumont rassemblera les divers écrits du voyageur érudit en *Œuvres complètes*. Aussi l'admiration progressive de Tocqueville pour les Canadiens, à qui « on ne peut contester leur origine. Ils sont aussi Français que vous et moi. Ils nous ressemblent même bien plus que les Américains des États-Unis ne ressemblent aux Anglais », écrivait-il à l'abbé Le Sueur, restera inconnue aux lecteurs français et aux lecteurs canadiens jusqu'en 1860.

En décembre 1837, l'avis éclairé de Tocqueville sur les rébellions, comme nous le révèle sa correspondance privée, avait pourtant été sollicité par le secrétaire du *Privy Council* britannique, qui était aussi traducteur de *La Démocratie en Amérique*. Sur le sujet des rébellions au Bas-Canada, Tocqueville ne s'exprima cependant ni en Angleterre, ni en France. Il expliqua au Britannique Henry Reeve que par respect pour le gouvernement français[8] et pour « la race de l'un des deux peuples qui semblent vouloir entrer en lutte » à laquelle « j'appartiens », lui disait-il, il ne souhaitait pas exprimer son opinion sur le sujet. De plus, Tocqueville semblait découvrir la situation dans laquelle se trouvait la colonie du Bas-Canada au moment où il reçut le courrier du *Privy Council* datant du 22 décembre 1837. Pourtant, les journaux britanniques, et en écho les journaux français, avaient déjà publié de nombreuses dépêches depuis septembre sur la situation politique canadienne. Tocqueville ne semblait pas s'y être véritablement intéressé, précisant que depuis sa visite au Bas-Canada, six ans auparavant, un pays

---

7. Lettre de Tocqueville à l'abbé Le Sueur, Albany, 7 septembre 1831, publiée dans Jacques Vallée, *Tocqueville au Bas-Canada*, Montréal, Éditions du Jour, 1973, p. 107 (je souligne).

8. « Le bruit ne manquerait pas de se répandre [...] que j'ai fourni des renseignements sur le Canada au gouvernement anglais », Tocqueville à Henry Reeve, 3 janvier 1838, *ibid.*, p. 169.

qu'il n'avait « fait qu'entrevoir en quelque sorte », il n'avait depuis « aperçu que de très loin ce qui s'y passait, n'y ayant pas conservé une seule correspondance ». De l'aveu même du politologue que les Britanniques du *Privy Council* considéraient comme l'expert européen sur l'Amérique du Nord, ses connaissances sur la situation actuelle du Canada et celle des Canadiens français étaient limitées et n'avaient que fort peu retenu son attention. Cependant, Tocqueville concluait cette lettre à Reeve (qui restera inconnue du grand public et des journalistes français) par un plaidoyer en faveur des Canadiens, en s'interrogeant sur les raisons qui avaient pu les amener à se révolter si soudainement. En 1831, il avait découvert un peuple de colons fort accommodant à l'égard du gouvernement impérial britannique et il n'avait noté aucun discours nationaliste au Canada à cette époque.

> La situation actuelle au Canada est extrêmement grave. Les Canadiens forment un peuple à part en Amérique, peuple qui a une nationalité distincte et vivace, peuple neuf et sain, qui est plus aggloméré qu'aucune autre population du Nouveau Monde et qui sera difficile à fondre par la force dans le lieu de la race anglaise[9].

Devant le silence de l'érudit en France, en 1837-1838, sur le sujet de la crise au Canada français, un sujet qu'il disait méconnaître ou avoir négligé par manque d'intérêt, on ne peut s'étonner que les premiers commentaires qui parurent dans la presse française étaient peu élogieux sur les Canadiens. Ils étaient inspirés par l'ignorance. Ces premiers commentaires parurent au moment où la presse britannique, et par ricochet la presse française, portait son attention sur les tensions politiques qui préoccupaient le ministère des Colonies britannique à Londres. Ce fut la précipitation des événements au Canada entre septembre et décembre 1837 ainsi que l'accumulation de dépêches alarmistes dans la presse anglaise qui réveillèrent l'intérêt de quelques journalistes français pour le Bas-Canada dont certains, comme le lettré Tocqueville en 1831, semblaient découvrir l'existence d'une population d'origine française et s'étonner de sa survie dans une Amérique anglo-saxonne.

Ainsi, dans un article de septembre 1837, les lecteurs du quotidien républicain *Le National* découvraient ou redécouvraient l'existence du Canada français sous la plume d'un journaliste vivant aux États-Unis qui semblait

---

9. *Ibid.*

s'appuyer sur des clichés pour dresser un portrait très distancié de ces Canadiens avec lesquels il ne trouvait aucune communauté d'esprit, de culture ou de nationalité.

L'antipathie qui a toujours existé chez les Canadiens contre les Anglais, à cause de la difficulté de <u>leurs mœurs, de leur langage et de la religion</u>, mais que la prudence de la métropole avait jusqu'à ce jour empêché d'éclater, se change peu à peu en un besoin de scission dans l'ancienne colonie française, à mesure qu'elle voit se développer la prospérité des États-Unis. [...] De toutes parts des menaces d'insurrection immédiate, du moins de résistances absolues aux mesures arbitraires du gouvernement anglais se font entendre [...][10].

Le correspondant du *National* rappelait ensuite l'histoire de cette ex-province française d'outre-Atlantique, en commençant son récit en 1763 lorsque la colonie avait, dit-il, «été effacée de la mémoire de la France». Les stéréotypes abondaient, présentant les Canadiens comme de bons paysans n'ayant pas vraiment évolué depuis leur rupture avec la France de l'Ancien Régime, depuis cette césure avec la mère-patrie, la seule source de la civilisation et du progrès : «On leur conserva (1763-1791) leur religion, leurs lois, leurs coutumes : si bien que celui qui visite aujourd'hui les paysans du Canada pourrait se croire transporté dans une campagne de France au temps de Louis XIV [...]» Loin de la révolution de 1789, les descendants des Français, privés des Lumières, avaient continué à vivre dans une société féodale et à se soumettre au joug colonial anglais. Le ton du journaliste était méprisant à l'égard des Canadiens : «Le pays se soumit assez volontiers à une forme de gouvernement peu libérale [...] cela suffisait à des hommes sans instruction, à des esprits incapables par leur ignorance de porter leur attention sur des questions de principe.» C'était par ce portrait peu flatteur que les lecteurs du quotidien *Le National* avaient redécouvert l'existence d'une ancienne colonie.

En l'espace de quatre mois, entre octobre 1837 et janvier 1838, au fur et à mesure que la querelle politique s'envenimait et que les patriotes canadiens tenaient tête au pouvoir impérial britannique, on constatait un changement dans le ton et l'intérêt des journalistes du *National* lorsqu'ils faisaient référence au Bas-Canada : «L'attention publique est fixée depuis quelques mois sur cette contrée éclipsée depuis un siècle aux yeux de l'Europe par le colosse naissant, les EU [*sic*].» Les journalistes du *National*,

---

10. *Le National*, 2 septembre 1837.

les seuls à s'intéresser véritablement au déroulement des événements outre-Atlantique et à s'enquérir de la démarche des Patriotes, soulignaient l'apathie du lectorat français pour la cause canadienne en raison de l'absence d'informations et d'intérêt véritable pour le sort de ces ex-colons : « Même dans notre pays, que tant de souvenirs attachent au Canada, on s'était si peu enquis du sort de *ces Français de l'Amérique*, que la presse a été obligée de tracer un résumé de leur histoire depuis 1763[11]. » En décembre 1837, on notait pour la première fois dans les pages d'un journal français la référence à « ces Français de l'Amérique ».

En réalité, c'était moins le lien de sang de la grande famille française qui intéressait les journalistes du *National* à ce stade, que l'« esprit français », c'est-à-dire l'esprit révolutionnaire du « parti français » qui tenait tête aux Anglais. Le sentiment anti-anglais qui animait les Républicains en France à cette époque semblait ravivé par le combat des patriotes canadiens. Les pronostics des journalistes du *National* ne concernaient pas la survivance de la nationalité française en Amérique du Nord, contrairement à ce que notait Tocqueville, mais ils portaient sur le vainqueur du choc des titans, Grande-Bretagne contre États-Unis, sur le continent américain. Quel qu'en fût le vainqueur, les Canadiens français en seraient les perdants. Mais cette conséquence n'affectait pas les journalistes français qui imaginaient que les valeurs républicaines contenteraient davantage les ex-colons britanniques (si le Bas-Canada devenait un État de l'Union) que l'absence de libertés sous le régime anglais. En septembre 1837, à ce stade des querelles entre les Canadiens et le pouvoir colonial anglais, les Français réagissaient uniquement en spectateurs, le discours était dénué d'émotions, d'attachement ou de soutien pour les Français du Canada. À l'occasion des tensions politiques au Canada, le *National* incitait la France de Louis-Philippe à régler ses comptes avec l'Angleterre en mettant en avant l'honneur de la nation française, régulièrement reléguée aux seconds rôles dans la politique européenne par la Grande-Bretagne. Mais il fallut attendre les éditoriaux de janvier 1838 pour que la cause canadienne fût décrite comme l'émanation directe de la cause nationale française. Le Canada, « cette importante colonie[12] » qui aurait été enlevée à la France, semblait tout à coup reprendre sa place dans l'histoire géopolitique de l'Empire français. C'était une occasion pour blâmer la politique

---

11. *Ibid.*, 11 décembre 1837.

12. *Ibid.*, 7 novembre 1837.

des Bourbons, qui avaient abandonné les Canadiens en 1763 et qui les abandonnaient aux mains de l'ennemi en 1838.

On percevait dans ce cheminement l'engouement progressif pour le Canada des journalistes républicains qui ne doutaient plus que la cause canadienne pourrait aussi devenir leur cause puisqu'elle était universelle, radicale et peut-être plus «nationale», c'est-à-dire plus française, qu'ils n'avaient osé la présenter jusqu'alors ou qu'ils se l'étaient imaginée. Rappelons-nous que pour les Français les bons paysans du Canada s'étaient arrêtés dans leur développement politique à l'Ancien Régime, selon un article paru quatre mois auparavant. Mais les journalistes reprenaient à leur compte les évaluations de la presse radicale à Londres. Ils trouvèrent rapidement un écho à leur propre combat dans la lutte qui se déroulait outre-Atlantique, celle de quelques Français contre la toute-puissante Angleterre. Par exemple, le 31 octobre 1837, en deuxième page du *National*, un article intitulé «De la politique anglaise à l'occasion de l'Algérie» faisait ressurgir les querelles coloniales enfouies, remises à jour à l'occasion des tensions au Bas-Canada. Les rédacteurs du *National* commençaient à percevoir les implications que le mouvement des Français du Canada pouvait avoir pour leur propre cause «nationale», ce nationalisme de conquête que Napoléon avait su mener face aux empires de l'Europe. Les journalistes évoquaient la conquête de Constantinople qui avait réveillé en Angleterre «ces sentiments de rivalité haineuse et mesquine que les apparences trompeuses de l'alliance politique recouvrent mais n'étouffent pas». Ils dénonçaient la politique attentiste du gouvernement de Louis-Philippe. Ils accusaient l'Angleterre d'avoir une ambition insatiable et un esprit de conquête, lui reprochant d'avoir «enlevé le Canada à la France[13]».

Cependant, si les journalistes du *National* consacraient de nombreux articles aux rébellions canadiennes, y trouvant prétexte pour mener leur propre campagne contre le gouvernement français, par trop soumis aux Anglais, il n'en était pas de même dans les journaux conservateurs, proches du roi. Ainsi le *Journal des débats*, le premier journal français en termes de circulation à cette époque, reflétait dans ses pages l'absence d'intérêt du pouvoir et de ses édiles pour le problème canadien. Pour le pouvoir, il n'était nullement question de s'ingérer dans les affaires intérieures des Britanniques et de sacrifier l'entente cordiale établie entre les deux nations

---

13. *Ibid.*, 31 octobre 1837 (je souligne).

depuis 1830. En dehors des dépêches d'Angleterre qui paraissaient en première page quotidiennement, parmi lesquelles les lecteurs trouvaient des extraits de la presse anglaise conservatrice sur les rébellions « anarchistes » au Canada, il fallut attendre le 3 décembre 1837 pour lire un premier éditorial sur la question du Canada dans les pages du « papier du roi », le *Journal des débats*. Étrangement, il parut sous la rubrique « France ». Le discours était pro-whig et pro-britannique et vraisemblablement rédigé par Guizot. Ce dernier ne prenait ni la peine de récapituler l'histoire du Bas-Canada, ni de rappeler à ses lecteurs que la province était peuplée de Français de souche. Il n'expliquait pas les points de vue qui s'opposaient dans la colonie. Il affirmait que l'agitation de la population au Canada était un problème colonial qui concernait uniquement les Britanniques qui y étaient souverains. Guizot notait qu'un parti d'opposition, les Patriotes, s'attaquait au gouvernement impérial, sans entrer davantage dans les détails. Il soulignait qu'en dépit des tensions et des menaces : « la conduite des autorités anglaises a[vait] été jusqu'ici d'une modération remarquable ».

Lorsque l'information sur les insurrections de début décembre parvinrent à Paris, le *Journal des débats* du 25 décembre 1837 parla de « guerre civile » au Canada, et le lendemain le quotidien annonça en deuxième page à ses lecteurs : « Il est hors de doute que les mécontents ont levé l'étendard de la révolte, et que le gouvernement anglais se voit dans la nécessité de recourir aux armes contre <u>ses sujets du Bas-Canada</u> afin de rétablir son autorité sur cette province[14]. » La remarque était dénuée de sentiment envers les colons du Bas-Canada qui étaient considérés comme des sujets britanniques. Au même moment, les journalistes radicaux du *National* soutenaient les patriotes canadiens et réclamaient du gouvernement français une intervention armée pour sauver les anciens compatriotes contre les troupes anglaises. Le Bas-Canada devenait le cheval de bataille des journalistes radicaux contre la faiblesse de la politique étrangère et impériale de Louis-Philippe. En intervenant dans ce conflit, en envoyant des troupes françaises, la France aurait pu retrouver enfin son rôle dans le concert des nations, et sa place de grande nation civilisatrice contre la « grande maréchaussée des nations », l'Angleterre. Les Français ne pouvaient pas abandonner un peuple opprimé, il y allait de leur devoir national de patriotes. La solidarité

---

14. *Le Journal des débats*, 25 décembre 1837 (je souligne).

fraternelle entre les Canadiens et les Français ne commença à être évoquée qu'à cette date :

> Les Canadiens [...] pendant quelques temps, <u>avaient confiance aussi dans les sympathies de la France</u>, ils avaient raison de penser que le gouvernement d'une grande nation peut beaucoup sur la politique des autres cabinets ; mais nos gouvernants ne sont pas ceux qui croient à la puissance de la France au dehors, ils ne savent respecter dans de honteux traités que ce qui nous humilie en exaltant nos ennemis ; les traités de 1815 n'ont pas sauvé Cracovie de l'occupation austro-prusso-russe, le traité de 1763 ne protègera pas le Canada contre les baïonnettes tories[15].

Lorsque l'on consulte la correspondance officielle entre l'ambassadeur de France à Londres, le comte Sébastiani, et son ministère de tutelle à Paris[16], on peut noter que si *Le Journal des débats* ne se faisait pas l'écho de la situation au Bas-Canada, c'était que cet événement ne préoccupait pas les esprits des hommes politiques français. Aucun amalgame n'était fait avec l'ancienne colonie et le gouvernement ne songeait à aucun moment à intervenir dans les affaires britanniques. Par ailleurs, Sébastiani ne mentionnait à son ministre les problèmes coloniaux de l'Angleterre en Amérique du Nord qu'en annexe ou en *post-scriptum* de ses courriers. En dépit de l'état d'alerte dans lequel se trouvait la Chambre des Communes à Londres à partir du 1er décembre, Sébastiani décrivait un cabinet britannique qui contrôlait la situation. Il signala quelques réunions secrètes entre les ministres au sujet du Canada et il ne saisit la gravité des insurrections pour les Britanniques que lorsque les congés de Noël furent écourtés pour les deux chambres. Les nouvelles que transmettait Sébastiani n'étaient pas plus récentes ou précises que celles des journaux anglais, aussi les informations confidentielles qu'il fournissait à son ministre ne révèlent rien de particulier. À aucun moment, Sébastiani ne fait référence aux rebelles en les décrivant comme Français. Ce sont des « anarchistes », écrit-il à Molé en novembre 1837. Entre décembre 1837 et février 1838, Sébastiani ne se départit pas de ce style lacunaire lorsqu'il fournit quelques maigres informations sur la gestion de la crise coloniale au Canada par les autorités anglaises. D'autres événements plus importants pour les relations anglo-françaises occupaient le cœur de sa correspondance : le

---

15. *Le National*, 11 décembre 1837 (je souligne).

16. Archives du Quai d'Orsay, correspondance diplomatique, Angleterre, vol. 650, octobre 1837-juin 1838.

problème de la Grèce, de la Tunisie, de l'Afrique et de la Russie, des zones géographiques et des pays où les deux nations se faisaient concurrence.

Cependant, il est clair que l'entente cordiale entre les deux nations aurait pu être mise en péril par la crise canadienne si l'on en juge par le compte-rendu des suites d'une conversation entretenue entre le ministre des Affaires étrangères français Molé et lord Granville lors d'une rencontre officielle en Hollande. Suite à cette discussion privée qui aurait vraisemblablement eu lieu entre la fin décembre 1837 et le début janvier 1838, Sébastiani rapporte au comte Molé :

> Lord Palmerston [le ministre des Affaires étrangères britannique] a commencé par m'exprimer au nom de la Reine et du Cabinet, le profond sentiment de reconnaissance avec lequel avait été reçue la communication que votre Excellence avait faite récemment à Lord Granville sur les affaires du Canada.

Sébastiani ne donne pas davantage d'informations sur les propos échangés, mais il est possible d'inférer que le gouvernement de Louis-Philippe, par le biais de Molé, avait offert son soutien au gouvernement britannique dans ce moment de crise, sans pour autant pouvoir lui offrir un soutien militaire, eu égard, sans aucun doute, à la présence des anciens colons français. Dans ce même courrier du 5 janvier 1838, Sébastiani fait allusion à cette situation délicate pour Louis-Philippe qui aurait pu se sentir en porte-à-faux par rapport à ses anciens colons. Cependant le gouvernement français avait tranché et son soutien allait aux Britanniques, c'est ce que suggère cette dernière remarque de Sébastiani à Molé qui porte sur la manière dont le soutien du roi des Français avait été reçu par le gouvernement de Victoria : « Il [lord Palmerson] en a dit que le gouvernement de la Reine n'en attendait pas moins, mais ne pouvant espérer plus du gouvernement du Roi[17]. »

Tandis que les dépêches annonçaient la débâcle des Patriotes, en janvier, le *National* exprimait le regret d'avoir abandonné les « frères de sang » et « les anciens frères qui combattent pour conserver nos croyances politiques, notre religion, notre langage, nos couleurs sur leur sol » à leur triste sort. Dans un éditorial du 17 janvier 1838, les journalistes reprirent littéralement la cause canadienne au profit de leur propre combat. Le discours était nationaliste, parfois romantique et clairement antimonarchique. L'éditorialiste du *National* s'insurgeait contre la vision étriquée de la monarchie

---

17. Sébastiani au comte Molé, *ibid.*, 5 janvier 1838.

française et son refus de saisir l'occasion de cette crise pour mettre en avant les valeurs françaises et l'honneur national en profitant de l'impéritie de la couronne britannique et de sa tyrannie envers des compatriotes : « On ne comprend pas aux Tuileries que notre ancienne colonie du St Laurent soit animée des mêmes sentiments que sa mère-patrie, mais à Londres on ne s'y trompe pas [...].»

Le Canada français était vaincu, la France par extension était donc vaincue, et c'était les tristes accords de *La Marseillaise* que les journalistes faisaient écouter à leurs lecteurs républicains en dépeignant un territoire français vaincu :

> Il ne reste plus qu'un coin de terre où les noms français aient été préservés des atteintes d'un envieux néologisme, par une population qui a religieusement gardé *notre* caractère, *nos* mœurs, *notre* langue [...] St Charles, St Denis, bourgs dont les noms nous rappellent nos campagnes, ont été ensanglantés, brûlés par les Anglais [...] Jamais aucun peuple ne mérita davantage nos sympathies [...].

Mais en 1838, à la suite de la défaite des Patriotes au Bas-Canada, force était de constater que ni le gouvernement français, ni son roi n'avaient tendu la main aux Canadiens. Dans la lettre au Quai d'Orsay du 5 janvier 1838 évoquée plus haut, Sébastiani rassurait son ministre et le gouvernement sur les effets de leur soutien sans faille au gouvernement de la Reine. Il est clair que les préoccupations de liberté et de justice des Canadiens français face à l'oligarchie coloniale britannique n'avaient pas soulevé la fibre nationaliste du gouvernement français. Seuls les intérêts diplomatiques primaient puisqu'il s'agissait de maintenir l'entente cordiale. Le sacrifice du Bas-Canada et des anciens colons français servait à « fortifier cette alliance », comme l'explique Sébastiani à Molé :

> De pareils témoignages d'affection, spontanément donnés dans les jours d'embarras, sinon de péril et sur des affaires aussi délicates que celle qui fixe à un si haut degré en ce moment l'attention du ministère anglais, servent, étendent, fortifient l'alliance des deux gouvernements. C'est le but que proposait votre Excellence et je peux lui affirmer qu'il est complètement atteint[18].

---

18. *Ibid.*

«*Le Canada reconquis par la France*», 1854-1855

L'arrivée de Papineau à Paris en mars 1839 fut l'occasion pour les journalistes du *National* de fêter le leader des Patriotes. Mais, ce dernier leur demanda moins de célébrer son personnage et son action que de faire connaître le Canada aux Français. Cependant, en dehors de quelques rares articles consacrés à une critique du rapport Durham courant mars 1839 dans les pages du *National*, les journalistes se désintéressèrent rapidement de la cause canadienne et du Canada français. La situation intérieure de la France et la montée des nationalismes dans les pays et régions avoisinants mobilisèrent les journalistes républicains, le Canada fut vite oublié.

Force est de constater que la correspondance diplomatique reflétait le même désintérêt pour le devenir des Canadiens. Le comte Sébastiani ne mentionna rien de la publication du rapport Durham et des débats qui s'en étaient suivis à la Chambre des Communes. Les Britanniques avaient visiblement résolu le problème canadien en mettant fin à l'insurrection «anarchiste» dans ses deux provinces, comme l'avait expliqué Sébastiani à Molé dans une lettre datant de fin février 1838.

Louis-Joseph Papineau avait tissé des liens d'amitié avec quelques personnalités et intellectuels français de l'époque, comme nous le savons, mais ses démarches pour faire connaître le Canada aux Français n'avaient reçu pratiquement aucun écho en France, et sa démarche était encore moins connue ou reconnue au Canada. Les lettres de Paris que Papineau faisait parvenir à son épouse, avant que celle-ci ne le rejoigne dans son exil, reflétaient une certaine lassitude vis-à-vis de la question du Canada chez ses interlocuteurs français.

C'est avec surprise que Joseph-Guillaume Barthe, un membre de l'Institut canadien en séjour à Paris entre 1853 et 1856 dans le but explicite de faire découvrir le Canada aux Français, découvre que Louis-Joseph Papineau avait, dans l'ombre, accompli des démarches similaires auprès d'hommes influents. Barthe apprit qu'il connaissait le bibliothécaire de l'Institut de France, monsieur Jomard, lorsque lui-même contacta ce dernier en 1854. Barthe se présentait pourtant comme un admirateur et un ami de Papineau[19].

---

19. Le professeur Yvan Lamonde rappelle que les relations France-Canada comprennent, entre 1840 et 1855, le voyage du ventriloque-échangiste Vattemare en 1841 et le recrutement sacerdotal de Mgr Bourget, ainsi que la correspondance de l'archiviste Margry éditée par Cormier.

En juin 1853, Joseph-Guillaume Barthe, greffier à la cour d'appel, s'exile volontairement à Paris pour y accomplir une démarche patriotique qu'il résume en une phrase, dans un courrier à un membre de l'Institut de France rencontré fortuitement lors d'une promenade, M. de Monmerqué Desrochais. Il s'agit pour lui de trouver « le meilleur moyen de renouer le Bas-Canada à la France » (316). Ses démarches sont accomplies à titre individuel mais au nom des intellectuels canadiens. Ce n'est qu'après plusieurs mois et le soutien de M. de Monmerqué que Barthe officialise sa démarche d'ambassadeur des lettres canadiennes à Paris en contactant l'Institut canadien à Montréal. En janvier 1855, Barthe fait paraître un ouvrage qui fait le bilan de cette longue quête de reconnaissance des Canadiens français auprès des Français, sous le titre ambigu *Le Canada reconquis par la France*[20]. Contrairement à ce que mentionne sa notice bibliographique à la Bibliothèque nationale du Québec, Barthe a initialement publié ce texte et les pièces justificatives qui figurent en annexe, à Paris. L'ouvrage paraîtra au Canada en juillet 1855 seulement. Il écrivit initialement ce manuscrit pour le public français. C'est donc avant tout « au cœur des Français » que s'adresse ce texte ou ce vœu pieux dont Barthe espérait la réalisation dans l'année 1855, à savoir la reconnaissance de l'Institut canadien par l'Institut de France (rebaptisé Institut impérial depuis 1852), ainsi que son affiliation à celui-ci. L'auteur canadien connaissait les enjeux de l'année 1855 pour le Canada qui se préparait pour l'exposition universelle de Paris, en mai. Cependant, Barthe savait que le Canada serait présenté aux Parisiens sous un drapeau unique, anglais, gommant toutes les distinctions de nationalités entre les deux provinces. Le comité comportait des membres des deux nationalités, mais les francophones étaient représentés par des amis de La Fontaine, dont Barthe fait un piètre portrait dans son ouvrage, le présentant comme « acheté par les Anglais ». Barthe se devait donc de présenter d'abord le cas du Canada français aux Français.

Joseph-Guillaume Barthe reçoit un choc culturel à son arrivée à Paris. Il s'était imaginé revivre le « doux exil de Papineau » en France, mais son exil, comme celui de Papineau d'ailleurs, prend la forme d'une « délicieuse pénitence » pour lui et sa famille, tant l'isolement des Canadiens en France est grand. Barthe découvre que la cause du Canada français, ainsi que les circonstances politiques dans lesquelles les Canadiens luttent pour protéger leur langue, leur religion et leurs coutumes, ne sont pas connues par les

---

20. J.-G. Barthe, *Le Canada reconquis par la France*, *op. cit.*, 1855 (janvier).

Français qui semblent même «délibérément» les ignorer, ajoute-t-il. Comme pour Papineau avant lui, beaucoup de portes se ferment dans les journaux où les journalistes «préoccupés par la crise d'Orient», selon Barthe, l'«éconduisent poliment mais fermement». Barthe qualifie leur attitude d'«égoïsme».

Sa rencontre fortuite avec l'académicien de Monmerqué qui lui demande de faire le récit de la situation des Canadiens par écrit, sous forme d'un exposé, lui ouvre l'accès au monde de l'Académie. À travers l'échange de lettres que Barthe joint en annexe de son ouvrage, on apprend que monsieur de Monmerqué ignorait complètement l'existence d'une population canadienne-française qu'il découvre à travers la conversation de Barthe. Cet exposé écrit devait permettre à Barthe d'accomplir sa mission : faire connaître le Canada aux Français, «lui [le Canada] faire conquérir sa place dans l'opinion et dans l'estime de tous ceux qui en France aiment à connaître ce qu'a laissé derrière lui l'ancien système colonial de la monarchie des Bourbons» (53). La situation politique lui semble plus favorable qu'elle n'avait dû l'être à Papineau, arrivé à Paris sous Louis-Philippe. En effet, l'opinion publique est désormais anti-Bourbons. La politique étrangère de Louis-Napoléon Bonaparte a donné une nouvelle impulsion à l'idée nationale. La France tient à nouveau son rang à côté de l'Angleterre. Par ailleurs, l'empereur a soutenu la montée des nationalismes, en encourageant l'unification de l'Allemagne et de l'Italie. Si le Second Empire est favorable aux «petits» nationalismes européens, il semble que le moment soit indiqué aux Canadiens français pour se rappeler à la mémoire des Français. Dans son exposé, Barthe retrace l'histoire du Canada français depuis 1763, essayant de «ressusciter dans la mémoire de la France» la «physionomie» de son pays. Il espère que les contacts de M. de Monmerqué lui ouvriront les portes de la presse, mais c'est finalement à son propre compte que Barthe fera publier en 1854 la lettre ouverte à M. de Monmerqué, faute de trouver un quotidien pour la publier[21].

---

21. J.-G. Barthe note à ce sujet : «M. Armand Bertin, directeur du *Journal des Débats*, avait cependant promis un coin dans ses colonnes à l'apparition de ma lettre dont il avait patriotiquement saisi le but. Mais le décès de M. Bertin survint entre temps. Je fus forcé de publier, pour mon compte, et sous forme de brochure, cette malencontreuse lettre qui fut la clef de tout ce qui s'est fait depuis lors, et que l'appendice de ce volume dira en faisant l'histoire des pièces justificatives sur lesquelles il est fondé», *Le Canada reconquis par la France, op. cit.*, p. xxvi. La Bibliothèque nationale française ne mentionne aucune brochure ou lettre publiée sous le nom de Barthe. Cependant ce long exposé figure intégralement en annexe du texte *Le Canada reconquis par la France*, de même qu'elle forme le canevas de la première partie de l'ouvrage.

En 1854-1855, Barthe constate qu'il n'est pas le seul à chercher à reprendre des relations avec la France, car de nombreux Canadiens sont présents à Paris pour leurs affaires. Il est d'ailleurs surpris par le nombre de compatriotes qu'il rencontre dans la capitale, comme si ces derniers s'étaient donné le mot (259). Il souligne l'approche volontariste de ces marchands canadiens venus démarcher les Français à Paris, en souhaitant « que la France ne ferme pas obstinément les yeux sur le parti qu'elle peut tirer du Canada au point de vue de ses intérêts commerciaux » (259).

En observant les ouvrages sur le Bas-Canada conservés aujourd'hui dans les archives de la Bibliothèque nationale de France, on peut constater que plusieurs textes circulaient sur la question du Canada français en ce début de Second Empire. L'essentiel de ces textes paraît dans la période 1851-1855. Ils sont d'origines diverses. On y trouve des récits de voyage, des textes d'auteurs canadiens publiés en France ou issus d'échanges privés entre le Canada et la France. On peut noter par exemple des échanges entre des sociétés d'agriculture, basés surtout sur la circulation de journaux ou de bulletins, de part et d'autre de l'Atlantique. Par exemple, on trouve le *Bulletin de la société industrielle d'Angers et du département du Maine et Loire* de mai et juin 1851, dans lequel M. Trouessart, professeur de sciences physiques au lycée d'Angers, fait un compte rendu du bulletin et des transactions de la Société d'agriculture du Bas-Canada, à Montréal. Le contact a été établi par un Canadien en visite à Angers. Aucune collaboration particulière n'est envisagée de part et d'autre, mais les Angevins apprennent beaucoup des nouvelles techniques des Canadiens, elles-mêmes empruntées aux sociétés écossaises et anglaises. Le Bas-Canada commençait à créer des écoles d'agriculture en imitant le système des Écossais. Ceci inspire aux Français le désir de promouvoir un enseignement agricole théorique dans les écoles normales d'instituteurs pour éduquer les fils de paysans.

Cependant, à son arrivée à Paris en 1853, Joseph-Guillaume Barthe déplore l'absence d'ouvrages sur le Canada, sous la plume d'auteurs canadiens. Il n'en trouve en tout cas aucun dans les cabinets de lecture ou dans les bibliothèques qu'il fréquente pour rédiger son exposé sur l'état du Canada, pour monsieur de Monmerqué. C'est donc de mémoire que Barthe cite divers titres d'ouvrages canadiens dont il s'étonne que personne ne les connaisse à Paris. Ainsi, les ouvrages de François-Xavier Garneau et Michel Bibaud sont mentionnés et cités de mémoire. Barthe signale aussi l'absence de journaux canadiens francophones à Paris, « et moi, Canadien », dit-il, « je ne verrai pas l'intelligence de mon pays représenté dans ce congrès silencieux de l'intelligence universelle ? » (276). Il se sent « humilié », « contristé » par « cette volonté d'ignorer le Bas-Canada » en France. Les Français semblent ainsi renier le passé de centaines de milliers de fidèles patriotes en refusant de connaître les progrès accomplis par eux, en Amérique du Nord, « loin des yeux de la France qui ne l'y aperçoit plus guère ! » (83). Son travail consiste à présenter un tableau politique, économique et intellectuel de ce qu'il décrit comme « le merveilleux progrès » du Canada que « la France ignore » (265). Au banc des accusés, Barthe place les récits de voyageurs dans lesquels les stéréotypes sur son pays se bousculent, ainsi que les rares articles sur le Canada qu'il lit dans la presse française. Il n'y reconnaît pas son pays, dit-il, les voyageurs ayant tendance à présenter son peuple et les paysages canadiens de manière bucolique. Les paysans du Canada sont présentés comme « arriérés » et sans éducation, dans un décor magnifique, qui n'éveille pas l'intérêt historique ou politique des voyageurs qui préfèrent n'y voir que le cadre d'une pastorale : « Comment se fait-il donc que vos voyageurs qui s'empressent d'emporter les broderies en écorces de nos filles de village, oublient ces autres échantillons de notre intelligence ? » (276), demande Barthe à de Monmerqué.

La démarche de Barthe est patriotique, comme il l'explique longuement dans son introduction. Il part en France pour accomplir la destinée de la jeunesse de son pays, pour en « élargir encore la carrière du succès ». Son rêve est « de renouer le lien si violemment rompu qui jadis avait uni l'enfant à la mère, le Canada à la France » (vi). Son patriotisme se nourrit, explique-t-il, de ce lien intellectuel avec la source de sa nationalité. Renouer avec la France permettra aux Canadiens de mieux se connaître au moment où « le salut d'un peuple est menacé ou attaqué dans ses droits ou son intégrité nationale » (ii). Le ton est extrêmement sentimental, voire romantique, dans cette phase importante du nationalisme canadien-français qui revendique son intégrité dans l'ensemble politique imposé par la Grande-Bretagne dans ses colonies canadiennes (l'union de 1840 puis la confédération que l'on évoque déjà au Canada en 1855). Barthe décrit ses compatriotes comme « une famille d'exilés de ce côté de la mer », arrachés par le sort impitoyable des bras de leur mère « au sein même de l'allaitement », et dont tout un peuple aurait gardé « la mémoire du cœur ».

Le Canadien déclare aux Français que son peuple a besoin d'eux pour survivre, et non l'inverse. La grandiloquence, mais aussi la sensiblerie du discours sur le lien affectif, ne semble pas nécessairement intéresser les correspondants de Barthe, comme nous le verrons. Ses lecteurs (son éditeur ou les quelques membres de l'Institut qu'il côtoie) seront sensibles à l'argument intellectuel, paternaliste et impérialiste qu'il avance pour les séduire. Barthe met en avant le rôle glorieux d'un pays, celui des Lumières, volant au secours intellectuel de son ancienne colonie. Mais aucun de ces intellectuels ne s'apitoie vraiment sur le sort des Canadiens. Malgré tout, Barthe met ce sentimentalisme en avant dans son introduction puisqu'il affirme clairement son obsession : « c'était cette pensée de réveiller les souvenirs et l'ancienne affection de la France pour le Canada qui me poursuivait sans cesse. Partout elle m'obsédait sans relâche » (x).

Par l'intermédiaire de M. de Monmerqué, les égarements romantiques de la première lettre que lui envoie Barthe sont corrigés et recentrés sur un discours plus intellectuel et plus construit qui met en avant l'intérêt que la France trouverait dans la reprise d'échanges, quels qu'ils soient, avec son ancienne colonie :

> Renouer le Canada à la France par des liens d'intérêt commun, créer entre les deux des rapports utiles à l'un, profitables à l'autre, et honorables à tous les deux, et rendre ces liaisons permanentes et indestructibles, les mettre à l'abri des fluctuations et des péripéties du temps, en les soustrayant à l'action désastreuse ou du moins toujours précaire de la politique, tel était l'objet que j'avais en contemplation. (xi)

Aussi, Barthe va-t-il entreprendre une démarche auprès des membres influents de l'Institut de France, au nom de l'Institut canadien (qu'il ne contacte qu'en mars 1854, sur la suggestion de M. de Monmerqué). Mais il cherche aussi à entrer en contact avec le ministère de l'Agriculture, avec d'anciens ministres de Louis-Philippe, Thiers et Guizot (qui lui adressent une fin de non-recevoir), et avec les journaux qui l'éconduisent poliment. Seule la première démarche auprès de l'Institut impérial (de France) donnera des résultats lorsque Joseph-Guillaume Barthe commence à modérer ses demandes et à modifier son discours trop sentimental, pour séduire les intellectuels du Second Empire. M. de Monmerqué lui fait comprendre que « le moment était peu propre aux effusions de sentiments en faveur de ce pauvre Canada si ignoré en France, si oublié du moins » (xxvi).

La voie politique est décrite comme « précaire » puisque Barthe sait que l'esprit des dirigeants français est tourné vers la « question d'Orient », la défense de l'Empire ottoman, autour de laquelle l'alliance anglo-française se reforme le 10 avril 1854. Aussi son discours contre l'Angleterre et ses poli-tiques impériales au Canada est contenu et modéré dans sa correspondance de 1854 et 1855. Au contraire, en dépit de son rejet de l'Union au Canada et de ses critiques contre la violence sanguinaire de l'armée impériale contre les rebelles canadiens en 1838, qui apparaissent dans les lettres de 1853, l'année suivante, l'auteur suggère dans sa correspondance aux divers membres de l'Institut que des liens fraternels retrouvés entre France et Canada, si la France voulait bien protéger la nationalité canadienne et la nourrir de ses Lumières, favoriseraient l'entente anglo-française en Amérique du Nord qui pourrait y trouver une nouvelle dimension pour les deux nations :

> Il faut que cette alliance de l'Angleterre et de la France soit sérieusement cimentée, que le sang qu'elles mêlent en Orient opère, à l'autre extrémité de l'Amérique, le spectacle d'heureuse union qui permette aux Franco et Anglo-canadiens de marcher de front sous leur double drapeau national, devenu un faisceau, vers un avenir commun de prospérité et d'agrandissement [...] animés d'une noble émulation. (295)

Ainsi, Barthe offre à l'Empire français de reprendre sa place au Canada tout en y consolidant l'établissement, à égalité, des deux nationalités. Il n'est pas question de demander à la France de reconquérir le Canada par les armes et de s'opposer aux despotes britanniques, « à la marâtre Angleterre », explique-t-il dans son ouvrage, en dépit du titre provocateur proposé par Barthe qui évoque clairement l'idée de « reconquête ». En réalité, il souhaite de la France une reconquête intellectuelle, sociale et culturelle du Canada. Son plan, tel qu'il l'affine après divers échanges avec M. de Monmerqué afin qu'il satis-fasse pleinement les membres de l'Institut, devrait offrir un accord intéres-sant pour les deux parties, même s'il est clair qu'il n'est pas équitable pour les Canadiens. À travers l'accord moral mentionné ci-dessus et rappelé par Barthe en conclusion, il offre à la France de reprendre des échanges « profi-tables » avec le Canada qui seront « utiles » aux Canadiens. En échange de la caution intellectuelle et culturelle des Français, par exemple à travers le soutien paternel (et paternaliste) des savants de l'Institut, le Canada ouvri-rait à la France son territoire commercial :

> Le Bas-Canada étant un pays français, et la libre navigation du St Laurent ayant été octroyée à tous les vaisseaux du monde, il me paraît que la France ne peut fermer les yeux à l'évidence de ses plus chers intérêts, en ne songeant pas au parti qu'elle peut tirer d'un pays où tant d'objets la rattachent encore par le souvenir. (291)

Certes, Barthe flatte l'aura impériale de la France en mettant en avant sa mission « civilisatrice » à travers le monde : étendre sa langue et ses idées, ses lois et sa religion. Mais dans son entreprise désespérée de séduction des Français, Barthe semble vendre le Canada français comme un pays de cocagne pour des industriels français ou des émigrants.

> Je me disais la France voit ses enfants courir les terres arrosées par le Paci-fique [...] pendant que l'or abonde aux portes de Québec, et qu'on peut se rendre en carrosse à ces mines encore inexplorées [...]. Nous avons des vallées fécondes et restées improductives, comme celle du Saguenay, où les bras ont manqué si longtemps [...] (xv)

Le discours devient rapidement ambigu, reflétant ainsi le malencontreux choix du titre de l'ouvrage, puisqu'en vantant les mérites du Canada français aux Français dont il cherche à reconquérir les sentiments, il dépeint les pro-fits commerciaux que ces derniers y trouveraient si des échanges existaient entre les deux pays. Barthe semble soumettre le Canada à l'emprise impé-riale de la France qu'il invite littéralement à reconquérir le Canada. En conclusion de son ouvrage, il réaffirme : « c'est donc le but suprême de mon livre, d'ouvrir à l'émigration française des perspectives nouvelles de profi-table colonisation, d'offrir l'opportunité pour la France de s'ouvrir cet immense débouché pour son commerce et sa littérature [...] » (297).

En contactant le ministre de l'Agriculture, Barthe suggère que la France se lance dans une politique d'émigration vers le Canada français, copiant ici les pratiques britanniques. Il suggère, qui plus est, que de cette manière la France puisse y envoyer « ses populations superflues », comme si le Canada était prêt à accepter n'importe quel émigrant français pour faire plaisir à la France et grossir les rangs des Canadiens. C'est bien à un exercice de pro-pagande en faveur du Canada auquel se livre Barthe sans se rendre compte des implications de sa démarche. Il semble clairement livrer le Canada français à la France en échange de compensations culturelles dont dépendrait la survie ou la « survivance » de sa nationalité :

> Et je me disais : si la France, avec ses corps savants, sa cohorte de littérateurs, avec sa pléiade d'artistes, avec son cortège des Lumières, avec ses sources vives d'instruction, avec sa merveilleuse faculté de propagande et son mouvement d'idées incessant, voulait sérieusement ouvrir ses écluses d'émancipation intellectuelle aux populations du Nouveau Monde qui sont issues de son sein, et qui sont restées avec leur intégrité originelle : que ne ferait-elle pas pour l'avenir de mon pays ! (xv)

L'ouvrage que publie Barthe est composé d'une longue introduction de l'éditeur français sur laquelle nous allons revenir car elle nous informe sur la manière dont le message de l'auteur canadien a été perçu en France. Cette lettre de l'éditeur est suivie d'une autre longue introduction de Barthe, puis du texte lui-même. De nombreuses annexes concluent l'ouvrage. Elles sont présentées comme des «pièces justificatives». Ce sont des copies des lettres échangées entre Barthe et ses correspondants : de Monmerqué, Jomard, le ministre de l'Agriculture, Thiers, Guizot, et l'Institut canadien. La lecture du corps de l'ouvrage n'est pas facile pour qui ne connaît pas les circonstances de l'histoire du Bas-Canada depuis 1763. Dans son souci de ne froisser aucune susceptibilité politique, celle du pouvoir en place comme celle des amis influents des Bourbons, ainsi que par respect pour la nouvelle amitié franco-anglaise, Barthe fait allusion à beaucoup d'événements à mots couverts. Ce compte-rendu de l'histoire du Canada et de sa situation économique et politique depuis la conquête anglaise fait l'objet de la première lettre présentée en annexe qui date du 1er novembre 1853. Elle est adressée à M. de Montmerqué et a été publiée à compte d'auteur. La trame de la lettre sert à Barthe de canevas pour étoffer ce qu'il présente comme un « Coup d'œil historique et politique sur le Canada depuis la Conquête, exposé à la France». Ce texte est rédigé tout au long de l'année 1854 alors qu'il attend avec patience le résultat de sa démarche, une demande d'affiliation de l'Institut canadien, qu'il décrit aux académiciens de l'Institut impérial comme «l'élément français au Canada». L'approbation de cette demande passe par divers conseils espacés de trois mois à chaque fois, durant lesquels Barthe contacte l'Institut canadien afin que ses membres l'investissent officiellement de cette mission auprès de l'Institut de France. Ainsi, sa démarche individuelle en juin 1853 prend une dimension officielle en 1854. La production de son «exposé à la France» reste d'après lui difficile en raison de l'absence de textes canadiens en France et particulièrement des textes de Garneau et Bibaud.

L'approche nationaliste de Barthe transparaît néanmoins dans l'écriture de l'histoire du Bas-Canada qu'il présente comme ayant lutté incessamment contre les tentatives de «dénationalisation» des Anglais. De Monmerqué et divers correspondants lui font part de l'ignorance dans laquelle ils étaient concernant cette situation, ce qui confirme l'absence d'informations et d'intérêts exprimés par les Français vis-à-vis de la cause canadienne en 1838, en dehors du journal radical *Le National*. Les scènes de bataille de 1837 sont présentées par Barthe avec lyrisme et drame : « Le désastre fut tel que la province bas-canadienne resta comme une vierge flétrie, jetée sanglante dans le fossé d'où elle n'osait plus se relever, tant elle aurait été dénudée dans sa personne et violée dans sa pudeur ! » (40).

À demi-mots, la France est présentée comme coupable d'avoir abandonné son enfant aux mains des barbares anglais en 1837. Barthe présente son texte comme « un modeste volume que je pourrais intituler *le martyrologue du Bas-Canada* [...] mon livre n'est que le plaidoyer de ma race à son corps défendant » (74). Tout texte suit le même objectif : il s'agit de présenter le Canada français comme isolé dans un océan anglo-saxon, contre les assauts duquel le peuple résiste encore. Pour le sauver, Barthe demande « le secours moral de la France » (49) et une politique d'émigration vers le Canada, « étayée par la seule nation qui ait les moyens et à qui il y va de l'honneur de son nom de le faire » pour sauver « l'élément français ». Ainsi les arguments impérialistes évoqués dans le titre de l'ouvrage sont utilisés pour flatter les aspirations du Second Empire et de ses intellectuels. Cependant, dans ce tableau de Barthe où la France devrait être « touchée de cette [notre] fidélité patriotique, de cette [notre] héroïque et intelligente persévérance » (265), les Canadiens apparaissent comme un peuple fatigué, tourné vers le passé et écrasé sous le poids des Britanniques.

Réception de ces premières représentations du Bas-Canada, en France, en 1855

L'ouvrage de Barthe paraît en janvier 1855 à Paris, avant même que sa démarche n'ait réellement abouti. Il est optimiste cependant et place tous ses espoirs en l'Institut de France dont, pourtant, les réticences et le discours paternaliste, voire condescendant, envers le Canada et Joseph-Guillaume Barthe transparaissent dans les diverses lettres de ses membres. Les académiciens sont cependant touchés par ce que Barthe présente comme la longue résistance des Français du Canada à l'assimilation britannique. Par ailleurs, les demandes exprimées par Barthe auprès de l'Institut n'engagent pas ses membres dans une démarche politique puisqu'il s'agit uniquement d'offrir aux Canadiens toutes les productions littéraires et techniques des « savants » de l'Institut. Dans les réponses que Barthe reçoit des académiciens qu'il sollicite individuellement, ces derniers semblent concevoir ce patronage comme une forme d'« aumône » à un peuple sans véritable culture, ni moyen de la produire[22]. Ainsi le comte de Nieuwerkerke, directeur général des musées impériaux, répond à la requête de Barthe après plusieurs mois de silence en lui indiquant : « Je n'ai pas négligé de m'adresser aux grands écrivains, aux grands artistes, aux grands maîtres de l'art. Je leur ai demandé de laisser tomber dans vos mains quelques-uns de leurs chefs-d'œuvre » (11 octobre 1854).

Mais l'Institut impérial fait tarder les délibérations et en janvier 1855, lorsque Barthe publie son ouvrage, l'assemblée n'a toujours pas voté l'affiliation de l'Institut canadien à l'Institut de France. L'attente est longue, écrit Barthe à ses correspondants à Montréal, mais la douleur de l'attente est à la hauteur de : « la conquête qu'il souhaite effectuer ». Une conquête morale de la France que Barthe décrit comme « une union si ardemment désirée comme devant être une source inépuisable de secours, pour la sauvegarde de nos institutions sociales dans ce qu'elles ont de plus vivace et de plus intime, je veux dire cet élément national qui repose sur la langue, les lois et la religion de mon pays » (299). Parmi les requêtes de l'Institut canadien auprès de l'Institut impérial, Barthe inclut l'établissement de concours et de prix décernés par l'Institut impérial aux auteurs canadiens, le don de publications, ainsi que la revue critique des œuvres canadiennes par la presse de Paris. Barthe espère par ce biais obtenir pour ses contemporains et les futures générations de Canadiens « le sacre de la sanction européenne » (299).

Les démarches de Barthe, la « conquête » de l'Institut impérial, restent peu coûteuses en termes d'implication pour les académiciens français qui soumettent cependant la requête du Canadien au gouvernement français avant d'entreprendre les délibérations finales. Dans l'éventualité où l'Institut français accorderait une forme de reconnaissance à la littérature canadienne, cette démarche est présentée au gouvernement comme un signe d'amitié envers un peuple sans Lumières. Le ton reste très condescendant à l'égard des Canadiens si l'on en juge par les courriers que reçoit Barthe des divers académiciens qu'il a contactés. Mais ce dernier ne semble pas s'en émouvoir, tant il n'y voit que l'intérêt de l'Institut canadien. Les derniers mots de son ouvrage forment une supplique par laquelle Barthe

---

22. On peut rappeler à ce sujet que Tocqueville avait lui-même dénigré la production littéraire canadienne, la jugeant à partir des pages de poésie des journaux : « Elle a un tour simple et naïf, fort éloigné de nos grands mots, de l'emphase et de la simplicité de notre littérature actuelle, elle roule sur de petites ou de vieilles idées », J. Vallée, *Tocqueville au Bas-Canada, op. cit.*, p. 63.

semble abandonner complètement le sort du Canada aux Français et au gouvernement de la France. La France a le pouvoir de condamner ou de sauver le Canada et les Canadiens.

> France ! Voilà ce que nous valons, voilà ce que nous avons fait pour te rester fidèles. À toi maintenant de décider si nous devons être punis de cette fidélité par un abandon complet, si nous devons être reniés par toi parce que le destin nous a arrachés de tes bras, si nous devons être méconnus parce que le malheur à quelque peu altéré notre ressemblance ! (302)

La réception du texte de Barthe est difficile à connaître. Belvèze, comme nous le verrons plus bas, signale que l'ouvrage a été moqué et condamné par les journaux car il propose une idée stupide à ses lecteurs : une négociation entre l'Angleterre et la France pour l'échange de deux possessions lointaines, le Canada contre la Guyane. En réalité, cette idée fallacieuse est proposée par l'éditeur même de Barthe dans la longue introduction du *Canada reconquis par la France*. La dichotomie entre cette introduction rédigée par l'éditeur Enri de Carondel et le texte de Barthe qui suit, en dit long sur la perception du message du Canadien Barthe auprès des Français. Le livre s'ouvre sur une fausse biographie de Barthe dans laquelle l'éditeur s'enthousiasme pour l'ouvrage qu'il présente, indiquant que Barthe est un homme fort célèbre dans son pays où il s'est illustré durant les rébellions de 1837-1838. Joseph-Guillaume Barthe faisait certes partie de l'opposition à Durham et au plan d'Union, mais il n'était pas connu comme un leader politique en 1855. D'après Carondel, il avait été « le premier à indiquer l'unique chemin qui peut offrir une issue dans le dédale d'une question si épineuse » qu'était la survie de sa nationalité. Son « exil volontaire » et la publication de son ouvrage sont présentés comme « un suprême effort pour obtenir une protection » de la France.

Mais Carondel ne s'intéresse que fort peu aux demandes de Barthe auprès de l'Institut impérial. Il trouve Barthe trop timoré et note qu'il ne propose aucune solution pour établir une protection durable pour les Canadiens. Les propos de Barthe ainsi relégués au second plan, Carondel se lance, comme les journalistes du *National* en 1838, dans un débat franco-français sur la politique extérieure de la France et sur la place de celle-ci dans la course aux empires.

La cause du Canada français devient ici encore le prétexte pour affirmer la présence de la France dans les enjeux géostratégiques qui préoccupent les Français en 1854-1855. Carondel suggère aux Canadiens de demander

l'indépendance absolue, puis il révèle son ignorance de la situation canadienne (pourtant exposée par Barthe quelques pages plus loin) en signalant :
« mais ils ne constituent peut-être pas encore une population assez nombreuse et capable de vivre de sa vie propre ». Il mentionne le rôle de « la
providence éternelle » qui dans un avenir proche « achèvera, même pour les
Canadiens, le grand œuvre de leur émancipation complète ». Puis ces élu-
cubrations ignorantes laissent la place au discours nationaliste de Carondel,
non en faveur d'un soutien au « nationalisme de survie » des Canadiens, mais
dans sa dimension impérialiste et anglaise bien connue des radicaux français.
Selon lui, il faudrait que la France, soit entame une guerre en Amérique du
Nord pour récupérer le Canada français, soit trouve une solution : « un échange
à l'amiable » avec l'Angleterre. « Sans tutelle politique directe du gouvernement », explique-t-il, les Canadiens seront vite nationalisés par les Anglais.

L'Angleterre rendrait ainsi le Canada à la France qui l'échangerait
contre quelques territoires outre-mer, comme la Guyane. Selon Carondel,
« la cession du Canada serait d'une urgente nécessité, spécialement pour
l'Angleterre », car il pronostique des tentatives d'annexion et donc des
conflits entre les États-Unis et la Grande-Bretagne en Amérique du Nord dans
les années qui suivent. En cas de conflit, l'Angleterre aurait alors besoin
du soutien de la France, comme elle en avait eu besoin dans la « question
d'Orient où l'Angleterre avait déjà exposé ses faiblesses ». Mais la France,
selon le scénario de Carondel, ne soutiendrait pas les Anglais contre les
Américains puisque la France ne verrait aucun intérêt à ce conflit, car pour
intervenir « il faudrait qu'elle [la France] eût dans cette partie de l'Amérique
des intérêts dont la permanence lui importât ». Il affirmait par là que
le Canada français, présenté longuement par Barthe, n'intéressait pour
l'instant nullement la France. Il rajoutait, « [e]t comme elle [la France] ne
les y a pas, il faut les lui créer, ce qui peut avoir lieu à la condition de lui
céder en totalité ou en partie le Canada ».

L'éditeur de Barthe semble illustrer lui aussi à sa manière le titre de
l'ouvrage, *Le Canada reconquis par la France*. Il y présente le tableau
des intérêts coloniaux que la France trouverait au Canada si cet échange à
l'amiable avait lieu : « La France acquérait une autre grande possession,
paisible, riche, salubre où elle pourrait déverser l'exubérance toujours crois-
sante de son prolétariat. » Puisque que le projet de rapprochement entre
l'Institut impérial et l'Institut canadien est entre les mains du gouvernement,

Carondel conclut que « l'homme d'État le plus modeste ne peut ni ne doit hésiter un instant sur le choix qui reste à faire ».

Une fois encore, le Canada sert de prétexte à des querelles d'empire et à redorer le blason nationaliste de la France. Comme les journalistes du *National* en 1838, Carondel rappelle les missions civilisatrices de la France lorsque l'étendard de la lutte pour les nationalités est levé. L'éditeur parisien souligne que le livre de Barthe appelle aussi au soulèvement républicain :

> Les sérieuses méditations de l'Europe, spécialement de la France et de l'Angleterre, si les gouvernements de ces deux pays attachent quelque prix à leur bonne intelligence actuelle, qui quoique non favorable à notre religion de prédilection, « à la réhabilitation et à la liberté de toutes les nationalités » est cependant reconnue par eux comme éminemment nécessaire pour conjurer ensemble les grandes secousses qui tôt ou tard agiteront l'humanité dans le nouveau comme dans l'ancien monde.

Comme les liens affectifs entre la mère-patrie et son ancienne colonie avaient été « sacrifiés » en 1838 sur l'autel de l'entente cordiale entre les deux puissances, en 1855, les plaidoyers du délégué de l'Institut canadien en France, relayé à un niveau politique par l'éditeur Carondel, resteront lettre morte. La période 1854-1855 marquant un renouveau des relations France-Angleterre, le moment est délicat pour entreprendre une démarche politique qui pourrait froisser l'Angleterre, car l'année 1855 est aussi le point d'orgue des relations anglo-françaises. L'empereur Napoléon III et son épouse, tous deux anglophiles, sont invités à Windsor où ils reçoivent un accueil triomphal en avril, tandis que le couple de monarques britanniques est reçu à Paris pour la première fois depuis 400 ans pour visiter l'exposition universelle, au mois d'août. Les deux nations ont renoué leur alliance face à l'empire russe qu'ils combattent en Crimée.

1855, l'année du Canada français en France ?

Pourtant, cette même année 1855 peut aussi être décrite comme le point d'orgue des relations franco-canadiennes depuis 1763, du moins en termes de connaissances livresques. En effet, les démarches des Canadiens pour reconquérir la France et pour provoquer l'envie des Français de repartir à la conquête morale, sociale ou économique de leur ancienne colonie se succèdent : l'ouvrage de Joseph-Guillaume Barthe, *Le Canada reconquis par la France*, est suivi de l'Exposition universelle de Paris qui donne lieu à la rédaction d'un court rapport sur le Canada par Joseph-Charles Taché, secrétaire général du Comité canadien de l'Exposition universelle, paru sous le titre *Esquisse sur le Canada, considéré sous le point de vue économique*. L'idée de rédiger un rapport pour présenter le Canada aux Français avait été évoquée par le Comité canadien dès avril 1855. Dès décembre 1854, un appel d'offres concernant la rédaction d'un court ouvrage avait été lancé au sein du Comité. On soulignait « l'importance qu'il y aurait de publier un ouvrage sur le Canada, ses produits, ses ressources, le tout accompagné d'une carte indiquant la configuration du pays et en montrant les différentes routes suivies et à suivre pour l'émigration européenne[23] ». Joseph-Charles Taché s'était finalement chargé de rédiger des « Notes sur le Canada » à son arrivée à Paris. Henri Cangardel souligne que ce rapport avait été envoyé à la presse française au mois de mai[24], puis finalisé sous forme d'ouvrage. Taché cherchait à éliminer « l'idée aussi fausse que peu avantageuse du Canada » que se faisaient les Français. Dès les premières lignes de son aperçu général sur le Canada, Taché soulignait que « pour beaucoup de personnes, cette importante colonie n'est qu'un pays perdu couvert de forêts inextricables et de savanes marécageuses, enseveli, pendant sept ou huit mois de l'année, sous une épaisse couche de neige [...][25] ». En 1855, on note aussi la parution de l'ouvrage de M. Étourneau, *Livret-guide de l'émigrant, du négociant et du touriste dans les États-Unis d'Amérique et au Canada*, l'un des auteurs ayant répondu à l'appel d'offres du Comité exécutif canadien de l'Exposition universelle. On pourrait décrire ce type de textes comme une forme de propagande sur le Bas-Canada à l'attention des Français.

En mai 1855, le Canada occupe un pavillon très remarqué[26] à l'Exposition universelle et ces divers ouvrages sont rédigés pour le public français, particulièrement pour les hommes d'affaires impressionnés par les bois canadiens exposés à Paris, à travers « ce gracieux trophée qui s'élève au centre

---

23. Joseph-Charlest Taché, *Rapport préliminaire du secrétaire du Comité exécutif canadien de l'Exposition universelle devant avoir lieu à Paris en 1855*, 10 avril 1855, p. 5 (Archives nationales du Canada).

24. H. Cangardel, « Voyages de "La Capricieuse" dans les eaux du St Laurent en 1855 », *Communications et mémoires, loc. cit.* : 2.

25. Joseph-Charlet Taché, *Esquisse sur le Canada*, Paris, Henri Bossange, 1855, p. 1.

26. Voir Thomas Sterry Hunt et Joseph-Charles Taché, *Le Canada et l'exposition universelle de 1855*, Toronto, 1856.

de l'espace réservé au Canada[27]». Il s'agissait de tirer profit de la fin des droits de douane pour attirer au Canada de nouveaux contrats commerciaux. Les Canadiens se tournent vers les industriels français. L'envoi du rapport de Taché aux journaux fait suite à la lecture du catalogue officiel de l'exposition[28] par le comité canadien qui y note une méconnaissance flagrante de la situation politique et économique du Canada. Les directeurs parisiens de l'exposition le perçoivent comme unifié puisque c'est ainsi que la délégation canadienne est présentée sous l'égide de deux délégués, Taché et Hunt, nommés par le gouvernement de coalition. On peut lire « toute l'Amérique septentrionale est peuplée par la race anglaise » dans le premier paragraphe sur le Canada, qui porte le nom générique de « Nouvelle-Bretagne », affirment les rédacteurs. On souligne la présence des drapeaux britanniques et le rôle du Saint-Laurent comme artère commerçante et comme axe de pénétration des marchés américains, pour conclure : « une colonie qui exécute de pareils travaux pour s'éviter des frais de transbordement est certes dans une belle voie de prospérité ». Le catalogue mentionne l'état de l'émigration vers les deux provinces, soulignant que l'émigration britannique est « continuelle », tandis que l'émigration française dans le « bas Canada [sic] qui nous appartenait autrefois » est nulle. Cependant, le « bas Canada a conservé les mœurs, les lois, presque le cœur français », introduisant par le « presque » le bémol qui indique l'absence d'attachement particulier à cette province désormais unie à un Canada anglais. Pour les visiteurs parisiens, c'est bien le pavillon d'un pays étranger, le Canada, qu'ils découvrent en 1855. Les chiffres du commerce extérieur canadien achèvent de convaincre les manufacturiers français du dynamisme de cette économie libérale. On est loin du sentimentalisme prêché par Barthe quelques mois auparavant.

Du côté français, la réponse à cette campagne en faveur du Bas-Canada trouve réponse à la fin de l'année 1855 à travers l'ouvrage de Louis Dussieux, *Le Canada sous la domination française, d'après les archives de la marine et de la guerre*. Ce texte fait référence à l'histoire de la Nouvelle-France, mais

---

27. Il s'agissait d'un échafaudage (voire d'un totem) décrit ainsi dans le catalogue de l'exposition : « À la base se rangent des barriques remplies de denrées alimentaires, céréales, viandes et poissons conservés ; sur la partie supérieure s'élève un faisceau de billes de bois de construction qui supportent les outils de l'agriculteur et du bûcheron ; enfin des pelleteries entremêlées aux pavillons britanniques couronnent le sommet. »

28. *Catalogue de l'exposition universelle de Paris 1855*, Archives du Centre national des arts et métiers. Le pavillon du Canada se trouvait dans les travées 10 à 13.

néanmoins le Bas-Canada est au cœur de l'ouvrage de ce spécialiste de la marine française. Si Dussieux propose une analyse minutieuse des archives du ministère de la Guerre à l'époque des Bourbons, lorsqu'il revient sur la perte du Canada français, il n'exprime aucune nostalgie. Son introduction, qui ne s'attarde pas sur la situation « morale » des Canadiens français, met en avant le grand bénéfice que le Canada français a tiré de son incorporation dans l'Empire britannique et de son union avec le Haut-Canada. Le Canada est amené, selon lui, à devenir une grande nation, bien davantage que si la colonie était restée dans les mains de la France :

> Depuis un siècle que le Canada a cessé d'appartenir à la France et qu'il est soumis au régime de liberté commerciale dont jouissent les colonies de l'Angleterre, sa population s'est élevée de 80.000 habitants à 2 millions. Il compte aujourd'hui environ 4 millions d'hectares cultivés, les produits de son agriculture montent à 5 ou 600 millions de francs, les forêts donnent un revenu de 50 à 60 millions, les pêcheries et la chasse rapportent plusieurs millions ; le commerce extérieur s'élève à 600 millions. Tels ont été les résultats de la liberté commerciale pour ce pays[29].

En d'autres termes, la redécouverte de la situation du Canada en France n'avait suscité ni chez les lecteurs de l'ouvrage de Barthe, au titre très ambigu, ni chez les visiteurs de l'Exposition universelle, un intérêt pour le soutien de la nationalité française au Canada. En mettant en avant les avantages économiques que le Bas-Canada et le Canada uni pouvaient offrir aux Français (en espérant, pour Barthe, recevoir en retour un patronage culturel), les promoteurs du Bas-Canada avaient souligné le dynamisme de l'économie canadienne et le fait que le pays tout entier était sur la voie du progrès et de l'émancipation. La question du « secours moral », dont Barthe s'enquérait auprès des lecteurs français, ne semblait pas à l'ordre du jour, si elle l'avait jamais été en France.

En janvier 1855, sans pouvoir prédire le voyage de *La Capricieuse* au Québec, Barthe écrivait à propos de « l'amour national qui couve au fond de chaque âme au Bas-Canada », l'amour pour la France, que « plus la sympathie est comprimée et plus elle éclate, chaque fois que l'événement en provoque la manifestation » (viii). Les célébrations autour de *La Capricieuse* en cet été 1855, décrites comme une liesse populaire par la presse locale, seraient le résultat de tant de « sympathie comprimée » pour la France. Les

---

29. Louis Dussieux, *Le Canada sous la domination française d'après les archives de la marine et de la guerre*, Paris, Librairie Jacques Lecoffre, [1855], 1862, p. 62.

Canadiens attendaient un geste de la France depuis si longtemps que le premier symbole d'une reprise d'échange suffisait à leur faire croire que la mère-patrie n'avait pas oublié ses enfants. Joseph-Guillaume Barthe rappelait à ses lecteurs français et à ses éminents correspondants académiciens que la France était « la seule des nations européennes qui n'ait pas un consul là », au Québec, et qu'une demande officielle en ce sens avait été déposée par des Français vivant au Canada en 1854[30]. Aussi, on ne peut pas attribuer qu'au voyage de Belvèze la création du consulat français au Bas-Canada.

Par ailleurs, grâce à l'entremise de Barthe auprès du bibliothécaire de l'Institut de France, ainsi que de l'Académie des belles-lettres et du ministère de l'Agriculture, une masse de livres devait être transportée au Québec depuis la France. Certains étaient arrivés à la fin de 1854, mais l'essentiel de la cargaison (160 livres) devait être livré en 1855 « après la fin de l'hiver », selon un courrier de Barthe à l'Institut canadien du 14 décembre 1854, dans lequel il précisait que, qui plus est, l'envoi se ferait « par l'entremise du gouvernement et que ce sera lui qui se chargera de les transmettre à ses frais ». *La Capricieuse* était-elle en charge de porter ces précieux ouvrages à destination ? Ceci contredirait aussi l'impression que Belvèze avait été l'initiateur du lien entre les deux instituts.

Dans cet ensemble de démarches accomplies par les Canadiens au cours de l'année 1855 pour rétablir des contacts avec la France, que l'on peut décrire parfois comme désespérées si l'on en juge par le ton et le titre de l'ouvrage de Barthe, blessés par cette fin de non-recevoir des Français, on peut comprendre que le moindre geste en retour de la France, si infime soit-il, et même si cette démarche, celle de Belvèze, se soit avérée tout aussi individuelle que celle des quelques Canadiens en France, elle ait été accueillie avec allégresse et soulagement par les habitants du Bas-Canada. Pour reprendre le discours que Barthe tenait à ses lecteurs français, la nation canadienne « ne déguise pas le besoin qu'elle a de l'appui moral du dehors, et elle soupire après le regard de la France pour y lire un signe d'encouragement. La France pourrait-elle lui refuser son sourire d'approbation ? » (xxxi). On pourrait

---

30. J.-G. Barthe explique : « Les Français qui habitent Montréal sont si convaincus de l'heureuse ressource qu'offre leur patrie d'adoption à leurs compatriotes, qu'ils viennent d'y conférer sérieusement, dans une assemblée des leurs, sur la convenance plus que jamais opportune pour la France d'établir un consul au milieu d'eux. Leur vœu sera-t-il écouté ? », *Le Canada reconquis par la France*, *op. cit.*, p. 292.

conclure que la visite de *La Capricieuse* a été interprétée comme ce « sourire d'approbation » de la France, et elle est entrée comme tel dans l'écriture de l'histoire du Canada français.

Mais, pour les Français, la visite de *La Capricieuse* resta une anecdote inconnue du public en France puisque les journaux ne le mentionnèrent pas. Belvèze lui-même, en dépit de la fierté qu'il avait retirée de l'accueil qu'il avait reçu des populations canadiennes, qu'il jugeait digne d'un empereur[31], adoptait un ton moqueur et hautain à l'égard du peuple canadien lorsqu'un mois après son voyage il en évoquait les péripéties auprès de ses amis :

> Si je ne suis pas mort d'indigestion, j'aurais dû mourir de vanité. Heureuse-
> ment que mon estomac et mon bon sens m'ont défendu de l'un et de l'autre
> trépas. Lorsque je montrerai à Mme de Waresquiel les hyperboliques articles
> des journaux de Saint-Pierre à propos de mon auguste personne, je compte lui
> faire faire une de ces bonnes parties de rire comme je lui en donnais dans
> mon bon temps[32].

Belvèze minimise la portée sentimentale que les Canadiens voient dans l'arrivée de ce bateau, ainsi que l'importance de cette visite pour leur com-bat national et la défense de leur identité française au Canada. Il cherche d'ailleurs à se démarquer complètement de toute affiliation avec les discours nationalistes des jeunes membres de l'Institut canadien. Il décrit Barthe comme un auteur inspiré par la passion qui subsistait contre l'Angleterre. Il se méfie donc des membres de l'Institut, ces « hommes jeunes et ardents » ayant « tendances à aborder des questions politiques ». Belvèze refusa une première fois l'invitation à dîner que ces derniers lui offraient à Montréal, puis il ne finit par accepter « qu'à la condition qu'on resterait dans les limites des idées littéraires et artistiques ». Par ailleurs, le courrier que Belvèze adressa à Joseph-Guillaume Barthe dont l'ouvrage venait de paraître au Canada, au moment où la corvette arrivait à Québec, montre clairement que la démarche de Barthe en faveur de liens plus politiques, c'est-à-dire plus « nationalistes », qui dépasseraient le simple échange de livres ou la recon-naissance de l'Institut canadien par l'Institut impérial, étaient hors propos,

---

31. « Le fait est que j'ai fait là le métier d'un souverain qui visite ses États [...] », extrait
      d'une lettre de Belvèze à Rohault de Fleury, 29 août 1855, cité par H. Cangardel,
      « Voyages de "La Capricieuse" dans les eaux du St Laurent en 1855 », *Communica-
      tions et mémoires, loc. cit.* : 19.

32. Correspondance avec Rohault de Fleury, *ibid.*

irréalistes et refusés par la France. La démarche de Barthe avait, semble-t-il, été vaine à Paris. Belvèze note d'ailleurs que la réception de l'ouvrage, «cette publication absurde», avait reçu un mauvais accueil dans «l'opinion publique et la presse» de Paris. Le capitaine de corvette écrit à Joseph-Guillaume Barthe une lettre dans laquelle il accuse ce dernier de mettre en péril sa mission officielle, «s'il eût pu venir à quelqu'un le moindre soupçon qu'il existait une solidarité entre ma mission et son livre, je n'aurais pu faire un pas de plus au Canada», Belvèze explique fermement à Barthe, comme il le fait dans ses «discours et adresses» aux Canadiens, que son titre, *Le Canada reconquis par la France*, «était contraire aux intentions et à la politique de l'Empereur et de la France, contraire aussi aux intérêts de son pays, placé sous un régime libéral et protecteur qui lui créait une véritable indépendance[33]». Belvèze respecte clairement les implications de sa mission auprès des Canadiens, qu'ils soient de Montréal, de Toronto ou de Kingstown [*sic*]. Le marin se rend dans chacune de ces villes au nom du gouvernement français, comme émissaire français en pays étranger. Il s'agit d'une mission commerciale et non politique, la France n'est pas conquise par les Canadiens et ne cherche pas non plus à reconquérir le Canada français. Ce pays appartient désormais à l'Amérique du Nord où il suivra son destin, soit sous la domination britannique, soit sous la domination américaine, explique Belvèze dans son rapport. Le seul soutien que la France pourrait lui apporter, selon l'officier, serait la création d'un consulat de France d'où rayonneraient culture et civilisation françaises, «s'il peut y avoir dans l'avenir un intérêt moral et politique à ne pas laisser **s'anglifier** complètement le Bas-Canada[34]».

À la suite de la mission de Belvèze, un consulat de France fut créé au Canada. Ce fut sans doute la seule forme sous laquelle les échanges entre l'ancienne colonie et la France reprirent. En effet, sur la question du commerce et des échanges commerciaux entre la France et le Bas-Canada qui devaient suivre la visite de *La Capricieuse*, on peut consulter les commentaires de Louis Dussieux dans une réédition de son ouvrage *Le Canada sous la domination française d'après les archives de la marine et de la guerre*, que ce dernier fait paraître en 1862. Travaillant, comme Cangardel, à partir des archives de la marine et de la guerre, Dussieux fait le bilan des échanges entre la France et le Canada depuis 1855, date de la parution de la première

---

33. Courrier de Belvèze à Barthe, cité dans *ibid.* : 18.

34. Compte-rendu de mission de Belvèze, chapitre 4, *ibid.* : 15 (en gras dans le texte original).

édition de son ouvrage. Il n'y mentionne nullement le voyage de *La Capricieuse* à Québec. Il découvre un bilan bien léger de l'échange commercial entre la France et le Canada qui se fait, explique-t-il, « par l'entremise de la marine anglaise » puisque la France continue à se fournir en produits canadiens (« produits agricoles, poissons, bois, navires ») auprès de l'Angleterre. Quant à un échange direct entre la France et « son ancienne colonie », Dussieux note qu'il est *« complètement nul* ; un seul bâtiment français est venu en 1858, à Québec, il a échangé une cargaison de morue contre de la farine[35] ».

Ainsi se résument les échanges divers et variés entre la France et le Bas-Canada entre 1838 et 1858. Le bilan est mince en dépit de la démarche chaleureuse des Canadiens envers la mère-patrie. L'engagement politique, moral et économique envers le Bas-Canada est inexistant. La « fête de famille » autour de la visite de *La Capricieuse* à Québec est moquée par Belvèze lui-même et considérée près d'un siècle après par l'historien Cangardel comme « un point d'histoire peu important ». En 1855, le Bas-Canada, plus que jamais, semble aux yeux des Français présenter l'image d'un pays indépendant, doté de plus d'opportunités économiques et politiques que la France elle-même. En faisant découvrir le Canada aux Français en 1855, les Canadiens Joseph-Guillaume Barthe et Joseph-Charles Taché avaient donné l'image d'un « pays de progrès » et d'un « pays neuf », permettant à leurs lecteurs de constater, comme le faisait remarquer Cangardel en citant Belvèze, « que déjà, en 1855, le Canada prenait conscience de sa force[36] ».

---

35. Louis-Dussieux, *Le Canada sous la domination française*, *op. cit.*, p. 62.

36. H. Cangardel, « Voyages de "La Capricieuse" dans les eaux du St Laurent en 1855 », *Communications et mémoires, loc. cit.* : 2.

L'exil dans l'exil : le séjour de Louis-Joseph Papineau à Paris (1839-1845)

YVAN LAMONDE
Université McGill

Le voyage de Papineau à Paris est un révélateur ; il rend visibles des aspects de l'histoire des rébellions de 1837 et de 1838 laissés dans l'ombre en partie en raison de la non-disponibilité ou de l'éparpillement de sa correspondance. Les circonstances du départ, de l'arrivée, du séjour et du retour jettent un éclairage cru sur le milieu des Patriotes en exil, sur la hâtive marginalisation de Papineau et sur la géopolitique de tout projet d'émancipation d'une colonie[1].

Les rapports entre le Bas-Canada et la France de 1815 à 1839

Les conséquences de la Conquête et de la Cession et l'impact de 1789 nous sont familiers grâce à l'ouvrage de Claude Galarneau, *La France devant*

---

1. Cette étude n'aurait pu être menée à terme sans le travail herculéen d'édition de la correspondance de Papineau mené par Georges Aubin, Renée Blanchet et François Labonté. Ils ont droit à une reconnaissance scientifique d'autant plus grande que c'est hors de ce champ qu'ils ont professionnellement entrepris leurs travaux. Je remercie Georges Aubin et, en particulier, F. Labonté, auteur de *Alias Anthony St-John. Les patriotes canadiens aux États-Unis, décembre 1837-mai 1838* (première partie), qui ont généreusement mis à ma disposition leurs connaissances et leur familiarité avec la correspondance générale des Patriotes.

l'opinion canadienne (1760-1815), qui a mené son analyse jusqu'à la fin du blocus napoléonien.

Il est significatif que la circulation des personnes et des biens reprenne avec Hector Bossange qui, après un séjour d'apprentissage commercial à New York, ouvre une librairie à Montréal en 1815[2]. Les rapports entre les deux pays sont alors minimaux, et n'eût été la publication, en 1821, chez Bossange Frères de Paris, de *Beautés de l'histoire du Canada* de D. Dainville (pseudonyme de Philarète Chasles), la circulation culturelle eût été quasi nulle jusqu'à la décennie 1830 alors que s'amorce un nouvel intérêt pour l'ancienne colonie.

Les Canadiens sont alors peu nombreux à visiter la France. Mgr Lartigue (1819), Mgr Plessis (1820-1821) et Louis-Joseph Papineau (1823) y passent, tandis que l'apprenti libraire Édouard-Raymond Fabre (1822), Amable Berthelot (1820-1825) et le peintre Antoine Plamondon (1826-1830) y séjournent. Le futur historien François-Xavier Garneau y séjourne en 1831 et 1832 et voit l'ancienne mère patrie avec les yeux d'un francophone britannique vivant en Amérique[3]. Isidore Bédard y décède au terme de deux années (1831-1833) de résidence, Denis-Benjamin Viger y passe (1832) de même que Robert-Shore-Milnes Bouchette (1833), tandis que l'abbé John Holmes s'y fait en 1836 l'importateur de livres et d'appareils scientifiques pour le compte du Séminaire de Québec et de quelques autres collèges.

Alexis de Tocqueville inaugure une nouvelle tradition de voyageurs au Bas-Canada où il séjourne du 24 août au 2 septembre 1831. Il avoue, parlant pour la majorité de ses compatriotes : « il n'y a pas six mois, je croyais, comme tout le monde, que le Canada était devenu complètement anglais[4] ». Il y découvre des Bas-Canadiens francophones qui :

---

2. Yvan Lamonde, « La librairie Hector Bossange de Montréal (1815-1819) et le commerce international du livre », dans Claude Galarneau et Maurice Lemire (dir.), *Livre et lecture au Québec (1800-1850)*, Québec, Institut québécois de recherche sur la culture, 1988, p. 59-92.

3. Yvan Lamonde, « "L'ombre du passé". François Garneau et l'éveil des nationalités », dans Gilles Gallichan, Kenneth Landry et Denis Saint-Jacques (dir.), *François-Xavier Garneau figure nationale*, Québec, Nota bene, 1998, p. 51-83.

4. *Tocqueville au Bas-Canada*, présenté par Jacques Vallée, Montréal, Éditions du Jour, 1973, p. 107.

[...] ont conservé la plus grande partie des traits originaux de caractère national, et l'ont mêlé avec plus de moralité et de simplicité. Ils sont débarrassés comme eux [Américains] d'une foule de préjugés et de faux points de départ qui font et feront peut-être toujours les misères de l'Europe[5].

Ses informateurs sont des figures connues – John Neilson, les Mondelet, le sulpicien Quiblier – mais il n'a pas entendu parler de Papineau... : «je n'ai encore vu dans le Canada aucun homme de talent, ni lu une production qui en fit preuve. Celui qui doit remuer la population française et la lever contre les Anglais n'est pas encore né[6]».

Théodore Pavie le suit en 1832 et publie ses *Souvenirs* en 1833, l'année même où Michel Chevalier découvre (1833-1835) à propos du Canada : «nous n'avons plus de souvenances des hommes généreux qui se dévouèrent pour nous en assurer la domination[7]».

Avant 1830, il semble bien que les relations entre la France et le Bas-Canada soient dans le creux engendré par la Cession. Avec Hector Bossange, Isidore Lebrun demeure la figure paradigmatique – encore plutôt inconnue – du renouvellement de l'intérêt pour le Canada dans la décennie 1830. Il publie en 1831 dans *La Revue encyclopédique* ses premiers articles sur le Bas-Canada et une recension du premier recueil de poésie paru à Montréal en 1830, celui de Michel Bibaud. Lebrun, qui a des correspondants au Bas-Canada, rassemblera ses connaissances dans son ouvrage *Tableau statistique et politique des deux Canadas* (1833)[8].

Mais il faut attendre 1837 et les rébellions pour que la France redécouvre le Canada. La presse périodique, qui n'a à peu près rien publié jusqu'alors sur le Bas-Canada sinon les textes de Lebrun, commence en septembre 1837 à rendre compte des événements qui se passent dans la colonie britannique d'Amérique du Nord et les suit régulièrement à compter de décembre. Pour en rendre compte, la presse française s'en remet à la presse britannique pour obtenir de la nouvelle et les débats du Parlement, à telle enseigne que lorsque celle-ci fait relâche le dimanche, la première reprend

---

5. *Ibid.*, p. 101.

6. *Ibid.*, p. 91.

7. Steven Fontaine-Bernard, «Connaissance et perception du Bas-Canada en France de 1830 à 1842», M.A. (Histoire), Université de Montréal, 2003, p. 40.

8. *Ibid.*, p. 28-38.

son propos canadien le mercredi[9]. *Le Constitutionnel*, journal libéral modéré, publie son premier de sept textes sur les rébellions le 17 décembre ; républicain, il se dit favorable à la rupture du lien britannique dont le système monarchique représente une anomalie en Amérique. *La Gazette de France*, d'allégeance royaliste et légitimiste, fait paraître trois analyses à partir du premier janvier 1838 reconnaissant que le litige en est un de colonie à métropole.

Les deux journaux les plus attentifs aux affaires canadiennes sont *Le Journal des débats* et *Le National*. Le premier publie une dizaine d'articles sur le sujet à compter du premier janvier 1838. La position du journal royaliste évolue, estimant le premier janvier que « ce n'est pas là une querelle de race entre deux nationalités rivales, comme on cherche à le faire croire, mais bien une lutte entre la colonie et la métropole », mais jugeant le vingt que « la séparation du Canada est une nécessité extrême que la marche des événements peut amener, mais que rien encore ne commande de subir ». Le 14 décembre 1838, *Le Journal des débats* revient sur sa position, estimant alors que la position de la métropole est juste et généreuse[10].

Le National, libéral, radical de gauche, inspiré par 1789 et la Révolution de 1830 et tenant de la cause des peuples dont celle de la Pologne en 1830, est le premier à s'intéresser à la situation canadienne dans un texte du 2 septembre 1837. Ses journalistes puisent aussi dans la presse anglaise – chartiste cette fois, comme le *London Despatch* – une information déjà décalée d'un mois par rapport aux événements et faite pour persuader le lectorat dans un sens ou dans l'autre. Le premier texte doit faire redécouvrir le Canada aux Français et évoque 1763 avec des accents particuliers : « On leur conserva (1763-1791) leur religion, leurs lois, leurs coutumes : si bien que celui qui visite aujourd'hui les paysans du Canada pourrait se croire transporté dans une campagne de France au temps de Louis XIV [...][11]. » Selon le journal, le pays se soumit alors à « une forme de gouvernement peu libérale » et cela « suffisait à des hommes sans instruction, à des esprits incapables par leur ignorance de porter leur attention sur des questions de principe[12] ». Si

---

9.   *Ibid.*, p. 76-88.

10. *Ibid.*, p. 82-83.

11. Françoise Le Jeune, « La presse française et les rébellions canadiennes de 1837 », *Revue d'histoire de l'Amérique française*, LVI, 4 (printemps 2003) : 492.

12. *Ibid.*

l'on y considère Papineau comme « un homme de haute capacité », on ajoute : « On pourrait peut-être, en Europe, trouver à redire de son accent Canadien, à sa parole parfois ampoulée ; mais il ne parle pas en Europe, il parle au Canada[13]. » *Le National* reconnaît le 11 décembre qu'on « s'était si peu enquis du sort de ces Français de l'Amérique, que la presse a été obligée de tracer un résumé de leur histoire depuis 1763[14] ».

Selon le journal qui est alors plus anglophobe qu'il n'est favorable aux Patriotes, on doit en finir avec la monarchie sur « le continent des républiques », ne serait-ce que pour affaiblir la Grande-Bretagne qui, depuis le Congrès de Vienne de 1815, a su mater la France napoléonienne et lui inspirer même son modèle de monarchie constitutionnelle. À compter de la mi-décembre, la fibre nationale et républicaine se conjugue et le Bas-Canada est présenté comme un possible modèle pour les peuples encore sous le joug des monarchies. *Le National* voit l'indépendance de la colonie se faire dans l'esprit de 1789 davantage que dans celui de la guerre d'Indépendance des États-Unis en 1776. En janvier 1838, le journal prend fait et cause pour les Canadiens, évoquant même l'abandon de la colonie par la France. *Le National* projetait sans doute ses idéaux républicains sur la situation canadienne, mais du coup, il donnait « vraisemblablement une valeur et une dimension plus universelle à l'insurrection des patriotes qu'elle n'en avait réellement[15] ». C'est ce même *National* qui, avec sa vision républicaine européenne, assurera le premier un accueil à Papineau en mars 1839.

Peu de sources donnent une idée plus précise de la lecture que la France faisait de la situation bas-canadienne que la correspondance de son ambassadeur aux États-Unis, M. de Pontois, avec le ministre des Affaires étrangères, le comte de Molé. De Pontois a voyagé au Bas-Canada à l'été 1837, il a assisté à une assemblée populaire à Saint-Constant et rencontré Papineau à Montréal, à Saratoga et à New York. Le diplomate avoue d'entrée de jeu le 9 août 1837[16] que la « première impression qu'éprouve un Français en entrant dans le Canada, est un sentiment de douleur et de regret ». Il regarde le

---

13. *Ibid.* : 493.

14. *Ibid.*

15. *Ibid.* : 511.

16. Robert de Roquebrune, « M. de Pontois et la rébellion des Canadiens français en 1837-1838 », *Nova Francia*, III, 4 (1927) : 246.

Bas-Canada à l'aune du pays où il représente la France : « la rive canadienne est triste, dépeuplée, sans mouvement, sans vie, et offre en un mot, les traits effacés d'une colonie lointaine et oubliée de la Métropole », alors que sur la rive américaine « tout y est animé du souffle fécond de la Nationalité ». Représentant d'un pays qui a fait 1789, de Pontois poursuit à propos de la population canadienne : « [l]e temps n'a pas marché sur elle, les révolutions qui ont bouleversé le monde n'ont pas modifié ni ses idées, ni ses habitudes » ; il y observe le maintien du régime féodal et « une soumission aveugle aux préceptes des ministres de la Religion ». Cette population est « peu préparée aux innovations politiques, peu faite pour les révolutions », même si « le sentiment de la Nationalité [...] qui se réveille [reste] encore vague et confus chez les Canadiens ». Comme les journaux français royalistes, le diplomate estime que la situation politique qui prévaut au Bas-Canada « n'a aujourd'hui [...] rien d'oppressif ni de blessant, et auquel on ne peut guères reprocher que les inconvéniens inséparables du régime colonial[17] ».

Quant aux propos du 29 septembre 1837 du ministre des Affaires étrangères de la France, le comte Molé, ils sont on ne peut plus clairs sur la place du Bas-Canada dans la politique contemporaine de l'ancienne métropole : « Les détails sur M. Papineau, ce chef de l'opposition canadienne, ont pour nous tout l'intérêt de la nouveauté », et quant « à la sensation produite en Europe par les événemens du Canada, elle a été d'autant plus vive, qu'ils venaient réveiller subitement l'attention d'un pays dont on n'était plus depuis longtems habitué à s'occuper [...][18] ».

Les causes du départ de Papineau pour la France

À vrai dire, ce sont les rencontres entre Papineau et l'ambassadeur de Pontois qui peuvent être les premiers signes d'un projet de voyage de Papineau en France. Si ce dernier ne connaissait pas le détail et la fermeté des positions énoncées en 1837 dans la correspondance de l'ambassadeur, il avait suffisamment appris de ses rencontres pour anticiper le type d'accueil qu'il pourrait recevoir en France.

La réunion des Patriotes en exil le 1er janvier 1838, à Middlebury au Vermont, est un second marqueur dans la mesure où il devient clair, à

---

17. *Ibid.* : 247-248.

18. *Ibid.*, IV, 1 (1929) : 7.

partir de ce moment, que les Patriotes radicalisés désireux de faire une invasion au Bas-Canada ne trouvent pas l'appui de Papineau, ni sur cette stratégie
ni sur leur projet de déclaration d'indépendance, qui inclut l'abolition du
régime seigneurial. Le président van Buren des États-Unis et les gouverneurs
d'États limitrophes ont alors annoncé des couleurs de neutralité qui ont déçu
les Patriotes et entamé les espoirs de Papineau. L'histoire commence dans
ce contexte par des révélations que M. de Pontois a faites à un Américain :

> I told Mr. Papineau last year [1837], when I saw him in Canada, that the
> French Government could not entertain the idea of coming to their aid, that
> the great ballance of power beyond the water must be preserved, that is the
> independent Governments were England and France a policy which must be
> observed to sustain against absolutism.

Interrogé « if he did not think that France would join us », l'ambassadeur
« laughed and said what has she to gain ». Le diplomate ne voyait le Canada
ni au centre ni à la périphérie de la politique extérieure de la France et il était
convaincu que de toute façon les États-Unis avaient les yeux sur le Canada,
le Texas et le Mexique et que si la France intervenait un jour en Amérique,
ce serait pour maintenir le statut de Cuba[19]. Dans une lettre du 13 mars 1838,
le bras droit de Papineau, Edmund Bailey O'Callaghan, encourage le
leader patriote à poursuivre ses efforts, à aller à Washington rencontrer le
président van Buren et à être « what Franklin was for the United States
at the court of France[20] ». En avril 1838, Papineau maintient sa position de
désaccord avec les Patriotes qui cherchent à s'organiser ; il écrit à son fils
aîné, Amédée, aussi en exil aux États-Unis : « [...] pour le moment, je ne vois
pas d'utilité d'être sur la frontière où tous mes pas et propos seraient épiés
et interprétés avec malignité, où je serais témoin de souffrances que je ne
pourrais soulager[21] ».

---

19. Extrait d'une lettre (Washington) du beau-frère de James Page à James Page, maître
de poste, Philadelphie, copiée par Papineau le 8 mars 1838, Archives nationales du
Québec à Québec [ANQQ], P 417/3 ; 2.2.2.

20. Edmund Bailey O'Callaghan à Louis-Joseph Papineau, 13 mars 1838, Bibliothèque
et Archives Canada [BAC], papiers Papineau, 2766-2773.

21. L.-J. Papineau à Amédée Papineau, 12 avril 1838, dans L.-J. Papineau, *Lettres à ses
enfants*, texte établi et annoté par Georges Aubin et Renée Blanchet, introduction
par Yvan Lamonde, Montréal, Éditions Varia, (Documents et Biographies), 2004,
p. 44-46.

En juin, Papineau reçoit du docteur Paul-Joseph Guérard de Nancrède de Paris, qui pratiqua longtemps à Philadelphie et y soigna Louis-Philippe en exil, une invitation : « je vous offre un asile sûr et à l'abri de toute violation ; [j'estime] que le meilleur parti que vous ayez à prendre, pour votre sûreté et pour votre existence future, est de venir vous poster à Paris[22] ». Mais il n'est pas clair alors si Papineau ira en France ou en Angleterre.

Le remuant abbé Étienne Chartier, qui joue un rôle d'intermédiaire entre les Patriotes en exil et Papineau, est au fait du projet de voyage ; il lui écrit le 18 août :

> J'ai appris du Dr Nancrède que la lettre ci-incluse est pour vous une invitation de passer en France, vous faisant espérer la puissante médiation du Roi-citoyen. Je suis loin de prétendre vous donner des conseils ; mais je pense qu'autant il serait messéant à celui que les circonstances ont fait le représentant personnifié du parti Libéral du Canada, de solliciter la dégradante commisération de l'administration qui s'est iniquement constituée son juge, autant il lui serait honorable d'obtenir du gouvernement métropolitain une justice qui serait un désaveu formel de la politique bornée du dictateur[23].

Fin septembre 1838, Papineau communique à John Roebuck, agent de la Chambre d'assemblée du Bas-Canada à Londres et député aux Communes, sa perception de l'ambassadeur de Pontois :

> J'avais eu le plaisir, l'an dernier, de faire visite à M. Pontois, l'ambassadeur français, et de le recevoir chez moi, où il avait vu une société qui lui avait plu. Il a eu l'honnête[té], quand il est venu passer une seule journée à Saratoga, de me faire une longue visite, d'exprimer une vive sympathie pour mes malheurs, de regarder comme violente et odieuse la persécution que je souffre, de m'exhorter à passer en France, de m'offrir des lettres pour ses amis, de me donner à entendre que je pouvais facilement me lier avec la presse et l'intéresser à la cause du Canada. J'ai des amis à Paris qui m'ont fait les mêmes offres. L'un d'eux, je le sais, jouit de l'estime et de la confiance du Roi, qu'il voit souvent. Ce sont des liaisons que j'avais faites dans mes voyages, tant en France qu'aux États, et qui se montrent de vrais amis qui, après plusieurs années sans avoir communiqué avec moi, le font au moment où je tombe dans le malheur[24].

---

22.   Paul-Joseph Nancrède à L.-J. Papineau, 19 juin 1838, ANQQ, P 417/2, 412.

23.   Étienne Chartier à L.-J. Papineau, 18 août 1838, ANNQ, P 417/2, 427.

24.   L.-J. Papineau à John Arthur Roebuck, 30 septembre 1838, dans L.-J. Papineau, *Lettres à divers correspondants*, texte établi et annoté par Georges Aubin et

Ils sont alors de plus en plus nombreux ceux qui expriment un avis à Papineau concernant la pertinence d'un voyage en France. Un certain Bonnefoux de New York, dont les convictions politiques personnelles justifient l'aide financière qu'il apporte aux Patriotes et à Papineau, l'encourage en novembre 1838 à partir pour la France. Ce voyage serait, selon lui, de nature à soutenir « les espérances de tous les Canadiens[25] ».

La recherche d'appui international ne se limite ni à ce projet d'un voyage de Papineau, ni à la France. Un correspondant du leader patriote du Haut-Canada, W. L. Mackenzie, lui propose d'envoyer le D[r] O'Callaghan en Russie pour solliciter du tsar argent, armes et munitions[26].

Papineau écrit à son épouse qu'il « a peu d'attrait pour un projet de gouvernement provisoire sur la frontière dont on me ferait président » ; « je serais perdu de réputation, comme un écervelé ». Il ajoute qu'il a « revu M. Pontois, qui parle des bonnes intentions de l'Angleterre à l'avenir, et demande semi-officiellement s'il n'y a pas moyen de négocier un accommodement ». Papineau a dû alors prendre le pouls politique de l'ambassadeur sinon de la France de Louis-Philippe. À Julie, il reconnaît spontanément que si « ce que j'apprends à Philadelphie et Washington n'est pas plus encourageant que ce que j'ai appris ici, je n'irai pas en Europe. Nous verrons[27] ».

Le 30 novembre 1838, l'ambassadeur de Pontois évoque aussi à son ministre sa rencontre avec Papineau :

> Mr Papineau est venu me voir il y a quelques jours. J'ai acquis, par sa conversation, de nouvelles preuves de l'impossibilité du succès de l'Insurrection. 'C'est, a-t-il fini par m'avouer lui-même, une population, réduite au désespoir, qui se précipite aveuglément au devant du danger, sans concert, sans organisation, sans secours étranger, et qui se dévoue à la mort'. J'ai cru devoir lui représenter alors, au nom de l'intérêt ce que le sort du Canada

---

Renée Blanchet, avec la collaboration de Marla Arbach, introduction par Yvan Lamonde, Montréal, Éditions Varia, (Documents et Biographies), 2006, tome 1, p. 415.

25. L. Bonnefoux à L.-J. Papineau, 10 novembre 1838, ANQQ, P417/2, 396.

26. Charles Durand à William Lyon Mackenzie, 24 novembre 1838, Archives publiques de l'Ontario, fonds Mackenzie-Lindsey, F 37.

27. L.-J. Papineau à Julie Bruneau-Papineau, 29 novembre 1838, dans L.-J. Papineau, *Lettres à Julie*, texte établi et annoté par Georges Aubin et Renée Blanchet, introduction par Yvan Lamonde, Sillery, Archives nationales du Québec et Septentrion, 2000, p. 377-378.

inspire à tout cœur français et avec la force que donne une profonde conviction, que si un pareil sentiment pouvait être excusable dans les masses, il ne l'était pas dans leurs Chefs, dont le devoir était, au contraire, d'user de tous les moyens en leur pouvoir pour arrêter une lutte trop inégale, et sauver, s'il en était temps encore, leur malheureux Pays dupe et victime des intrigans et des spéculateurs américains, de la ruine et de la destruction dont il était menacé. C'était une prompte soumission ai-je ajouté qui pouvait seule donner au Gouvernement de la Reine la possibilité d'écouter les plaintes des Canadiens et de protéger leurs droits et leur Nationalité [...]. C'était elle qui pouvait aussi permettre aux voix amies et généreuses de tous les Pays de faire entendre des paroles de modération et de conciliation, qui aujourd'hui ne seraient pas écoutées. J'ai dit enfin à Mr. Papineau que ce beau et noble rôle de sauveur de ses Compatriotes pouvait, s'il le voulait, lui appartenir, à lui qui, je le savais, avait déconseillé l'Insurrection, qui était dénoncé par les meneurs actuels, et qui représentait seul, aux yeux de tous les gens éclairés de ce Pays, comme à ceux des Autorités Anglaises elles-mêmes, le côté honorable et vraiment Patriotique de la Cause Canadienne ; qu'il ne lui fallait, pour cela, que se séparer, dès à présent, et avec éclat, des Intrigans qui s'étaient mis à la tête des derniers mouvements et avaient exploité la crédulité des Canadiens, recommander à ses Partisans la soumission et la patience, et, en même temps réclamer avec énergie et persévérance auprès du Gouvernement britannique contre le Régime illégal, arbitraire et violent qui opprimait le Pays et lui préparait de nouveaux troubles et éveiller ainsi l'intérêt et les sympathies de l'opinion publique, tant en Amérique qu'en Europe et jusque dans le sein du Parlement Anglais.

L'ambassadeur avait proposé à Papineau une voie qu'il ne pouvait guère suivre. De toute façon, monsieur de Pontois avait des vues bien arrêtées sur le leader (encore ?) des Patriotes :

Malheureusement, Monsieur le Comte, un pareil rôle est au-dessus de la portée de M. Papineau, homme honnête et consciencieux, mais d'un esprit médiocre et étroit, rempli de lieux communs à la place d'idées, et opposant à la logique des faits et des réalités de vaines utopies et de puériles illusions, en un mot, précisément le contraire de ce que doit être un Chef de Parti. Au reste, il est juste de dire que, voulût-il adopter le plan que je lui indiquais, et pour l'exécution duquel il pouvait compter sur l'appui de Mr. Fox [ambassadeur de Grande-Bretagne aux États-Unis], et probablement sur celui de Lord Durham, peut-être ne le pourrait-il pas : car son influence et sa Popularité, auxquelles les événemens de l'année dernière avaient déjà porté une rude atteinte, pourraient bien être tout à fait nulles aujourd'hui. Il vient de partir pour Washington, non dans l'espoir, dit-il, d'intéresser à sa cause le

Gouvernement des États-Unis qu'il accuse de faiblesse et de pusillanimité, mais pour se mettre en rapport avec quelques membres influents du Congrès. Il songe aussi à passer en Europe, c'est-à-dire en France où il espère réveiller d'anciens souvenirs et faire parler de puissants intérêts. J'ai cru devoir ne pas lui laisser d'illusions à cet égard, et lui ai dit, en le dissuadant de son projet, qu'il était sûr de rencontrer chez les personnes auxquelles seules il voulait s'adresser (c'est-à-dire aux Ministres du Roi) sympathie pour les habitants du Canada et désir de contribuer à adoucir leur sort, *mais rien au-delà*[28].

Le diplomate français sait donc où Papineau se situe par rapport aux Patriotes « sur la frontière » et celui-ci aura entendu de la bouche de l'ambassadeur sa suggestion de « prompte soumission » et l'affirmation qu'il n'y avait pas d'« illusions » possibles sur ce qui pouvait venir de la France. Début 1839, une nouvelle donne de réflexion se présente à Papineau au moment où l'enjeu du voyage semble bien la recherche d'un appui politique et financier.

Les choses se précisent en décembre alors que Papineau a, le 11, rencontré le président van Buren[29].

À une assemblée tenue à Swanton au Vermont, les Patriotes votent une résolution selon laquelle « deux [...] agents soient aussi nommés pour aller en France, afin de représenter aux philanthropes de ce pays notre position, et solliciter les secours nécessaires[30] ». Deux jours plus tard, Papineau envisage le départ si on lui en fournit les moyens :

---

28. M. de Pontois au comte Molé, ministre des Affaires étrangères de France, 30 novembre 1838, dans R. de Roquebrune, « M. de Pontois [...] », *Nova Francia, loc. cit.* : IV, 2 (1929) : 89-91.

29. *Mackenzie's Gazette*, 15 décembre, et Amédée Papineau, *Journal d'un fils de la liberté, 1838-1855*, texte établi avec introduction par Georges Aubin, Sillery, Septentrion, 1998, p. 275. De cette visite, Rosalie dira à son frère : « Ici, ils sont au désespoir de ta visite au président ; ils en augurent tous les malheurs. M. Guy m'a dit que, jusqu'à cette dernière démarche, le gouvernement était satisfait de ta conduite dans les États, mais que cette dernière démarche l'avait outré. » Lettre du 13 janvier 1839, dans R. Papineau-Dessaulles, *Correspondance, 1805-1854*, texte établi, présenté et annoté par Georges Aubin et Renée Blanchet, Montréal, Éditions Varia, (Documents et Biographies), 2001, p. 161.

30. Le texte original a péri ; copie faite par Montarville Boucher de la Bruère, BAC, MG24, B34, fonds Nelson, I, p. 14-17 ; résolutions de l'assemblée de Swanton du 5 janvier 1839 : *Revue d'histoire de l'Amérique française*, XVI, 3 (décembre 1962) : 439-440.

[...] si les hommes influents qui sont élargis [au Canada] pensaient que je pusse vraiment être utile à la cause, en sollicitant en France soit des secours soit les bons offices du gouvernement par la voie des négociations, soit les sympathies populaires, par l'entremise de la presse, et qu'ils voulussent me donner les moyens d'y aller, je suis porté à y entrevoir possiblement quelque utilité[31].

Se précisent du coup ses raisons de ne pas aller à Londres :

D'autres veulent que ce soit en Angleterre que j'aille solliciter justice. L'objection *in limine* à cette démarche, c'est qu'elle peut être interprétée en une profession de foi dans la justice du gouvernement, dont je ne voudrais pas me rendre coupable. Je n'irais là qu'autant que ce serait comme accusateur irréconciliable des institutions et des administrations passées[32].

Le 3 février 1839, après ses discussions avec monsieur de Pontois, les sollicitations du docteur Nancrède et de M. Bonnefoux, les résolutions de Swanton et la conviction qu'aucune aide ne viendra des États-Unis, Papineau se décide à partir : « Les sollicitations soutenues de mes amis me décident à passer en Europe. La détermination est trop soudaine pour que j'ai[e] pu consulter, ni donner avis [...]. » On a pu lui trouver une aide financière[33]. La décision est sans doute soudaine, mais elle vient au terme d'un long processus, et Papineau la justifie ainsi :

Si j'avais pris part aux mouvements récents qui ont eu lieu, ils n'auraient pas été moins malheureux ; mais cette démarche m'interdirait aujourd'hui l'accès libre que j'ai, et je puis dire la bienveillance avec laquelle il m'est donné auprès des hommes d'État de cette république, ou des correspondances utiles à la cause avec les hommes publics en Angleterre ou ailleurs. L'on peut servir son pays par d'autres voies encore que celles qui ont été prises. Il est des services qui, pour n'être pas aperçus, n'en sont pas moins réels, qui, pour

---

31.   L.-J. Papineau, Albany, à Louis Perrault, Burlington, 7 janvier 1839, dans L.-J. Papineau, *Lettres à divers correspondants, op. cit.*, tome 1, p. 430.

32.   *Ibid.*

33.   *Ibid.*, 3 février 1839 ; lettre de Henri-Alphonse Gauvin et Eugène-Napoléon Duchesnois à Wolfred Nelson, 3 février 1839, dans Montarville Boucher de la Bruère, « Louis-Joseph Papineau de Saint-Denis à Paris », *Cahiers des Dix*, 5 (1940) : 94-95 ; J. Bruneau-Papineau à A. Papineau, 6 février 1839, *Julie Papineau, op. cit.*, p. 169-170 ; A. Papineau, *Journal d'un fils de la liberté [...], op. cit.*, p. 297.

n'être pas appréciés dans un temps, le seront plus tard, quand ils pourront être connus[34].

Le 8 février 1839, il s'embarque à New York à bord du *Sylvie de Grasse*. Il part sans passeport britannique ni français, le consul, M. de la Forest, le lui ayant refusé – il ne peut en procurer qu'à des citoyens français – mais lui ayant délivré une lettre adressée au commissaire général du Havre qui aurait valeur de passeport[35]. Le consul britannique à New York, John Buchanan, en est informé le lendemain :

> I learn from Mr Bonnefaux [Bonnefoux], merchant in the city, and from Mr Duvernay, Canadian refugee resident here, and from two others, that Mr Papineau has this day yielded to the desire of the Canadian refugees and to the chiefs interested in the revolution of Canada to go to France. The Revolutionary Committee has paid him 1000 dollars for his expenses [...].

Il en informe lui-même M. Fox et lord Palmerston, ministre des Affaires étrangères de la Grande-Bretagne[36], puis son correspondant, le colonel William Rowan, écrit à John Colborne, alors gouverneur du Bas-Canada :

> Mr Papineau left on the 8 instant (with Mr Simoné, importer of French goods and another) in the ship Silvie de Grass, so I am informed by Mr Louis Dietz, a merchant of this city. [...] The mission of Mr Papineau (from what I am told by Mr Bonnefaux et Mr Denoier) is to raise 2000 or 3000 men in France for the Canadian service, to see Louis Philip King of the French, who owes Mr Papineau great obligations since the time that Louis Philip was in America, and to try to obtain succour from France & at least to obtain through French influence the means of operating. Mr Bonnefaux added : « We only want money and we know where to find it both here, and on the other side[37]. »

Face à des Patriotes qui estiment que Papineau n'a d'autre choix que de partir, O'Callaghan donne sa version des raisons et circonstances du départ et des attentes de Papineau. Il écrit à Louis Perreault :

---

34. L.-J. Papineau au Dr Antoine-Pierre-Louis Consigny, 4 février 1839, dans L.-J. Papineau, *Lettres à divers correspondants, op. cit.*, tome 1, p. 438.

35. A. Papineau, *Journal d'un fils de la liberté [...], op. cit.*, 12 février 1839, p. 299.

36. John Buchanan, New York, bureau du consul britannique, au colonel Rowan, 9 février 1839, BAC, MG24, A40, fonds Colborne, XXIII : 6858-6859 et 6862.

37. *Ibid.*, 10 février 1839, p. 6860-6861.

I do not think that Mr Papineau would have approved of the proceedings
which you report at Swanton. I had considerable conversation with him pre-
vious to his sailing. He does not seem to think he can do anything in France,
and seemed not distinctly to know why those gentlemen wished him to under-
take the voyage. This is strictly entre nous. All he can do there will be to
engage the French government to make such representations to England as well
make the Ministry respect the treaty of 1763. [...] As for the voyage itself, I
am glad Mr. Papineau took it. Knowing as he does how hopeless is any
benefit to be derived from the States, possibly it may induce him to exert him-
self the more when he gets to Europe. Besides, it will be a relief to him to be
away, for a season, from these parts, where there is nothing heard, but daily
suffering, and complaint[38].

L'arrivée au Havre (5 mars 1839)

Le 5 mars 1839, *Le Journal du Havre* annonce simplement :
« M. Papineau, qui a joué un rôle si important dans les affaires du
Canada, vient d'arriver de New York dans notre port, sur le paquebot
Sylvie-de-Grasse. »

Deux jours plus tard, Papineau explique à sa femme sa situation eu
égard à la question du passeport :

> Tu sais combien mon parti est irrévocablement pris de ne faire aucune démarche
> vis-à-vis des autorités anglaises parce qu'elles ont été en Canada des bourreaux
> contre mes compatriotes en général, contre ma femme, mes enfants, mes
> parents, mes amis, en particulier. C'est ce seul motif qui m'a porté à ne pas
> m'adresser au consul anglais pour un passeport [...][39].

Il rappelle à Roebuck le sens de la « lettre » du consul français à New York
et reconnaît avoir été bien traité[40].

Son compagnon de voyage inattendu, le jeune Chaussegros de Léry,
qui peut se déplacer sans inquiétude, lui écrit le 8 :

---

38. E. B. O'Callaghan à L. Perrault, 24 février 1839, State Historical Society of
    Wisconsin, papiers Perrault, microfilm 904, I.

39. L.-J. Papineau à J. Bruneau-Papineau, 7 mars 1839, dans L.-J. Papineau, *Lettres à
    Julie*, *op. cit.*, p. 380.

40. L.-J. Papineau à J. A. Roebuck, 13 mars 1839, dans L.-J. Papineau, *Lettres à divers
    correspondants*, *op. cit.*, tome 1, p. 445-446.

Je suis arrivé hier matin si harassé que je n'ai pu aller moi-même remettre votre lettre à son adresse, c'est Monsieur Dennison [Agent des paquebots du Havre] qui a bien voulu s'en charger, car il connaît bien M. Nancrède. J'ai eu occasion de voir M. Guillemot qui a déjà voyagé en Canada en observateur, il m'a dit, ainsi que M. Dennison, que vous n'aviez pas besoin de passeport du Havre ici. Je crois donc que vous feriez bien de monter en diligence, sans plus attendre, d'autant plus qu'on ne demande pas les passeports sur la route ou en arrivant à Paris. Vous aurez peine à vous figurer l'impatience avec laquelle vous êtes attendu ici. Tous les journaux ont annoncé votre arrivée en France, et voilà que vous êtes entravé par les autorités de Province qui ne demandent pas mieux que de se donner de l'importance ; c'est là ce que dit tout le monde ici. [...] M. Guillemot dont je vous ai parlé a déjà écrit quelques articles sur le Canada et doit, je crois, publier bientôt un ouvrage étendu sur le même sujet. Il veut aller vous voir au Havre, si vous tardez trop de venir. Il est en rapport avec M. de Lamennais, le Professeur Rostan et plusieurs députés portés pour la cause. Je m'en vais toujours vous attendre Place de la Bourse, Hôtel de Tours[41].

Il ajoute : « M. Guillemot s'est occupé de votre position, et les amis du *National* l'ont prise à cœur[42]. »

Le National, qui a couvert assez systématiquement les rébellions de 1837 et de 1838, annonce ses couleurs le 9 mars :

M. Papineau a été retenu par les autorités du Havre, et il lui a été signifié qu'il ne serait admis à voyager en France qu'avec un passeport en bonne et due forme du gouvernement anglais. Ainsi l'ancien président de la chambre d'assemblée canadienne, M. Papineau, dont les propriétés ont été confisquées, la famille proscrite [deux affirmations inexactes] et la tête mise à prix par la tyrannie britannique, devra s'adresser à lord Palmerston pour obtenir des titres à la bienveillance et à la protection des autorités françaises ! Jusqu'à présent, on n'avait pas songé à demander aux bourreaux ces sortes de recommandations en faveur de leurs victimes[43].

---

41. Charles-Auguste Chaussegros de Léry à L.-J. Papineau, 8 mars 1839, cité dans Ruth L. White, *Louis-Joseph Papineau et Lamennais*, Montréal, Hurtubise HMH, 1983, p. 41-42.

42. *Ibid.*

43. *Ibid.*, p. 3.

La polémique constante de la presse s'alimente à ce nouveau sujet : *Le Journal des débats* du 12 mars croit bon de préciser :

> M. Papineau est arrivé à Paris. Il n'est pas vrai qu'il ait eu à se plaindre des autorités du Havre et du gouvernement français. M. Papineau paraît âgé d'environ cinquante ans ; sa figure porte le caractère des créoles français, a l'expression de l'énergie et de la vivacité.

Papineau endosse la position du *Journal des débats* : « Par rapport à moi, ne croyez pas aux rumeurs des papiers qui ont cru que les autorités m'avaient fait quelques tracasseries au Havre[44]. » Il saisit rapidement le jeu des allégeances politiques et idéologiques de la presse parisienne :

> Le léger retardement que j'ai éprouvé au Havre et dont je n'avais pas à me plaindre a été saisi ici par *Le National* comme moyen d'attaque contre le ministère qu'il supposait en négociation avec celui d'Angleterre. Il n'en était rien. Néanmoins, ce papier est un organe d'une grande puissance par l'énergie et le talent de ses éditeurs qui s'avouent républicains. Mais ceux-ci sont réduits à 14 ou 15 députés pour les représenter. Je suis heureusement en rapports plus immédiats avec le centre-gauche, aujourd'hui la section la plus nombreuse des députés, et celle qui va constituer le ministère[45].

La sympathie du milieu d'accueil est tangible ; un certain Alex Decamps, qui invite Papineau au restaurant Champeaux, place de la Bourse, « pour dîner avec nos amis communs », précise : « Je prends la liberté, Monsieur, de vous adresser cette invitation toute cordiale, de la part de nos amis de *La Revue du Progrès* et du *National*[46]. » L'un de ces amis est Eugène Guillemot, proche de Lamennais, et auteur d'une adresse du 14 mars 1839 « à tous les partisans de la cause franco-canadienne » qui ne fut vraisemblablement pas publiée, mais qui fut peut-être lue ou acheminée à Papineau. Guillemot, qui a séjourné au Bas-Canada en 1832 et en 1838, déplore l'abandon de « cette belle colonie qu'un roi débauché a vendu à l'Angleterre pour prolonger en repos les scandaleuses orgies de la Cour ». Il voit les « citoyens » du Canada promouvoir « la constitution au centre du continent, d'un État Français » et

---

44. L.-J. Papineau à J. A. Roebuck, 13 mars 1839, dans L.-J. Papineau, *Lettres à divers correspondants*, *op. cit.*, tome 1, p. 445.

45. L.-J. Papineau à E. B. O'Callaghan, 15 mars 1839, *ibid.* ; L.-J. Papineau, *Lettres à Julie*, *op. cit.*, p. 384.

46. Alex Decamps à L.-J. Papineau, 12 mars 1839, cité dans R. L. White, *Louis-Joseph Papineau et Lamennais*, *op. cit.*, p. 178.

les assure qu'un «certain nombre de ses compatriotes brûlent du désir de vous seconder». Guillemot dit préférer une politique coloniale française plus américaine qu'algérienne. Il s'adresse peut-être à Papineau lorsqu'il conclut: «[...] nous venons réclamer de vous pour le publier un manifeste par lequel vous déclarerez que le parti dont vous êtes les représentants a pour but de rétablir l'influence du sang français dans le nouvel hémisphère[47].»

Entre-temps, la «détermination soudaine» de Papineau à partir suscite maintes spéculations dans la famille; la sœur de Papineau écrit à la femme de celui-ci:

> Dites-moi donc, ma chère, est-il bien vrai que notre cher Papineau soit parti? Si c'est le cas, quel but le conduit? Pense-t-il y séjourner longtemps? Ici, les uns disent qu'il est allé donner des renseignements à M. Roebuck; d'autres, qu'il est allé s'établir dans le sud de la France, que vous devez le joindre sitôt qu'il aura fixé le lieu de la résidence; d'autres, qu'il est allé faire imprimer une histoire du Canada; d'autres, qu'il se sauve de crainte d'être livré aux autorités anglaises qui font des démarches pour qu'on le lui livre. De toutes ces nouvelles, c'est cette dernière à laquelle je crois la moins sûre[48].

Une difficile conjoncture française

Avant même son départ des États-Unis, Papineau, informé de la situation en Europe, avait fait part de ses appréhensions à Louis Perrault:

> La France est-elle assez enlacée par son alliance avec l'Angleterre pour voir cette flétrissure imposée sur nous parce que nous descendons d'elle, sans que par la voie de la presse ou de représentations ou autrement elle ne la prévienne ou ne la punisse[49]?

Il avait identifié le risque de cette triple allégeance des Bas-Canadiens: ex-Français vivant comme britanniques en Amérique. Il est attentif à évaluer la connaissance que les Français peuvent avoir de la situation des Canadiens, celle, par exemple, du sous-préfet à son arrivée au Havre qui lui

---

47. ANQM, fonds Ludger Duvernay [FLD], P 68-3, pièce 287; reproduit dans R. L. White, *Louis-Joseph Papineau et Lamennais, op. cit.*, p. 179-183.

48. R. Papineau-Dessaulles à J. Bruneau-Papineau, 11 mars 1839, dans R. Papineau-Dessaulles, *Correspondance, 1805-1854, op. cit.*, p. 169.

49. L.-J. Papineau, Albany, à L. Perrault, Burlington, 3 février 1839, dans L.-J. Papineau, *Lettres à divers correspondants, op. cit.*, tome 1, p. 431.

dit : « Mais, mon Dieu, vous êtes donc en lutte contre les autorités et vous ne voulez pas vous en approcher ? » Commentaire de Papineau : « Vous voyez comme les affaires du Canada ont du retentissement en Europe, et sont bien comprises [...]⁵⁰. »

Papineau doit rapidement prendre la mesure de la situation politique de la monarchie de Juillet :

> Des lettres de Paris disent que les élections ayant été défavorables aux ministres, ils donneront en masse leur résignation. Cela est favorable au parti libéral en France, dit-on. Je m'en réjouis donc pour elle, mais cela peut être défavorable au Canada, parce que, dit-on, la politique de ce parti est de cultiver une étroite alliance avec l'Angleterre contre la coalition austro-russe⁵¹.

Le même jour, il communique non sans inquiétude à sa femme cette impression de blocage politique et constitutionnel en France :

> J'arrive dans un moment de grande fermentation en France, où les partis ministériels et de l'opposition paraissent si également balancés, où en quinze mois voilà deux dissolutions, deux élections générales, qui laissent les deux partis dans les mêmes rapports de nombre, mais avec des ressentiments de plus en plus violents. Où donc fuir ? Où se réfugier pour trouver la paix⁵² ?

Se rappelant peut-être l'argument de M. de Pontois selon lequel l'alliance de la France et de l'Angleterre demeurait la meilleure garantie contre les absolutismes, Papineau écrit à Julie :

> Si les gouvernements libres et constitutionnels sont affermis par ce résultat [celui des élections], il faut s'en réjouir. Mais quelle n'est pas la profondeur de l'abîme dans lequel est englouti le Canada si, comme on le dit, cette circonstance lui est défavorable parce qu'elle conduit à une alliance intime avec l'Angleterre, pour en imposer aux gouvernements despotiques⁵³ !

---

50. L.-J. Papineau à E. B. O'Callaghan, 7 mars 1839, *ibid.*, tome 1, p. 440.

51. *Ibid.*, p. 442.

52. L.-J. Papineau à J. Bruneau-Papineau, 7 mars 1839, dans L.-J. Papineau, *Lettres à Julie, op. cit.*, p. 381.

53. *Ibid.*, p. 381-382.

Sur la mer agitée de la politique partisane française, Papineau doit montrer la plus grande prudence dans le choix des appuis :

> L'élan part du parti républicain. Il est sincère, mais il est très faible, et, s'il se jette trop en avant et moi avec lui, la cause perdra assurément le parti ministériel. Peut-il être gagné et faut-il risquer la perte d'un léger gain assuré, pour l'espérance incertaine d'un très grand[54] ?

Sa stratégie est donc de demander :

> [...] des sympathies à toutes les nuances politiques. Mais les élections viennent de jeter le ministère déchu dans une minorité écrasante, et le parti libéral modéré va avoir la direction des affaires. C'est là principalement où il faut s'efforcer de créer une impression favorable [...][55].

Son approche semble porter fruits :

> En parlant avec beaucoup de modération sur ce qui m'était personnel et avec beaucoup de vivacité sur ce qui a rapport aux barbaries exercées contre le pays, je les ai intéressés, et les papiers ministériels et libéraux se sont réunis pour me complimenter comme les ultra, ce qui fait pour la cause un meilleur concert que s'il n'y avait que la trompette guerrière d'embouchée pour la proclamer bonne. J'ai tout lieu d'espérer que cela aura suite[56].

La recherche d'appuis passe aussi par la conviction d'avoir « la plume de M. de Lamennais pour prouver que les plus vertueux des hommes sont les bons catholiques qui, comme les Belges, Polonais, Prussiens, Canadiens, résistent quand l'on viole contre eux la foi jurée[57] ». Papineau aura l'hospitalité régulière de l'homme que des Patriotes bas-canadiens connaissent et admirent, mais point sa plume occupée à la défense même du penseur catholique en procès.

Papineau, qui connaît aussi bien sinon mieux l'Angleterre que la France, fait une lecture des enjeux de leur alliance et de sa signification pour la royauté comme pour les milieux populaires. Il est attentif aux usages que la

---

54. *Ibid.*, 15 mars 1839, p. 384.

55. *Ibid.*

56. L.-J. Papineau à E. B. O'Callaghan, 15 mars 1839, dans L.-J. Papineau, *Lettres à divers correspondants, op. cit.*, tome 1, p. 448.

57. *Ibid.* ; L.-J. Papineau à Julie, 15 mars 1839, dans L.-J. Papineau, *Lettres à Julie, op. cit.*, p. 386-388.

France fait alors de la monarchie constitutionnelle de type britannique et aux plus anciennes traditions de mésalliance entre les deux pays :

> La France et l'Angleterre sont assises sur un volcan dont beaucoup de bons esprits craignent l'explosion instantanée. [...] Les chefs [du parti populaire], ceux qui peuvent entrer au ministère, dupes de la diplomatie anglaise, croient que leur union intime avec l'Angleterre est nécessaire pour contrebalancer la coalition de la Russie, de l'Autriche, etc. contre la France ; que cette union les conservera au ministère malgré le roi, qui est enclin à se rapprocher de ces Cabinets, parce qu'ils lui aideront à cimenter l'autorité royale contre les exigences populaires, disent les ennemis du roi. Et c'est le plus grand nombre, parce qu'il voit mieux que d'autres, disent ses amis, que l'Angleterre nourrit toujours ses vieilles antipathies contre la France, et qu'il faut se détacher d'une alliance qui n'est pas honorable[58].

Dîners, veillées, rencontres se multiplient pour sensibiliser tous les milieux à la cause canadienne. Début avril 1839, un mois après son arrivée, il est clair qu'il faut attendre le moment opportun :

> Je n'ai trouvé que M. de Lamennais aussi grave et solide comme je le puis souhaiter, s'indignant au récit des atrocités commises au Canada. J'ai dîné avec lui et quelques autres braves Républicains. Il m'a fort prié de le voir souvent. J'ai eu un monde de visites d'hommes de lettres qui veulent des écrits, chacun pour leurs journaux, mais qui conviennent que le moment est peu opportun ; qu'il faut rassembler les matériaux puis faire explosion au moment où le ministre viendra accuser les Canadiens, à la rentrée, après le 15 avril, où il va être mis à l'épreuve pour son existence, en déroulant alors le tableau des misères que souffre le Canada[59].

Déjà, Papineau formule quelques doutes à Julie : « Au milieu de tant de préoccupations, d'une lutte qui peut d'un jour au lendemain devenir sanglante, est-il possible d'intéresser, dans les quartiers puissants où je l'espérais, aux intérêts canadiens[60] ? » On lui demande de plus en plus souvent des écrits. Le docteur Nancrède est de ceux qui voient une intervention éditoriale comme une étape maintenant impérative, alors que le *Rapport* de lord Durham a commencé à circuler :

---

58. L.-J. Papineau à J. Bruneau-Papineau, 7 avril 1839, *ibid.*, p. 388.

59. *Ibid.*, p. 389-390.

60. *Ibid.*, p. 389.

Je me sens plus que jamais subjugué par la nécessité de débuter par un manifeste, fait avec réflexion, et qui, s'il est bien fait, comme vous pouvez le faire – présenté à la chambre des communes – puis jeté à la tête, à la raison, à la conscience de la nation, ne peut qu'avoir un effet puissant et favorable ; et je me cramponne à cette idée avec d'autant plus de force qu'il me paraît que, en tout état de cause, vous seriez blâmé par vos amis autant que dédaigné par vos ennemis si vous ne commenciez pas par là. Il faut que vos amis puissent répondre à vos ennemis ; c'est à vous de leur fournir cette réponse qui puisse devenir le fondement de leur opinion : car il ne faut pas vous dissimuler que votre cause, vos griefs, ne sont point connus en Angleterre[61].

Papineau, tout comme O'Callaghan, mise sur une guerre qui affecterait l'Angleterre comme seul moment d'espoir pour mettre quoi que ce soit en train. Le contentieux frontalier à propos de l'État du Maine pourrait être une occasion de la sorte, allumant les feux entre les États-Unis et l'Angleterre désireuse de protéger ses territoires au Canada. Il écrit en ce sens à Julie : « Encore quelques jours vont décider si nous aurons paix ou guerre entre les États-Unis et l'Angleterre. Dans ce cas, devrais-je demeurer ici avec l'incertitude de savoir si je réussirai ou non à servir la cause de mon pays [...][62]. »

Malgré l'invitation du Dr Nancrède, Papineau semble hésiter à se lancer dans le débat public par des interventions dans la presse. Il confie à Julie que le « mémoire de lord Durham est si long et si faux que le travail de réfutation dans lequel je suis engagé est très considérable » et qu'il lui « semble que tout est aujourd'hui aussi incertain et plus qu'il ne me le paraissait au jour de mon départ[63] ».

La stratégie à adopter n'est pas évidente dans un contexte politique où :

> [...] la lutte entre la Couronne et le peuple les paralyse tous deux pendant deux mois, au point de ne pouvoir former un ministère et que leurs hommes d'État les plus influents ne savent ce qu'ils peuvent et doivent faire pour eux-mêmes, il est difficile de leur faire comprendre ce qu'ils peuvent faire pour d'autres[64].

---

61. Dr Paul-Joseph Guérard de Nancrède à L.-J. Papineau, 10 avril 1839, ANQQ, P417/2, 719.

62. L.-J. Papineau à J. Bruneau-Papineau, 15 avril 1839, dans L.-J. Papineau, *Lettres à Julie*, *op. cit.*, p. 392.

63. *Ibid.*, p. 394.

64. *Ibid.*, 29 avril 1839, p. 398.

C'est dans ce contexte que Papineau s'interroge sur l'efficacité de répondre au *Rapport* Durham :

> Pour bien traiter la question du Canada, il faudrait un gros volume. Les journaux quotidiens ne vous allouent qu'une trentaine de lignes. Un gros volume ne serait pas lu. Je me suis réfugié donc dans une des revues où des articles peuvent être donnés, assez courts pour être lus, assez longs pour rendre intelligible un sujet aussi nouveau pour les lecteurs de ce pays. Des copies en seront envoyées aux membres du Parlement amis du Canada[65].

Il a alors publié dans *La Revue du Progrès* son « Histoire de l'insurrection du Canada en réfutation du Rapport de lord Durham ». Il informe son épouse : « Je t'envoie un écrit signé de mon nom, mais, comme cela n'est pas preuve judiciaire, tu ne mentionneras pas que je le reconnaisse, tu ne le nieras pas non plus. Je continuerai d'écrire dans cette feuille, *Revue du Progrès* [...][66]. » Duvernay reproduira le texte à Burlington (Vermont) à l'Imprimerie du Patriote Canadien en juin 1839, mais après l'insurrection parisienne du 12 mai, Papineau précise à Julie : « J'ai donc retiré un écrit que j'avais donné à *La Revue du Progrès* pour paraître aujourd'hui, s'il n'y avait pas eu des altérations dans la situation du ministère qui pouvaient influer sur la situation du Canada[67]. » En novembre, Papineau invoquera une autre raison, des changements apportés sans sa permission à son texte qu'il juge sévèrement : « Some observations of little importance : not as I gave them, but altered by the publisher, and which, therefore, I do not acknowledge[68]. »

Mais l'absence de suite tient peut-être aussi au contenu du texte. Certes Papineau rappelle que les Français n'ont pu apprendre « que des mensonges officiels » par la presse anglaise[69] et que la « résistance armée » n'a été ni

---

65. L.-J. Papineau à E. B. O'Callaghan, 29 avril 1839, dans L.-J. Papineau, *Lettres à divers correspondants*, *op. cit.*, tome 1, p. 458.

66. L.-J. Papineau à J. Bruneau-Papineau, 29 avril 1839, dans L.-J. Papineau, *Lettres à Julie*, *op. cit.*, p. 398-399.

67. L.-J. Papineau à J. Bruneau-Papineau, 15 mai 1839, *ibid.*, p. 404.

68. L.-J. Papineau à Malachy Daly, 11 octobre 1839, dans L.-J. Papineau, *Lettres à divers correspondants*, *op. cit.*, tome 1, p. 468.

69. L.-J. Papineau, *Histoire de l'insurrection du Canada*, Burlington, Vermont, publié par Ludger Duvernay à l'Imprimerie du Patriote Canadien, juin 1839 (Montréal, Réédition-Québec, 1968, p. 12).

préparée ni voulue ni même prévue[70]. Il présente le *Rapport* Durham comme une confession de culpabilité de la part du gouvernement anglais et comme le meilleur «tableau des misères du Canada[71]», dénonçant au passage la monarchie qui, en Angleterre, «n'est qu'un instrument entre les mains des nobles, un brillant colifichet qu'à certains jours la main des charlatans fait scintiller aux yeux de la foule». Papineau évoque un échange qu'il avait eu en 1823 avec lord Bathurst pour montrer que son

> [...] utopie différait de la sienne, et me paraissait tout à la fois plus désirable et plus réalisable ; que la fédération américaine serait dans l'avenir une et indivisible ; [...] qu'au jour de notre indépendance, le droit de commune citoyenneté et de commerce libre entre Québec et la Nouvelle-Orléans, entre la Floride et la Baie d'Hudson, assureraient au Canada une période indéterminée, mais longue de paix, de conquêtes sur la nature, de progrès dans les sciences [...], avec individualité pour chaque État souverain, sous la protection du congrès, qui ne pouvait être tyran, n'ayant ni sujets ni colonies [...][72].

N'attendant plus rien de l'Angleterre, Papineau voit «l'indépendance» comme «un principe de résurrection et de vie[73]» et les Bas-Canadiens comme des «Américains indépendants» avec un «avenir écrit dans les déclarations des droits de l'homme et dans les constitutions politiques que se sont données nos bons, sages et heureux voisins, les Américains indépendants». Il ajoute, en concluant: «Ceux-ci savent bien, d'ailleurs, que leur révolution n'est pas encore entièrement terminée[74].»

Papineau croit trouver en France un écho positif à sa vision de l'avenir ; il écrit à Julie:

> Tous conviennent que l'indépendance des Canadas et leur agrégation à la confédération américaine est leur avenir prochain et la combinaison la plus favorable. Les uns les croient éloignées, qui pensent que l'Angleterre peut demeurer en paix pendant plusieurs années ; les autres prochaines, qui la croient à la veille de se trouver avec des embarras à l'intérieur ou à l'extérieur,

---

70. *Ibid.*, p. 10.

71. *Ibid.*, p. 12-13.

72. *Ibid.*, p. 8.

73. *Ibid.*, p. 13.

74. *Ibid.*, p. 34-35.

et qui sont persuadés d'une part que les Canadas ne peuvent remuer jusqu'à ce jour, ni alors demeurer soumis[75].

Il dit trouver confirmation de sa vision même dans des positions du *Journal des débats* :

> Depuis quelques jours, le journal *Les Débats*, qui est le papier du roi, a dit à diverses reprises qu'il fallait que les Canadas se soumissent à l'arrêt inflexible du sort, que la France n'y pouvait jamais acquérir d'influence assez forte, et qu'ils deviendraient américains quand ils cesseraient d'être anglais. Surchargés de population comme ils le sont ici, ils ont la folie de ne vouloir pas encourager l'émigration[76].

Les espoirs de Papineau se confortent tantôt à la rencontre d'Alexis de Tocqueville et de Gustave de Beaumont – « C'est cette jeune France qui bien vite va prendre inévitablement la direction des affaires ; il est important de réveiller ses sympathies en faveur du Canada[77] » –, mais ils vacillent plus tard face à « des ministres démissionnaires pendant vingt jours », à « des ministres intérimaires pendant vingt autres[78] » et à des ministres qui désertent un parti et « acceptent le ministère, avec des associés qu'ils n'avaient pas voulus trois jours plus tôt[79] ».

Au Bas-Canada, le voyage et les tractations de Papineau sont suivis et diversement connus. Sa femme lui rapporte :

> Ils sont tous étonnés de l'accueil que te font les Parisiens et cela fait une grande sensation. Ce matin, le correspondant du *Daily Advertiser* dit que tu es bien vu de tous les partis et que tu es l'homme du jour, et il ajoute : ce n'est pas étonnant qu'ils te flattent ainsi, qu'ils ont intérêt, qu'ils savent bien qu'il faut que les Canadas soient indépendants tôt ou tard, qu'ainsi c'est politique

---

75. L.-J. Papineau à J. Bruneau-Papineau, 9 mai 1839, dans L.-J. Papineau, *Lettres à Julie*, *op. cit.*, p. 401.

76. *Ibid.*, 15 mai 1839, p. 405.

77. *Ibid.*, 9 mai 1839, p. 401-402.

78. L.-J. Papineau à J. A. Roebuck, 1er mai 1839, dans L.-J. Papineau, *Lettres à divers correspondants*, *op. cit.*, tome 1, p. 459.

79. *Ibid.*, 15 mai 1839, p. 405.

de leur part de se faire ami du chef. Voilà à peu près le sens, à ce que l'on me dit, je ne l'ai pas vu[80].

La belle-sœur de Julie a d'autres échos :

> Enfin nous avons des nouvelles de l'heureuse arrivée de notre bon ami après un passage aussi court qu'à peu près trois semaines. Le courrier, qui prend soin de nous en instruire, nous informe en même temps qu'il a été reçu à bras ouverts par le parti radical à Paris et que probablement il est allé faire de l'agitation contre Louis-Philippe. D'autres disent que ce voyage cache des projets hostiles aux intérêts du parti privilégié, en conséquence on dépêche, dit-on, M. Rambeau pour éclairer ses démarches et l'opposer s'il est nécessaire[81].

Une autre rumeur est colportée :

> [...] namely a tour recently made by Augustin Papineau, N. P. at St. Hyacinthe, through the lower part of the District of Three Rivers, where that person sedulously propagated reports of the intended return of his brother L.-J. Papineau at the head of a French army of 50 000 men composed of the descendents of Canadian families now resident in France. In an intelligent community the absurdity of such a report would act as its refutation, but among the credulous habitants such practices keep alive the invitation and uncertainty which have hitherto prevailed[82].

Mai 1839

À la mi-mai 1839, Julie dresse un bilan sans faux-fuyant à Papineau. Les attentes d'abord :

> Quant à nos pauvres affaires politiques, ne te fie pas sur une guerre, ni ici, ni en Europe. [...] Nous ne sommes pas, ni le pays non plus, en état d'attendre du temps et de la diplomatie européenne : le pays est prêt, les esprits sont exaltés, ils ont tous les yeux et les oreilles tendus sur ta mission. Cela a relevé leur courage et donné de la crainte à nos tyrans. Il faut que tu demandes des secours pécuniaires à quelques nuances de politiques que ce soient, du roi ou des ministres, ou des républicains ou des Russes même, n'importe. Si tu veux

---

80. J. Bruneau-Papineau à L.-J. Papineau, 20 avril 1839, dans J. Papineau, *Une femme patriote [...]*, *op. cit.*, p. 197.

81. R. Papineau-Dessaulles à J. Bruneau-Papineau, 28 avril 1839, dans R. Papineau-Dessaulles, *Correspondance, 1805-1854*, *op. cit.*, p. 181.

82. William Foster Coffin au major Thomas Leigh Goldie, 15 juillet 1839, ANQQ, fonds sur les événements de 1837-1838, pièce 3565.

sauver le pays, il n'y a pas d'autres moyens. Et avec ceux-là nous serons bientôt libres ! Sois persuadé qu'il n'y en a pas d'autres. Le délai perdrait le pays, car ni toi ni bien d'autres, qui lui sont si nécessaires pour son bonheur, n'y seront plus.

Puis, le point de non-retour :

> Ta mission est regardée comme la fin de la lutte : il faut vaincre ou périr, s'expatrier en grand nombre et puis les autres se soumettront. Ne crois pas que j'exagère, c'est le cas. [...] Excuse la manière dont je m'exprime, car je n'ai ni les forces ni l'espace qu'il faut pour écrire sur un pareil sujet, mais tu me connais et tu sauras suppléer et excuser la manière que je le dis.

Enfin, la réputation et des preuves de l'échec :

> Considère aussi, mon cher, que ta réputation est fort intéressée dans cette mission et que c'est le terme d'une longue carrière politique, qu'il faut tâcher qu'elle se termine pour le bonheur de ton pays et l'honneur de ton nom. Si l'on te refuse même (ce que l'on ne peut se persuader ici) de l'argent, il faudra que tu puisses le constater d'une manière satisfaisante en donnant les preuves des refus. Alors, tu auras fait ton devoir, le pays ne pourra pas t'accuser de son malheur et il faudra se fixer quelque part[83].

En mai 1839, le vent tourne pour Papineau quatre mois après son arrivée en France :

> Mon isolement me devient très pénible, maintenant que je suis convaincu que, pour le moment présent, je ne puis rien obtenir ici à l'avantage de mon pays ; que la lutte entre les partis est assez ardente, et l'issue assez incertaine, pour qu'ils ne soient occupés que de leurs intérêts européens et du moment, sans porter leurs regards sur des intérêts permanents immenses, qu'ils peuvent établir en Amérique, s'ils y aidaient à rendre les Canadas indépendants[84].

La question du financement de son voyage et du remboursement des sommes empruntées, que Julie avait effleurée[85], commence alors à faire surface[86].

---

83. J. Bruneau-Papineau à L.-J. Papineau, 16 mai 1839, dans J. Papineau, *Une femme patriote [...]*, *op. cit.*, p. 202.

84. L.-J. Papineau à J. Bruneau-Papineau, 31 mai 1839, dans L.-J. Papineau, *Lettres à Julie*, *op. cit.*, p. 408.

85. J. Bruneau-Papineau à Amédée Papineau, 6 février 1839, dans J. Papineau, *Une femme patriote [...]*, *op. cit.*, p. 169.

86. J. Bruneau-Papineau à L.-J. Papineau, 30 mai et 24 juin 1839, *ibid.*, p. 203-205 et 208-209.

Puis, comme son ami Nancrède s'est brouillé avec Louis-Philippe, les chances de rencontrer le roi et de le persuader de prendre position en faveur des États-Unis en cas de guerre avec l'Angleterre diminuent[87]. En juin, de plus en plus sans espoir de réussite, il écrit à Julie : « [Mes lettres] et mon insistance pour que tu fasses vendre bibliothèque et ménage, et que tu viennes me rejoindre ont dû te convaincre que je n'espérais rien obtenir, ni d'Angleterre ni d'ici, en faveur de mon pays[88]. » Le lendemain, anticipant peut-être à quelque signe qu'on s'apprête à lui demander des comptes, il se demande qui aurait pu faire mieux : « Ce voyage n'a eu que peu de résultats avantageux sans doute à la cause du pays. Néanmoins, cela tient à des causes que nul autre n'aurait pu maîtriser plus que moi[89]. » Il commence à s'imaginer ailleurs, à demander à sa femme si elle préférerait vivre en France ou aux États-Unis[90].

L'article que *Le Charivari* publie sur Papineau consacrait peut-être la valeur symbolique de son séjour. Le rédacteur, qui dit attendre la suite de l'histoire de la résistance du Canada » et signe une courte biographie familiale et politique où l'exactitude fait parfois défaut, propose aux lecteurs du journal satirique « le seul portrait [littéraire et illustré en couverture] de M. Papineau qui existe en France[91] ». Stoïque, celui-ci commente ainsi l'événement à sa femme :

> [M. Massue] te porte mon portrait dans un journal burlesque, mais dans lequel ont paru des hommes comme Lamennais, Chateaubriand, Berryer, etc. Quand il les aime, il les donne au naturel ; quand il les hait, à la sauce piquante et à la caricature. Je suis en bonne compagnie et bien traité[92].

---

87. L.-J. Papineau à J. Bruneau-Papineau, 31 mai 1839, dans L.-J. Papineau, *Lettres à Julie, op. cit.*, p. 408-409.

88. *Ibid.*, 23 juin 1839, p. 412.

89. *Ibid.*, 24 juin 1839, p. 417.

90. *Ibid.*, 15 juillet 1839, p. 419.

91. Texte reproduit dans R. L. White, *Louis-Joseph Papineau et Lamennais, op. cit.*, p. 200-205.

92. L.-J. Papineau à J. Bruneau-Papineau, 24 juin 1839, dans L.-J. Papineau, *Lettres à Julie, op. cit.*, p. 418.

Une dette d'honneur

À compter du mois d'août 1839, Papineau fait face à un double défi, après ceux qu'il a connus depuis mars : la question du remboursement de la dette encourue pour son voyage et la vigilance des Patriotes exilés aux États-Unis à son égard – quand ce n'est leur critique. Pour les Patriotes, les deux questions sont liées. La confrontation vient donc cette fois du milieu même des Patriotes.

Portrait lithographié, *Le Charivari* (Paris), 14 juin 1839.

C'est la sœur de Papineau, Rosalie Papineau-Dessaulles, seigneuresse de Saint-Hyacinthe, qui se débat pour lui venir en aide :

> Je n'ai pas manqué d'envoyer le lendemain matin chez M. Corning qui nous a dit que le billet en question n'avait pas été acquitté et échéait le 8 août, me priant de faire toute la diligence possible pour l'acquitter promptement. MM. O'Callaghan, Perreault, Nelson m'ont dit qu'assurément les personnes qui l'avaient souscrit étaient dans l'impossibilité d'y faire honneur. On m'a dit de plus que le billet en question était endossé par notre défunt ami [Porter] et que, s'il n'était pas rencontré, sa veuve allait se trouver dans un surcroît d'embarras qui vous affligerait. En conséquence, [...] j'en ai parlé à L. M. [Louis-Michel Viger] qui me dit que c'est une dette d'honneur qu'il faut rencontrer. Si je puis trouver moyen d'emprunter cet argent à plus long terme que trois mois, je m'efforcerai de la rencontrer. J'ai déjà quelque espoir ; puisse-t-elle se réaliser[93].

Parmi les Patriotes en exil aux États-Unis, la grogne prend diverses formes. Wolfred Nelson écrit à Duvernay son désaccord avec le seul écrit publié par Papineau :

> Il parait que M. Papineau est decidé à ne plus ecrir pour le moment. C'en sera que mieux, s'il ne fait pas plus de diplomatie que dans sa première production. À quoi bon dire des inconvenances quand on n'est pas en etat de se maintenir ? Il me semble que M. P. aurai peu [pu] relever les erreurs du L. Durham sans descendre dans des personalités qui devraient etre audessus de M. P. comme de la cause. Il aura peu [pu] en avoir fait un ami de la cause. Il aura peu [pu] avoir ecrit de manière à laisser aux Ministres une porte pour s'addresser à lui. Enfin quand on manque des moyens, 'il ne faut pas fuir les hommes !' Il faut rencontrer les fourbes soit par leurs armes, soit par l'addresse. La franchise est excellente avec les honnetes gense et dans la vie privée, mais elle nous mette trop à découvert dans la vie public[94].

À peu près au même moment, Édouard-Élisée Malhiot avoue au même Duvernay :

> Je suis fatigué de défendre un homme ingrat qui sait que nous l'attendons comme le Messie, et ne daigne pas même faire dire à ceux qu'il a conduits à l'exil : espérez ou n'espérez pas. Croit-il faire comme en 1837, conduire seul,

---

93. R. Papineau-Dessaulles à J. Bruneau-Papineau, 2 août 1839, dans R. Papineau-Dessaulles, *Correspondance, 1805-1854, op. cit.*, p. 196 ; voir aussi p. 203 et 206.

94. W. Nelson à Ludger Duvernay, 1ᵉʳ août 1839, dans W. Nelson, *Écrits d'un patriote*, édition préparée par Georges Aubin, Montréal, Comeau et Nadeau, 1998, p. 115-116.

avec O'Callaghan et deux ou trois autres, la barque et l'abandonner au moment du danger, sans rien vouloir faire pour sauver ceux qu'ils ont fait embarquer ? Papineau a de grands torts mais ce n'est pas le temps de l'injurier[95].

Les Patriotes fidèles à Papineau voient bien la fronde :

> Dans ma lettre [...], je vous disais que plusieurs compatriotes s'étaient réunis, ce jour-là, à St. Albans, que leurs procédés, aussi bien leurs buts, étaient tenus secrets, que pourtant je croyais m'apercevoir qu'il s'agissait d'expédier quelqu'un à Paris, chargé spécialement de voir M. votre père, le prier d'agir incessamment pour procurer des secours aux patriotes canadiens et, dans le cas où M. Papineau ne serait pas disposé d'agir rondement, le nouveau député devra se mettre à chercher ces moyens, soit par contribution ou par emprunt. En tout cela, je n'ai vu que la jalousie et la pique personnelle de certains individus contre M. Papineau. Depuis longtemps, j'ai abandonné la tâche de défendre ce dernier, car les autres sont de trop mauvaise foi pour valoir la peine de causer avec eux là-dessus. Néanmoins, je dois vous avouer que le silence qui paraît entourer les actions de M. Papineau à Paris, depuis le mois de mai dernier, a été une mine féconde pour ses détracteurs de débiter des injures. Vous sentez que je prends toujours sa part, que même je dirai le plus grand nombre des réfugiés n'a pas perdu confiance en lui et espère que sa probité et sa haute réputation serviront encore le pays ; mais, avec tout cela, il en est qui parfois s'emportent et sont mécontents de ce qu'on ne leur dit point au moins comment se porte M. Papineau[96].

Amédée, le fils aîné de Papineau, en exil aux États-Unis, n'entend pas fournir, lui, aux Patriotes, des renseignements qui doivent venir de son père :

> J'ai entendu dire que l'on murmurait contre papa, de ce qu'il n'amenait pas de France les moyens de renverser nos tyrans et de rétablir l'ordre et les lois. On se plaint de ce qu'il n'écrit pas et ne fait pas connaître le résultat de ses efforts. Il y a des plaintes de part et d'autre, car papa se plaint de ce que personne ne lui a écrit, ni des frontières, ni du Canada, et de ce qu'on le laisse dans une parfaite ignorance des opinions et des actes des Patriotes comme des Tories.

---

95. É.-É. Malhiot, St. Albans, à L. Duvernay, 9 août 1839, ANQM, FLD, P 68-3, pièce 322.

96. L. Perrault à A. Papineau, 10 septembre 1839, dans L. Perrault, *Lettres d'un patriote réfugié au Vermont*, textes présentés et annotés par Georges Aubin, Montréal, Éditions du Méridien, 1999, p. 171-172.

Amédée voit bien l'enjeu du remboursement de la dette liée aux frais du voyage de son père :

> J'hésite à blâmer, mais je crois que papa a lieu d'être mécontent de la conduite des messieurs qui, pour l'engager à partir, lui promirent de payer l'emprunt de 200 £ qu'il ne se croyait pas lui-même en état de payer. Ces messieurs n'ont pas fait la moindre démarche ni la moindre apologie auprès du banquier. Et comme il n'était pas délicat pour nous, ce ne fut qu'au terme échu que nous prîmes des informations qui nous mirent au fait de cette affaire. Le billet échu au commencement d'août [8 août] n'est pas encore payé, et malgré les efforts de notre famille en Canada, nous aurons de la peine à trouver l'argent pour le payer. Cela, comme de raison, n'empêchera jamais papa de faire pour son pays tout ce qui dépendra de lui. Mais où est la justice de le blâmer, de chercher à le remplacer par un nouvel agent, avant de lui écrire, de lui demander des explications, de savoir s'il a bien ou mal agi ? Dans ces circonstances, je me crois justifiable de vous faire part de ses procédés et de ses efforts depuis son séjour à Paris, en vous priant de communiquer ces détails aux principaux réfugiés, aux amis auxquels on peut se fier et qui soient discrets. Je crois qu'il ne serait peut-être pas prudent de les communiquer à la masse des réfugiés, car si ce résultat devenait public ou transpirait, il jetterait le découragement parmi le peuple, la confiance et l'impudence dans le cœur de nos ennemis. Je vous prie de les communiquer entre autres à Louis Perrault et Duvernay, qui m'ont demandé des explications et que je vous ai référés. D'ailleurs papa dit qu'il n'a pas perdu tout espoir et que son séjour à Paris pourra être utile plus tard. Il ne désespère que pour le moment. Tous les jours, il fait de nouveaux amis à la cause, parmi des hommes influents, des députés, des éditeurs, hommes de lettres, etc.[97].

Quinze jours plus tard, la mère, arrivée à Paris, écrit au fils et lui apprend comment son père, « fatigué », a été « piqué » de l'attitude des Patriotes :

> Il n'y a rien dans les papiers français au sujet de nos affaires : ton père dit que cela ne produirait rien, qu'ils sont tout à fait indifférents sur nos affaires en Europe ; quant à lui, il ne veut pas continuer à écrire : il dit que c'était pour faire quelques effets en Angleterre, qu'il avait l'espoir que cela engagerait le Parlement à faire quelques attentions et redressement à nos griefs, mais qu'ils sont déterminés à ne rien écouter ; et que, pour lui, c'est coûteux de faire imprimer cela et il a l'air découragé, piqué, de ce que les Canadiens ne lui aident en rien, cette affaire d'argent pour son voyage pas remboursée, enfin, il est las et fatigué, il n'aime pas que je lui en parle : c'est fâcheux, il va se dire bien

---

97. A. Papineau à W. Nelson, 23 septembre 1839, ANQM, Fonds Société d'archéologie et de numismatique de Montréal [FSANM], P345, Séries 2, pièce 880.

des injures encore après une sortie comme celle-là et puis discontinuer après avoir promis sa continuation : c'est tout à fait inconcevable pour le public ; mais il dit que cela ne produirait aucun effet et que cela n'était que dans ce but qu'il le faisait, et qu'il s'est assez sacrifié, qu'il est fatigué, etc.[98].

L'exilé parisien répète alors à Roebuck les raisons de sa venue en France :

> Je suis venu ici en grande partie parce que je croyais pouvoir procurer à mes chers enfants une meilleure éducation et moins chère qu'aux États-Unis, et aussi pour que l'on n'abusât pas de mon nom pour induire en erreur quelques-uns qui me donnaient une entière confiance, et à qui l'on persuadait que j'approuvais tout ce qui se faisait sur la frontière, les mesures folles ou coupables [...] L'on aurait voulu que je servisse d'instrument pour prêcher la confiance en des hommes et des mesures détestables. Je n'en ferai rien et suis persécuté[99].

Le même jour, il écrit à Amédée : « Néanmoins, si j'avais prévu l'inutilité de mon voyage, les grandes dépenses qu'il a entraînées, la légèreté de ceux qui ont voulu que je le fisse [...], je ne l'aurais sans doute pas fait. » Puis, il ajoute : « Que ceux qui intriguent et aboient communiquent directement avec moi, je leur répondrai s'ils le méritent. Il en est plusieurs à qui je ne répondrais pas[100]. »

La charge la plus véhémente des Patriotes contre Papineau vient de l'abbé Chartier dans une lettre qui n'est « pas strictement privée », mais qui a « un caractère semi-officiel », qui est rédigée en juin mais qu'on peut dater du 20 novembre 1839. Cette lettre que le *North American* allait reproduire le 5 février 1840 sans le consentement de l'abbé Chartier, Papineau ne l'a pas lue en son entièreté ; il en a connu des extraits plus tard par Amédée ou par sa reproduction ultérieure dans *Le Journal de Québec* du 16 janvier 1849, au moment où Wolfred Nelson et les amis de La Fontaine l'accusaient d'avoir « fui » aux États-Unis en 1837. On doit en faire état ici, car elle donne le ton de la grogne qui s'exprime alors contre Papineau.

---

98. J. Bruneau-Papineau à A. Papineau, 10 octobre 1839, dans Lactance Papineau, *Correspondance (1831-1857)*, texte établi avec introduction et notes par Renée Blanchet, Montréal, Comeau et Nadeau, 2000, p. 84.

99. L.-J. Papineau à J. A. Roebuck, 15 novembre 1839, dans L.-J. Papineau, *Lettres à divers correspondants, op. cit.*, tome 1, p. 485.

100. L.-J. Papineau à A. Papineau, 15 novembre 1839, dans L.-J. Papineau, *Lettres à ses enfants, op. cit.*, I, p. 72 et 75.

Chartier se fait la voix des radicaux pour porter cinq accusations contre Papineau dont la popularité est alors mal assurée selon lui. Premièrement, contre l'assertion répétée de Papineau selon laquelle on ne songeait pas en 1837 à la révolte, on l'accuse « d'avoir mené *directement* le gouvernement à commencer l'attaque en novembre 1837, sans avoir songé à vous préparer à la défense ». Il n'est pas impossible, ici, que les radicaux cherchent, *a posteriori*, à annexer Papineau à leur camp. Pour Chartier, l'intention remonte aux 92 Résolutions qui créaient une situation de « ou bien » « ou bien », de « tout ou Rien » où « l'accommodement » était présenté comme « un *abandon de principes* » et avait été la cause de division entre les Patriotes de Québec et ceux de Montréal. Résolutions populaires, remises de commissions de justice, charivaris, élévation d'une colonne de la Liberté perçue comme « emblème de la révolte », parcours de la province par Papineau à l'été 1837, projet d'achat d'armes et de munitions auprès du Congrès des États-Unis conçu par le Comité central de Montréal justifient Chartier d'écrire : « Convenez donc, Monsieur que, quoi que vous en disiez, le pays a dû croire que vous vouliez la révolution. »

Deuxième accusation : sa fuite devant le danger en novembre 1837, qui amène l'accusateur à avouer : « Hélas ! Que la nature ne vous a-t-elle donné autant de courage que d'éloquence ! » Troisième chef d'accusation : aux États-Unis, Papineau s'est caché et a cherché à passer incognito plutôt que de se montrer. Quatrième accusation : l'attitude de Papineau à Middlebury où « déjà l'on commençait à [le] suspecter » et où son refus de signer une Déclaration d'Indépendance eût « aucun autre motif » que cette « malheureuse clause » sur l'abolition des droits seigneuriaux. Dernier reproche : après l'incognito aux États-Unis, de s'être, en France cette fois, « tenu isolé de [ses] confrères réfugiés ».

Puis Chartier ne manque pas de souligner que « le mouvement de 1838, qui a été incontestablement plus général que celui de 1837, a eu lieu sans vous, sans le *Grand Chef*, sans *l'homme du peuple* ! ». Il aborde ensuite les circonstances et raisons du départ de Papineau pour la France : « Ne voulant point marcher, vous deveniez un obstacle dans le chemin de la révolution » et, partant, écrit Chartier, « vous nous épargniez la fâcheuse nécessité de vous démasquer ». Pour l'abbé, Papineau ne fut « l'envoyé de personne », car il était clair, précise-t-il à Papineau, « que vous ne voulez être contrôlé, ni avisé ni restreint par personne, ni être responsable à personne ». Il reconnaît que les Patriotes seront « forcés de [le] soutenir, tant que le peuple croira que c'est vous qui [...] êtes le grand-prêtre ordinaire », tout en le prévenant « que le bandeau ne vienne à tomber ».

La lettre révèle un aspect peu connu de la réunion de Middlebury du 1er janvier 1838 :

> [Le peuple] aurait senti aussi intimement que l'assemblée choisie de Middle-bury, combien était vaine et illusoire la proposition que vous fîtes, que, si on le trouvait bon, vous pourriez passer en France et là faire venir Mr Roebuck, Mr Hume, Mr Leader et autres, pour vous aboucher avec eux et voir quelle mesure ils pourraient proposer au parlement en faveur du Canada.

Ce passage révèle que le voyage en France était dans les cartes dès ce moment, et, surtout, la lettre rappelle la « vaine espérance » pour les Patriotes que Papineau puisse obtenir « une séparation *volontaire* de la part de la Grande-Bretagne ». Pour Chartier, les Patriotes attendent des nouvelles de Papineau, et s'il n'y a plus d'espoir, ne restent que les armes et « la séparation *forcée* d'avec l'Angleterre ». Chartier espère que Papineau a réussi à convaincre les Français d'un apport économique et démographique au Bas-Canada et qu'il a préparé « les voies à la reconnaissance de notre indépendance aussitôt que nous l'aurions à peu près gagnée » par la France, et si possible, par la Russie dont l'ambassadeur à Paris pourrait être approché aussi.

Chartier dépose copie de sa lettre :

> [...] aux archives de l'Association des réfugiés, pour qu'elle puisse servir de preuve, en temps et lieu, auprès des partisans et du public en général, que ceux qui restent fidèles à la cause de la révolution canadienne, se trouvent dans la désagréable mais impérieuse nécessité de vous démasquer [...][101].

Cette lettre est peut-être l'argumentaire que Chartier a préparé avant de partir pour la France y « stimuler » Papineau. La lettre d'E.-É. Malhiot à Duvernay du 22 novembre le dit prêt à partir « avec 25#[102] ». Mais un de ceux qui sont déjà à Paris fait rapport au même Duvernay le 27 novembre :

> Jusqu'à il y a quelques jours, j'avais cru d'après le dire de M. Papineau, que les rédacteurs français paraissaient ne vouloir prendre aucun intérêt à notre

---

101. Archives du Séminaire de Nicolet, manuscrits historiques, f 003/P22/13, p. 6 ; *Journal de Québec*, 16 janvier 1849 ; *Bulletin des recherches historiques*, 43-44 (1937) : 112-140 ; Richard Chabot, « Un document important du Curé Étienne Chartier sur les rébellions de 1837-38 », *Écrits du Canada français*, 39 (1974) : 223-255.

102. ANQM, FLD, P 68-4, pièce 366.

cause. Mais je viens d'apprendre d'une source certaine que ces messieurs, tout en ayant beaucoup à cœur l'indépendance du Canada, ne pouvaient s'accorder avec les opinions de M. Papineau, qui ne voyait d'autres moyens de nous faire libres qu'en faisant partie des États-Unis. Vous devez bien croire que c'en était assez de ces opinions de M. P. sans empêcher ces messieurs, qui voulaient conserver au Canada ses mœurs et sa langue, de travailler comme ils le paraissaient disposés, même encore aujourd'hui à l'émancipation de notre pays. D'après ce que je puis entrevoir, il y aurait, je crois, moyen de réntéresser ces messieurs à notre cause [...].

La réponse au *Rapport* Durham avait eu son effet, peut-être imprévu.

Papineau a alors fait son nid : il n'y a rien à espérer de la France dans la présente conjoncture. Il réinvestit dans l'idée que son propre avenir sinon celui du Bas-Canada se trouve aux États-Unis, avec ce que ce choix comporte d'obstacles encore à lever.

Avant de partir pour Paris, l'abbé Chartier s'active. Sans qu'on comprenne suffisamment, dans un premier temps, pourquoi il écrit à la sœur de Papineau, il décrit à celle-ci les projets des quelques Patriotes (Duchesnois, Gauvin, de Léry, Lévêque, Torangeau) à Paris : préparation d'une histoire du Canada pour publication dans la presse, présentation d'une pétition et d'une adresse à la Chambre des députés, constitution d'une liste de volontaires récompensés éventuellement par des concessions de terres, identification d'officiers susceptibles de venir appuyer un gouvernement provisoire. Mais lorsqu'il aborde la question de la dette de Papineau, le lecteur comprend que c'est parce que Rosalie Papineau-Dessaulles s'est chargée de voir à régler cette question. Et ici Chartier prend les choses de haut, de la hauteur d'un possible nouveau leader :

Au sujet des 200 £ dont feu Mr Porter est responsable envers la Banque d'Albany pour M. Papineau et pour partie de laquelle somme j'ai moi-même signé mon billet en faveur de Mr Porter, il est à propos que vous soyez informée, Madame, que mes quatre cosignataires et moi n'avons été induits à garantir le paiement de cette somme que sur la suggestion faite par M. Papineau lui-même que son voyage de Paris serait pour des objets d'intérêt public, et c'est là la raison qu'il alléguait pour en rejeter les frais sur les épaules d'autrui. Ainsi jusqu'à ce que M. Papineau veuille nous informer (surtout moi sur les avis duquel il a paru se déterminer principalement à ce voyage) quel en a été le résultat et nous faire connaître que les intérêts de la cause canadienne ont été le principal but de ce voyage ; jusqu'à ce moment-là, dis-je, je me croirai dégagé, ainsi que mes cosignataires, de l'acquittement de notre promesse. Je suis fâché d'avoir à vous dire que je n'ai pas encore été honoré d'un seul mot de M. Papineau depuis son départ ; et je crois devoir conclure de son long silence que ce voyage de Paris s'est réduit au simple déplacement de sa personne[103].

En janvier 1840, Papineau a franchi une autre étape de son séjour parisien : « J'ai commencé à m'entourer de vieux bouquins, ceux que je n'avais pu réunir en Canada entre autres relatifs à l'histoire des commencements du Canada[104]. »

Au moment de son départ (2 février) de New York pour Le Havre, Chartier écrit à Duvernay le 29 janvier 1840 : « je suis positivement d'opinion que nous n'avons ni en-dedans ni en-dehors du Canada un seul homme qui soit capable de conduire *seul* les affaires ; et en réunissant nos meilleures têtes ensemble, à peine pourront-elles être *adequate to the task*[105] ». Il arrive en France le 15 mars 1840 et rapidement la sœur de Papineau flaire quelque chose :

> On lui donne des projets si extravagants, on lui fait dire bien des choses si déplacées et qui s'accordent si peu avec mes notions sur son compte. D'ailleurs depuis longtemps, il est si calomnié, si décrié, il a tant d'ennemis que j'aimerais à connaître le but et le résultat de ses démarches[106].

Chartier rend compte de sa « mission » à Duvernay, non sans avoir d'abord communiqué sa déception qu'on eût publié dans le *North American* des extraits de sa lettre à Papineau. Les « accusations » sont devenues des « soupçons », d'autant plus qu'il a « une quasi certitude que la plupart des reproches de [sa] lettre à M. Papineau sont mal fondés, parce qu'ils ne sont appuyés que sur les rapports erronés que j'ai reçus [...] ». L'abbé précise :

> [...] qu'il s'en faut de beaucoup que M. Papineau soit resté aussi oisif en France qu'on le croit généralement aux États-Unis : sa grande faute, et son plus grand dommage pour lui-même, est de ne n'avoir pas assez fait connaître ou fait connaître à assez de monde ce qu'il y faisait.

---

103. É. Chartier à R. Papineau-Dessaulles, 15 décembre 1839, ANQQ, P 417/12.

104. L.-J. Papineau à A. Papineau, 14 janvier 1849, dans L.-J. Papineau, *Lettres à ses enfants*, *op. cit.*, I, p. 78.

105. ANQM, FSANM, P 345, Séries 2, pièce 877.

106. R. Papineau-Dessaulles à L.-J. Papineau, 23 mars 1840, dans R. Papineau-Dessaulles, *Correspondance, 1805-1854*, *op. cit.*, p. 217.

Il reconnaît que « la malheureuse tentative d'insurrection du 12 mai dernier a consolidé le pouvoir de Louis-Philippe et presque ruiné l'influence républicaine qui seule pouvait être utile aux Canadiens ». Puis Chartier informe Duvernay qu'il a communiqué à Papineau quelques-uns de ses « reproches » : « qu'on en était venu à douter s'il n'avait pas fait la paix avec le gouvernement anglais », s'il « n'avait pas reçu les 5000# des arrérages de sa paye », « combien il était déchu de sa popularité », « la nécessité de travailler à laver sa réputation ». Chartier affirme : « Nous convînmes que je dresserais un catalogue de toutes les plaintes et accusations portées contre lui », et il rapporte les paroles de Papineau : « M. Chartier, je serai toujours prêt à vous donner toutes les explications que vous désirerez avoir sur ma conduite, et vous ferez de mes réponses l'usage que vous jugerez le plus convenable[107]. »

Les choses se gâtent lorsque l'abbé, à court de moyens, cherche à négocier avec Papineau :

> Voyons ! Monsieur, j'espère qu'en considération de l'utilité que vous recevrez de mon voyage en France pour faire tomber bien de ces faux préjugés dont on cherchait à obscurcir votre réputation au Canada, vous vaincrez la répugnance que vous pourriez ressentir à vous faire mon négociateur auprès de quelqu'un de vos amis[108].

Il n'en fallait pas plus pour piquer Papineau au vif :

> Permettez-moi de vous dire que vous avez eu tort d'ajouter à ce puissant motif une observation frivole et désagréable [...]. Je n'ai jamais demandé qu'à ma conduite de défendre ma réputation et à la justice de chaque homme qui voudra parler de moi de dire ce qu'il en sait et rien de plus ni autre[109].

L'abbé fait un repli plus que stratégique, semble-t-il :

> Votre dernière réflexion est certainement très juste et j'ai encore la confusion de reconnaître que la mienne était déplacée dans ma lettre. Mon voyage de France est aussi avantageux pour moi que pour vous, puisqu'il me fournit l'occasion de me détromper sur mes préjugés, et me donne la satisfaction de

---

107. É. Chartier à L. Duvernay, 6 avril 1840, cité dans M. Boucher de la Bruère, « Louis-Joseph Papineau de Saint-Denis à Paris », *Cahiers des Dix, loc. cit.* : 96-101.

108. É. Chartier à L.-J. Papineau, 20 mai 1840, ANQQ, P 417/2, 427a ; texte dans R. L. White, *Louis-Joseph Papineau et Lamennais, op. cit.*, p. 231-233.

109. L.-J. Papineau à É. Chartier, 21 mai 1840, dans L.-J. Papineau, *Lettres à divers correspondants, op. cit.*, tome 1, p. 500.

me convaincre que je ne m'étais pas trompé en vous donnant mon estime et ma confiance autrefois [...][110].

Le même jour, il admet à Wolfred Nelson s'être laissé duper par « les insinuations mensongères du Dr Côté, et de sa méchante coterie » et revient sur certaines critiques faites par des radicaux. Il montre de la compassion :

> M. Papineau me paraît beaucoup souffrir moralement ; il est maigre et bien vieilli. Il a beaucoup perdu de cette gaieté que vous lui connaissiez ; aussi les clabauderies auxquelles il a été exposé toute sa vie et surtout dernièrement, ont dû l'user avant le temps[111].

À la fin de 1840, les dés sont jetés : « Comme il n'y a nulle probabilité d'un conflit immédiat en Europe, il en faut conclure que tout sera à la paix en Amérique, et qu'il faut souffrir et se taire[112]. » Jusqu'à nouvel ordre, le présent de Papineau se trouvera dans le passé, dans les livres et dans les archives : « J'ai commencé à copier plusieurs manuscrits relatifs à l'histoire du Canada [...][113]. » La réflexion ultime sur cette expérience du voyage en France arrive peut-être en 1843 lorsque Papineau réalise que le prix à payer avait tenu au fait que les Canadiens étaient d'ex-Français :

> Voulez-vous que l'on manque à ces règles de civilité [doctrine reconnue de la diplomatie] qui nourrissent la parfaite intelligence entre les nations civilisées de l'Europe ? [...] Notre diplomatie n'est-elle pas assez compliquée, sans l'embarrasser de difficultés dans lesquelles pas une des métropoles n'a mêmes intérêts que [nous] autres, colons ? Oui, mais nous sommes français et c'est à cause de cela que nous souffrons. Oui, mais c'est à cause de cela que notre démarche serait plus suspecte. On supposerait une intrigue en temps de paix, le désir de nous ménager des affections pour un autre temps, puis ce n'est pas dans les règles de la diplomatie. Eh bien ! restons donc américains et rien autre chose qu'américains[114].

---

110. É. Chartier à L.-J. Papineau, 21 mai 1840, texte dans R. L. White, *Louis-Joseph Papineau et Lamennais, op. cit.*, p. 235-238.

111. É. Chartier à W. Nelson, 21 mai 1840, cité dans M. Boucher de la Bruère, « Louis-Joseph Papineau de Saint-Denis à Paris », *Cahiers des Dix, loc. cit.* : 102-106.

112. L.-J. Papineau à A. Papineau, 7 novembre 1840, dans L.-J. Papineau, *Lettres à ses enfants, op. cit.*, I, p. 97.

113. *Ibid.*, 17 avril 1841, p. 115.

114. L.-J. Papineau à E. B. O'Callaghan, 5 mai 1843, dans L.-J. Papineau, *Lettres à divers correspondants, op. cit.*, tome 1, p. 519.

Le retour d'exil

C'est alors, vers septembre, qu'il commence à songer à un retour au pays. Il écrit à son épouse, qui fut avec lui à Paris jusqu'en 1843 : « tu m'y feras part de tes conversations avec notre chère mère, ce qu'elle pense de mon retour en Amérique, à quand, où, avec quel projet d'établissement [...][115] ». Quatre raisons principales motivent sa longue hésitation. L'appréhension d'abord d'être à nouveau tenté par la vie publique ou sollicité d'y effectuer un retour : « Je serais plus vite au Canada, si j'étais sûr d'être dispensé de recommencer la vie d'inquiétude que j'y ai menée [...][116]. » Il est devenu sensible aux ennemis : « Ici, aux États-Unis, partout où je m'établirai, je pourrai avoir des amis sans avoir d'ennemis. Il n'y a qu'en Canada seulement que j'en aurai de violents[117]. » Puis l'engagement de certains membres de sa famille dans la vie politique le retient : « Mon absence en ce moment sert les intérêts de ma famille plus qu'elle ne leur nuit[118] » ; il pourrait être en conflit avec eux, car il est clair qu'il ne peut et veut se rallier :

> Pour moi, qui ne peux excuser aucune de ces injustices, je ne comprends pas que je puisse jamais avec honneur me rallier au gouvernement qui les a commises, ni lui vendre la popularité dont m'ont honoré mes compatriotes, pour la ferme et consciencieuse opposition que je lui ai faite quand il était moins coupable qu'il ne l'est devenu depuis[119].

Puis, il y a les risques de poursuite ; il sait depuis la mi-octobre 1843 qu'il y a *nolle prosequi*, que les Patriotes ne seront pas poursuivis au retour d'exil. Il attend les résultats des travaux de la session : « C'est cela qui influera sur mes futures déterminations. Je veux surtout et avant tout l'amnistie pour les déportés et une bonne loi des jurés[120] », car il a connu l'arbitraire judiciaire depuis fort longtemps.

---

115. L.-J. Papineau à J. Bruneau-Papineau, 30 septembre 1843, dans L.-J. Papineau, *Lettres à Julie, op. cit.*, p. 441.

116. *Ibid.*, 15 novembre 1843, p. 454.

117. *Ibid.*, 29 novembre 1843, p. 457.

118. *Ibid.*, 27 avril 1844, p. 475.

119. L.-J. Papineau à J. A. Roebuck, 16 juillet 1845, dans L.-J. Papineau, *Lettres à divers correspondants, op. cit.*, tome 1, p. 565.

120. L.-J. Papineau à J. Bruneau-Papineau, 16 octobre 1843, dans L.-J. Papineau, *Lettres à Julie, op. cit.*, p. 448.

Il est aussi tenté depuis janvier 1844 par un voyage en Italie[121] et il s'en ouvre à O'Callaghan : « J'ai écrit par le dernier steamer à ma famille que je répugnais beaucoup à retourner en Amérique sans avoir visité la classique Italie [...][122]. » Il fera le voyage. Pour oublier les dernières années et en anticipation de celles à venir.

Car la seigneurie n'est toujours pas vendue, et éloigné de la politique, Papineau s'y voit, par obligation :

> Si ces circonstances ou autres empêchent que je ne puisse vendre, je serai probablement contraint à m'aller enfermer le plus que je pourrai dans cette solitude, pour veiller à rétablir mes affaires, que huit ans d'absence ont nécessairement fait souffrir, sauf à passer la rude saison de l'hiver, pour la santé de mon épouse, dans le sud des États-Unis, en vue de l'attristant spectacle de l'esclavage des Noirs, pendant quatre à cinq mois, puis de l'avilissant servage colonial le reste du temps.

Plus stoïque que jamais il ajoute : « Il faut savoir supporter ce que l'on ne peut pas empêcher[123]. »

Le 15 août 1845, Papineau quitte Paris pour Londres. Le 4 septembre, il s'embarque à Liverpool et débarque à New York le 21. Sept ans d'exil s'achèvent, dont six en France.

Conclusion

L'exil ou le séjour de Papineau en France permet de jeter un éclairage nouveau sur plusieurs aspects des relations franco-québécoises avant *La Capricieuse* et sur la connaissance même de l'homme politique.

Il semble bien que la période qui va de la Cession (1763) à la révolution de Juillet (1830) corresponde à un réel désintérêt de la France à l'égard du devenir de son ancienne colonie, désintérêt qui se transforme en ignorance de la situation du Bas-Canada, comme l'indiquent les témoignages d'Alexis de Tocqueville, de Michel Chevalier et du comte Molé dans la décennie 1830. C'est après 1833 (Isidore Lebrun), mais surtout avec les rébellions

---

121. *Ibid.*, 31 janvier 1844, p. 472.

122. L.-J. Papineau à E. B. O'Callaghan, 15 octobre 1844, dans L.-J. Papineau, *Lettres à divers correspondants*, *op. cit.*, tome 1, p. 559.

123. L.-J. Papineau à J. A. Roebuck, 14 août 1845, *ibid.*, p. 571.

(septembre 1837) que la France redécouvre le Canada, le redécouvre à la lumière de la presse britannique et à la lumière des positions idéologiques de sa presse nationale qui, dans le cas du National, comme Françoise Le Jeune l'a bien vu, donne momentanément à ces rébellions une dimension universelle qu'elles n'avaient jamais eue jusqu'alors.

La correspondance de l'ambassadeur de France aux États-Unis donne une idée on ne peut plus précise de la politique française à l'égard du Canada et du Bas-Canada, en particulier. Dès mars 1838, il est clair que la France anglophile de l'époque se voit garante avec l'Angleterre d'un certain équilibre européen, France qui, de multiples façons, entend se sortir des conséquences des défaites napoléoniennes, des contraintes du Congrès de Vienne en cherchant sur la scène internationale une nouvelle égalité de rapport avec la Grande-Bretagne. Dans cette perspective, son anglophilie – qui n'est certes pas universelle parmi les Français – la prévient de toute ingérence dans les affaires coloniales britanniques, y compris en Amérique du Nord où prévaut de plus aux États-Unis, depuis 1823, la doctrine Monroe. Il est clair pour l'ambassadeur de Pontois que la France n'a rien à gagner en Amérique du Nord, contrainte qu'elle est par sa politique extérieure.

En proposant en novembre 1838 à Papineau une «prompte soumission», l'ambassadeur lui donnait l'heure juste sur la position de la France à l'égard des événements au Bas-Canada. De Pontois qui – tout en disant peut-être autre chose à Papineau lui-même en privé – écrit à son ministre avoir cherché à dissuader Papineau de tout projet de voyage en France et précise clairement au chef patriote qu'il y trouvera certainement de la sympathie, «mais rien au-delà». Fin 1838, à deux mois de son départ pour Paris, Papineau savait à quoi s'en tenir.

L'histoire véritable du voyage de Papineau à Paris commence un an plus tôt à l'assemblée des Patriotes en exil à Middlebury au Vermont. Ce premier janvier 1838, Papineau et des Patriotes identifient leur désaccord sur le projet d'esquisse d'une Déclaration d'Indépendance qui inclut un projet d'abolition du régime seigneurial et sur la pertinence des mouvements «sur la frontière» et au-delà. Papineau prendra acte, début janvier 1838, de la déclaration de neutralité du président van Buren et des gouverneurs des États limitrophes du Canada. À la mi-décembre, il peut conclure de sa rencontre avec le même président qu'il n'y a pas d'attentes à avoir des

États-Unis du triple point de vue diplomatique, financier et militaire. Alors, des amis, le Dr Nancrède, M. Bonnefoux, lui ont déjà proposé le voyage ou un accueil à Paris.

Un an après l'assemblée de Middlebury, à celle de Swanton (janvier 1839) les Patriotes proposent à Papineau de faire la preuve qu'il est toujours un des leurs. La dissidence parmi les Patriotes depuis un an justifie de penser que les plus actifs parmi eux ont intérêt à éloigner Papineau. L'inconstant abbé Chartier se fait leur voix tout en formulant ses convictions et moussant son importance dans l'organisation. Papineau est conscient de ses désaccords avec les Patriotes qui ne semblent pas vouloir tenir compte du manque d'appuis et de moyens ; il se sait isolé tout en continuant de chercher des moyens de faire avancer les choses. Lui ne sait guère trop comment, les Patriotes les plus convaincus et actifs le savent en misant sur une invasion à partir des États-Unis. Papineau sait que, s'il y a quelque avenir pour l'émancipation du Bas-Canada et du Haut-Canada, l'inspiration et le grand appui républicain continental ne viendront plus dorénavant des États-Unis. Les espoirs de presque vingt ans s'écroulent.

Papineau n'a pas les moyens financiers de partir pour la France, ne serait-ce qu'à cause des besoins de sa famille et du délabrement administratif de la seigneurie qui n'est guère développée alors. Ceux qui lui serviront de caution à un emprunt lui feront défaut, parce qu'ils seront eux aussi sans moyens et qu'ils lieront leur engagement financier aux comptes politiques qu'ils demanderont à Papineau. C'est sa sœur, aussi appauvrie, qui réglera la dette à M. Corning.

En un sens, la « détermination soudaine » du 3 février 1839 à partir ne surprend plus. Papineau, qui quitte les États-Unis le 8 février, voyant « possiblement quelque utilité » au voyage, n'a pas crû bon s'expliquer avec les Patriotes. Il part donc avec une certaine indépendance à leur égard, indépendance qui a un prix.

Au-delà de l'affaire de l'absence de passeport à laquelle Papineau accorde finalement peu d'importance, mais qui lui permet d'entrée de jeu de voir comment la presse interprète les événements à la lumière de ses propres visées, l'accueil de l'exilé est manifeste. Eugène Guillemot, qui dans un texte non publié préconise une politique coloniale américaine et souhaite un « État français » au « centre du continent », se fait la voix du *National* et de Lamennais. D'entrée de jeu aussi, Papineau prend la mesure des alignements partisans – une quinzaine de députés républicains face à une majorité de libéraux modérés – et de la conjoncture politique intérieure et extérieure de la France. Devant la succession des dissolutions, des élections et de l'égalité des partis, Papineau n'a d'autre choix que de montrer des « sympathies à toutes les nuances politiques » car la majorité libérale est favorable à l'alliance avec l'Angleterre. Il aurait bien des aspects à faire valoir – limites de la monarchie constitutionnelle, dénonciation de l'alliance qui aide au maintien de la royauté, durabilité des anciennes animosités entre les deux pays, sens problématique pour l'Angleterre de l'abolition de la pairie héréditaire –, mais il serait ruineux et de mauvaise guerre d'aborder ces choses publiquement.

Un mois après son arrivée, il faut attendre un moment opportun en France, une guerre à l'extérieur (question du Maine) qui compliquerait la situation de l'Angleterre. Le doute s'installe chez Papineau. Guillemot, Nancrède et de nombreux hommes de lettres lui réclament un manifeste qui viendra avec la publication à Londres du *Rapport* de lord Durham et la réponse de Papineau en mai. L'histoire de la résistance du Canada n'aura pas de suite. Pour des raisons circonstancielles – on a modifié sans autorisation le texte, le coût de publication est prohibitif – et politiques, celles-là plus à conséquence. Le contenu de la réponse a pu surprendre sinon déplaire en France : dénonciation de la monarchie, appréhension d'une indépendance américaine, affirmation d'un avenir où le Bas-Canada serait un « État souverain sous la protection du Congrès ». Fin mai, Papineau réalise que l'aide diplomatique ou financière ne viendra pas, et sa femme Julie résume bien les attentes des Patriotes : « vaincre ou périr ». En juin, Papineau prend la peine de lui dire que personne n'aurait pu faire mieux. En juillet, Londres n'a pas réagi et Papineau se voit dorénavant ailleurs.

L'échéance le 1er août de l'emprunt qui a permis à Papineau de partir en février le confronte à de nouvelles difficultés, cette fois en provenance du milieu des Patriotes en exil aux États-Unis. L'automne en sera un de mécontentement. On dénonce sa réponse à lord Durham, on se désolidarise de ce Messie sans message, on envoie un autre délégué à Paris, l'abbé Chartier, qui communique à Papineau la profonde insatisfaction des Patriotes mal informés des démarches parisiennes – limitées et différées – de Papineau et toujours désireux d'une « séparation forcée » et non de la « séparation volontaire » de l'Angleterre dont ils attribuent le scénario à leur ancien chef. Face à l'échéance de cet emprunt, Chartier se dit dégagé, comme d'autres signataires du billet d'emprunt : pas de rapport d'un côté, pas de solidarité de l'autre.

En octobre, Julie sait son mari « découragé », « fatigué » et persuadé de « l'inutilité » d'éventuelles démarches. En janvier 1840, Papineau s'entoure de bouquins sur l'histoire du Canada. Il ne répondra pas au « catalogue » des doléances de l'abbé Chartier un peu repentant. À la fin de l'année 1840, Papineau ajoute les archives à ses livres sur l'histoire du Canada. Il ne lui reste plus qu'à être « américain ».

Malgré les efforts de la politique éditoriale du *National*, la cause canadienne n'avait pas alors de résonance universelle ou internationale. En Amérique, les mouvements d'émancipation étaient, pour l'essentiel, achevés, et vue d'Europe, la crise bas-canadienne n'avait pas trouvé de relais pour s'inscrire dans le réveil des nationalités de 1830. Les deux pays qui auraient pu y contribuer avaient des raisons de ne pas le faire : la France, désintéressée de son ancienne colonie et alliée alors à l'Angleterre qui, elle, avait tout intérêt à faire l'impasse sur cette colonie lointaine.

Les circonstances du départ de Papineau pour la France, la vigilance des Patriotes exilés à son égard et leur décision de ne pas honorer leur signature à l'emprunt des sommes nécessaires au voyage « public » de Papineau font ressortir les désaccords entre celui-ci et les Patriotes en exil aux États-Unis. Depuis l'assemblée de Middlebury, le fossé n'a cessé de se creuser entre eux, à telle enseigne que la marginalisation de Papineau, qu'on a pu imaginer faite par La Fontaine en janvier 1849, s'amorce bien avant et, surtout, de l'intérieur même du mouvement. Le retour en politique de Papineau de 1847 à 1854, et surtout de 1847 à 1849, témoignera certes encore d'une très grande popularité au Bas-Canada, mais sa mémoire se construira sur un quiproquo quant à l'évolution de sa pensée politique dont seule l'édition récente de sa correspondance rendra tardivement compte.

L'alliance franco-britannique qui scella le sort de Papineau à Paris en 1839 sera la même qui donnera son cap au voyage de *La Capricieuse*, quinze ans plus tard. Cette constante, qui se répétera en 1904, ne peut qu'éclairer toute réflexion sur la géopolitique de l'indépendance ou de la souveraineté du Québec.

La page avant la voile : le livre et l'imprimé dans les relations France-Québec (1840-1855)

GILLES GALLICHAN
Bibliothèque de l'Assemblée nationale du Québec

Tous les témoins, tous les historiens le confirment, la mission de la corvette *La Capricieuse* au Québec en 1855 fut un succès populaire qui dépassa même les attentes et les volontés de ses organisateurs. En 1855, un alignement des planètes politiques sur la scène mondiale permet un rétablissement des relations commerciales entre le Canada et la France. L'alliance militaire franco-anglaise en Crimée, le travail de Joseph-Charles Taché pour la représentation du Canada à l'Exposition universelle de Paris en 1855, les rencontres cordiales entre Napoléon III et la reine Victoria, la libéralisation des lois commerciales des deux pays sont tous des facteurs qui ont rendu possible cette mission française dans le Saint-Laurent. Le commandant Belvèze avait bien été prévenu que sa mission était économique et non politique ; il sera néanmoins accueilli par la population et les notables avec une chaleur et un enthousiasme qui firent de ce voyage une date marquante dans les annales.

Pour que le rétablissement officiel des relations franco-canadiennes connaisse un tel succès et marque à ce point l'imaginaire des contemporains, il a fallu que divers facteurs se conjuguent et fassent entrer l'événement dans l'histoire. Parmi ces facteurs, l'imprimé a joué un rôle important au point de vue de la communication et, par conséquent, il a permis l'établissement de relations. Bien des années avant 1855, journaux, livres, brochures et images, transmis par plusieurs canaux dans les populations, ont réveillé et entretenu un sentiment d'amitié, et même une réelle identité avec la France. C'est ainsi que l'on peut dire que la page imprimée venue de France a précédé la voile des navires marchands et a contribué à préparer la reprise des relations plus directes entre le Canada français et sa mère patrie.

En particulier, certains événements qui ont connu un retentissement dans la presse et dans le public ont entretenu ces contacts avec la France avant même que les États ne les officialisent au plan économique ou politique. La presse du Bas-Canada, qui connaît un regain après 1840, n'a pas créé ces événements, mais elle leur a donné une grande visibilité. Cette presse a aussi été un point de contact pour les nouvelles venues de France. Elle fera la part belle au repiquage de nouvelles extraites des gazettes et feuilles françaises.

Et, par-delà la presse périodique, le livre français a circulé au Québec dans les bibliothèques, dont la plus importante du pays, celle du Parlement. Dès le début du XIXe siècle, ses usagers y trouvent en effet des ouvrages français qui contribueront à familiariser la France comme repère culturel, artistique et scientifique auprès de la classe politique et des notables canadiens-français.

La presse et le voyage de Mgr de Forbin-Janson

Parlons d'abord d'un événement qui inaugure la décennie 1840 et qui marquera pour longtemps le relèvement du catholicisme dans la vallée du Saint-Laurent, il s'agit des missions de prédication de l'évêque de Nancy, Mgr Charles-Auguste de Forbin-Janson (1785-1844), qui séjourna au Québec entre septembre 1840 et novembre 1841[1]. Issu de la noblesse provençale, champion légitimiste et chantre de la contre-révolution, Mgr de Forbin-Janson se trouve en mission pastorale en Amérique du Nord où il prêche notamment

---

1. Philippe Sylvain, « Forbin-Janson, Charles-Auguste-Marie-Joseph de », *Dictionnaire biographique du Canada [DBC]*, Québec, Les Presses de l'Université Laval, 1988, tome 7, p. 329-332, ou www.biographi.ca. Grand admirateur de Mgr de Forbin-Janson, le bibliothécaire et historien Narcisse-Eutrope Dionne (1848-1917) fut l'un des premiers biographes québécois de l'évêque de Nancy ; N.-E. Dionne, *Mgr de Forbin-Janson, sa vie, son œuvre en Canada*, Québec, Laflamme & Proulx, 1910, 211 pages (la première édition est de 1895).

à New York, à Baltimore et à la Nouvelle-Orléans avant de débarquer à Québec et à Montréal et dans une soixantaine de paroisses catholiques du Haut et du Bas-Canada.

Mgr de Forbin-Janson était ce l'on appellerait aujourd'hui un homme de communication, possédant l'art de la mise en scène et du pathétique. Chacun de ses passages et le succès de ses prédications théâtrales dans les paroisses du Bas-Canada et de l'Acadie ont des échos dans les journaux. Rassemblements de foules venues l'entendre, processions, érections de croix et de monuments, fondations de sociétés de tempérance, partout, ses retraites deviennent des manifestations populaires et il se donne comme le père ayant enfin retrouvé ses enfants perdus. Élans romantiques, réveil de la foi, zèle ardent et fastes liturgiques, tout concourt autour de ce voyage pour ranimer la flamme religieuse, mais aussi patriotique. À sa mort survenue en 1844, un poète du cru parlera des œuvres du prélat accomplies pour « sa belle patrie », de son zèle qui l'a conduit « au milieu de ses frères » pour régénérer « la terre des Canadas[2] ». Ce pèlerinage missionnaire aura laissé pour longtemps au Bas-Canada le souvenir d'un évêque de France, persécuté par la Révolution, et venu « sur nos rivages » porter la bonne parole.

Le voyage de Forbin-Janson fut un événement en soi, mais la presse l'a amplifié, décuplant son action, lui permettant même d'atteindre des paroisses et villages où il n'a jamais mis les pieds. Ce voyage médiatisé par la presse du Bas-Canada et de l'extérieur marque certainement une étape dans la reprise de contact entre la France et le Québec.

La tournée d'Alexandre Vattemare

À la même époque, un autre visiteur français fait un voyage aussi mémorable dont les retombées culturelles se feront longtemps sentir. Il s'agit d'Alexandre Vattemare (1796-1864), ventriloque et philanthrope. Vattemare, d'origine parisienne mais qui a grandi en Normandie, apôtre des échanges culturels entre les peuples, vient faire une tournée américaine en 1839-1841. À Montréal et à Québec, il prend contact avec les journalistes et s'appuie sur la presse pour mettre sur pied ses projets d'académie. Ses spectacles suivis de conférences connaissent un très grand succès. Tous les journaux font écho

---

2. Yolande Grisé et Jeanne d'Arc Lortie, *Les Textes poétiques du Canada français, (1606-1867)*, IV, *(1838-1849)*, Montréal, Fides, 1991, p. 654-658.

à ses initiatives et les commentent favorablement. Les instituts dont il propose la création seraient des pôles culturels et leurs bibliothèques mettraient des livres de partout, mais surtout de France, à la disposition de tous les esprits curieux.

Les événements politiques de 1841-1842 vont balayer ce premier élan d'enthousiasme, mais les instituts canadiens qui voient le jour à Montréal en 1844 et à Québec en 1848 sont en droit fil la suite des projets d'Alexandre Vattemare. Qui plus est, de retour en France, Vattemare multiplie des démarches pour mettre en relation des Canadiens et des gens de lettres, des archivistes et des hommes politiques français.

Parmi les liens durables que Vattemare établit au Bas-Canada, il convient de citer son amitié avec Georges-Barthélemi Faribault, bibliographe et assistant-greffier de la Chambre d'assemblée[3]. Ce contact, parmi d'autres, favorisera l'acquisition de livres français pour la bibliothèque parlementaire, comme nous le verrons plus loin.

Plusieurs historiens ont souligné l'importance pour le Canada français d'Alexandre Vattemare et de son rôle de « courtier culturel » entre la France et le Québec. Il a mis en place un réseau discret mais durable de rencontres et d'échanges entre Canadiens et Français qui ont assurément pavé la voie à une reprise de contact entre les deux pays.

Présence des journaux français dans la presse québécoise

Les visites de Mgr de Forbin-Janson et d'Alexandre Vattemare ont été très suivies dans la presse locale, laquelle a contribué au retentissement de ces événements et entretenu un souvenir vivant de la France au Bas-Canada. Mais un autre facteur, également associé à la presse et récurrent pendant la période 1840 à 1855, a aussi joué un rôle à propos d'un continu rappel des affaires françaises[4].

---

3. Yvan Lamonde, « Faribault, Georges-Barthélemi », *DBC*, tome 9, p. 274-276.

4. Denis Brunn, « L'information des Canadiens français au milieu du XIXe siècle : transmission et transcription des nouvelles européennes », *Revue d'histoire moderne et contemporaine*, XXVII (oct.-déc. 1980) : 647-657 ; Denis Brunn, *Les Canadiens français et les nouvelles de l'Europe. Le cas des révolutions de 1848-1849*, thèse de doctorat, Université de Paris I, 1978, IX, 703 pages ; Denis Brunn, « Les relations entre la France et le Canada de 1830 à 1850 », dans *Les Relations entre la France et le Canada au*

La presse étrangère circule au Bas-Canada. Les éditeurs et les imprimeurs reçoivent des journaux britanniques, états-uniens, mais aussi français, qui représentent à l'époque autant de véritables agences de presse pour les journaux bas-canadiens. Les rédacteurs y puisent, au gré des arrivages, leurs nouvelles internationales, des curiosités, des faits divers, des feuilletons, des poèmes ou autres mélanges littéraires. Le télégraphe, grande nouveauté du siècle, et les correspondances privées viennent compléter les sources de nouvelles pour les journaux[5].

Les journaux donnent parfois des précisions qui éclairent le lecteur sur la réception des nouvelles. Nous lisons dans *Le Canadien* d'octobre 1840 :

> Le « Caledonia » a fait la traversée en 11 jours 1/2. Des journaux qu'il nous a apportés nous n'avons encore reçu au bureau de la poste qu'une feuille de Londres du 18 septembre et quelques feuilles de Paris jusqu'au 14[6].

En hiver les journaux d'Europe arrivent par les ports de la côte états-unienne[7]. On chapeaute parfois des informations sous la mention : « Des derniers journaux d'Europe ». Étienne Parent, dans *Le Canadien*, prend bien soin de citer la source de ses nouvelles d'Europe. Il sert parfois de relais au *Courrier des États-Unis* qui utilise le même procédé. La liste des journaux de France cités est copieuse. Un sondage des titres de journaux français cités dans le seul *Canadien* à l'automne de 1840 dépasse la vingtaine[8], auxquels s'ajoutent *Le Courrier des États-Unis* et *L'Abeille de la Nouvelle-Orléans*, journal francophone de Louisiane. En décembre 1840, le journal québécois rapporte l'ouverture des Chambres à Paris pour parler de l'adresse de la Chambre des pairs sur la question d'Orient touchant les relations entre la France et la Grande-Bretagne. On sert alors au lecteur, sur trois colonnes, de courtes nouvelles comparées, extraites de 11 journaux français et de deux journaux anglais.

---

xixe siècle, Paris, Centre culturel canadien, 1974, p. 13-17 ; Françoise Vaucamps, *La France dans la presse canadienne-française de 1855 à 1880*, thèse de doctorat en histoire, Université Laval, 1978, xxvi, 492 pages.

5. Pour une bibliographie des études sur la presse au xixe siècle, voir Jean de Bonville (dir.), *La Presse québécoise de 1764 à 1914, bibliographie analytique*, Québec (Sainte-Foy), Les Presses de l'Université Laval, 1992, 351 pages.

6. *Le Canadien* (7 octobre 1840) : 3.

7. *Le Journal de Québec* (1er février 1845) : 2.

8. Voir la liste en annexe.

Bien entendu, les journaux du Québec sont beaucoup moins diffusés en France, seuls quelques rares personnes ou institutions les reçoivent, même si l'américanisme connaît un certain intérêt dans les milieux intellectuels. Les journaux bas-canadiens ont tout de même quelques abonnés en France. Par exemple, *Le Journal de Québec* de Joseph Cauchon et Augustin Côté, publié à partir de 1842, affiche en tête de cartouche ses tarifs d'abonnements étrangers pour les États-Unis, la France et la Grande-Bretagne. Comme d'autres, ce journal publie des feuilletons français et propose une chronique judiciaire basée sur les rapports des tribunaux de Paris. C'est également dans les pages de ce journal que l'on trouve en 1845 une annonce de Charles Wilmer de Liverpool, qui se présente comme « agent pour les journaux et autres objets pour les affaires de commission en général » offrant un service d'abonnement pour des journaux anglais, mais aussi européens et qui assure à ses clients une fiabilité de réception puisqu'il utilise les services « des paquebots à vapeur transportant les malles[9] ».

Les nouveautés littéraires

Le repiquage de presse ne se limite pas aux nouvelles. On signale aussi des parutions susceptibles d'intéresser le lecteur québécois : En janvier 1841, *Le Canadien* reprend du *Courrier des États-Unis* une information concernant l'ouvrage « fort piquant » sur le Canada que projette de publier en France Hyacinthe Leblanc de Marconnay (1794-1868), journaliste et écrivain, ancien rédacteur du très conservateur journal montréalais *L'Ami du peuple, de l'ordre et des lois*. Le journal note qu'il aurait vu quelques fragments de ce livre à paraître qui, dit-on, est « destiné à faire sensation[10] ».

Certains grands monuments des lettres françaises sont portés à l'attention des lecteurs québécois dans les mois ou les premières années qui suivent leurs parutions. À titre d'exemple, en janvier et février 1846, le *Journal de Québec* publie un long compte rendu de *L'Histoire de France* de Jules Michelet et, en 1847, une revue de l'œuvre poétique de Victor Hugo.

---

9.   *Le Journal de Québec* (25 mars 1845) : 4. Cette annonce est récurrente dans plusieurs numéros du journal à cette époque.

10.   L'ouvrage en question ne fut jamais publié. « Histoire du Canada », *Le Canadien* (22 janvier 1841) : 2.

Des œuvres littéraires d'auteurs français peuvent aussi être signalées dans les journaux québécois souvent au moment où des exemplaires sont à vendre au bureau de l'imprimeur. On attire alors l'attention des lecteurs sur telle ou telle nouveauté. Claude Galarneau a constitué une impressionnante base de données sur les titres d'œuvres signalées dans les annonces parues dans les journaux de Québec au XIXᵉ siècle[11], qui a déjà alimenté plusieurs projets de recherche en histoire du livre.

Livres, bibliothèques et librairie

On le sait par les travaux de nombreux historiens, les livres français ont circulé dans ce qui était la Nouvelle-France. On en veut pour preuve les diverses mises en garde des évêques contre les «mauvais livres», souvent œuvres des Encyclopédistes ou d'auteurs rebelles, qui sont lus tant dans les campagnes que dans les villes. On se souvient en particulier du cas de l'édition des *Paroles d'un croyant*, publiée à Paris chez Renduel en 1834, rapidement mis à l'Index et qui a connu en 1836, au Bas-Canada, plusieurs tirages d'une édition contrefaite[12].

Réciproquement, quelques livres canadiens étaient vendus en France et plusieurs ouvrages publiés en France portaient sur le Canada. Gustave Lanctôt évalue à une trentaine ces publications parues entre 1819 et 1855, dont les plus connues sont *Les Beautés de l'histoire du Canada*, de Philarète Chasles alias J. Dainville, le *Tableau statistique et politique des deux Canadas* d'Isidore Lebrun et l'*Histoire du Canada* de l'abbé Brasseur de Bourbourg[13]. À Paris, la librairie Bossange distribuait livres et périodiques parus au Canada[14].

---

11. Les relevés de cette base sont conservés aux archives de l'Université Laval. On consultera également la bibliographie des catalogues de libraires, constituée par Yvan Lamonde et disponible sur le site www.hbic.library.utoronto.ca

12. Thomas Matheson, *Un pamphlet politique au Bas-Canada : les paroles d'un croyant de La Mennais*, mémoire de licence ès lettres, Département d'histoire, Université Laval, 1958, 92 pages.

13. Philippe Sylvain, «Brasseur de Bourbourg, Charles-Étienne», *DBC*, tome 10, p. 92-94.

14. Gustave Lanctôt, «Les relations franco-canadiennes après la Conquête et avant "La Capricieuse"», *Revue de l'Université Laval*, x, 7 (mars 1956) : 597.

Les collections de bibliothèques au Bas-Canada témoignent de cette circulation de biens culturels entre les deux pays. L'activité associative des décennies 1840 et 1850 a contribué à la création de bibliothèques. La plus grande régularité et la rapidité accrue des traversées entre l'Europe et l'Amérique contribuent à la circulation des biens et des personnes. La librairie profite aussi de ces progrès. On verra donc dans les catalogues de libraires des arrivages plus fréquents de nouveautés françaises ainsi que d'œuvres classiques.

Les instituts canadiens

Les sociétés littéraires et les instituts canadiens contribuent à faire connaître la France et à en populariser la littérature. Dans la foulée des œuvres de Vattemare, l'Institut de Montréal (ICM) est fondé en 1844 et celui de Québec en 1848. Ils ont leurs bibliothèques et on y donne des conférences qui sont des occasions de découvertes scientifiques et littéraires[15]. Déjà en 1847, Pierre-Joseph-Olivier Chauveau donne à Québec une conférence sur l'état de la littérature en France depuis la Révolution. À Montréal, le 4 mars 1852, Hector Fabre donne une conférence sur l'avenir de la France devant l'ICM dont le texte est reproduit dans *Le Pays* du 16 mars[16].

La bibliothèque parlementaire

Après 1840, la bibliothèque parlementaire connaît des années difficiles. D'abord, le siège itinérant du gouvernement du Canada-Uni cause des problèmes de déménagement pour la bibliothèque de l'Assemblée législative et pour celle du Conseil législatif. Lorsque la bibliothèque mise en caisses quitte Québec pour Kingston à bord de bateaux à vapeur, au printemps de 1841, *Le Canadien* parle de «pillage[17]». L'opération se répétera tous les quatre ans et les livres et les archives parlementaires seront transportés, avec tous les risques que cela comporte, entre Québec, Kingston, Montréal et Toronto.

---

15. Yvan Lamonde, «Institutions et associations littéraires au Québec au 19ᵉ siècle : le cas de l'Institut canadien de Montréal (1845-1876)», *Littératures*, 1 (1988) : 47-76.

16. Hector Fabre, «L'avenir de la France», *Le Pays* (16 mars 1852) : 3.

17. «Pillage», *Le Canadien* (10 mai 1841) : 2.

Pourtant, par le travail obstiné des bibliothécaires, les acquisitions progressent. À l'Assemblée, sous l'impulsion de Georges-Barthélemi Faribault, on poursuit un programme d'acquisitions de livres français et anglais ainsi qu'une collection de Canadiana et d'Americana devant servir à l'histoire du Canada. Un catalogue assez complet de cette dernière collection est publié en 1845[18]. On y trouve non seulement des éditions françaises anciennes, comme Jean de Léry (1585), Champlain, Lafitau et Charlevoix, mais aussi plus récentes comme la collection en 20 volumes des voyages en Amérique éditée par Ternaux-Compans à Paris entre 1837 et 1841.

Dans la collection générale, au chapitre des nouveautés françaises, on acquiert, par exemple en 1847, des livres d'histoire ecclésiastique, de droit, de politique et de législation, des dictionnaires et des grammaires, des ouvrages de science, d'économie et d'industrie. Du côté des lettres, la collection s'enrichit, entre autres, des œuvres de Chateaubriand, d'Eugène Sue, de Béranger, de Sainte-Beuve, des fables de La Fontaine et des œuvres complètes de Rousseau.

Alexandre Vattemare, après son voyage au Canada, fait des démarches auprès de son gouvernement pour que la France contribue à l'enrichissement de cette bibliothèque. En retour, en 1846, Faribault, avec l'autorisation du gouverneur, fait parvenir à Vattemare via l'Angleterre des caisses de documents parlementaires et historiques, lesquels sont destinés à la Chambre des députés et à la Chambre des pairs[19]. Le livre devient donc le premier point de contact autorisé entre la France et son ancienne colonie.

---

18. *Catalogue d'ouvrages sur l'histoire de l'Amérique, formant partie de la Bibliothèque de l'Assemblée législative du Canada*, Québec, William Cowan & fils, 1845, 29 pages ; déjà en 1837, G.-B. Faribault avait publié une première bibliographie canadienne où il avait marqué d'un astérisque les titres formant la collection nationale de la bibliothèque parlementaire du Bas-Canada, G.-B. Faribault, *Catalogue d'ouvrages sur l'histoire de l'Amérique et en particulier sur celle du Canada [...]*, Québec, William Cowan, 1837, 207 pages.

19. Élizabeth Revai, *Alexandre Vattemare, trait-d'union entre deux mondes*, Montréal, Bellarmin, 1975, p. 60-61. Il s'agit de statuts, des journaux et procès-verbaux des deux Chambres et de règlements et autres imprimés parlementaires ; voir aussi : Claude Galarneau, « Le philanthrope Vattemare, le rapprochement des races et des classes au Canada : 1840-1855 », dans William L. Morton, *The Shield of Achilles – Le Bouclier d'Achille*, Toronto, McClelland & Stewart, 1968, p. 94-110.

Ces échanges ne se font pas sans des retards et diverses difficultés qui tiennent aux distances, aux règlements et frais de douanes. Mais au début de l'année 1849, le Parlement reçoit les caisses de livres donnés par la France. Malheureusement cette collection est engloutie dans un dramatique incendie.

En avril 1849, à la suite d'une violente émeute, l'édifice du Parlement, qui siège alors à Montréal, est incendié. Les collections de livres et d'archives sont détruites. Jean-B. Lucain Leprohon, médecin et humaniste québécois, écrit quelques semaines plus tard à ce propos à son correspondant français, l'historien et archiviste Pierre Margry :

> 4 juin 1849
>
> Vous avez dû recevoir un journal *Le Canadien* dans lequel se trouve un tableau de l'immense perte que le Canada a éprouvé par suite de l'incendie de la Chambre d'Assemblée ; je vous ai adressé ce journal afin de vous donner une idée de ce que contenait en ouvrages remarquables cette bibliothèque, fruit que nous avait transmis nos ancêtres, et qu'il est impossible de refaire. La belle collection de l'histoire inédite de France que nous venions de recevoir depuis un mois, au plus, a disparu comme tout le reste. Mr Vattemare, par l'entremise duquel le gouvernement français avait bien voulu nous faire un envoi d'ouvrages remarquables sera sans doute à l'œuvre, incessamment pour réparer, autant que faire se pourra, le vide qui se fait éprouver et j'ose espérer que le gouvernement français saura généreusement combler cette lacune surtout quand il apprendra, que cette incendie est l'œuvre d'un parti qui a déjà proclamé la guerre de race, la proscription de la race française en Canada. Mr de Puibusque qui a été témoin de tous ces faits saura vous en dire assez, à son retour à Paris dans quelques mois[20].

La France fera en effet d'autres dons de livres pour contribuer à restaurer cette bibliothèque, mais un incendie, accidentel celui-là, détruira de nouveau l'édifice du Parlement et une majorité de ses collections de livres à l'hiver de 1854.

Les gravures

Un domaine encore peu étudié, mais qui mériterait de l'être davantage, est la présence de gravures et de lithographies importées d'Europe en général et de France en particulier. On en trouve des traces dans les annonces

---

20. *Lettres à Pierre Margry, de 1844 à 1886*, édition par Ls-P. Cormier, Québec, Les Presses de l'Université Laval, 1968, p. 134-135.

de ventes de livres, dans les inventaires après décès, mais sans beaucoup de détails. Certaines nous sont parvenues dans des collections d'institutions, ou encadrées parmi des inventaires de biens de familles. Ces images françaises gravées ou lithographiées représentent des scènes de genre, des portraits de personnages célèbres, des scènes de batailles ou de grands événements historiques anciens ou modernes, des illustrations dévotes ou des épisodes de l'Histoire sainte.

Ainsi, à Québec, le 22 août 1840, on vend à l'encan à la halle des francs-maçons, près de la porte Prescott, un assortiment de gravures et lithographies françaises illustrant des vues de plusieurs villes, des batailles de Napoléon, des scènes de *Paul et Virginie* ou d'*Atala*, des portraits de rois, dont Louis XIV et Louis-Philippe, ainsi que des membres de leur famille[21]. Lors de telles ventes, on encourage les familles à profiter de l'occasion pour orner leurs salons à un prix raisonnable[22].

On sait que dans les caisses d'ouvrages envoyées par Vattemare à Faribault en 1849 se trouvaient aussi des gravures et des dessins[23], qui furent malheureusement aussitôt détruits.

L'imprimé et la diffusion du souvenir napoléonien

La gravure a également contribué à répandre au Bas-Canada le souvenir napoléonien. La légende de l'empereur se développe assez tôt dans la vallée du Saint-Laurent. Claude Galarneau a remarqué après 1815 l'apparition du prénom Napoléon dans les registres de baptême du Bas-Canada[24]. À Québec, déjà en 1840, un quai portait le nom de l'empereur. On sait que même en Grande-Bretagne, Napoléon, qui avait été le grand ennemi, fut après sa mort réhabilité. Le duc de Wellington, le vainqueur de Waterloo, vouait lui-même à son illustre rival une admiration qui se confondait presque à un culte.

---

21. « Ventes par encan », *Le Canadien* (21 août 1840) : 2.

22. « Gravures », *Le Canadien* (10 décembre 1841) : 2.

23. É. Revai, *Alexandre Vattemare [...]*, *op. cit.*, p. 72.

24. Voir Claude Galarneau, « La légende napoléonienne au Québec », *Recherches sociographiques*, XXIII, 1-2 (1982) : 163-174 ; Christian Fortin, « La légende napoléonienne au Québec », *Cap-aux-Diamants*, 81 (printemps 2005) : 26-30.

L'année 1840 marque un rapprochement entre la Grande-Bretagne de la jeune reine Victoria et la France de Louis-Philippe. La popularité de l'empereur Napoléon connaît alors un sommet des deux côtés de la Manche et l'Angleterre juge à propos de remettre à la France les cendres impériales en conformité avec les volontés testamentaires de l'exilé de Sainte-Hélène. Du coup, les journaux du Bas-Canada relatent l'événement avec force détails et pendant plusieurs semaines.

À Québec, la Librairie canadienne annonce l'*Histoire de Napoléon* de Jacques M. de Norvins, édition parisienne de 1839, et la neuvième édition de l'*Histoire de la révolution française* d'Adolphe Thiers. Le journal attire même « l'attention particulière des gens de lettres » sur ces « beaux ouvrages » dont on n'a que quelques exemplaires[25].

On lit également dans *Le Canadien* du 12 avril 1841 l'annonce suivante :

> Lithographie : Nous avons eu une épreuve d'une nouvelle lithographie qui vient de sortir de l'atelier de MM Aubin et Rowen, aux noms desquels nous voyons associé celui de M. G. Bazire. Cette planche qui représente l'exhumation du corps de Napoléon montre de nouveaux et très notables progrès dans l'art lithographique en ce pays. Nous espérons que ces artistes continueront leurs efforts, et que bientôt le Canada aura peu de chose à envier aux autres pays dans cette branche[26].

Le même Napoléon Aubin, qui faisait faire au Canada ses premiers pas en lithographie, était journaliste et éditeur et, quoique suisse d'origine, un des animateurs de la Société française du Canada. Cette société, fondée par Hyacinthe Leblanc de Marconnay et d'autres Français du Bas-Canada, s'était placée sous le patronage de saint Napoléon, inscrit au calendrier liturgique le 15 août. Cette fête patronale avait été diplomatiquement insérée au martyrologe sous Pie VII qui l'avait associée « à perpétuité » à la fête de l'Assomption. On comprend que la Madone a repris l'avant-scène sous la Restauration, mais l'habitude de souligner la Saint-Napoléon renaît sous la monarchie de Juillet. En 1839, la presse relate les détails du banquet de ladite Société offert à l'occasion de la Saint-Napoléon[27].

---

25.   « Livres nouveaux », *Le Canadien* (22 juillet 1840) : 2.

26.   *Le Canadien* (12 avril 1841) : 3.

27.   « Société française en Canada. Célébration de la St. Napoléon », *Le Canadien* (26 août 1839) : 3.

Sous le Second Empire, la tradition s'est bien sûr perpétuée, et le 15 août 1855, *La Capricieuse*, qui est toujours en rade de Québec, souligne dignement la fête patronale de l'empereur. Le navire est pavoisé pour la circonstance et l'on tire trois salves de 21 coups de canon en l'honneur de la fête de l'empereur[28].

Conclusion

On peut donc, avec assurance, affirmer que la circulation des imprimés, jointe à celle des visiteurs français au Bas-Canada (et aussi des Québécois en France), a ouvert la voie à une reprise officielle des liens économiques et diplomatiques entre le Canada et la France. Le texte et l'image ont sans doute contribué à façonner une image renouvelée de la France dans l'esprit des Canadiens français. Le rapprochement politique franco-britannique a aussi conforté la position des francophones du Canada et légitimé la revendication de leurs droits. Le contexte de l'époque rendait l'expression d'un attachement envers la France moins suspecte de trahison envers la Grande-Bretagne. Même le souvenir du grand Napoléon pouvait être évoqué à Québec ou à Montréal sans faire trembler les autorités. Cette légitimité de l'identité française des Canadiens explique aussi pourquoi ces derniers ont adopté le tricolore comme emblème dans leurs fêtes patriotiques jusqu'à la fin du XIXᵉ siècle.

Au niveau supérieur des États, c'est par le livre et l'imprimé que la France a d'abord rétabli les ponts avec son ancienne colonie. Le don de livres français offerts au Parlement canadien par le gouvernement de Louis-Philippe et confirmé en 1848 par celui de la IIᵉ République est le premier geste direct posé au niveau des États pour signifier une volonté de rapprochement. Les livres et imprimés de France ont précédé les navires officiels dans le Saint-Laurent et donné le premier signal de ce qu'un ancien premier ministre du Québec a naguère désigné comme la reconnaissance de l'essentiel.

---

28. *Le Canadien* (17 août 1855) : 2.

Annexe

Liste de périodiques français cités une fois ou plus dans les numéros de septembre à décembre 1840 du *Canadien*.

L'Audience
Le Constitutionnel
Le Courrier de Bordeaux
Le Courrier de la Moselle
Le Courrier de Lyon
Le Courrier français
L'Écho de Lorient
La Gazette de Boulogne
La Gazette des tribunaux (Paris)
La Gazette de France (officielle)
Le Globe
Le Journal du Havre
Le Moniteur
Le National
La Presse
Le Progressif
La Quotidienne
La Revue des deux mondes
Le Siècle
Le Temps
L'Univers
La Vigie de Dieppe

La Capricieuse : élément d'une politique étrangère ou personnelle de Napoléon III à l'égard du Canada ?

ROBERT PICHETTE

Historien, Centre d'études acadiennes, Université de Moncton

Le contexte « canadien »

Napoléon III eut à l'égard du Canada et des autres colonies britanniques en Amérique du Nord une double politique ; officielle par l'établissement en 1850 des deux premières agences consulaires de France à Québec et à Sydney, au Cap-Breton, en Nouvelle-Écosse, et personnelle par des dons généreux.

Les premières agences, créées alors que le prince Louis Napoléon Bonaparte est toujours président de la IIᵉ République, avaient été autorisées en 1849 par lord Palmerston, secrétaire d'État aux Affaires étrangères. Elles ont des buts strictement utilitaires, soit commerciaux, soit de ravitaillement, comme celle de Sydney[1], et les agents consulaires ne sont en rien des agents diplomatiques ou politiques, comme l'a souligné Jacques Portes. Ils sont « peu voyants, peu spectaculaires, mais ils peuvent discrètement, trop

---

1. Sur l'agence consulaire et son premier titulaire, lire Robert Pichette, « John Bourinot et la présence de la France au Canada atlantique au XIXᵉ siècle », dans A. J. B. Johnson (dir.), *Essays in French Colonial History : Proceedings of the 21st Annual Meeting of The French Colonial Historical Society*, East Lansing, É.-U., University of Michigan Press, 1997.

peut-être, accroître la connaissance de la France sur le Canada, sans jamais inquiéter les autorités anglaises[2]». Ne «jamais inquiéter les autorités anglaises» sera la hantise quasi pathologique du commandant Paul-Henry Belvèze[3].

On doit aussi considérer la station navale française permanente de Terre-Neuve comme étant le fait d'une politique étrangère suivie depuis l'établissement des pêcheries du *French Shore* à la suite du traité de Paris en 1763[4]. Toutefois, il convient de souligner toute l'importance accordée par Napoléon III à cette station navale qui fut une pépinière de grands marins, ce qui ne saurait surprendre étant donné la véritable passion que l'empereur manifestait pour la marine, et de l'intérêt constant qu'il lui manifesta[5].

Il est plus difficile de départager le rôle public ou personnel des dons de livres à la toute jeune Université Laval, fondée en 1852, et à l'Institut canadien, accordés par le ministre de l'Instruction publique. Par ailleurs, il semble que les dons de l'empereur à l'Institut catholique de Rustico, à l'Île-du-Prince-Édouard, provenaient de la cassette personnelle de l'empereur en transitant par le consulat général qui sera établi à Québec.

À ces dons s'ajoutent ceux d'ornements liturgiques offerts par l'impératrice, notamment aux missions amérindiennes d'Oka (Kanesatake) et de Caughnawaga (Kanhawake). Belvèze, du reste, fait état dans son rapport du don «l'année dernière de S.Ma. l'Impératrice de riches ornements pour la

---

2. Jacques Portes, *La France, quelques Français et le Canada, 1850-1870*, thèse de doctorat de 3ᵉ cycle, Université de Paris, 1974, p. 41.

3. Belvèze à l'état civil, sans particule. *Ibid.*, p. 45. Pour une biographie, lire Armand Yon, «Belvèze, Paul-Henry de», *Dictionnaire biographique du Canada [DBC]*, vol. 10, p. 51, ou www.biographi.ca

4. James Hiller, «Le French Shore et les traités franco-anglais», *Le French Shore – 1713-1904. La pêche sédentaire sur les côtes de Terre-Neuve*, Annales du patrimoine de Fécamp, 10 (2003) : 19-21 ; Raymonde Litalien, «La pêche à Terre-Neuve», et Marie-Hélène Desjardins, «La pêche à la morue dans les eaux américaines», dans Pierre Ickowicz (dir.), collaboration de Raymonde Litalien, *Dieppe-Canada cinq cents ans d'histoire commune*, Paris, Magellan & Cie, 2004, p. 85-86 et 88-93.

5. Pierre Milza, *Napoléon III*, Paris, Perrin, 2004, p. 313. On lira avec profit Michele Battesti, *La Marine de Napoléon III*, tomes 1 et 2, Paris, Service historique de la Marine, 1997, 1250 pages. La station navale de Terre-Neuve sera intégrée à l'escadre des Antilles en 1861.

chapelle du village [...][6]». Cependant, il est inexact de dire que les «seules interventions de l'empereur ou de l'impératrice à l'égard du Canada ont été charitables ou religieuses, sous la forme de dons d'ornements sacerdotaux à diverses paroisses du pays [...][7]».

Doivent être considérées comme étant du domaine d'une politique personnelle de l'empereur, ses nombreuses interventions financières substantielles autant que discrètes, dans la migration de familles acadiennes de l'Île-du-Prince-Édouard vers le Québec, à Saint-Alexis-de-Matapédia, et à Saint-Paul-de-Kent au Nouveau-Brunswick[8]. À Rustico, Île-du-Prince-Édouard, l'empereur paiera le salaire d'un instituteur chargé de la formation de maîtres, défraiera le coût des cloches de l'église paroissiale, achètera l'orgue et des instruments de physique et permettra, au moyen d'une généreuse contribution, l'établissement de la Banque des Fermiers de Rustico, réputée première caisse populaire en Amérique du Nord[9]. L'aide que l'empereur accorda à diverses sociétés de colonisation du Québec reste à être étudiée.

Si discrètes qu'aient été les nombreuses interventions de l'empereur, elles n'en étaient pas moins connues au Canada et en France par les journaux. À titre d'exemple, le très officiel *Moniteur universel* publiait à Paris, le 15 novembre 1865, une correspondance spéciale, datée de Gaspé, relatant l'établissement de Saint-Alexis-de-Matapédia par des familles venues de Rustico, Î.-P.-É. Le correspondant rappelle le don de 1 000 $ accordé par l'empereur pour l'achat d'un moulin à farine, et termine par cet éloge de l'empereur : «Napoléon III est donc lui aussi un bienfaiteur de cette colonie, et son nom sera, j'en suis certain, béni et salué avec amour et reconnaissance

---

6. *Mission de la «Capricieuse» au Canada en 1855 sous le commandement de M^r. de Belvèze Capitaine de vaisseau Commandeur de la légion d'Honneur etc., etc., etc., 1856*, manuscrit, Bibliothèque et archives Canada, R9802-0-8-F (dorénavant *Rapport*), p. 26. L'auteur remercie vivement M. André Richard, chargé de projets au Centre d'études de l'Université de Moncton, pour ses bons offices.

7. J. Portes, *La France [...]*, *op. cit.*, p. 139.

8. Robert Pichette, *Napoléon III, l'Acadie et le Canada français*, Moncton, Éditions d'Acadie, 1998, 222 pages ; Robert Pichette, «Napoléon III. La filière acadienne», *Cap-aux-Diamants*, 88 (printemps 2005) : 50-54.

9. Gabriel Bertrand, «Paroisse acadienne de Rustico (Î.-P.-É.), et la Banque des Fermiers : recueil de citations épistolaires du père Georges-Antoine Belcourt», *Cahier de recherche*, n° 95-04, Moncton, Chaire d'études coopératives, Université de Moncton (1995) : 35-46.

par les soixante-cinq familles acadiennes qui habitent les rives de la rivière
Métapédiac [*sic*][10].» Le *Moniteur universel* reviendra à la charge l'année
suivante en reprenant à son compte un long article du *Canadian News*[11].

De toutes les initiatives impériales, privées ou publiques, la mission de
La Capricieuse est, sans aucun doute, la plus spectaculaire et la plus connue.
Elle avait le mérite d'avoir un caractère officiel, bien qu'elle n'ait fait
partie d'aucun projet colonialiste de la part de l'empereur, qui estimait les
«colonies onéreuses en temps de paix, désastreuses en temps de guerre[12]».

L'empereur n'avait pas de visées sur le Canada émergeant. Il semble
avoir été motivé par ce qu'il écrivait dans son livre *Des idées napoléoniennes* (1860) :

> L'idée napoléonienne va vivifier l'agriculture ; elle invente de nouveaux pro-
> duits ; elle emprunte aux pays étrangers les innovations qui peuvent lui servir.
> Elle aplanit les montagnes, traverse les fleuves, facilite les communications,
> et oblige les peuples à se donner la main[13].

Il dira aussi, dans son célèbre discours de Bordeaux, le 9 octobre 1852 : «La
guerre et le commerce ont civilisé le monde. La guerre a fait son temps ; le
commerce poursuit aujourd'hui les conquêtes. Donnons-lui une nouvelle
route[14].» Deux facteurs d'une politique d'État ont rendu possible la mission
de *La Capricieuse* : le libéralisme économique prôné tant par le gouvernement de l'empereur que par le gouvernement de Londres, et l'alliance franco-
anglaise durant la guerre de Crimée.

On peut affirmer catégoriquement, à la suite de Jacques Portes, «que
le Canada n'entre pas dans les rêves de Napoléon III au sujet de l'Union latine
et qu'il n'a jamais envisagé d'en faire le pendant du Mexique au nord des
États-Unis[15]». L'initiative de la mission entreprise par *La Capricieuse* ne vint

---

10.   Matthew J. West, *The Official Image : Reporting on Canada in «Le Moniteur uni-
       versel», organ of the Second Empire (1855-1868)*, mémoire de recherche pour
       l'Université Mount Allison, Sackville, N.-B., vol. 2, 1992, Appendix C, p. 47.

11.   R. Pichette, *Napoléon III, l'Acadie [...], op. cit.*, p. 104-105.

12.   Louis Girard, *Napoléon III*, Paris, Fayard, 1986, p. 66.

13.   R. Pichette, *Napoléon III, l'Acadie [...], op. cit.*, p. 42.

14.   L. Girard, *Napoléon III, op. cit.*, p. 74.

15.   J. Portes, *La France [...], op. cit.*, p. 139.

ni de l'empereur, ni de ses ministres ; ce fut le commandant Belvèze lui-même qui suggéra à sa hiérarchie l'idée d'une mission commerciale officielle au Canada[16]. Il le dit lui-même à Toronto durant sa visite de la ville : « Je n'ai pas eu d'autre mérite que d'avoir inspiré au gouvernement la démarche que je fais aujourd'hui[17]. »

À lire à peu près tout ce qui s'est écrit sur la mission de La Capricieuse, à de rares exceptions près, on pourrait croire que la corvette[18] surgit majestueusement, toutes voiles dehors, au large d'Anticosti pour entreprendre sa noble progression vers Québec. Ainsi, l'abbé Yon écrira en 1936 : « Déjà, toutes voiles dehors, la corvette cingle vers Québec [...] De bonne heure, le 13 juillet, "La Capricieuse" paraît à la hauteur du Bic[19]. » Sur la même lancée lyrique, Éveline Bossé ajoute un détail : « De bonne heure le 13 juillet, "La Capricieuse", toutes voiles déployées et portant à sa corne d'artimon le drapeau tricolore, paraît à la hauteur du Bic[20]. » En réalité, il y avait belle lurette que la présence du tricolore français, jamais vu auparavant à Québec, du moins officiellement, était fréquente depuis longtemps dans les eaux de l'Atlantique entre Terre-Neuve, la Nouvelle-Écosse, l'Île-du-Prince-Édouard et le Nouveau-Brunswick.

La genèse atlantique

Nommé le 8 janvier 1853 commandant de la station navale de Terre-Neuve, Belvèze estima ce commandement, qui n'était pas son choix, peu glorieux. « Me voilà exilé dans les régions hyperboréennes de la morue »,

---

16. C'est-à-dire la Province du Canada, constituée par le Haut-Canada (Ontario) et le Bas-Canada (Québec), créée par une loi du Parlement britannique en 1840, promulguée en février 1841.

17. Armand Yon, « L'odyssée de la "Capricieuse" ou comment la France découvrit de nouveau le Canada en 1855 », Le Canada français, XXIII, 9 (mai 1936) : 850.

18. Corvette à gaillard, cinquième du nom, construite à Toulon et mise à l'eau en 1849. Désarmée dans ce port en janvier 1861, rayée des listes de la Flotte en mars 1865, démolie en 1868 : http://www.netmarine.net/bat/patrouil/capricieuse/celebre.htm

19. A. Yon, « L'odyssée de la "Capricieuse" [...] », Le Canada français, loc. cit. : 844.

20. Éveline Bossé, « La Capricieuse » à Québec en 1855. Les premières retrouvailles de la France et du Canada, Montréal, La Presse, 1984, p. 35.

écrivit-il à un ami au moment de sa nomination[21]. Il s'inventa vite une diversion agréable. Au chef du 2e bureau du cabinet du ministre chargé du mouvement des forces navales, des opérations maritimes et des instructions aux officiers, Belvèze écrivit :

> [...] il serait possible de combiner le service de la station avec une excursion dans le fleuve dont le but serait de connaître les ressources, les besoins et la condition commerciale de ce grand pays. Je serais pour mon compte fort heureux si je retourne à Terre-Neuve que le bureau des mouvements m'ouvrit dans ses instructions la joie de ces utiles investigations[22].

L'idée était lancée. Elle aura le succès que l'on sait. Entre-temps, profitant de l'euphorie patriotique engendrée par l'alliance militaire franco-anglaise, Belvèze alla, au mois de mai 1854, déployer le tricolore français dans la rade de Halifax à l'occasion de la fête de la reine Victoria. Les journaux de la ville ne font pas état de la présence du navire français, bien qu'ils donnent une foule de détails sur les manifestations, y compris les « feux de joie » (en français dans le texte) ! Le 25 mai, lendemain de la fête de la reine, Belvèze informait Théodore Ducos, ministre de la Marine, que lui et son état-major avaient été reçus par le lieutenant-gouverneur de la Nouvelle-Écosse[23].

> Nous avons célébré le 24 la fête de la reine Victoria, écrit-il, l'alliance intime de la France et de l'Angleterre, la présence d'un bâtiment de guerre français sur cette rade ont donné à cette fête un caractère qu'elle n'avait jamais eue[24].

Belvèze avait apprécié la ville de Halifax. Dans une lettre à Ducos, le 17 juillet 1854, il vante les qualités de la ville et, dans un appendice à son rapport de mission, il dira de Halifax qu'elle est une place forte bien entretenue avec son atelier de construction navale.

La proximité du petit archipel de Saint-Pierre-et-Miquelon, port d'attache en quelque sorte de la station navale de Terre-Neuve, amenait

---

21. [P.-H. Belvèze], *Lettres choisies dans sa correspondance, 1824-1875*, Hubert et Georges Roheault de Fleury (dir.), Bourges, Pigelet, 1880, p. 148.

22. Jacques Portes, « "La Capricieuse" au Canada », *Revue d'histoire de l'Amérique française*, LXXI, 3 : 354. Portes ne précise pas la date de cette communication mais donne comme source Archives Nationales (France). Marine BB4, 685.

23. Le lieutenant-colonel sir John Gaspard Le Marchant (1803-1874), lieutenant-gouverneur de la Nouvelle-Écosse de 1852 à 1858.

24. J. Portes, *La France [...], op. cit.*, p. 84.

fréquemment dans le port de Halifax de nombreux vaisseaux de guerre français, invariablement bien accueillis par les autorités militaires, civiles et religieuses. Ainsi, en 1841, Halifax avait reçu la visite de la frégate la *Belle-Poule*, commandée par le prince de Joinville, fils du roi Louis-Philippe, qui, un an auparavant, avait ramené en France la dépouille de Napoléon 1er. La frégate était précisément en route pour Saint-Pierre-et-Miquelon[25].

Si la présence d'un bâtiment de guerre français n'est pas mentionnée dans les journaux de Halifax en mai 1854, l'alliance franco-britannique, par contre, faisait l'objet de nombreuses dépêches et de plusieurs articles, et l'année suivante, le *Nova Scotian*, journal de Joseph Howe, publiait *in extenso* le discours prononcé par Napoléon III à Londres lors de sa réception par la City[26].

Durant la guerre de Crimée, le Canada posa un geste révélateur : une souscription publique eut lieu pour assister les veuves et les orphelins des combattants français. Le gouvernement du Canada ajouta aux sommes recueillies et ce fut lord Elgin, gouverneur général, qui transmit le produit non négligeable à l'empereur. Napoléon III en accusa réception le 27 février 1855 avec beaucoup de noblesse :

> [...] notre pays ne verra pas sans être reconnaissant, qu'au souvenir de son origine française, la population canadienne n'ait pas voulu séparer dans ses félicitations et dans ses offrandes, ceux qu'unit si noblement la communauté des périls. Veuillez bien être auprès du conseil législatif et de l'assemblée législative du Canada, l'interprète de mes sentiments, comme je crois l'être de ceux de la France[27].

La suggestion d'une « excursion » au Canada lancée par Belvèze fit son chemin. Le ministre de la Marine demanda à Belvèze de soumettre un rapport sur les possibilités commerciales qui pourraient intéresser la France. Belvèze soumit son rapport en octobre 1854. L'amiral Hamelin, successeur de Ducos, mort en fonction, donna son aval à la mission, tout comme le ministre Rouher au Commerce. Seul le ministre des Affaires étrangères, Édouard Drouyn de Lhuys, avait de fortes réserves, estimant que rien ne

---

25. David Sutherland, « A Prince, the Governor and Mr. Mayor Halifax and the Politics of Prestige in 1841 », *Journal of the Royal Nova Scotia Historical Society*, X (1998) : 93-103.

26. *Nova Scotian*, Halifax, N.-É. (21 mai 1855).

27. É. Bossé, « *La Capricieuse* » *à Québec en 1855 [...], op. cit.*, p. 13.

justifiait le geste de « montrer notre pavillon au Canada, pour la première fois depuis que nous avons perdu ce pays à la suite d'une guerre malheureuse et mal conduite[28] ».

Finalement, Drouyn de Lhuys se rallia à ses collègues de la Marine et du Commerce. Ses instructions à Belvèze, en date du 28 avril 1855, ne masquent pas les réticences du « gouvernement de l'Empereur » sans pour autant mentionner une intervention personnelle de Napoléon III. Pour décider le gouvernement « et vaincre ses répugnances », écrit-il à Belvèze, il a fallu « non seulement les circonstances éminemment favorables de notre alliance avec l'Angleterre, mais surtout son ardent désir d'ajouter à la prospérité de notre commerce[29] ».

Tout en soulignant que la mission n'a pas de caractère diplomatique, le ministre des Affaires étrangères dicte la conduite que Belvèze devra adopter sans en dévier :

> [...] il convient, vous le comprendrez sans peine, que vous conserviez une attitude pleine de réserve et que vous vous teniez en garde contre toute mani-festation à laquelle les autorités britanniques ne devraient prendre aucune part. Votre mission est purement commerciale et il importe qu'elle ne reçoive pas une fausse interprétation. Je compte d'ailleurs sur votre prudence et votre sagacité pour éloigner tout sujet de défiance légitime et je me plais à penser que les résultats de l'exploration que vous allez entreprendre auront une influence salutaire sur l'ouverture des relations directes entre la France et le Canada[30].

Le 18 juin 1855, Belvèze accusa réception de ses instructions en informant le ministre qu'il apporterait « dans l'exécution de ses ordres, toute la prudence et le soin qu'exigent des investigations aussi délicates [...][31] ». Auparavant, de Saint-Pierre, le 3 juin, Belvèze avait officiellement informé Edward Ryan, armateur originaire d'Irlande, agent consulaire de France à Québec depuis 1850[32], de la mission qui lui était confiée.

---

28.   J. Portes, *La France [...]*, *op. cit.*, p. 52.

29.   É. Bossé, *« La Capricieuse » à Québec en 1855 [...]*, *op. cit.*, p. 18.

30.   *Ibid.*, p. 18-19.

31.   *Ibid.*, p. 25.

32.   Il représentait aussi les villes hanséatiques de Lubeck et de Hambourg. Son frère, Thomas Ryan, conseiller législatif puis sénateur du Canada, fut agent consulaire de

Belvèze insista sur le caractère strictement commercial de la mission tout en évoquant le don généreux des Canadiens en faveur des survivants des combattants de la guerre de Crimée. C'était faire preuve d'habilité puisque la lettre fut publiée dans *Le Journal de Québec* dès le 30 juin 1855.

Pour ne pas donner trop de relief, surtout politique, à la mission, Paris n'informa pas Londres ; ce fut Ryan qui informa le gouverneur général sir Edmund Walker Head qui, à son tour, le 26 juin 1855, informa le Colonial Office des mesures d'accueil qu'il proposait. L'éphémère secrétaire d'État aux colonies, sir William Molesworth, approuva « the personal attentions you propose to pay the officers in question [...][33] ». Il s'agissait donc d'égards et de prévenances personnelles, le côté officiel étant laissé au gouvernement canadien. Du reste, cette visite avait été vivement souhaitée par le gouvernement, comme en fait foi l'accueil de Belvèze au Bic par trois ministres.

Avant de faire voile pour Québec, Belvèze mouilla à Sydney, au Cap-Breton, au début de juillet 1855. Il en était à sa troisième visite. Déjà, en 1853, Belvèze appelait Sydney « cette ancienne et regrettable colonie de la France » où « le meilleur accueil a été fait aux bâtiments français par les autorités et les habitants de la colonie[34] ». Selon le recensement de 1851[35], la petite ville ne comptait qu'environ 500 âmes. Elle avait été brièvement la capitale de la colonie autonome du Cap-Breton rattachée à la Nouvelle-Écosse continentale en 1820. Le retrait de la garnison impériale britannique en 1854 à cause de la guerre de Crimée fut un désastre économique pour Sydney[36], de sorte que la présence ponctuelle des bâtiments français qui s'y ravitaillaient en charbon, en eau et en denrées constituait un événement

---

France à Montréal. Voir Francis-J. Audet, « Les représentants de la France au Canada au XIXᵉ siècle », *Les Cahiers des Dix*, 4 (1939) : 197-222. Lire aussi Jacques Portes, « L'établissement du réseau d'agences consulaires françaises au Canada (1850-1870) », *Études canadiennes/Canadian Studies*, 3 (1977) : 59-71 ; Jacques Portes, « La reprise des relations entre la France et le Canada après 1850 », *Revue française d'histoire d'Outre-mer*, tome 62, 228 (1975) : 447-460.

33. J. Portes, *La France [...], op. cit.*, p. 53.

34. *Ibid.*, p. 82.

35. Nova Scotia Archives and Records Management, RG1/453.

36. Sur Sydney, lire Stephen Hornsby, *Nineteen Century Cape Breton A Historical Geography*, Montréal/Kingston, McGill/Queen University Press, 1992 ; J. G. MacKinnon, *Old Sydney* (1918), réimpression par Mika Publishing, 1973.

social et économique d'importance. Arthur de Gobineau a brillamment décrit avec humour son séjour à Sydney à l'époque qui nous intéresse[37].

L'interlude de Sydney a son importance, car c'est dans ce port que la mission a réellement commencé. Une délégation solennelle du clergé, des magistrats et des résidants accueillit les commandants de *La Capricieuse* et du *Gassendi*. Selon l'usage, nouveau pour Belvèze, on lui lut une adresse flatteuse à laquelle il répondit. L'accueil, disait-il, ne s'adressait pas à un simple commandant de la Marine impériale, mais il était motivé par cette noble et grande alliance entre les deux puissantes nations de l'Europe, unies sincèrement et cordialement dans le but d'assurer le triomphe du droit et de la justice contre la force et la rapacité brutales d'une ambition débridée. L'histoire réserverait à la reine Victoria et à l'empereur Napoléon une belle page pour avoir donné ce grand exemple au monde civilisé[38].

La mission, que l'empereur l'ait personnellement approuvée ou non, commençait dans les eaux des colonies britanniques de l'Amérique du Nord, sous l'égide des souverains de France et de Grande-Bretagne. Pour mieux marquer l'importance de ce parrainage, Belvèze n'hésita pas à reprendre à son compte l'exclamation de l'empereur dans son discours de Bordeaux : « L'Empire, c'est la paix ! » Le journal *Nova Scotian* accorda une très large importance dans ses pages à la mission débutante, reproduisant en plus un long article paru dans un journal non identifié de Québec, sous le titre « French and Canadian Trade » (Commerce français et canadien).

Le journal de la Nouvelle-Écosse écrivait, à la suite de son confrère de Québec, que c'était la première fois qu'un bâtiment de guerre français visitait Québec depuis la Conquête. Au lieu de desseins belliqueux, il venait avec des projets de paix, d'alliance fraternelle et d'échanges amicaux. Il ajoutait, prophétique : « We are bound to welcome it as a harbinger of a new era in the history of Canada and the world. It is an evidence of the rapid

---

37. Arthur de Gobineau, *Voyage à Terre-Neuve* (1861), Roland Le Huenen, introduction, chronologie, notes et index, Paris, Aux Amateurs de Livres, (Littérature des voyages), 1989.

38. *Nova Scotian*, Halifax (16 juillet 1855) : 2 : « [...] it is prompted by that noble and great alliance of the two most powerful nations of Europe sincerely and cordially united to ensure the triumph of right and justice, over the brutal force and rapacity of an unbridled ambition [...] History reserves to Queen Victoria and to the Emperor Napoleon, a great page in having given that great example to the civilized world. »

strides which portions of the Colonial dominions of the British Crown are making in the affairs of the world[39].»

La *Capricieuse* quitta Sydney pour Québec le 5 juillet 1855. Belvèze suivit scrupuleusement les instructions ministérielles qui lui avaient été communiquées. Il les évoquera dans son rapport au ministre, le 1er novembre 1855, affirmant, à juste titre, qu'il emportait l'estime et l'affection de tous, «depuis le gouverneur général, jusqu'aux populations les plus énergiquement anglaises et protestantes ; l'expression du respect et de la confiance pour le gouvernement et la personne de l'Empereur [...][40]».

Les appréhensions de Belvèze

Fidèles aux consignes de prudence et de sagacité qui devaient le guider, Belvèze fit des prodiges pour s'y conformer, craignant surtout d'indisposer le gouverneur général Head. Il s'en explique clairement dans son rapport de mission :

[...] dans une situation aussi délicate que la mienne, avec un gouverneur Anglais qui pouvait en concevoir des craintes ou du dépit, une population d'origine française et catholique qui se livrait à l'enthousiasme de ses souvenirs, c'était un exercice ressemblant à un travail d'équilibriste, que de rester suffisamment digne d'être entendu sans choquer quelques unes des susceptibilités qui m'entouraient[41].

Il ne manqua pas de noter que, dès son arrivée à Québec, le gouverneur général lui avait témoigné «[...] tout le plaisir que lui faisait la visite d'un navire de la flotte Française et mit dès ce moment à ma disposition tous les moyens de remplir ma mission[42]». Belvèze avait cru que sa mission serait compromise au départ par la publication du livre de Joseph-Guillaume

---

39. *Ibid.* : 3 : «Nous sommes tenus de l'accueillir comme un présage d'une nouvelle ère dans l'histoire du Canada et du monde. C'est une preuve manifeste des pas de géant qu'accomplissent des parties des dominions coloniaux de la couronne britannique dans les affaires du Monde.» (Traduction de l'auteur.)

40. *Rapport, op. cit.*, p. 3.

41. *Ibid.*, p. 24.

42. *Ibid.*, p. 17.

Barthe[43], *Le Canada reconquis par la France*, qui venait de paraître à compte d'auteur à Paris.

Dans la verte semonce qu'il servit à Barthe, Belvèze implique spécifiquement l'empereur en déclarant que le titre «était contraire aux intentions et à la politique de l'Empereur et de la France [...][44]». Il le répéta dans ses discours et interventions publiques, de sorte qu'il se flatta que «le gouverneur général, aussi bien que les corporations, n'ont pas eu un moment de souci à propos de cette publication absurde[45]».

L'année même de la mission Belvèze, 1855, Jean-Jacques Ampère ne disait pas autre chose dans ses *Promenades en Amérique*: «Aujourd'hui la pensée de redevenir Français n'est plus dans aucun esprit, mais il reste toujours un certain attachement de souvenir et d'imagination pour la France[46].» Quelques années plus tard, François-Edme Rameau de Saint-Père[47], cet autre admirateur des Canadiens français et des Acadiens, donnait ce conseil qui semble être devenu à l'époque une véritable politique française: «Restons donc les uns les autres dans les termes où nous sommes [...] soyons amis, soyons cousins, mais ne nous épousons pas[48].»

À Montréal, Belvèze, qui avait initialement refusé de parler devant *L'Institut canadien*, exécré des ultraconservateurs et, il va sans dire, du clergé, se ravisa «à condition qu'on resterait dans les limites des idées littéraires et artistiques qui sont le but ostensible de l'institution[49]». Il nota avec satisfaction que tout avait «été parfait et convenable et le gouverneur général m'a même su gré d'avoir saisi l'occasion de ramener cette institution à son véritable caractère[50]». *L'Institut* soutenait les «chemises rouges» de Garibaldi

---

43. Jean-Guy Nadeau, «Joseph-Guillaume Barthe», *DBC*, vol. 12, p. 71-73.

44. *Rapport, op. cit.*, p. 8-9.

45. *Ibid.*, p. 9.

46. A. Yon, «L'odyssée de "La Capricieuse" [...]», *Le Canada français, loc. cit.*: 842.

47. Pierre et Lise Trépanier, «Rameau de Saint-Père et l'histoire de la colonisation française en Amérique», *Acadiensis*, IX, 2 (1980): 40-55.

48. Edme Rameau de Saint-Père, *La France aux colonies: études sur le développement de la race française hors de l'Europe, les Français en Amérique, Acadiens et Canadiens*, Paris, A. Jouby, 1859, p. 246.

49. *Rapport, op. cit.*, p. 32-33.

50. *Ibid.*, p. 33.

en favorisant une Italie unifiée, donc aux dépens des États pontificaux, ce qui lui valut les foudres de l'évêque ultramontain de Montréal[51].

Belvèze a tracé de son hôte vice-royal le portait d'un «homme de cabinet, très instruit, très laborieux [...] sous des formes extrêmement polies, il a quelque chose d'embarrassé, d'indécis [...][52]». Toutefois il le soupçonnait, sur la foi de racontars, d'avoir des préjugés antifrançais, fruits de la vieille politique anglaise, disait-il. Il est vrai qu'on fit à Head, au Canada français, à tort semble-t-il, cette réputation que ses biographes n'évoquent pas[53]. Par contre, Belvèze n'eut qu'à se louer des relations parfaites que le gouverneur général entretenait avec lui, et «par son instruction très étendue, même sur les beaux arts, il savait donner à ses rapports fréquents avec moi, un charme et un intérêt tout particuliers», écrira-t-il[54].

Pour sa part, Head informait le Colonial Office à Londres, le 20 juillet 1855, que la mission Belvèze était «[...] shrewd and clever, well calculated for picking up information of all kinds [...][55]». Le 15 décembre 1855, Head résumait la mission Belvèze pour l'information de Henry Labouchère, secrétaire d'État aux colonies dans les termes suivants :

> The official visit of Monsr. de Belvèze in a French Vessel of War, inspired some expectation of a more liberal commercial system. The visit was curious in itself, and suggestive of deep reflections as being the first outward manifestation on this side of the Atlantic, of the alliance between two generations, so long at enmity one with another and now so happily united[56].

---

51. On lira avec intérêt Yvan Lamonde, *Louis-Antoine Dessaulles : un seigneur libéral et anticlérical*, Montréal, Fides, 1994 ; Philippe Sylvain, «Institut canadien», *L'Encyclopédie du Canada*, Montréal, Stanké, tome 2, 1987, p. 995.

52. *Rapport, op. cit.*, p. 20.

53. Donald Gordon Grady Kerr, *Sir Edmund Head, a Scholarly Governor*, Toronto, University of Toronto Press, 1954 ; James A. Gibson, «Sir Edmund Walker Head», *DBC*, vol. 9, p. 419-426.

54. *Rapport, op. cit.*, p. 20.

55. J. Portes, *La France [...], op. cit.*, p. 65. – «habile et ingénieuse, bien calculée pour recueillir des renseignements de tous genres.» (Traduction de l'auteur.)

56. *Ibid.*, p. 73. – «La visite officielle de Monsr. de Belvèze dans un bâtiment de guerre français, suscita certains espoirs pour un système commercial plus libéral. La visite fut, par elle-même, curieuse, et incitait à une profonde réflexion car elle était la

Ce sont les deux seules mentions de Belvèze dans la correspondance, officielle ou secrète, de Head. La réponse de Labouchère ne mentionne même pas Belvèze. À la suite de Kinsman[57] qui n'avait rien trouvé dans les papiers secrets de Head, Jacques Portes et nous-même n'avons rien trouvé de plus dans l'inventaire du Colonial Office aux archives du Canada[58].

Suites et séquelles

Les journaux ont abondamment rendu compte de la mission de Belvèze dans les colonies britanniques de l'Amérique du Nord, aux États-Unis et en France où même le *Moniteur universel*, lu sans doute par l'empereur, ses ministres, ses conseillers, son entourage, en publia le 19 août 1855 des extraits fournis par le ministère des Affaires étrangères[59].

Belvèze était satisfait de sa mission. Il écrira en terminant son rapport au ministre : « Tout a réussi ce me semble dans cette reprise de relations, et je souhaite que ce succès soit complété et sanctionné par l'approbation du Ministre et du Gouvernement de sa Majesté[60]. » Jacques Portes indique qu'une copie du rapport fut remise à Napoléon III qui ne se manifesta pas[61]. Au Canada où on semblait redouter les velléités annexionnistes de la part des États-Unis voisins, le gouverneur général Head avait confié à Belvèze, qui le rapporte dans son rapport,

> [...] qu'à part son utilité commerciale la réception de la corvette Française et l'éclat qu'elle avait eu laisserait peut-être un jour des souvenirs qui contiendraient l'initiative audacieuse des États-Unis et leur ferait craindre de trouver l'alliance Anglo-Française armée sur les lacs de l'Amérique pour la défense

première manifestation apparente de ce côté-ci de l'Atlantique, de l'alliance entre deux générations, si longtemps ennemies et dorénavant si heureusement unies. » (Traduction de l'auteur.)

57. Ronald Desmond Kinsman, *The Visit to Canada of « La Capricieuse » and M. le Commandant de Belveze in the Summer of 1855 as seen Through the French-Language Press of Lower Canada*, mémoire de maîtrise ès arts, Département d'histoire, Université McGill, 1959, 176 pages.

58. J. Portes, *La France [...]*, *op. cit.*, p. 73, note 91.

59. M. J. West, II, *The Official Image*, *op. cit.*, Appendice C, p. 2.

60. *Rapport*, *op. cit.*, p. 82.

61. J. Portes, *La France [...]*, *op. cit.*, p. 62.

du droit et l'indépendance des peuples, comme elle l'est en ce moment dans la mer noire pour la même cause[62].

Belvèze n'avait nullement outrepassé ses instructions ministérielles. Il écrira dans son rapport, après en avoir longuement et minutieusement décrit les raisons, qu'il était essentiel d'établir un consulat au Canada. Dans une lettre qu'il adressait le 20 août 1855 à Lewis Thomas Drummond, procureur général du Bas-Canada (*Attorney General*), il dit catégoriquement au ministre canadien que le « gouvernement Impérial a eu la pensée d'accréditer au Canada un consul Français. Je ne crois pas qu'il puisse y avoir en ce moment aucune objection contre ce désir[63] ».

C'était exactement ce que Drummond et ses collègues du ministère souhaitaient, et ce que sir Edmund Head avait confirmé officieusement à Belvèze en lui indiquant que le « gouvernement Canadien verra avec plaisir l'établissement d'un consulat Français[64] ». Le 24 août 1855, Drummond répondait, après avoir indiqué que les détails pourraient être discutés plus tard :

> [...] si comme vous nous en donnez l'espoir, Sa Majesté Impériale veut bien accréditer un agent diplomatique auprès du gouvernement de Sa Majesté la reine, dans la vue d'établir d'une manière permanente ces relations de commerce et d'amitié réciproques que le peuple de cette colonie désire ardemment voir renouées entre la France et le Canada[65].

La création d'un consulat général de France était donc souhaitée par le gouvernement du Canada tel qu'il était constitué en 1855, entérinée par le gouverneur général, chef constitutionnel d'un gouvernement responsable, et approuvée par lord Clarendon, secrétaire d'État aux Affaires étrangères. Ce fut la France qui se fit tirer l'oreille, ne créant le consulat qu'en 1859. Le premier titulaire du poste, le baron Charles-Henri-Philippe Gauldrée-Boilleau, faillit créer un incident diplomatique sérieux entre la France et la Grande-Bretagne un an à peine après son arrivée à Québec.

En 1860, le tout jeune prince de Galles, fils de la reine Victoria, futur roi Édouard VII, visita officiellement les colonies britanniques de l'Amérique du Nord. Gauldrée-Boilleau, enthousiaste, anxieux de jouer un rôle visible

---

62. *Rapport, op. cit.*, p. 63.

63. *Ibid.*, p. 98.

64. *Ibid.*, p. 71.

65. *Ibid.*, p. 95.

durant la visite du prince, offrit ses services au gouverneur général Head, qui s'en ouvrit au duc de Newcastle, secrétaire d'État aux colonies et qui accompagna le prince en qualité de mentor politique. Pragmatique, le duc répondit à Head :

> I think you had better find a good excuse for declining his invitation [...] He has no real standing in the Queen's Colony in respect of the Prince, and if he wishes to appear as representing the French Canadians such interlocutions between the Prince and them should be discountenanced[66].

Le duc suggérait à Head de faire preuve de beaucoup de doigté afin de ne pas avoir l'air de le soupçonner d'avoir semblable intention. Gauldrée-Boilleau se tint coi, mais ses rapports à Paris étaient enthousiastes !

Par ailleurs, le commandant de la station navale de Terre-Neuve, le marquis de Montaignac de Chauvance, de sa propre initiative, se rendit à Charlottetown à bord de son bâtiment, le *Pomone*, pour rendre ses hommages au prince de Galles, futur Édouard VII, artisan de *L'Entente cordiale*. Il y reçut un accueil particulièrement chaleureux de la part des Acadiens de l'île. Il n'y eut aucun incident et le tricolore français fut déployé avec faste, comme il en informait le ministre de la Marine, Chasseloup-Laubat[67].

Le mythe d'une disgrâce

Belvèze fut admis à la retraite en 1861 sans avoir été promu au rang de contre-amiral. Il se plaindra amèrement du traitement qui lui fut réservé, mais nulle part indique-t-il, même indirectement, qu'il ait été blâmé, ni surtout que le gouvernement de Londres se serait plaint à Paris de la mission de Belvèze au Canada[68]. Au contraire, son supérieur lui adressa des congratulations non équivoques :

---

66. Ian Radforth, *Royal Spectacle. The 1860 Visit of the Prince of Wales to Canada and the United States*, Toronto, Buffalo, London, University of Toronto Press, 2004, p. 26. – « Je crois que vous devrez trouver un bon prétexte pour décliner son invitation [...] Il n'a pas de rang dans la colonie de la reine en ce qui concerne le prince, et s'il souhaite représenter les Canadiens-français, une telle communication devra être déconseillée. » (Traduction de l'auteur.)

67. J. Portes, *La France [...]*, *op. cit.*, p. 91.

68. Pour une bonne compréhension du « cas Belvèze », lire J. Portes, « "La Capricieuse" au Canada », *Revue d'histoire de l'Amérique française*, *loc. cit.* : 366-368.

Je vous ai déjà fait connaître, M. le commandant, la satisfaction que j'avais
éprouvée du succès de cette entreprise qui a été conduite par vous avec autant
de tact que d'habilité [...] Après avoir pris connaissance de votre rapport
général sur votre mission, je me fais un plaisir de vous adresser mes félicita-
tions pour la manière distinguée dont vous l'avez remplie[69].

Mason Wade, et avant lui quantité d'autres dont Armand Yon et Éveline
Bossé, s'est fourvoyé en affirmant qu'il y eut « une froideur des relations qui
devint évidente entre les autorités britanniques du Canada et Belvèze – dont
le résultat fut une réprimande par le gouvernement français à la requête de
Londres [...][70] ». La source de ce mythe, répandu par Benjamin Sulte en 1873
dans son livre *Le Canada en Europe*, trouve peut-être son origine dans le commentaire émis à Québec en 1868 par le capitaine Desvaranne, commandant
du *Destrées* qui avait redouté l'enthousiasme populaire qui avait entouré *La
Capricieuse*. « Je pense que cette disposition des esprits déplut au gouvernement de la Reine car depuis 1855 aucun bâtiment de guerre ne vint visiter
Québec[71]. » On sait qu'il n'en fut rien, et Jacques Portes a fait bon marché
de ce mythe tenace que Séraphin Marion avait contribué à propager[72].

La popularité de Napoléon III

Le respect pour Napoléon III, empereur des Français, a été longtemps
manifeste au Canada, probablement parce qu'il reposait sur de solides assises
populaires, et cette popularité survécut longtemps au Second Empire. Deux
exemples suffiront.

Au mois de juillet 1860, Edme Rameau de Saint-Père effectuait son premier voyage en Acadie. Napoléon III l'avait fait incarcérer le 17 décembre
1851, et il ne fut relâché que le 8 février 1852, pour avoir collé des affiches
dénonçant le coup d'État et fait campagne publiquement pour le « non » au
plébiscite du 21 décembre. Jamais favorable à l'Empire, il réussit quand

---

69. *Ibid.* : 368.

70. Mason Wade, *Les Canadiens français de 1760 à nos jours*, Le Cercle du livre de
    France, 2ᵉ édition, tome 1, 1966, p. 330.

71. J. Portes, *La France [...]*, *op. cit.*, p. 72-73, note 86.

72. Séraphin Marion, *Les Lettres canadiennes d'autrefois*, Éditions L'Éclair, Hull/
    Éditions de l'Université d'Ottawa, vol. 4, 1944, p. 110 et 113.

même, et on ne sait comment, à intéresser Napoléon III au sort des colons Canadiens, mais surtout Acadiens.

En 1860, à la baie Sainte-Marie, secteur acadien et francophone de la Nouvelle-Écosse, il eut la stupéfaction de trouver dans une modeste maison où il était reçu à déjeuner, « le portrait en pied de notre infâme Empereur, et de celui de son épouse, ce qui d'une façon me choque, vu l'amour que j'ai pour le personnage [...][73] ». À son avis, seul un attachement viscéral à la France ancestrale pouvait expliquer la présence incongrue de ces gravures, car, poursuivait-il,

> [...] c'est en effet une chose très étrange dans ce pays ci, où les gravures de piété même à très peu d'exception près sont des gravures anglaises, de trouver ces deux portraits chez un habitant de ces côtes, qui n'ont aucune relation même indirecte avec la France, et ne peuvent se procurer ce qui vient d'elle que très difficilement et à très gros prix[74].

Il exista longtemps au Québec un important symbole pour rappeler la mémoire de Napoléon III. En 1856, deux navires en fer et à hélices, mus par la vapeur, furent construits à Glasgow, en Écosse. L'un fut baptisé le *Queen Victoria* ; c'est celui qui transporta les pères de la Confédération à Charlottetown. Son jumeau fut baptisé le *Napoléon III* et il servit de ravitailleur de phares et de baliseur. Il assurait le service depuis Québec jusque sur la côte du détroit de Belle-Île, à Anticosti et aux Îles-de-la-Madeleine[75]. Ces deux navires, avec d'autres, formèrent le noyau de la garde côtière canadienne lors de la Confédération.

Grâce au journal manuscrit d'un gardien de phare sur la côte nord du Québec, nous savons qu'en 1886, seize ans après la chute de l'Empire, le *Napoléon III* transportait la charpente et deux cloches destinées à la mission de Longue-Pointe, au Labrador. On apprend aussi que le même bâtiment avait, la même année, transporté la moitié des familles de Natashquan qui

---

73. Notes de voyage en Acadie, vendredi le 27 juilllet 1860, Centre d'études acadiennes (CEA), Université de Moncton, Fonds Edme-Rameau-de-Saint-Père 2-13.2.

74. *Ibid.*

75. Thomas E. Appleton, *USQUE AD MARE A History of the Canadian Coast Guard and Marine Services*, Ottawa, Ministère des Transports, 1969, p. 24-26, 37, 108, 117, 152-157 et 238.

allèrent s'établir dans la Beauce québécoise[76]. Le *Napoléon III* eut une longue vie puisqu'il alla s'échouer à Little Glace Bay, au Cap-Breton, en 1890, soit vingt ans après la chute de l'Empire et dix-sept ans après la mort de l'empereur. Il n'était venu à l'esprit de personne de changer le nom du navire.

Quoi de plus normal qu'un humble caboteur nommé en l'honneur de Napoléon III ait perpétué longtemps au Canada le souvenir du souverain qui donna tous ses soins à la Marine française, et qui permit, en 1855, la reprise des relations officielles entre la France et le Canada par le truchement de la mission de *La Capricieuse*.

---

76. Manuscrit de 281 pages, CEA, Fonds Placide-Vigneault, p. 156.

La *Capricieuse* dans les archives diplomatiques françaises. L'initiative et la décision

JEAN-FRANÇOIS DE RAYMOND
Université Paris X-Nanterre, professeur associé à l'Université Laval

L'arrivée de la corvette *La Capricieuse* à Québec le 13 juillet 1855, souvent présentée comme le retour de la France après 92 ans d'absence, a
suscité des études que mérite son importance pour l'histoire des relations
franco-canadiennes. Toutefois les conditions diplomatiques de sa préparation appellent un examen des lignes de force politiques et économiques
qui favorisèrent cet événement, et le repérage des initiatives et des décisions
qui lancèrent, il y a 150 ans[1], cette remontée du Saint-Laurent que rien ne
laissait prévoir.

On pourrait certes se demander si la dynamique des années 1854-1855,
qui apparaissent comme l'acmé des relations franco-britanniques et de
l'entente des deux souverains, n'a pas eu des effets d'entraînement : la
visite officielle du couple impérial à la reine Victoria le 16 avril 1855, où
Napoléon III renonçait à se rendre à Sébastopol, la venue en France de la
reine qui visitera, en août, l'Exposition universelle à Paris où la participation du Canada fut très remarquée, l'attention qu'elle portait d'ailleurs au
Canada français où elle ne pouvait oublier que son père, le prince Edward,

---

1. Jacques Portes, «"La Capricieuse" au Canada», *Revue d'histoire de l'Amérique
française*, XXXI, 3 (décembre 1977): 351-370; en même temps les travaux de Robert
Pichette, Éveline Bossé, Pierre Savard, Kinsman, en particulier.

duc de Kent, avait passé des jours heureux à Québec où il avait commandé
la garnison en 1791-1794, et où elle venait d'accorder, en 1852, la Charte
de fondation de l'Université Laval francophone et catholique ; en même
temps l'intérêt porté au Canada par Napoléon III, familier de l'Angleterre
où il avait séjourné à plusieurs reprises – tout convergeait pour favoriser des
actions symboliques.

Alors on est fondé à s'interroger sur les origines de la mission de *La
Capricieuse*, étrangement sortie des brumes de Terre-Neuve : émanait-elle de
conversations au plus haut niveau ou provenait-elle d'une initiative uni-
latérale et locale ? Les documents fondent la seconde hypothèse et éclairent
la chronologie des analyses et des débats diplomatiques. Mais avant de les
examiner, il convient d'abord de replacer l'affaire dans le contexte politique
et commercial où le moment de 1853-1855 s'avère d'autant plus favorable
que la situation en Orient, sur le continent américain et jusqu'à Terre-Neuve
portait la France et l'Angleterre à se ménager.

Le contexte politique et commercial

Le contexte international se caractérise par des lignes de force, objets
de l'attention des deux puissances dont les intérêts communs n'excluaient
pas des concurrences.

La politique des États-Unis sur le continent américain, où ils propageaient
leur influence et généraient une effervescence déstabilisatrice, inquiétait
l'Angleterre. Les correspondances diplomatiques font état d'interventions au
Nicaragua où « elle fait chaque jour des progrès plus marqués[2] », de menaces
sur les intérêts britanniques – Greytown avait été en partie détruite par une
expédition américaine et la Grande-Bretagne avait failli réagir vivement ; de
même au Brésil, au Paraguay[3], où la France surveillait le respect du droit de
navigation sur le fleuve. Les États-Unis cherchaient à obtenir un port de la
nouvelle République de Saint-Domingue dont ils refusaient de reconnaître
l'indépendance ; à Haïti on se plaignait de leurs « envahissements moraux[4] ».

---

2.   Ministère des Affaires étrangères [MAE], Correspondance Angleterre, 24 août 1854,
     nᵒ 697, fᵒ 20.

3.   *Ibid.*, 21 septembre ; fᵒ 116.

4.   *Ibid.*, nᵒ 697, fᵒ 36-39 ; nᵒ 698, fᵒ 81, 218 et 237.

On évoquait encore « un affaiblissement de la République mexicaine » et le projet d'« un nouvel agrandissement des États-Unis[5] ». Leur ministre à Londres, M. Buchanan, déclarait à lord Clarendon, chef de la diplomatie britannique : « Il faut que nous ayons Cuba », et on note en mars 1855 : « les États-Unis sont prêts à y intervenir[6] ». Il n'en allait pas autrement vis-à-vis de la France, comme le montre l'affaire Soulé, agent des États-Unis en Espagne, « agitateur démagogue » à qui l'entrée en France avait été refusée, Buchanan estimant que l'empereur « cherchait un motif de rupture » (*to pick a quarrel*) – tandis que lord Clarendon lui montrait « l'absurdité » de cette affirmation[7]. À l'automne 1854, le ton avait monté entre le gouvernement britannique et les États-Unis[8] ; on n'avait pas vu M. Buchanan depuis trois mois, on disait qu'il entretenait des relations avérées avec des socialistes européens[9].

Toutefois, devant ces « tendances de plus en plus envahissantes » des États-Unis et leurs « actes turbulents », le gouvernement britannique évitait d'envenimer les relations et il estimait qu'« il faut temporiser », comme le rapportent les correspondances, « afin de ne pas provoquer une crise prématurée ». La France partageait cette prudence, comme l'ambassadeur, le comte Persigny, le confirmera à lord Clarendon en jugeant qu'en tout état de cause, « il est de notre intérêt commun de nous entendre ensemble[10] ». Surtout, la France soutenait le développement de ses relations commerciales en Amérique du Nord, par l'établissement d'agences consulaires – ce fut le cas en 1850 à Québec et à Sydney en Nouvelle-Écosse, en 1854 à Saint-Jean de Terre-Neuve et à Halifax.

Or si l'Entente cordiale cimentée dans la guerre de Crimée devait, dans l'esprit des deux alliés, avoir un retentissement éclatant, leurs intérêts et les situations géopolitiques maintenaient un écart qui, sous la commune visée

---

5. *Ibid.*, 1855, n° 699, f° 202.

6. *Ibid.*, 1854, n° 697, f° 223.

7. *Ibid.*, f° 223.

8. *Ibid.*, 26 septembre, f° 126.

9. *Ibid.*, 28 octobre, f° 217 ; n° 694, f° 14.

10. *Ibid.*, 29 août 1854, n° 697, f° 39, 218. Persigny : ce partisan inconditionnel de l'empereur, désigné en mai 1855 comme ambassadeur à Londres en succédant à Walewski, nommé ministre des Affaires étrangères, qu'il n'estimait pas.

officielle, séparait les deux cabinets. L'idée dominante en Angleterre était qu'« il ne faut arriver à la paix qu'après un grand triomphe militaire[11] » et que « l'alliance des deux peuples doit avoir un résultat éclatant et non point une paix équivoque... » – le prince consort Albert estimait que « la guerre a bien plus pour objet la conquête du monde moral que du monde physique » et qu'il s'agissait de « la prépondérance de la France et de l'Angleterre en Europe ». De son côté, la France souhaitait mettre un terme dès que possible à cette guerre qui lui coûtait des sacrifices, qui compromettait l'avenir de ses relations avec la Russie et concernait l'Autriche catholique. L'ambassadeur de France avait instruction de le faire sentir au Cabinet britannique sans risquer de porter atteinte à l'Entente ; cela ne provenait, devait-on faire savoir, que « des différences de situation et non des sentiments communs[12] ».

Puis la commune perspective commerciale libérale incluait des négociations souvent délicates, concernant les relations maritimes et douanières pour lesquelles un projet de convention était à l'étude ; l'Angleterre demandait l'exemption de droits de tonnage jusque dans les ports d'Algérie[13]. Si l'Angleterre se dirige vers le libre échange – qui sera institué avec la France en 1860 –, les colonies anglaises d'Amérique du Nord ont latitude, depuis l'abolition du Pacte colonial en 1849, de développer leur commerce. Or, dans ces années, celui-ci révélait des possibilités nouvelles qui dépendaient d'un dynamisme à relancer. En 1854, les exportations du Royaume-Uni vers le Canada, même après avoir augmenté de 46 % en 1853, restent quatre fois et demi inférieures à celles destinées aux États-Unis[14] – ce qui justifie en même temps les préoccupations britanniques. L'agent consulaire de France à Sydney, John Bourrinot, futur sénateur canadien, plaidait ouvertement en faveur d'une intensification du commerce français, notamment de vins, d'alcools, d'« articles de Paris », qui trouveraient aisément des débouchés au Canada[15], estimait-il.

---

11.   Lettre de Persigny, ambassadeur à Londres, au comte Walewski, 5 juin 1855. Correspondance Angleterre, n° 701, f° 5, 14.

12.   Ibid., f° 6.

13.   MAE, Négociations commerciales, Grande-Bretagne, 1854-57, XIII, n° 15.

14.   Ibid., Correspondance commerciale, Londres, juin-décembre 1854, n° 41.

15.   Ibid., Consulat général de France en Angleterre, 15 novembre 1854, f° 347.

Certes la situation économique prospère à Québec[16] avait entraîné une augmentation du revenu public qui permettait de supprimer des droits sur nombre d'articles ; la construction navale était florissante – 91 navires sont lancés en 1853, jaugeant 53 000 tonneaux –, l'immigration progressait rapidement : Québec, qui comptait plus de 54 000 habitants, avait reçu 17 413 personnes, entraînant des ventes de terres... 13 lignes de chemin de fer étaient en activité, depuis l'unique voie créée en 1847. Les importations et exportations globales du Canada avaient augmenté de 57 % par rapport à l'année précédente, marquant un record dans une croissance depuis plusieurs années. Enfin, la guerre avec la Russie favorisait le commerce du Canada, qui fournissait les ressources manquantes, notamment du blé. Cette situation contribuait à assurer, à l'égard de l'Angleterre, la loyauté de la population dont le cœur demeurait attaché à la mère patrie.

Toutefois, la question de la pêche à Terre-Neuve demeurait délicate. Dans cette zone sensible, la France, qui n'était plus la puissance dominante, devait affirmer avec prudence et vigilance l'exercice de droits reconnus depuis le XVIIIᵉ siècle.

D'abord le contexte de la guerre de Crimée y créait une insécurité latente, une attaque de bateaux russes n'étant pas impossible, entraînant une certaine tension diplomatique avec l'Angleterre qui avait exigé que l'île ne fût dotée d'aucune défense. Toutefois, le ministre de la Marine estimant avoir le champ libre pour prendre les mesures que l'évolution de la situation recommanderait[17], des travaux seront effectués pour protéger la rade et le port de Saint-Pierre par de petites batteries pour 6 obusiers et 5 canons servis par 15 artilleurs et une vingtaine de soldats ; l'ambassadeur d'Angleterre, lord Cowley, ne manquera pas d'interroger le ministre des Affaires étrangères Édouard Drouyn de Lhuys sur ces mesures[18].

---

16. D'après le rapport du gouverneur général du Canada lord Elgin pour 1853 : « Commerce et navigation au Canada », transmis par le vice-consul à Québec, M. Ryan, au consul général de France à Londres : Correspondance commerciale, Londres, nᵒ 42, janvier-août 1855.

17. MAE, Mémoires et Documents, Angleterre, nᵒ 106, tome 1, 4 mars 1854, fᵒ 419.

18. Le traité de 1763 obligeait la France à ne pas fortifier les îles qu'elle recevait de l'Angleterre, à n'y établir que des navires de pêche et qu'une garde de 50 hommes pour la police. Ibid., fᵒ 439. Édouard Drouyn de Lhuys, diplomate traditionnel, expérimenté et cultivé (+ le 1ᵉʳ mars 1881).

Puis l'activité saisonnière de la pêche, exercée par plus de 10 000 marins et 300 bateaux morutiers, objet d'une surveillance bilatérale, demeurait une source permanente d'incidents. En 1853 des pêcheurs français avaient été chassés de zones où leurs bateaux étaient jusque-là tolérés, ce qui entraîna des plaintes d'armateurs. Des pêcheurs anglais se plaignirent à leur tour des navires français qui les auraient « expulsés violemment » de la baie Saint-Georges. Des négociations entreprises depuis 1844 au sujet de l'exercice du droit de pêche, puis interrompues depuis 1852, reprenaient en avril 1855, car selon l'expression du Ministre : « [...] nous devons à l'accord qui nous unit sur des questions plus graves, de faire disparaître, au moyen d'un arrangement précis et durable, une source inépuisable de contestations et de difficultés[19] ». Ainsi le moment 1853-1855 s'avère-t-il favorable à tous points de vue : politique, commercial, diplomatique, au développement des relations commerciales et aux initiatives – mais celles-ci devaient tenir compte de l'équilibre délicat maintenu entre la France et la Grande-Bretagne dans le contexte régional américain et dans le golfe du Saint-Laurent.

De la conception personnelle à la décision unilatérale

C'est dans ce contexte que jaillit l'étincelle qui, attisée par le ministre de la Marine, va lancer l'opération de la remontée du Saint-Laurent par *La Capricieuse.*

La suggestion du commandant de Belvèze

Cependant la station navale française de Terre-Neuve est commandée depuis le 8 janvier 1853 par le capitaine de vaisseau Paul Henri Belvèze (1801-1875) (de Belvèze pour les Affaires étrangères). Cet officier de 52 ans a sept ans d'ancienneté dans son grade, de brillants états de service, et aspire à une promotion comme contre-amiral. Son affectation à la station navale de Terre-Neuve l'avait modérément enthousiasmé : il eût préféré l'Orient et davantage d'action. Si bien qu'un an plus tard, à l'issue de cette campagne, il sollicite un autre commandement qui lui est refusé.

Cependant la station navale de Terre-Neuve a pris de l'importance : sa mission n'est pas seulement juridictionnelle et commerciale, mais la présence

---

19. Correspondance Angleterre, 1855, n° 700, 24 avril, f° 140.

des navires français revêt un aspect politique et psychologique pour l'ensemble de la zone. Elle veille jusqu'aux abords des Antilles, surveille les côtes de l'Acadie et informe sur le commerce maritime dans la région ; comme on l'a vu, la guerre de Crimée lui donne une position stratégique ; les démêlés annuels entre pêcheurs confèrent à sa mission un caractère diplomatique. Enfin elle est commandée par des officiers chevronnés – l'homologue britannique du chef de la station française, sir Arthur Fanshawe, est un contre-amiral. Belvèze saura d'ailleurs nouer avec lui des relations « pleines de cordialité » et qui seraient caractérisées, prévoit-il, « par un esprit de modération ». L'amiral l'avait assuré qu'il avait donné des instructions afin qu'une « tolérance positive » (forbearance) s'appliquât aux pêcheurs français – Belvèze avait su éviter toute évocation des représailles que son ministre lui avait ordonné de mettre en œuvre, si nécessaire[20].

Or, en même temps que la surveillance routinière, l'observation du mouvement des navires marchands sur les côtes de la Nouvelle-Écosse et dans le golfe du Saint-Laurent retient l'attention du commandant qui y discerne la possibilité pour la France d'y ouvrir et d'y développer un commerce fructueux, comme il l'indiquait dans une brève note au Cabinet où il jugeait que « le marché n'a pas été étudié » et que « le gouvernement français en est encore aux errements anciens[21] ».

Cette note au ton surprenant produit l'étincelle qui déclenchera sa mission. En effet, en suggérant la possibilité de développer le commerce maritime, Belvèze formule à la fois une hypothèse et une proposition : l'hypothèse « de combiner le service de la station avec une excursion dans le fleuve dont le but serait de connaître les ressources, les besoins et la condition commerciale de ce grand pays ». Cette hypothèse se précise par une proposition du commandant suggérant au Cabinet un contenu exceptionnel qu'il lui reviendrait de mettre en œuvre : « Je serais pour mon compte fort heureux [...] que le bureau des mouvements m'ouvrît dans ses instructions la voie de ces

---

20.   Ministère des Affaires étrangères (MAE), Angleterre, vol. 106, tome 1, f⁰ 426, 427 et note 19. Il lui reproche en même temps de n'avoir pas réagi manu militari en 1853, devant les « usurpations » des bâtiments de pêche anglais... ce qui pourrait conduire le gouvernement anglais à revendiquer un « droit spécial » par rapport à l'exercice de la pêche. MAE, MD Angleterre, vol. 106, tome 1, 4 février 1853, f⁰ 401 et 18 mars, f⁰ 409, 415.

21.   Note – non datée – pour M. Daries (cf. note suivante) et lettre du 24 mai 1854 communiquée au ministère des Affaires étrangères (MAE, MD Angleterre, vol. 106, ibid., f⁰ 425).

utiles investigations[22]. » Tout se trouve déjà ici, mais la décision n'appartient pas à Belvèze. Or l'accord se produit entre sa proposition et l'avis du ministre de la Marine, à qui le commandant adressera en octobre suivant, à sa demande, un rapport sur « Le commerce de la France dans le golfe Saint Laurent[23] », qui en une quinzaine de pages présente la réalité des échanges, les possibilités de leur développement et les avantages à en retirer sur divers plans – le rapport trouvait des arguments dans l'*Histoire du Canada*, de François-Xavier Garneau, que Belvèze avait judicieusement consulté.

Ainsi, vingt ans après les perspicaces observations d'Alexis de Tocqueville traversant au pas de course le Bas-Canada et cinq ans après le bref passage de l'auteur de *De la démocratie en Amérique* aux Affaires étrangères, Belvèze observe la montée de l'influence des États-Unis, préoccupé de ce que « notre parenté, notre langue, nos mœurs, nos croyances ne soient pas effacées par les influences de la civilisation américaine », et que d'une part des communications maritimes et commerciales intensifiées, d'autre part une intervention « habile et opportune » de l'État, rapportent « le double avantage », dit-il, – « le jour où les États-Unis seront aussi mêlés qu'ils le disent aux affaires générales du monde » –, de bénéfices commerciaux et de « sympathies » qui, ajoute-t-il, « pourraient n'être pas inutiles à la France[24] ». Cet exposé de la situation, adroitement présenté, sera communiqué quelques semaines plus tard au ministre des Affaires étrangères.

De l'autorisation à l'ordre de mission

L'étincelle ainsi attisée, le ministre de la Marine veut convaincre celui des Affaires étrangères de l'intérêt d'une telle mission : le 20 février 1855, l'entreprenant Théodore Ducos annonce ses intentions au prudent Drouyn de Lhuys : Ducos, ancien négociant, député de Bordeaux, est un chaud partisan de l'expansion maritime et coloniale[25]. Convaincu de l'intérêt de

---

22. Archives de la Marine (AM), BB4.685.

23. MAE, MD Angleterre, vol. 106, fo 425 ; AM, BB4.709, et octobre 1854, Archives nationales, F 12 6492.

24. *Ibid.*, son rapport.

25. Théodore Ducos (22 août 1801-18 avril 1855), ministre de la Marine et des Colonies depuis le coup d'État du 2 décembre 1851. Archives MAE : Minute in MD Angleterre, Terre-Neuve, vol. 106, tome 1, fo 444, et copie lettre dans AM, BB3.690, fo 69-71.

l'hypothèse de Belvèze, il «compte prescrire au Commandant de remonter le Saint-Laurent, afin d'étudier les débouchés que les marchés de ce fleuve [...] pourraient offrir à notre commerce». Il ajoute, en se plaçant sur le plan élargi qui n'est pas le sien mais, en principe, celui du chef de la diplomatie : «Le moment de montrer notre pavillon tant à Québec qu'à Montréal me paraît indiqué par la nature même de nos relations avec l'Angleterre et par les témoignages de sympathie votés par le parlement canadien à l'Armée de Crimée[26].» Le ministre de la Marine sollicite l'accord du ministre des Affaires étrangères :

> Mais avant de faire préparer les instructions que je me propose d'adresser à M. le capitaine de vaisseau Belvèze, je désirerais savoir si, <u>au point de vue de la politique extérieure ou de nos intérêts en général</u> – vous n'auriez aucune observation à présenter sur la ligne de conduite à suivre par cet officier supérieur dans les circonstances actuelles[27].

La réponse de Drouyn de Lhuys, le 6 mars, s'avère pour le moins réservée, s'agissant de «ce projet de montrer notre pavillon au Canada, pour la première fois depuis que nous avons perdu ce pays à la suite d'une guerre malheureuse et mal conduite», rappelle-t-il. Il distingue le droit et l'opportunité : «le droit que nous avons de le faire ne me paraît pas douteux [...]. Mais j'hésite – avoue-t-il – à me prononcer sur la convenance d'une pareille mesure qui ne s'expliquerait par aucun intérêt actuel et sensible, notre marine marchande ne prenant qu'une part insuffisante au commerce du Saint-Laurent et ne demandant en conséquence ni protection ni surveillance des bâtiments de l'État dans ces parages. Je sais que nos relations avec l'Angleterre sont assez amicales pour que la présence d'un bâtiment de la marine impériale à Québec ne coure pas le risque d'être mal interprétée par les autorités britanniques. Je crois aussi qu'il recevrait de la population canadienne un excellent accueil.»

La minute de la lettre trahit des hésitations dont témoignent des mots barrés. Il se réfère aux «souvenirs que la France a laissés dans son ancienne

---

26. Le 13 mars le Parlement du Canada avait donné 20 000 £ sterling pour venir en aide aux veuves et aux orphelins des soldats des armées alliées morts à la bataille de l'Alma.

27. MAE, MD Angleterre 106, *ibid.*, f° 444 v°. Souligné par le ministre des Affaires étrangères avec une note manuscrite en marge : «Le Directeur des Consulats examine en ce moment le travail de M. de Belvèze sur le Canada», c'est-à-dire son rapport sur le commerce de la France dans le golfe du Saint-Laurent (remis en octobre 1854) et transmis aux Affaires étrangères.

colonie» et à «l'alliance actuelle des deux gouvernements». Il ajoute : «Ce n'est pas d'ailleurs de nous que l'Angleterre se préoccupe pour l'avenir du Canada» – allusion à l'effervescence politique des États-Unis. «Mais il faudrait, ce me semble, des motifs et des intérêts aussi évidents que considérables pour faire reparaître le pavillon français dans des contrées qui ont cessé d'appartenir à la France sur un bâtiment de guerre [...].» Pourtant il ne nie pas l'intérêt d'un examen : «J'applaudis cependant au projet de faire étudier les débouchés que le Saint-Laurent devrait en effet offrir (fournir) à notre commerce et je vais, en nous appuyant sur l'intéressant mémoire de M. le Capitaine de Belvèze, me concerter avec M. Rouher [ministre de l'Agriculture et du Commerce] pour signaler cette question à nos principaux ports de l'Océan [...]. Mais – conclut-il – jusqu'à ce que le commerce français ait pris la direction du Canada, je crois qu'il serait prématuré d'y envoyer des vaisseaux de l'État, dont la visite ne répondrait à aucun des besoins ordinaires qui justifient leur apparition dans un pays étranger[28].»

Le ministre des Affaires étrangères inversait la logique de Ducos, comme celui-ci le résumera en réitérant sa proposition, trois jours plus tard. Cette fois le ministre de la Marine présente le cas comme «justifiant une exception» : «Sans doute la présence d'un navire de guerre est sans objet pour la protection du commerce, là où le commerce n'existe pas», dit-il, mais, en prenant une position politique en faveur de l'intervention de l'État pour lancer l'activité économique, il ajoute :

> [...] dans un pays comme la France, dont l'industrie privée manque au plus haut degré d'initiative et ne se lance qu'avec une extrême répugnance dans toute spéculation nouvelle et surtout lointaine, le devoir du gouvernement, déclare-t-il de son propre chef, ne me paraît pas consister seulement à assurer la sécurité de ses navires marchands [...] il doit encore, et c'est là son plus beau rôle, employer tous ses efforts pour ouvrir de nouveaux débouchés à son commerce et leur aplanir des difficultés [...].

Enfin convaincu de la convergence des facteurs favorables et de sa fidélité aux vues de l'empereur, Ducos fait observer au ministre des Affaires étrangères l'opportunité de l'action : «quel moment pourrait être mieux choisi pour la mise à exécution d'un projet...» ? Outre les considérations commerciales, la situation politique vis-à-vis de l'Angleterre y incite, puis la France a gardé les sympathies du Canada ; ainsi le vote récent du Congrès (canadien) pour

---

28. *Ibid.*, f⁰ 445.

des dons aux armées alliées[29] «mérite tous nos remerciements et pourrait être un motif de plus de faire apparaître un bâtiment de la Marine impériale à Montréal». Un post-scriptum ajoute: «notre commerce croit que le Saint-Laurent lui est fermé», et donc une telle mission lui ouvrirait les yeux.

En ce mois de mars 1855, la décision prend corps. La réponse du ministre des Affaires étrangères au ministre de la Marine, le 13 mars, atteste un consentement, assorti toutefois de la formulation de craintes sur les risques du projet, mais il renvoie l'opération à la responsabilité du ministre de la Marine et la conditionne par ses justifications commerciales: «il doit me suffire de vous avoir fait connaître mon impression». Toutefois, ne voulant pas rester en arrière de la réussite probable d'une première visite au Canada, il annonce, au futur antérieur, la part qu'il aura eue à son succès, en même temps qu'il égratigne la mentalité du milieu corporatif auquel appartient Théodore Ducos: «je serais donc le premier à me féliciter de ce que le voyage de M. Belvèze dans le Saint-Laurent eût pour résultat de dissiper l'ignorance et de stimuler l'apathie de nos armateurs[30]». L'accord du gouvernement est donc réalisé et formulé par ces échanges entre les ministres concernés, à partir de l'initiative de Belvèze.

Les instructions parviendront au commandant le 28 avril, mais par l'amiral Hamelin qui venait de succéder le 19 avril à Théodore Ducos, décédé la veille – l'amiral partageait les visées maritimes et coloniales de son prédécesseur. Or vingt jours plus tard, le 8 mai, Alexandre Colonna Walewski succédait aux Affaires étrangères à Édouard Drouyn de Lhuys, qui venait de démissionner après un désaveu public de sa politique autrichienne par l'empereur[31]. On ne saurait oublier les difficultés personnelles de Drouyn de

---

29. *Ibid.*, 9 mars, f⁰ 447-449. Et cf. note 29. L'empereur avait remercié le 27 février 1855 (Archives du Séminaire de Québec, Document Faribault, n⁰ 246).

30. MAE, MD Angleterre, vol. 106, 13 mars, f⁰ 450.

31. Ferdinand Alphonse Hamelin (2 septembre 1796-16 janvier 1864). Napoléon III n'avait pas hésité, afin de ménager l'Angleterre, à désavouer la politique de Drouyn de Lhuys qui cherchait un rapprochement avec l'Autriche. Toutefois, si l'empereur considérait son ministre, celui-ci se défiait des réactions de son souverain. Sa démission subite étonna autant que son remplacement par Walewski, fils de Napoléon 1er et de Marie Walewska (+ le 27 septembre 1865), même si ce dernier avait réussi dans son ambassade à Londres, où trois ans auparavant il avait succédé à Drouyn de Lhuys avec qui il ne s'entendait pas. Les initiatives de Walewski, convaincu des bienfaits de l'Entente cordiale dont il était un artisan, visaient à resserrer les relations avec l'Angleterre.

Lhuys avec Napoléon III, et l'ambition de Walewski, artisan du rapprochement avec l'Angleterre – le changement presque simultané des ministres de la Marine et des Affaires étrangères accélère la dynamique du processus politique.

Ces instructions n'étaient pas seulement un *nihil obstat* qui eût levé une interdiction, mais elles constituaient un ordre de mission qui commandait à Belvèze d'exécuter ce qu'il avait lui-même proposé. Elles demeuraient ouvertes, laissant à l'agent la latitude de l'adaptation aux personnes et aux circonstances, mais elles lui rappelaient «les considérations commerciales [qui] seules motivent la présence de notre pavillon dans le Canada» – tout en lui demandant d'obtenir des informations et de nouer des conversations – en réalité de nature politique – en lui indiquant la période appropriée : «vers le 1er juillet», et de ne pas prolonger son séjour dans le Saint-Laurent «au-delà du temps strictement nécessaire à l'objet de votre [sa] mission[32]».

Le commentaire reprend l'argumentation de Ducos, concernant le rôle moteur de l'État. Le ministre de la Marine évoque «Le souvenir que la France a laissé dans son ancienne colonie et l'alliance actuelle des deux cabinets», qui «me sont garants, estime-t-il, que vous recevrez un excellent accueil sur la rive du fleuve que vous allez parcourir» ; mais il lui recommande toute la discrétion qu'imposent cette référence historique et la situation actuelle : «il convient que vous conserviez une attitude pleine de réserve et que vous vous teniez en garde contre toute manifestation à laquelle les autorités britanniques ne devraient prendre aucune part». L'amiral Hamelin insiste : «Votre mission est purement commerciale et il importe qu'elle ne reçoive pas une fausse interprétation. Je compte d'ailleurs sur votre prudence et votre sagacité pour éloigner tout sujet de défiance légitime.» Il fallait en effet éviter qu'on pût évoquer sur place une prétention de révision de l'histoire, et regarder l'arrivée d'un navire de la Marine impériale en interprétant le titre de l'ouvrage : *Le Canada reconquis par la France*, publié deux ans auparavant par Guillaume Barthe, dont la *Lettre sur le Canada* exprimera en novembre suivant des sentiments du peuple canadien-français[33].

---

32.   7 et 28 avril, AM, BB4.726, f⁰ 151-152.

33.   A. M. de Monmerque, pseudonyme de Joseph-Guillaume Barthe, *Lettre sur le Canada*, 1er novembre 1855, p. 1-16. Barthe, né en Acadie le 15 mars 1816, avocat à Montréal, élu à l'Assemblée législative, séjourna en 1853-1855 à Paris, où il fréquenta les milieux

Toutefois, cette prudence n'excluait pas une obligation d'efficacité :
« je me plais à penser que les résultats de l'exploration que vous allez entreprendre auront une influence salutaire sur l'ouverture des relations directes
entre la France et le Canada ». Les trois objectifs de la mission de Belvèze,
clairement indiqués, consistaient, d'une part, dans l'établissement d'un
Consulat français à Montréal dont la question « est aujourd'hui à l'étude » –
le ministre l'invitait à examiner « l'opportunité de la mesure réclamée, comme
des dispositions du gouvernement local à ce sujet » – ; d'autre part, dans la
négociation de droits de douane concernant notamment des vins et eaux-
de-vie, qui demeuraient frappés de taxes élevées (à 25 %) ; enfin, s'agissant
de « la morue que nos armateurs pêcheront à Terre Neuve et qu'ils voudraient
vendre sur le marché canadien », menacée par « la concurrence du poisson
américain qui est admis en Canada en franchise complète », si le droit de
12 % qui atteint nos morues « était réduit dans une certaine proportion »,
« nous pourrions soutenir la lutte avec d'autant plus de chances de succès,
que les primes accordée par l'État à l'exportation des morues françaises
constituent un avantage dont les morues des États-Unis ne jouissent pas ».

L'amiral souligne lui-même le paradoxe de cette mission officiellement commerciale, conduite par un officier de la Marine appelé à faire preuve
de qualités diplomatiques dont les instructions provenant des Affaires
étrangères niaient leur désignation :

> Votre mission n'ayant pas un caractère diplomatique, vous ne pourrez sans doute
> ni poursuivre ni obtenir une solution immédiate, convenait-il ; mais je me plais
> à penser que vos investigations personnelles éclaireront le gouvernement sur
> les démarches ultérieures qu'il aurait à faire, en vue de l'extension de nos
> relations commerciales et maritimes avec le Canada[34].

Le processus de décision interministériel, aussi progressif qu'il soit, s'avère
donc clair – davantage, à vrai dire, que le statut de l'envoyé missionné par
le ministre, ce qui apparaît dans la présentation et la représentation de cette
mission, comme le confirment deux ensembles d'indications sur l'annonce
de la mission et sur sa désignation au Canada.

---

politiques et culturels. Il présente une apologie enthousiaste, fidèle à l'esprit commun
du Canada français « abandonné par la France à la chute de Montcalm », qui veut se
différencier de l'image naïve « des bucoliques de M. Marmier ou des pastorales de
M. Ampère » (p. 10).

34. AM, BB4. 726, fº 151-155.

L'annonce de la mission clarifie la question de son origine. D'abord, l'information parvient au Canada par le canal du vice-consul de France à Québec, Edward Ryan, qui la reçoit directement de Belvèze : le commandant lui annoncera lui-même, le 3 juin, de Saint-Pierre, un mois avant son départ, l'arrivée prochaine de *La Capricieuse* en lui demandant de lui réserver un pilote du Saint-Laurent. Ensuite, Ryan communiquera – sans hâte – au consul général de France à Londres dont il relevait, l'arrivée prochaine de la corvette française. Cette visite « se rattacherait, rend-il compte au conditionnel, à certains arrangements commerciaux dont il [le commandant Belvèze] serait chargé de poser les premières bases et qui auraient pour but de donner un nouvel essor aux relations du Canada avec la France[35] ».

L'autre indication, au triple intérêt, tient à la réaction du consulat général de France à Londres – elle n'est pas moins éclairante. D'une part, le consul général rend compte de ces informations au ministre des Affaires étrangères Walewski, à qui son commentaire du message de Ryan atteste à l'évidence l'ignorance, dans laquelle se trouvaient les représentants diplomatiques français à Londres, du projet de cette mission, lorsqu'il déclare : « Notre agent consulaire exagère, je crois, la portée de la mission confiée à M. de Belvèze », car, estime logiquement le consul général, si Belvèze avait reçu de telles instructions, le ministre de la Marine se serait concerté avec le ministre des Affaires étrangères[36] ! En effet ! Il joint un article de la presse locale[37], que lui a communiqué Ryan, évoquant le contexte, l'événement et ses avantages commerciaux attendus. D'autre part, ce court-circuit de l'administration inverse à nouveau le sens de l'initiative : ici c'est l'agent consulaire – britannique – Edward Ryan, mais non le ministre français des Affaires étrangères ni le consul général à Londres, qui propose d'ouvrir un consulat de France à Montréal et, de surcroît, d'y faire nommer son propre frère. Enfin, le consul général à Londres entérine seulement auprès de son ministre le constat et les recommandations de son agent à Québec : « Les développements que prend à Montréal le commerce français me paraissent justifier la proposition qui m'est faite par M. Ryan d'y établir une agence

---

35. Le 3 juin. MAE, Correspondance commerciale Londres, n° 42, janvier-août 1855, f° 392.

36. *Ibid.*, visite projetée au Canada du capitaine de vaisseau Belvèze.

37. *Morning Chronicle*, lundi, 2 juillet 1855 : « Les ports principaux des possessions anglaises de l'Amérique du Nord ».

consulaire spéciale », et de la confier à son frère[38]. Cela confirme encore que personne n'était averti de la mission de Belvèze qui demeurait – jusqu'à l'annonce par ses soins – seul détenteur des intentions politiques et diplomatiques des ministres dont il avait su obtenir des instructions, ce qui répond à la question initiale sur les origines de cette mission.

Le commandant avait demandé le 18 juin au ministre l'autorisation d'effectuer la remontée du Saint-Laurent sur *La Capricieuse* pour des raisons d'image, comme nous dirions aujourd'hui, le *Gassendi*, qui portait sa marque, étant disgracieux, ancien, d'installation médiocre, son équipage de moindre qualité, estimait-il ; au total, la convenance diplomatique renforçant sa fierté, « il est peu flatteur de montrer après un siècle d'absence, un aussi pauvre échantillon de notre marine militaire » , tandis que *La Capricieuse* est « élégant et bien armé », et que « la navigation en aval de Québec, ne rend pas l'emploi de la vapeur indispensable[39] ». Belvèze appareille le 5 juillet de Sydney, sur la côte de Nouvelle-Écosse. À l'île Verte, il prend la remorque du steamer *Advance* qui lui est dépêché. Le vaisseau *Admiral*, second vapeur, porte à son bord une députation de trois membres du gouvernement qui lui présentent « les premiers compliments de bienvenue et l'expression de la satisfaction que donnait aux habitants du Canada la mission de *La Capricieuse* ».

Or cette venue d'un navire de la Marine française appelait une présentation évitant toute ambiguïté, mais elle demeurait néanmoins triplement paradoxale. D'une part, la population canadienne l'interprétait comme le signe de liens renoués, mais elle ignorait que son étincelle, alimentée par des échanges interministériels laborieux, émanait d'une initiative individuelle et non d'une vision historique des Tuileries.

En même temps, le commandant désignait sa présence comme résultant de « la mission que Sa Majesté m'avait confiée » – formule dont il usa dans ses discours et dans le compte-rendu adressé au ministre de la

---

38. MAE, Correspondance commerciale Londres, *ibid.*, f° 393. Thomas Ryan (1804-1889), d'origine irlandaise, fit ses études chez les Jésuites dans le comté de Kildare. Les deux frères émigrèrent au Canada après 1822. Ces riches négociants et armateurs, qui contribuèrent au développement de l'infrastructure commerciale du Canada, étaient respectés dans la population. Gerald J.J. Tulchinsky et Alan R. Dever, « Ryan, Thomas », *Dictionnaire biographique du Canada*, XI, www.biographi.ca.

39. AM, BB4.724. La réponse du 18 juillet approuve sa proposition. BB4.726, f° 157.

Marine – et dont le Cabinet communiqua une «Copie pour l'Empereur» (elle sera rayée et remplacée par «la mission de "La Capricieuse"»)[40] – et par laquelle il revêtait le statut de l'envoyé que le Canada accueillait comme son représentant. Mais s'il tenait son rôle, conformément aux instructions, il était mis en situation d'outrepasser son statut en impliquant «l'Empereur».

Enfin, officiellement reçu par le gouverneur général du Canada, sir Edmund Walker Head, c'était comme «le représentant de la grande puissance alliée de l'Angleterre», même si à travers cette réalité de droit, la population lisait, malgré les tournants de l'Histoire depuis 1759, «le retour de la France», selon l'expression d'Octave Crémazie[41].

En conclusion, les correspondances diplomatiques montrent que l'étincelle originelle provient de l'initiative du commandant de Belvèze, immédiatement adoptée par le ministre de la Marine Théodore Ducos, puis mise en œuvre par son successeur l'amiral Hamelin, à travers de laborieuses communications interministérielles attestant les réserves de Drouyn de Lhuys puis l'appui de Walewski, dans le contexte des relations internationales que l'on sait et celui de la politique française d'expansion. Cette décision prise au niveau ministériel entraîna l'arrivée de *La Capricieuse* à Québec, qui fut un événement considérable sur le plan symbolique et celui des relations globales entre le Canada et la France.

---

40. *Ibid.*, lettre du 20 juillet, timbre à l'arrivée : 15 août.

41. *Le Moniteur universel*, 8 août 1855. Octave Crémazie (1827-1879) désignant «Albion notre foi, la France notre cœur», et évoquant «le retour de nos gens».

La Capricieuse (1855).
Entre France, Grande-Bretagne et Louisiane

JACQUES PORTES

Université Paris 8 – Vincennes–Saint-Denis

La recherche menée sur *La Capricieuse* et le commandant Belvèze dans les archives du ministère des Affaires étrangères et dans les dossiers de la Marine[1] était la première dans ce type de documents indispensables pour analyser un tel événement. Il ne s'agit pas dans les pages qui suivent de revenir sur ces travaux, qui sans prétendre être définitifs avaient fait le point sur une question controversée au Québec : la venue de cette corvette française à Québec signalait-elle un changement de la politique de Napoléon III à l'égard d'une ancienne colonie perdue ; l'accueil enthousiaste de la population n'avait-il pas nui à la carrière de l'officier français ? Dans les deux cas, la réponse était négative sans la moindre ambiguïté : l'empereur n'avait jamais porté la moindre attention au Canada et Belvèze n'a pas eu la carrière qu'il espérait en raison des ses démêlés avec ses supérieurs alors qu'il mettait toujours en avant le succès de sa mission canadienne.

Pourtant, il restait à connaître les réactions de la Grande-Bretagne métropole coloniale du Canada, non pas tant sur la genèse de la mission que face aux débordements d'enthousiasme qui l'ont entourée, puis à comprendre, à l'aide de l'exemple du centenaire da la vente de la Louisiane,

---

1. Jacques Portes, «"La Capricieuse" au Canada», *Revue d'histoire de l'Amérique française*, XXXI, 3 (décembre 1977): 351-370.

quelle était la politique nord-américaine de la France, aussi bien sous le Second Empire que sous la Troisième République.

Une très grande circonspection

Drouyn de Lhuis, ministre des Affaires étrangères de Napoléon III, a freiné les ardeurs de son collègue de la Marine et a mis des bornes très précises à la mission finalement accordée à Belvèze : celle-ci devait rester strictement commerciale, afin de profiter de la très récente libéralisation des échanges – les *Corn Laws* ont été abolies en 1846 par le Parlement britannique, ce qui a mis fin au mercantilisme et conduit au libre-échange en 1860 –, et ne devait présenter aucun caractère diplomatique. L'initiative locale du commandant de la flottille de Terre-Neuve, détachée pour l'été de l'escadre des Antilles, s'explique par la tristesse du séjour, dans l'odeur permanente du poisson, avec l'accueil austère des autorités locales de Saint John, quand des contacts ont lieu : Belvèze a eu envie de bouger. D'ailleurs certains de ses prédécesseurs et de ses successeurs à la surveillance des droits de pêche ont laissé leurs souvenirs sur ces périodes bien peu attrayantes de leur carrière[2]. Pour un officier comme Belvèze, lancé dans le milieu parisien (George Sand mentionne son nom dans l'une de ses correspondances) quand il ne navigue pas et alors qu'il est dépourvu d'ambition littéraire, la perspective d'une « excursion » au Canada permettra au moins d'égayer le séjour.

Le Quai d'Orsay, bien informé par ses agents consulaires et fort de ses traditions, tient à « ne pas éveiller les susceptibilités britanniques[3] » par une mission qui pourrait être mal comprise, alors qu'elle ne recèle aucune intention suspecte. C'est pourquoi les décisions demeurent prises au niveau local, pour bien marquer l'aspect secondaire de l'envoi de *La Capricieuse* dans le Saint-Laurent.

La prudence extrême de Drouyn de Lhuis pourrait n'avoir pas suffi, du fait de l'enthousiasme manifesté par les Canadiens français, plus que de celui des habitants du Haut-Canada restés seulement curieux. Dans de tels cas, le Foreign Office (FO) aurait pu faire connaître ses sentiments au sujet de cette mission.

---

2. Ronald Rompkey, *Terre-Neuve. Anthologie des voyageurs français, 1814-1914*, Rennes, Presses universitaires de Rennes, 2004.

3. Drouyn de Lhuis à Ducos, Paris, 13 mars 1855, Archives du ministère des Affaires étrangères (AMAE).

La sérénité britannique

Une recherche précise et complète dans les archives du FO concernant les rapports de la Grande-Bretagne avec la France, entre 1854 et 1855, ainsi que dans celles du Colonial Office (CO) relatives au Canada pendant la même période, puis dans la *Canada Gazette* – dont les pages n'étaient pas coupées – a montré que ni *La Capricieuse* ni le commandant Belvèze n'avaient suscité la moindre attention du gouvernement britannique. Et les références parfois citées sur ce sujet ne correspondent à aucun dossier identifiable pour l'archiviste de service[4].

Pourtant, les relations sont intenses entre les deux pays et touchent à de multiples sujets, au-delà de la guerre de Crimée, qui domine : ainsi une correspondance traite de versements effectués par la France en faveur de veuves canadiennes-françaises.

Cette absence de *La Capricieuse* prouve que le ministre des Affaires étrangères avait parfaitement atteint son but et n'avait pas irrité le lion britannique : les deux pays étaient alliés et le Canada ne suscitait aucun malentendu.

L'absence de documents reste frustrante, mais le *Times* de Londres est venu apporter un point final à cette histoire, en donnant son avis de quotidien semi-officiel.

Le 2 août 1855, le journal place en titre : « Réception d'une frégate française à Québec[5] » :

> Les historiens du Canada placeront les événements d'hier parmi les faits mémorables des annales de ce pays. Depuis la Conquête, il y a 96 ans, aucun navire de guerre français n'avait jeté l'ancre sous les fortifications de Québec, et certainement aucun n'avait jamais été reçu avec plus d'enthousiasme que « La Capricieuse » l'a été ; elle est arrivée un peu avant 7 heures hier soir, après une navigation de 9 jours depuis Sydney [...].

---

4. Sir E. Head à son ministre, Montréal, 27 juin 1855, Colonial Office, Ind. 12935, nᵒ 6560, dans J. Portes, « "La Capricieuse" au Canada », *Revue d'histoire de l'Amérique française, loc. cit.* : 359.

5. La traduction est de J. Portes : le distingué journaliste ne connaît pas les types de navire et prend une corvette, même mot en anglais, pour une frégate ; il s'agit d'un article du *Québec Morning Chronicle* choisi au milieu de beaucoup d'autres par le grand quotidien londonien, qui n'a pas de correspondant sur place.

L'article poursuit sur la réception du navire et de son équipage sous une pluie battante : « il est salué par 21 coups de canon alors que le drapeau français a été hissé sur la citadelle de Québec ; le gouverneur-général a reçu en personne le commandant Belvèze, comme le maire de la ville l'a fait et la municipalité avait voté un budget de $ 1000 pour les festivités auxquelles ont été conviés en grand nombre les habitants. Un bal respectant la tempérance a eu lieu sur la terrasse Durham, pour un ticket d'entrée de 10 ¢ ».

Ces quelques développements sont significatifs : les autorités canadiennes étaient très conscientes du caractère exceptionnel de l'événement, mais l'ont relégué sur un plan historique, bien révolu. Elles ont pris les devants et ont fait les choses en grand pour la réception du navire et des officiers d'un pays allié de la métropole et ont pris soin d'y associer la population. Elles ont ainsi voulu désamorcer les risques d'explosion populaire ou d'échauffourées et, finalement, n'ont pas si mal réussi, au moins sur le moment. Les troubles de 1837 étaient dans toutes les mémoires, mais, cette fois, les citoyens ne pouvaient rien reprocher à un gouvernement qui faisait si bien les choses.

L'affaire de *La Capricieuse* doit donc être bien replacée dans ce contexte historique : habileté sur le plan local et refus de la France de lui donner une signification politique. Or, la politique française en Amérique du Nord obéit à une continuité frappante dans la prudence extrême ; même si d'aucuns sur les bords du Saint-Laurent et du Mississippi ont pu parfois le regretter.

La France en Amérique : profil bas

En 1855, Drouyn de Lhuis avait avancé comme argument pour réfuter l'enthousiasme des marins la défaite de la France à Québec en 1759 et la perte de la Nouvelle-France : pour une question de prestige, il était maladroit d'envoyer une corvette rappeler un événement si humiliant pour l'honneur national. Finalement, la mission a eu lieu sans réel problème, mais le *Times* a cru bon, non sans cruauté, de rappeler le souvenir de la Conquête.

Le ministre des Affaires étrangères de Napoléon III était-il particulièrement pusillanime ou ses successeurs ont-ils suivi sa tradition ?

La célébration du centenaire de la vente par la France de la Louisiane aux États-Unis donne l'occasion de répondre à cette question. À partir de 1901, la Société historique de la Nouvelle-Orléans a organisé les festivités et a cherché à obtenir une forte représentation française. L'événement a commencé à prendre forme et une invitation a été lancée au président de la République Loubet. Le ministre des Affaires étrangères, Théophile Delcassé, n'envisage pas une seconde d'accepter cette proposition et prétexte un calendrier trop chargé, mais la véritable raison est qu'il faut garder en toute chose une « mesure » et en faire assez mais pas trop : « il ne me semble pas qu'il y ait de raison suffisante pour organiser une nouvelle "mission Rochambeau" à l'occasion d'un anniversaire si différent du premier[6] ». La vente de la Louisiane a été légitime et rationnelle, mais elle n'a certainement pas été glorieuse, à l'opposé de la célébration en 1902 de Rochambeau – un incontestable héros pour les deux pays. Le président n'ira pas à la Nouvelle-Orléans et l'ambassadeur Jean-Jules Jusserand fera des merveilles pour contourner la difficulté dans son discours à Saint Louis en mai 1903, lors de l'ouverture de l'exposition universelle placée sous le signe de l'achat de la Louisiane : il louera le développement par les Américains du territoire de la Louisiane tout en saluant la réussite des splendides nouvelles colonies de la France.

En 1903, la question se pose de la rivalité avec l'Allemagne, absente en 1855, mais le type de raisons avancées par les deux ministres à un demi-siècle de distance est tout à fait comparable. Dans les deux cas, les ministères discutent au sujet du navire qui sera choisi dans ces manifestations : il faut qu'il soit adéquat, mais pas trop important. La France ne peut célébrer, ni accorder trop de place à des événements de son histoire honteux ou peu valorisants : à Québec comme à la Nouvelle-Orléans, il y a d'autant moins à gagner pour le prestige de la France que le gouvernement français n'a aucune visée politique à l'égard de ces territoires, qui seule pourrait justifier une attitude plus audacieuse.

La France, quand il s'agit de territoires perdus, adopte un profil bas, sous la République comme sous l'Empire : la Louisiane pas plus que la Nouvelle-France n'est un enjeu stratégique, alors que l'alliance britannique ou américaine l'est sans aucun doute.

---

6. Théophile Delcassé à Jean-Jules Jusserand, Paris, 21 août 1903, AMAE, Correspondance politique, Louisiane.

La venue de *La Capricieuse* à Québec et ses suites n'appartiennent donc pas au champ des relations internationales, mais à celui de l'histoire sociale des Québécois, ce sont eux seuls qui ont réagi, écrit, chanté à propos de cet événement; comme l'indiquait le *Times*, ils ont inscrit cet événement dans leurs annales et en ont fait une date significative.

Conclusion

La mission française dans le Saint-Laurent a néanmoins contribué, quatre ans plus tard, à la création d'un consulat de France à Québec, qui était programmée indépendamment d'elle et dont le but est resté essentiellement commercial – le souhait de Belvèze d'en faire un centre culturel avant la lettre n'a pas été entendu. Pourtant, à partir de ce moment-là, les échanges officiels entre la France et le Canada peuvent se mettre en place avec l'arrivée du consul Gauldrée-Boilleau et l'envoi d'Hector Fabre à Paris; ils renforceront les très nombreux liens personnels, souvent culturels, qui existaient déjà et qui, désormais, ne feront que croître. La mission de *La Capricieuse* a également inauguré une constante dans les relations franco-québécoises, sans que le ministre ne s'en doute : la priorité accordée au commerce pour justifier le rapprochement; or dans ce cas, comme dans les autres ultérieurs, les résultats n'ont jamais été à la hauteur des ambitions. La valeur des échanges commerciaux a très rarement atteint 2 % pour chacun des deux pays[7].

Finalement, au XIXᵉ siècle et dans la première partie du suivant[8], l'encadrement officiel des relations franco-québécoises n'a pas eu un effet déterminant sur leur développement, assuré surtout par la vitalité des individus et la richesse des réseaux.

---

7. L'échec des négociants rochelais dans la période précédente confirme qu'il s'agit d'une réalité de longue durée.

8. À l'opposé de ce qui se passera à partir de 1960.

La Capricieuse en 1855 : célébrations et significations[1]

PATRICE GROULX

Chercheur indépendant, associé à l'Université Laval

Introduction

Reprenons la métaphore marine de ce colloque. Lorsque Paul-Henri Belvèze, commandant de *La Capricieuse*, remonte le Saint-Laurent, il explore aussi une mémoire mal connue par la France, dont il ne sait si elle sera utile ou nuisible. La manœuvre est malaisée, puisqu'il faut aller contre l'écoulement normal du temps vers l'avenir. Heureusement, le vent des circonstances est favorable : la France et le Royaume-Uni sont alliés dans la guerre d'Orient, les lois sur la navigation s'assouplissent et une très forte partie de la population est d'origine française. Il faut éviter un écueil : si la réception enthousiaste des Canadiens français suscite la méfiance sur ses intentions, la mission fera naufrage. En conséquence, les instructions sont nettes : Belvèze doit conserver « une attitude pleine de réserve » et « éloigner tout sujet de défiance légitime » des autorités britanniques[2]. En clair, il ne doit jamais

1. Je remercie Yvan Lamonde de l'occasion qu'il m'a donnée de sonder le degré d'organisation d'une mémoire collective embryonnaire. Je souligne également le soutien financier de l'Université Laval à ce projet de recherche.

2. Henri Cangardel, « Voyage de la "Capricieuse" au Canada », *Revue de l'Université Laval*, x, 5 (janvier 1956) : 381.

exciter le souvenir des conflits entre la France et l'Angleterre. Le souffle de la mémoire doit servir à mieux reprendre le cap sur l'avenir. La boussole de Belvèze, c'est le commerce.

Malgré ces préventions, le voyage de La Capricieuse est pourtant compris, dès 1855, comme le moment re-fondateur d'une connivence entre Canadiens et Français enracinée, justement, dans la mémoire. Les impressions laissées dans le sillage de La Capricieuse sont si fortes que célébrer ce périple aujourd'hui, 150 ans plus tard, conduit immanquablement à réitérer les « attachements » que les Canadiens français, devenus Québécois, avaient conservés pour leur mère patrie. Le devoir d'histoire nous invite à aller plus loin : célébrer l'aventure de Belvèze, c'est avant tout prendre la juste mesure de cette mémoire qu'elle aurait réveillée. Il faudra donc ruser avec la légende.

Je pars de l'hypothèse que ce voyage, sous l'angle du rapport entre mémoire et histoire, révèle le faible degré d'organisation de la mémoire collective des Canadiens français[3]. Il survient à une époque charnière où domine une mémoire publique spontanée qui s'exprime surtout dans des manifestations locales et des rituels religieux, et où commence à peine à poindre la mémoire reconstruite sous la forme d'une science historique, dont le premier artisan est François-Xavier Garneau, auteur de l'Histoire du Canada (1845-1848).

Le contexte du voyage

Le précédent de 1854

Au centre du cycle mémoriel de La Capricieuse, il y a la conviction que ce voyage a rétabli les relations entre les Canadiens français et la France, alors que celles-ci n'ont jamais été rompues[4]. L'image de la corvette occupe

---

3. Pour un aperçu des concepts de mémoire, d'histoire et de commémoration mobilisés ici, voir Patrice Groulx, « La commémoration de la bataille de Sainte-Foy. Du discours de la loyauté à la "fusion des races" », Revue d'histoire de l'Amérique française, LV, 1 (été 2001) : 46-53.

4. Voir Séraphin Marion, « "La Capricieuse" et l'histoire littéraire du Canada français », Les Lettres canadiennes d'autrefois, Hull, Éditions L'Éclair et Ottawa, Éditions de l'Université, tome 4, 1944, p. 109-142 ; Gustave Lanctot, « Les relations franco-canadiennes après la conquête et avant "La Capricieuse" », Revue de l'Université

tellement notre horizon qu'on a presque oublié le « joli trois-mâts » de Marseille, l'*Édouard*, qui accoste à Montréal un an plus tôt. Son capitaine est reçu à « une petite fête improvisée » par le conseil municipal parce qu'il vient « d'ouvrir une nouvelle ère dans le commerce canadien, en dirigeant dans notre port le premier navire français qui y soit entré depuis la cession de ce pays à l'Angleterre ». Dans le compte rendu du *Pays*, on lit aussi cette remarque révélatrice d'une image des Français répandue chez les Canadiens : « Le Capt. Motard est encore un jeune homme, et porte sur ses traits et dans ses manières la hardiesse, en même temps que le sans-gêne proverbial du marin français[5]. »

Relevons surtout cet indice : l'*Édouard* passe par Québec le 7 juin sans qu'on le remarque[6], accoste le 9 juin à Montréal, et son capitaine n'est fêté que le 22. Les Montréalais n'ont pas immédiatement pris la mesure du précédent parce qu'il n'a rien d'officiel. Effectué à bord d'un bâtiment militaire suivant un ordre de mission diplomatique, c'est le voyage Belvèze qui crée l'émoi et qu'on retiendra ensuite comme le dernier jalon avant l'établissement du consulat général de France à Québec[7].

L'optimisme des élites

Le sens de tout souvenir est déterminé par l'actualité. Or, en 1855, les élites canadiennes traversent une période optimiste. La vie économique est prometteuse : la population s'accroît rapidement, l'industrialisation s'accélère, les moyens de transport se multiplient et se modernisent, la liberté de commerce est à l'ordre du jour. En politique, les conservateurs et les réformistes modérés s'allient pour prendre le pouvoir au Parlement colonial, dirigé à partir de janvier 1855 par Allan Napier MacNab et Étienne-Paschal Taché. Les relations entre les deux principaux groupes nationaux sont

---

Laval, x, 7 (mars 1956) : 591-599 ; et Claude Galarneau, *La France devant l'opinion canadienne (1760-1815)*, Québec, Les Presses de l'Université Laval et Paris, Librairie Armand Colin, 1970.

5. « Navire français », *Le Pays* (24 juin 1854) : 2. Voir aussi « Navire français », *Le Pays* (13 juin 1854) : 2.

6. La barque *Édouard* est mentionnée dans la liste des arrivées à Québec dans le *Mercury* (8 juin) : 2 et *Le Canadien* (9 juin 1854) : 3.

7. Pierre Savard, *Le Consulat général de France à Québec*, Québec, Les Presses de l'Université Laval, 1970, p. 13-14.

moins tendues, d'autant plus que les mères patries, la France et le Royaume-Uni, vibrent dans «l'entente cordiale» et l'alliance militaire contre la Russie. Les journaux prêtent une attention soutenue aux opérations de Crimée : après les victoires de l'Alma, d'Inkerman et de la Balaklava, ils regorgent de détails sur le siège de Sébastopol. Ce même été 1855, le Canada tient dignement sa place à l'Exposition universelle de Paris.

La presse joue un rôle central dans la création et la diffusion des événements. Chaque ville possède une variété de journaux de toutes tendances, qui publient de une à trois fois par semaine. Comme le reportage n'existe pas encore, la couverture du voyage de Belvèze est assurée par divers correspondants et par le repiquage d'articles d'autres journaux. Mais dans l'atmosphère chaleureuse de l'été, on sent que la bienveillance est unanime.

Le programme de la visite

Contrairement à ce qui s'est produit pour l'*Édouard*, la nouvelle de l'arrivée de la corvette se répand trois semaines à l'avance. Son caractère exceptionnel est relevé par l'éditorialiste du *Journal de Québec*, qui ébauche également l'argumentaire de l'accueil et donne toutes les clés de la mémoire ultérieure du voyage.

> Le Canada, écrit-il, saluera [*La Capricieuse*] comme on salue un ancien ami, depuis longtemps disparu, mais dont le souvenir est resté cher et toujours présent, et qu'on revoit enfin, dans l'ivresse de toutes les joies du commencement.

Bien sûr, ajoute-t-il, « "La Capricieuse" vient nous parler de la reconnaissance de l'Empereur» pour un don financier en soutien à la guerre d'Orient, et «elle a pour but encore d'établir entre les deux pays des relations commerciales essentiellement profitables aux intérêts communs». Néanmoins,

> [...] nos origines, les traditions du passé, les intérêts du présent et ceux de l'avenir, qui se rejoignent dans cette noble mission de « La Capricieuse», vont devenir pour tous les Canadiens, la solennelle occasion de témoigner tout ce qu'ils gardent à la France de profondes sympathies filiales[8].

---

8. « Arrivée très prochaine de la corvette française "La Capricieuse"», *Le Journal de Québec* (26 juin 1855) : 2.

Le bâtiment accoste dans la capitale le 13 juillet. La foule accourt. La fébrilité est palpable, au point que le rédacteur du *Quebec Mercury* s'en étonne : dès la première rumeur, la population se précipite au port, et « the excitement among the masses, especially our French Canadian brethren, was quite unusual[9] ». Pendant deux semaines se succèdent les rencontres protocolaires, l'inauguration du monument des Braves, les messes solennelles, les banquets et les bals. « L'enthousiasme est tel, à Québec, en faveur des marins de la corvette que lorsqu'ils se promènent dans les rues, c'est à qui leur offrira l'entrée de sa maison pour converser avec eux », témoigne un correspondant[10].

Le 27 juillet, Belvèze est à Montréal pour une autre succession de visites, de réceptions et de spectacles. Toutefois, l'accueil officiel aurait été plus modeste si la presse rouge n'avait pas ridiculisé l'hésitation du maire, Wolfred Nelson, à reconnaître la nature inhabituelle de cette visite.

> Nous croyons pouvoir dire ici, écrit *Le Pays*, que la ville de Montréal est encore assez riche pour recevoir les hôtes distingués qui auraient envie de la visiter, les hôtes français, surtout, qui la visitent une fois tous les cent ans[11].

La rivalité traditionnelle entre journaux francophones et anglophones de Québec et de Montréal reprend de plus belle, mais pour la bonne cause. *La Minerve* trouve qu'on devrait faire aussi bien qu'à Québec pour recevoir Belvèze[12]. *The Gazette* encourage les francophones à se presser davantage pour souscrire au bal qui sera donné en l'honneur de Belvèze[13]. *Le Pays* joue sur les deux tableaux à la fois en reproduisant un article du *Morning Chronicle* de Québec, qui reproche à ses confrères montréalais, « le *Herald*, la *Gazette*, le *Pilot*, le *Transcript*, l'*Advertiser*, etc. », de ne pas avoir couvert dans leurs colonnes le grand dîner en l'honneur du commandant français[14].

---

9.   « Arrival of the French frigate », *Quebec Mercury* (14 juillet 1855) : 2.

10.   « Visite d'un Montréalais à "La Capricieuse" », *La Minerve* (31 juillet 1855) : 3.

11.   « La corvette française et son commandant », *Le Pays* (10 juillet 1855) : 2.

12.   *La Minerve* (10 juillet 1855) : 2.

13.   *The Montreal Gazette* (24 juillet 1855) : 2.

14.   « Le grand dîner à M. de Belvèze », *Le Pays* (4 août 1855) : 2. Si elle est justifiée, l'accusation a peut-être porté fruit. La *Montreal Gazette*, par exemple, consacre plusieurs correspondances originales et favorables sur le périple de Belvèze dans le Haut-Canada.

Après Montréal, Belvèze visite le Haut-Canada accompagné par le procureur général du Canada-Uni, Lewis Thomas Drummond, qui lui sert d'interprète. Il est à Kingston le 4 août, aux chutes du Niagara le 7, à Toronto le 8, à Ottawa le 11. De retour à Montréal le 14, il se rend à Trois-Rivières et à Shawinigan le 16, à Québec le 18. Le 25 août, *La Capricieuse* reprend le large.

Le commandant est frappé par l'accueil. «J'arrive du Canada où j'ai fait la course la plus mirobolante qui puisse être racontée», écrit-il à un ami quelques jours après son départ, «un voyage princier, passant sous je ne sais combien d'arcs-de-triomphe [*sic*], trouvant la nuit et le jour la population, les municipalités m'attendant à l'entrée des villes une adresse à la main», et lui-même ayant «plus de cinquante *speech* à prononcer[15]».

Il aurait pu ajouter que ses hôtes de Québec ont retardé de 20 jours l'inauguration du monument des Braves pour rehausser la cérémonie de sa présence, et que les journaux de tout le Bas-Canada ont souligné à gros traits ses visites personnelles à François-Xavier Garneau et Octave Crémazie. La commémoration et ces deux visites sont trois épisodes typiques de la saga de *La Capricieuse*, non seulement parce qu'ils soulignent la communauté de mémoire et de culture entre les Canadiens et les Français, mais aussi parce qu'ils ressemblent à des transgressions aux instructions faites à Belvèze de ne pas exciter le sentiment national des francophones. C'est à partir de cette impression, et du refus de l'administration française de donner plus d'avancement à Belvèze, que s'est formée la légende d'une disgrâce imposée pour désobéissance diplomatique[16].

---

15.   Paul-Henri de Belvèze, *Lettres choisies dans sa correspondance, 1824-1875*, Bourges, Typographie Pigelet et fils et Tardy, 1882, p. 150.

16.   Une des principales sources de cette légende est Benjamin Sulte, «Le drapeau tricolore en Canada», *Bulletin des recherches historiques*, X, 5 (mai 1904): 157. Jacques Portes la réfute, «"La Capricieuse" au Canada», *Revue d'histoire de l'Amérique française*, XXXI, 3 (décembre 1977): 366-368.

La mémoire telle qu'elle est dite

Qu'est-ce que la «mémoire collective» en 1855 ?

Il est essentiel de rappeler, pour éviter les anachronismes, que la notion de «mémoire collective», en tant que contrepartie de l'histoire érudite[17], n'existe pas dans le discours social de 1855. Dans toutes les paroles consignées lors du voyage de *La Capricieuse*, ce sont les termes de «mémoire», de «souvenir» et de «commémoration» qui y renvoient le mieux. Or, à cette époque, le sens de ces trois mots, fixé depuis longtemps, n'a pas encore bougé. La mémoire ne renvoie qu'au «champ mental des souvenirs[18]», et jamais à un ensemble de représentations sociales, comme aujourd'hui. Le souvenir «désigne ce qui revient ou peut revenir à l'esprit des expériences passées[19]». La commémoration conserve surtout le sens initial d'une «cérémonie en souvenir d'un saint ou d'un événement religieux», mais la Révolution française lui a surimposé une signification laïque[20], et c'est cet usage mixte, à la fois religieux et civil, qui ressort dans la célébration de la mémoire des Braves de 1760. Elle circonscrit donc ce qu'on appelle aujourd'hui le «devoir de mémoire». Quant à l'histoire, elle renvoie aux événements, aux processus et aux personnages dignes d'être inscrits pour la postérité.

Il existe certainement, chez les Canadiens, diverses représentations collectives du passé de leurs ancêtres en tant que Français. On peut présumer que la langue, la religion et les traditions constituent à leurs yeux un héritage commun qui les tient proches de leurs contemporains de France, tandis que celui de la Révolution de 1789 est un passif[21]. Mais comme le

---

17. «Mémoire, histoire : loin d'être synonymes, nous prenons conscience que tout les oppose», explique Pierre Nora dans un tableau devenu classique, «Entre Mémoire et Histoire. La problématique des lieux», *Les Lieux de mémoire*, I. *La République*, Paris, Gallimard, 1984, p. XIX.

18. Alain Rey, *Dictionnaire historique de la langue française*, Paris, Dictionnaires Le Robert, 1992, tome 2, p. 1220.

19. *Ibid.*, p. 2000.

20. *Ibid.*, tome 1, p. 453.

21. Voir C. Galarneau, *La France devant l'opinion canadienne (1760-1815)*, *op. cit.* ; Françoise Vaucamps, *La France dans la presse canadienne-française de 1855 à 1880*, thèse de doctorat, Département d'histoire, Université Laval, 1977 ; Yvan Lamonde, *Histoire sociale des idées au Québec*, vol. 1, Montréal, Fides, 2000.

rappelle le psychologue social Jean Viaud, «les sociétés modulent leur rapport au passé en fonction de la conception qu'elles ont du temps[22]». Or, la société canadienne de 1855 est à cheval entre le monde de la tradition et celui de la modernité qui accompagne les deux phénomènes centraux de l'industrialisation et de l'urbanisation. L'histoire ordonnée, chronologique, hiérarchique, commence à peine à être organisée par les érudits. Comme elle est balbutiante, on peut supposer qu'elle n'a pas irrigué les consciences ; c'est pourquoi elle est à peine évoquée dans les discours publics et les journaux.

Pour mieux lire la «mémoire» d'une société où l'écrit n'occupe pas une position aussi dominante qu'aujourd'hui, il faut donc prendre en compte les indices non linguistiques. Les meilleurs à notre disposition, parce qu'ils occupent une place significative dans le périple de Belvèze, sont la symbolique militaire et les drapeaux, la métaphore autochtone et les inaugurations.

Les termes «mémoire» et «souvenir»

Dans l'ensemble des discours, des rapports et des autres écrits contemporains et directement rattachés au voyage et qui couvrent une centaine de pages[23], je n'ai relevé que 10 emplois du mot «mémoire». Soit le terme se

---

22. Jean Viaud, «Contribution à l'actualisation de la notion de mémoire collective», dans Stéphane Laurens et Nicolas Roussiau (dir.), *La Mémoire sociale*, Rennes, Presses universitaires de Rennes, 2002, p. 23.

23. Le corpus examiné comprend l'ensemble des textes de Belvèze relatifs à son voyage – son rapport (incomplet), ses adresses et sa correspondance – et publiés en 1882 sous le titre de *Lettres choisies [...], op. cit.* (je privilégie cette source écrite parce qu'elle est plus facile à consulter, mais je cite également quelques éléments tirés de la copie du rapport de Belvèze conservée aux Archives nationales du Québec à Québec [ANQQ], fonds Monsieur de Belvèze, P1000/S3/D167) ; les adresses des municipalités ou bureaux de commerce de Québec, Montréal, Beauharnois, Ottawa, Kingston, Toronto ; l'article éditorial «Arrivée très prochaine [...]», *Le Journal de Québec, loc. cit.* : 2 ; le discours de Pierre-Joseph-Olivier Chauveau au monument des Braves (*Discours prononcé le mercredi, 18 juillet 1855, par l'Honorable P. J. O. Chauveau, Surintendant de l'Éducation pour le Bas-Canada, à la cérémonie de la pose de la pierre angulaire du monument dédié, par souscription nationale, à la mémoire des braves tombés sur la plaine d'Abraham, le 28 avril 1760*, Québec, E. R. Fréchette, 1855) ; les poésies de Crémazie rattachées à la visite (Odette Condemine, *Octave Crémazie, poète et témoin de son siècle*, Montréal, Fides, 1988) ; et les chansons d'Adolphe Marsais sur le sujet (Ronald Desmond Lewis Kinsman, *The Visit to Canada of «La Capricieuse» and M. le Commandant de Belvèze in the Summer of 1855 as seen Through the*

rapporte au souvenir des soldats morts au combat (5 emplois, tous dans le contexte de la commémoration des Braves), soit il se rapporte à la faculté personnelle de « se souvenir ». Par contre, le mot « souvenir » revient au moins 21 fois. D'après Belvèze, par exemple, lord Elgin a laissé « les souvenirs les plus favorables » chez les Canadiens[24] ; durant sa visite, la population d'origine française « se [livre] à l'enthousiasme de ses souvenirs[25] », « tous ces braves gens » conservant « un souvenir de la vieille patrie qui est touchant[26] ». Pour Chauveau, le monument des Braves ramène « le souvenir des gloires qui ne passeront pas[27] », et ainsi de suite. En somme, dans ce qu'on dit et écrit, le « souvenir » l'emporte, un terme qui renvoie à des évocations spontanées et désarticulées.

En contrepoint de la mémoire et du souvenir, il y a bien sûr le thème de l'oubli. Celui-ci occupe une position centrale dans le célèbre poème de Crémazie, « Le vieux soldat canadien »[28]. Évoquant implicitement la célébration des Braves de 1760, Crémazie fait sortir des tombeaux, lorsque apparaît *La Capricieuse*, les fantômes des soldats tombés pour le maintien de la puissance française en Amérique. De son côté, dans les dernières chansons qu'il compose durant le périple de Belvèze, « Adieux des Canadiens aux marins de "La Capricieuse" » et « Une chaumière à Shawenegan »[29], Adolphe Marsais exhorte les Français à ne pas oublier les Canadiens : « Lorsque, touchant cette terre chérie [la France], / Vous reverrez le ciel de la patrie, / Pensez à nous ! / Pensez à nous ![30] »

French-Language Press of Lower Canada, thèse en histoire, Université McGill, 1959). Il n'y a aucune allusion au voyage de *La Capricieuse* dans la correspondance éditée des témoins de l'époque – notamment de Louis-Joseph Papineau, Louis-Hippolyte La Fontaine et John A. Macdonald –, ce qui donne un indice de la faiblesse de l'impact politique de l'événement. Pour une analyse des journaux francophones sur la visite, voir aussi F. Vaucamps, *La France dans la presse [...], op. cit.*, p. 91-101.

24. Paul-Henri Belvèze, « Rapport », ANQQ, P1000, D167.

25. *Ibid.*

26. *Ibid.*

27. P.-J.-O. Chauveau, *Discours prononcé [...], op. cit.*, p. 6.

28. Cité dans O. Condemine, *Octave Crémazie [...], op. cit.*, p. 53-57.

29. Cité dans R. D. Lewis Kinsman, *The Visit to Canada [...], op. cit.*, p. A71-A72 et A74-A75.

30. *Ibid.*, p. A71.

La métaphore familiale

Les mots mémoire, souvenir et oubli ne sont pas les seuls renvois à une communauté de mémoire. Les métaphores renvoyant à la famille, à ce milieu de socialisation qui fait le pont entre l'individu et le monde, reviennent au moins aussi souvent.

Pour exprimer la solidarité des Canadiens et des Français, les liens de la famille nucléaire sont les plus éloquents :

> [e]n posant le pied sur la terre toute réjouie du Canada, vous marchez encore sur une terre toute française, et malgré les longues années de la séparation, c'est la même famille canadienne qui reçoit, comme des frères revenus, les nobles marins de « La Capricieuse »,

s'exclame le maire de Québec, Joseph Morrin, à l'accostage du navire[31]. Dans des contextes similaires, les mots « frères », « pères » et surtout « mère » sont employés plus de vingt fois.

C'est toutefois la famille ancestrale, plus abstraite, plus lointaine, mieux à même de rendre compte d'une parenté métaphorique, qui est le plus exploitée. Ensemble, les termes « ancêtres », « aïeux », « descendants », « race » (dans le sens de lignage) et « origine » sont employés une quarantaine de fois.

Mais si ces notions servent à rappeler que les Canadiens français et les Français ont naturellement beaucoup de traits communs – ou à plusieurs reprises, lorsque ce sont des Canadiens anglais qui s'expriment, à rappeler que l'Angleterre est leur mère patrie et le pays de leurs ancêtres à eux –, elles servent aussi à souligner, si on y regarde de près, que les Canadiens français et les Canadiens anglais forment une nouvelle communauté qui transcende la différence des provenances. Ce déplacement de la métaphore familiale, on le trouve parfois chez Belvèze, mais surtout chez ses interlocuteurs canadiens. Voici quelques exemples :

- Belvèze aux citoyens de l'Outaouais : « [...] je visiterais votre belle vallée où les Canadiens des deux origines ont apporté un esprit d'industrie et d'entreprise [...][32] » ;

---

31. *Le Journal de Québec*, 14 juillet 1855.

32. *La Minerve*, 2 août 1855.

- Pierre-Richard Lafrenaye, président de l'Institut canadien de Montréal, à Belvèze : « Dans le concours que se prêtent toutes les origines pour vous souhaiter la bienvenue [...][33] » ;

- Robert Johnston, maire de Beauharnois, à Belvèze : « C'est là non seulement le vœu des Canadiens français, mais aussi celui de nos compatriotes d'origine britannique[34] » ;

- George William Allan, maire de Toronto, à Belvèze :

   La communauté d'intérêts et le progrès des relations sociales et commerciales intimes entre les Anglais résidant en cette province et les premiers colons d'origine française, ont produit des résultats également bienfaisants pour le bonheur et la prospérité des deux races, et fait naître des sentiments de bienveillance et de respect mutuels entre les descendants des deux peuples[35].

Le sentiment d'une union fraternelle entre Canadiens français et anglais s'observe ailleurs aussi, toujours dans l'orbite du voyage de *La Capricieuse*. On aura remarqué, par exemple, que le *Quebec Mercury* parlait le 14 juillet de « *our* French Canadian brethren », c'est-à-dire « *nos* frères canadiens-français ». Quelques jours plus tard, à la cérémonie du monument des Braves, Chauveau se félicite d'être « en présence de nos concitoyens anglais, irlandais, écossais, héritiers des vertus des peuples des trois royaumes avec qui nous aimons *à fraterniser*[36] », rappelant ensuite que la France et l'Angleterre sont « notre ancienne et notre nouvelle mère-patrie[37] ». C'est bien sûr le prolongement d'une idée avancée au même endroit l'année précédente par Étienne-Paschal Taché : « la providence veut que nous vivions en paix *et en frères* sur cette terre vierge et neutre de l'Amérique[38] ».

En réalité, il y a de fortes probabilités pour qu'une lecture ciblée de l'ensemble du discours sociopolitique des années 1850 montre que l'existence de sentiments et d'union « fraternels » entre Canadiens français et

---

33. *Le Journal de Québec*, 2 août 1855.

34. *La Minerve*, 4 août 1855.

35. *La Minerve*, 16 août 1855.

36. P.-J.-O. Chauveau, *Discours prononcé [...]*, *op. cit.*, p. 6 ; je souligne.

37. *Ibid.*, p. 7.

38. Cité dans P. Groulx, « La commémoration de la bataille [...] », *Revue d'histoire de l'Amérique française*, *loc. cit.*, p. 65 ; je souligne.

Canadiens anglais est un topique central. On le voit à l'œuvre dès que *La Capricieuse* est annoncée : pour préparer comme il se doit sa réception, affirme le *Journal de Québec*, « le même sentiment, le même zèle nous animent tous, Franco et Anglo-Canadiens que nous soyons[39] ».

La notion de patrie

En fait, c'est dans la notion encore plus abstraite de patrie, qui étymologiquement se rattache aussi à celle du père, que le sentiment de « fraternité » entre Canadiens de « diverses origines » est la plus crédible. Cette notion repose sur une communauté de culture et une volonté collective. La patrie évoque à la fois le milieu de vie, le territoire que tous partagent, et qui appelle le sacrifice de la vie lorsqu'elle est en danger[40]. C'est aussi à elle que les discours font le plus souvent référence, au moins 23 fois.

On parle naturellement de sa défense lors de la manifestation du monument des Braves. Chauveau livre à cette occasion la quintessence des représentations qu'elle recouvre :

> [...] pour ces hommes [les Canadiens] que le gouvernement qui les abandonnait [la monarchie française] avait toujours tenus pauvres, et qui, pauvres, venaient encore de perdre le peu qui leur restait, il n'y avait plus que la vie et la vie elle-même n'était plus rien sans les deux seuls biens qu'ils eussent au monde : la religion et la patrie[41].

La patrie, ici, c'est donc le Canada en tant que terre catholique et française.

Le plus souvent, la patrie renvoie au lieu d'origine. Il s'agit généralement de la France. Tantôt, c'est Belvèze qui en parle (« la patrie commune de vos aïeux et des nôtres[42] »), tantôt, ce sont les Canadiens (« Soyez les bienvenus, ô vous, nos frères de la vieille patrie ! », s'exclame le maire

---

39. « Arrivée très prochaine [...] », *Le Journal de Québec, loc. cit.* : 2.

40. Philippe Contamine le souligne : « À travers les siècles, la notion de patrie renvoie primordialement aux guerres menées pour elle et en son nom. » (« Mourir pour la patrie », dans Pierre Nora (dir.), *Les Lieux de mémoire*, Paris, Gallimard, 1986, tome 2, vol. 3, p. 40).

41. P.-J.-O. Chauveau, *Discours prononcé [...], op. cit.*, p. 4.

42. P.-H. de Belvèze, *Lettres choisies [...], op. cit.*, p. 135.

Morrin le jour de l'arrivée de *La Capricieuse*[43]). Il arrive que la patrie, ce soit *à la fois* le Canada, la France et l'Angleterre ; dans ce cas, les deux dernières tiennent lieu conjointement de « mère patrie[44] ». Mais dans l'ensemble, la « vieille patrie » qu'est la France est le lieu fondateur par excellence des Canadiens.

L'histoire

Dans le Canada français du milieu du XIXᵉ siècle, la connaissance érudite du passé qu'est l'histoire commence à peine à se détacher du souvenir. Le terme lui-même est rarissime dans les discours. La réception de *La Capricieuse* sera digne, affirme le *Journal de Québec*, « de toutes les fiertés de notre histoire[45] », mais il n'indique pas clairement qu'il parle de la communauté de souvenir entre Canadiens et Français. Par contre, le maire Morrin dit à Belvèze que « nous avons le même Dieu, la même histoire, les mêmes origines, les mêmes aïeux[46] ». Il s'agit toutefois d'un emploi exceptionnel.

L'histoire est aussi évoquée dans la poésie de Crémazie et une chanson de Marsais, « Le drapeau blanc et le drapeau tricolore au Canada, 1535-1855 »[47], mais toujours dans l'esprit du souvenir, et non dans celui de la science. C'est à partir de Garneau, et surtout après lui, que les historiens construiront, à travers l'image idéalisée de la Nouvelle-France, cette communauté du souvenir[48].

---

43. *Le Journal de Québec*, 14 juillet 1855.

44. P.-J.-O. Chauveau, *Discours prononcé [...], op. cit.*, p. 7. Signalons que dans l'atmosphère d'entente cordiale de 1855, on ne trouve aucune allusion au mouvement *patriote* réprimé 15 ans plus tôt. Le terme de patrie renvoie donc à une nationalité fusionnée au catholicisme plutôt qu'aux principes démocratiques, bifurcation que souligne Y. Lamonde, *Histoire sociale des idées, op. cit.*, p. 327-329.

45. « Arrivée très prochaine [...] », *Le Journal de Québec, loc. cit.* : 2.

46. *Le Journal de Québec*, 14 juillet 1855.

47. Cité dans R. D. Lewis Kinsman, *The Visit to Canada [...], op. cit.*, p. A69-A70.

48. Voir Serge Gagnon, *Le Québec et ses historiens de 1840 à 1920. La Nouvelle-France de Garneau à Groulx*, Québec, Les Presses de l'Université Laval, 1978.

La seule grande convocation de l'histoire durant le voyage de Belvèze a lieu au monument des Braves : dans son discours, P.-J.-O. Chauveau raconte en détail la bataille de Sainte-Foy, livrée le 28 avril 1760. Les combattants français y regagnent l'honneur perdu par l'abandon de la mère patrie. Mais la bataille ne se réduit pas à un épisode glorieux et sans lendemain ; elle donne au contraire un sens tragique et prometteur à ce goulot d'étranglement que constitue la fin du régime français et le passage au régime anglais. Le jumelage de la bataille de Sainte-Foy au voyage de La Capricieuse donne aux deux événements une valeur ajoutée pour l'avenir. La visite de Belvèze apparaît en effet comme un encouragement inédit de la France, et à ce titre digne de passer à l'histoire, à la reconnaissance des droits nationaux des Canadiens français.

En fait, si l'histoire érudite occupe une place à part de la mémoire dans l'aventure de La Capricieuse, c'est plutôt à travers le personnage central de François-Xavier Garneau. Il est l'auteur de sa toute récente Histoire du Canada ; il joue un rôle central dans le projet du monument des Braves[49] ; en tant que greffier de la Ville de Québec, il est partie prenante de la réception de Belvèze et de ses hommes. Mais mieux, Belvèze lui rend visite, et à cette occasion révèle lui avoir « volé, à pleines mains, de nombreuses et belles pages » pour faire rapport à l'empereur[50]. Publicisée par les journaux de Québec et de Montréal, cette consécration accentue la légende des retrouvailles dans la mémoire[51].

Soldats et drapeaux

La symbolique militaire est un vecteur essentiel de la mémoire dans le voyage de Belvèze. Elle s'impose dans la qualité même de cet événement extraordinaire, puisque La Capricieuse « est le premier navire de guerre français qui se montre à Québec depuis la conquête[52] ». Ce voyage recoud la déchirure de la conquête.

---

49. P. Groulx, « La commémoration de la bataille [...] », Revue d'histoire de l'Amérique française, loc. cit., p. 53-70.

50. Le Journal de Québec, 17 juillet 1855.

51. Éveline Bossé, « La Capricieuse » à Québec en 1855, Montréal, La Presse, 1984, p. 37n, 41-42 et 132.

52. « Arrivée très prochaine [...] », Le Journal de Québec, loc. cit. : 2.

En posant le pied sur la terre toute réjouie du Canada, dit le maire de Québec à Belvèze, vous marchez encore sur une terre toute française, et malgré les longues années de la séparation, c'est la même famille canadienne qui reçoit, comme des frères revenus, les nobles marins de « La Capricieuse »[53].

La guerre est omniprésente dans le discours social de l'époque, avec le conflit en Crimée, les préoccupations des élites canadiennes concernant la défense du territoire par le Royaume-Uni et la prééminence sociale de l'armée, mais ce contexte est lui-même un héritage de l'histoire. C'est pourquoi, aux yeux du rédacteur du *Pays*, les Canadiens doivent considérer comme « la chose la plus extraordinaire, et qui, il y a 3 ou 4 ans, nous aurait paru impossible », cette « réception amie d'un commandant de la marine française par le gouverneur anglais du Canada », allant jusqu'à « visiter la citadelle de Québec ». « Il n'y a dans cette visite et dans cette réception, ajoute le journal, ni orgueil, ni perfidie, ni arrière-pensée ; il n'y a qu'une pensée de paix et de relations amies entre deux peuples[54]. » Si la symbolique militaire qui entoure le voyage de *La Capricieuse* rappelle les anciens conflits, c'est pour mieux préparer la paix à venir.

À ces représentations martiales se greffent celles des drapeaux et bannières. L'arrivée de la corvette est aussi celle du tricolore. Bien sûr, il s'agit du drapeau de la Révolution régicide, exécrée par le clergé et le sentiment catholiques. Mais la France qu'on célèbre ici s'est repentie et transcende les régimes politiques. Une semaine avant que le navire n'accoste à Québec, Adolphe Marsais clame déjà : « Le pavillon de la France / flotte au sommet de tes mâts ; / C'est un signal d'alliance / Tout nouveau sous ces climats[55]. » « Le grand mur qui nous séparait depuis près d'un siècle s'est abaissé, notre port s'est ouvert tout d'un coup à la vue du glorieux drapeau de la France », s'écrie plus tard le maire de Québec[56]. Le 14 juillet à Québec, « les rues étaient pavoisées de drapeaux tricolores[57] », témoigne Belvèze, ajoutant qu'« à Montréal [...] les quais, les rues, étaient remplis par toute la popula-

---

53. *Le Journal de Québec*, 14 juillet 1855.

54. « Une comparaison », *Le Pays*, 26 juillet 1855, p. 2.

55. « La corvette "La Capricieuse" », dans R. D. Lewis Kinsman, *The Visit to Canada [...]*, *op. cit.*, p. A62.

56. *Le Journal de Québec*, 14 juillet 1855.

57. P.-H. de Belvèze, *Lettres choisies [...]*, *op. cit.*, p. 129.

tion, saluant de hourras chaleureux le pavillon de la France[58]». À partir de 1855, le tricolore tiendra longtemps lieu de «drapeau national» dans les fêtes patriotiques[59]. Entre-temps, durant la visite du prince Albert en Amérique du Nord, en 1860, le pavoisement de tricolores dans les rues et sur les bateaux du Bas-Canada, héritage de la visite de *La Capricieuse*, provoquera beaucoup plus de remous, certains remettant sur le tapis la loyauté des francophones envers leur souveraine légitime[60].

Pittoresques Amérindiens

Les apparitions d'Amérindiens dans les tournées des visiteurs de marque sont une tradition bien établie. Elles servent surtout, comme l'a montré Ian Radforth[61], à réaffirmer la supériorité de la civilisation et du progrès apportés par les Européens. Elles confortent sûrement, par ailleurs, l'image pittoresque que les étrangers se font de l'Amérique et de son passé. Les Amérindiens éveillent ainsi une mémoire métaphorique, sans autre conséquence que de confirmer leur propre situation de pupilles de la Couronne.

Belvèze est à quelques reprises mis en contact avec eux au Bas-Canada. Durant le bal donné à Québec le 19 juillet, les chefs hurons comptent parmi «the special *invités*» et exécutent, avec leurs «squaws», «a characteristic war dance[62]». Leur performance impressionne aussi le chansonnier Marsais : «En dansant avec les Français, / Hurons! vous comblez leurs succès[63].» Belvèze visite leur village. Il se rend également dans la mission

---

58. *Ibid.*, p. 130.

59. B. Sulte, «Le drapeau tricolore [...]», *Bulletin des recherches historiques, loc. cit.* (Sulte prétend que le tricolore a été importé en 1854 par la ligne de navigation Allan, et qu'il s'agissait bien du pavillon français même si on le faisait flotter à l'envers, le rouge contre la hampe. Cette innovation serait la preuve que le pavoisement spectaculaire des rues durant le voyage de *La Capricieuse* ne constituait pas une première... On peut prendre cette interprétation iconoclaste avec un grain de sel.)

60. Ian Radforth, *Royal Spectacle. The Visit of the Prince of Wales to Canada and the United States*, Toronto, Presses de l'Université de Toronto, 2004, p. 267-270.

61. *Ibid.*, p. 206-241.

62. «Grand Civic Ball to Captain Belveze», *Quebec Mercury*, 21 juillet 1855.

63. «Un bal sur le cap Diamant, à Québec», dans R. D. Lewis Kinsman, *The Visit to Canada [...]*, *op. cit.*, p. A63.

iroquoise de Kahnawake, laquelle d'ailleurs « reçut l'année dernière de S.M. l'impératrice [Eugénie] de riches ornements pour la chapelle du village[64] ». À Shawinigan, il se sent lui-même « comme un Iroquois » pour avoir « descendu un des grands rapides du Saint-Maurice dans un canot d'écorce[65] » !

Sa visite à Kahnawake lui réserve une surprise. Là vit :

> [...] le dernier reste de ces tribus aborigènes [...] qui ont définitivement conservé dans leurs traditions un sentiment de respect et d'amour pour leurs pères français. Les missionnaires sont à la fois leurs pasteurs et leurs conseils. J'ai dû me défendre d'intervenir dans des difficultés d'intérêt qu'ils ont avec l'administration anglaise[66],

explique-t-il dans son rapport. Il n'est pas clair si les missionnaires parlaient pour les Amérindiens plutôt que pour eux-mêmes, mais on sait que la présence d'un visiteur de marque dans une réserve est l'occasion de contourner les agents du gouvernement pour formuler des griefs[67]. Quoi qu'il en soit, c'est bien la mémoire des origines américaines du Canada qui surgit dans ces occasions. Mais c'est aussi, notons-le, celle d'un rapport entre Français et Autochtones qui remonte aux tout débuts de la Nouvelle-France. On sait qu'Anne d'Autriche, mère de Louis XIV, a constamment appuyé les missions amérindiennes[68]. En offrant des ornements sacrés, l'impératrice Eugénie reprend donc le fil d'une tradition. Il est naturel pour les Mohawks de demander à Belvèze, représentant de l'empereur allié à Victoria, d'intervenir en leur faveur.

Un dernier document, le daguerréotype commandé par le tailleur montréalais Alfred Chalifoux à T. C. Doane, et présenté à Belvèze pour qu'il soit transmis à l'impératrice, met en scène quatre petits personnages qui ont paradé lors de la fête nationale de juin 1855 : saint Jean-Baptiste, un « chef

---

64. P.-H. de Belvèze, *Lettres choisies [...], op. cit.*, p. 131.

65. *Ibid.*, p. 151.

66. *Ibid.*, p. 131.

67. I. Radforth signale le même manège lors de la visite royale de 1860 ; *Royal Spectacle [...], op. cit.*, p. 229-232.

68. Voir Gustave Lanctot, *Histoire du Canada*, vol. 1, *Des origines au régime royal*, Montréal, Beauchemin, 1964.

Sauvage », Jacques Cartier et un combattant français de la guerre de Crimée[69]. Ce gracieux souvenir, louangé par les journaux de l'époque, résume avec éloquence une représentation du Canada français qui n'est ni oublieuse de la mère patrie, ni hargneuse à l'égard des Autochtones : ici, le « Sauvage » est un « chef » qui accueille les Français. Que ce soit au titre de nobles sauvages ou de « derniers restes » des anciens maîtres du pays, les Amérindiens sont en définitive d'inestimables métaphores dans l'évocation des origines françaises du Bas-Canada.

Les inaugurations

Les inaugurations sont des moments symboliques importants parce qu'elles relient deux époques que tout sépare. Dans certains cas, par exemple lors de couronnements, elles réaffirment des continuités. Dans le cas des commémorations, elles évoquent un événement qui ne doit plus se reproduire, ou lèvent une hypothèque imposée par la mémoire. À tout coup, elles constituent un nouveau jalon mémoriel.

De ce point de vue, le voyage de La Capricieuse est en soi une fondation, « un commencement », comme le dit le Journal de Québec du 26 juin. On ne manque pas de profiter de cette réapparition pour inviter Belvèze et ses marins à d'autres inaugurations. La plus spectaculaire est celle du monument des Braves, qui rassemble toutes les thématiques mémorielles de ce voyage, depuis le souvenir de la Nouvelle-France et de sa conquête jusqu'à l'entente cordiale entre les mères patries et leurs rejetons, en passant même par le souvenir napoléonien[70]. Curieusement, ce dernier se profile à nouveau derrière l'inauguration d'une école technique à Saint-Vincent-de-Paul, sur l'île Jésus :

> [j]'y étais le 15 août, explique Belvèze dans son rapport, et j'ai consacré cette coïncidence et cet anniversaire en participant à la pose de la première pierre d'une école professionnelle fondée par le curé Lavallée. J'espère que Son Excellence le ministre de l'Instruction publique voudra bien contribuer, par

---

69. Joan M. Schwartz, « Plus qu'Un beau souvenir du Canada », L'Archiviste, n° 118 (1999) : 7-13.

70. Sur ce dernier, voir Claude Galarneau, « La légende napoléonienne au Québec », dans Fernand Dumont et Yves Martin (dir.), Imaginaire social et représentations collectives, Québec, Les Presses de l'Université Laval, 1982, p. 163-174.

l'envoi de livres utiles, au succès de cette fondation destinée à maintenir dans ce pays l'attachement si vif porté à la France et à son souverain[71].

Voilà qui était imprévu : la mémoire napoléonienne au service d'une culture technique dont le Canada français a cruellement besoin !

C'est aussi en termes d'inauguration qu'on peut ranger les visites de Belvèze à Garneau et Crémazie. Malgré leur caractère privé, leur portée symbolique est indéniable. « C'est en grande partie à votre livre, Monsieur Garneau, que je dois l'honneur d'être aujourd'hui au Canada, parmi cette famille d'amis et de frères », lui dit Belvèze à son arrivée[72]. À Crémazie, peu avant son départ, il confie : « Je suis ici l'interprète de tous et je me plais à vous dire que vous avez fait là un beau poème aussi français par les senti-ments que par la forme et le style[73]. » Les paroles bienveillantes de Belvèze pour ces deux pionniers sont copieusement publicisées par les journaux. Cette amplification entraînera Maurice Barrès en 1913, relayé épisodique-ment par d'autres auteurs, à conclure que la poésie canadienne serait née en 1855 grâce au voyage de Belvèze[74] !

Oscillations identitaires

Le retentissement mémoriel du voyage de La Capricieuse s'articule à une intrigante oscillation identitaire. Tout serait simple si Belvèze était en présence d'une nation canadienne toute faite, aux contours clairs. Mais il est dans une colonie du Royaume-Uni et se trouve face à deux nations affir-mées, attachées à leurs « mères patries » respectives, et qui se cherchent une destinée commune. La distinction entre Canadiens et Français est nette, même si le fantasme de la reconquête du Canada par la France brouille

---

71. P.-H. de Belvèze, *Lettres choisies [...], op. cit.,* p. 134. Le 15 août n'est pas seulement la fête de l'Assomption, mais aussi la fête patronale de l'empereur, la Saint-Napoléon.

72. É. Bossé, *« La Capricieuse » à Québec, op. cit.,* p. 41.

73. *Ibid.,* p. 101-102. Le poème en question est « Le vieux soldat canadien », publié le 21 août. Belvèze rencontre Crémazie le 23.

74. Armand Yon, « Les Canadiens français jugés par les Français de France, 1830-1939 », *Revue d'histoire de l'Amérique française,* XVIII (1964) : 530 ; É. Bossé, *« La Capri-cieuse » à Québec, op. cit.,* p. 113.

parfois les horizons[75]. L'usage par Belvèze et ses interlocuteurs du terme nation (parfois « nationalité », mais avec le même sens) révèle des ambivalences qui tiennent à la fois des origines de ces groupes, de leur statut politique actuel et prévisible, et de leur perception d'eux-mêmes.

Souvent, la nation réfère aux deux pays souverains alliés contre la Russie : la France et le Royaume-Uni sont « les deux premières nations de l'Europe » unies « ensemble aujourd'hui, afin de protéger le faible contre le fort, et de permettre aux lumières de pénétrer sur tous les rivages et chez tous les peuples[76] ». Mais parlant des Haut et des Bas-Canadiens, Belvèze dit aussi que « les deux nations » seront « néanmoins toujours » marquées « d'un caractère très différent ». Dans ce cas-ci, toutefois, le terme renvoie davantage à notre notion d'ethnie.

Enfin, dans son allocution de Kingston, Belvèze exprime ses

> [...] félicitations pour une population qui a su combiner le génie entreprenant des enfants de l'Angleterre et celui des descendants des Canadiens français pour créer dans la jeune Amérique une nationalité pleine d'espérances et dont le progrès et la richesse seront un sujet d'étonnement pour l'Europe[77].

La nation canadie*nne est donc encore à fai*re, mais elle est envisageable. En réalité, même si elle est isolée, cette allusion à une future indépendance du Canada confirme une pensée tellement répandue dans les élites canadiennes et britanniques que personne ne la relève.

Le voyage de Belvèze donne l'occasion aux Rouges d'attaquer les conservateurs-réformistes au pouvoir. On soupçonne les États-Unis d'être sympathiques à la Russie dans la guerre d'Orient, et donc hostiles à l'alliance franco-anglaise. Sur la base de l'amalgame entre Américains et adversaires de l'entente franco-britannique, *Le Moniteur canadien*, qui ne s'est pas compromis, comme *Le Pays*, à souhaiter la bienvenue à Belvèze, prétend que la véritable mission de *La Capricieuse* est de participer à une démonstration de force de la marine anglo-française pour intimider les Américains. Ces derniers « ne sont-ils pas accusés de russomanie ? [...] Répétons-le, [Belvèze] est venu sonder le terrain. Les alliés entretiennent une croisière à Halifax,

---

75. À l'époque, les nations amérindiennes sont vues comme « le dernier reste de ces tribus aborigènes » (Belvèze), et sont dépourvues d'autonomie.

76. *Le Journal de Québec*, 14 juillet 1855.

77. *La Minerve*, 10 août 1855.

afin de tenir constamment en échec les États-Unis[78] ». Ainsi immobilisés dans l'Atlantique, les États-Unis ne pourraient pas aider la Russie dans le Pacifique. Derrière cette accusation saugrenue se profile la double critique du régime autoritaire de Napoléon III, dont Belvèze est le représentant, et, bien sûr, de la tutelle britannique[79].

Partout au Canada, on sait donc que la distension du lien colonial est à l'ordre du jour. Pour les élites francophones de toutes les colorations politiques, il s'agit d'en arriver à une bonne entente durable avec les Canadiens anglais, tout en maintenant une ferme distinction nationale. Chez les centristes qui dominent la vie politique, en particulier, cette distinction repose à la fois sur la loyauté à la Couronne et sur la mémoire. C'est cet équilibrisme que le discours d'Étienne-Paschal Taché avait déjà parfaitement exprimé, à la première manifestation du monument des Braves, en 1854. La visite de *La Capricieuse* est l'occasion de réitérer la double allégeance au pouvoir et à la continuité nationale, mais cette fois avec l'avantage symbolique que la France se ressouvient officiellement, à travers Belvèze, de ses enfants abandonnés. La métaphore familiale prend alors la tournure mélodramatique que lui a donnée Crémazie :

Enfants abandonnés bien loin de notre mère,

On nous a vus grandir à l'ombre tutélaire

D'un pouvoir trop longtemps jaloux de sa grandeur.

Unissant leurs drapeaux, ces deux reines suprêmes,

Chacune a maintenant une part de nous-mêmes :

Albion notre foi, la France notre cœur[80].

---

78. 30 août 1855, reproduit dans R. D. Lewis Kinsman, *The Visit to Canada [...]*, *op. cit.*, p. A14. À l'époque, la croisière est le lieu où se croisent les navires.

79. Sur cette polémique et son arrière-plan, voir R. D. Lewis Kinsman, *The Visit to Canada [...]*, *op. cit.*, p. 146-164. L'attitude des Rouges à l'égard de Belvèze est antinomique ; à son arrivée, ils sont enchantés de sa visite, comme le montre l'empressement de l'Institut canadien, mais semblent se raviser lorsqu'ils constatent que Belvèze tient à l'écart leur collègue Joseph-Guillaume Barthe, auteur du tout récent *Le Canada reconquis par la France* ; sur cet ouvrage, voir Y. Lamonde, *Histoire sociale des idées*, *op. cit.*, p. 384-385.

80. Octave Crémazie, « Envoi aux marins de "La Capricieuse" », cité dans O. Condemine, *Octave Crémazie [...]*, *op. cit.*, p. 58.

La présence physique des marins français, aux côtés des militaires anglais, n'est sans doute pas étrangère à une relecture plus revendicatrice du mythe des Braves. Dans le discours de P.-J.-O. Chauveau au monument des Braves, il est moins question de la « fusion complète des sentiments » entre les deux nations que du droit à l'égalité des francophones, autorisé par la victoire de Lévis sur Murray en 1760[81].

Quant à l'attitude officielle de l'élite canadienne-anglaise face à cette présence inattendue de la France, elle est remarquablement bienveillante. À Québec, Montréal et Beauharnois, les maires anglophones prononcent des discours chaleureux où ils s'identifient à la mémoire française de leurs électeurs. « Vous pouvez être certain, dit le maire de Beauharnois, qu'ici comme là-bas battent des cœurs français » et que le succès de Belvèze « est non seulement le vœu des Canadiens français, mais aussi celui nos compatriotes d'origine britannique[82] ». La sympathie de ces magistrats pour Belvèze ne paraît pas feinte.

De leur côté, les chambres de commerce, essentiellement de composition « anglaise », entrevoient dans la visite du représentant de la France l'occasion de multiplier les échanges. Dans toutes les villes où il arrête, le commandant de *La Capricieuse* est reçu par des hommes d'affaires et visite des installations portuaires et industrielles. Le thème principal des discours tenus par les élus locaux, c'est l'entente cordiale entre la France et le Royaume-Uni. Mais certains vont un peu plus loin, comme Smith Gildersleeve, le maire de Kingston, qui rappelle que « près d'un siècle s'est écoulé depuis que la vieille forteresse de Frontenac, autrefois située sur le sommet de la colline que vous avez devant les yeux, n'a pas revu ses anciens fondateurs[83] ». L'idée sous-jacente que, depuis un siècle, le fait français ait disparu de l'horizon de Kingston révèle le fossé qui sépare les Canadiens anglophones et francophones de 1855, mais la présence de Belvèze rétablit temporairement un pont. À Toronto, on a la prévenance d'asseoir à côté de Belvèze l'évêque catholique, lui aussi originaire de France[84]. À Ottawa, on

---

81.   P. Groulx, « La commémoration de la bataille [...] », *Revue d'histoire de l'Amérique française, loc. cit.*, p. 59-70.

82.   *La Minerve*, 4 août 1855.

83.   *La Minerve*, 10 août 1855.

84.   P.-H. de Belvèze, *Lettres choisies [...], op. cit.*, p. 132-133.

s'interroge même sur l'opportunité, évoquée par Belvèze, de faire venir des immigrants basques[85]. Tout cela comble le commandant de *La Capricieuse*, qui rend ainsi compte de sa surprise :

> [à] Kingston, la réception a été comme à Montréal, solennelle et cordiale. Celle de Toronto l'a été davantage encore, et ce succès doit être noté, car c'est dans ces villes que se trouve l'esprit d'antagonisme le plus prononcé dans le sens anglais et protestant, et une sorte d'hostilité contre le Bas-Canada. / On doutait à Québec que dans ces manifestations populaires et officielles, le Haut-Canada se montrât sympathique à la France. [...] J'ai quitté le Haut-Canada n'ayant vu et entendu que des paroles et des actes sympathiques et respectueux pour le gouvernement de l'empereur et pour moi personnellement, pleins de bienveillance et de satisfaction[86].

À peine cinq ans plus tard, curieusement, la très royale tournée du prince de Galles dans les mêmes villes du Haut-Canada, beaucoup plus lourde de signification que celle de Belvèze, manquera de déraper à cause des manifestations des orangistes décidés à obtenir une reconnaissance officielle[87].

La discrétion des clergés durant le voyage de *La Capricieuse* est elle-même remarquable. Belvèze effectue des visites de courtoisie à des prélats et sa tournée est ponctuée de quelques solennités religieuses, mais il ne semble pas y avoir de ces tractations entre les pouvoirs civils et le clergé catholique qui marqueront plus tard certaines visites diplomatiques, par exemple lors du troisième centenaire de Québec, en 1908[88]. Le clergé ne paraît pas encore assez soucieux, cohérent ou influent, en 1855, pour négocier une meilleure place dans l'espace public.

---

85. La *Quebec Gazette* du 18 août reprend un article du *Ottawa Monarchist* sur la question, tandis que le *Quebec Mercury* du 23 août soupèse la valeur des Basques par rapport aux colons d'autres provenances.

86. P.-H. de Belvèze, *Lettres choisies [...]*, *op. cit.*, p. 132-133.

87. I. Radforth, *Royal Spectacle [...]*, *op. cit.*, p. 164-205.

88. H. V. Nelles, *The Art of Nation-Building. Pageantry and Spectacle at Quebec's Tercentenary*, Toronto, University of Toronto Press, 1999, p. 102-121.

Conclusion. D'un voyage sans lendemain à un lieu de mémoire complexe

Le voyage de *La Capricieuse* est un lieu de mémoire complexe parce qu'il combine une mémoire peu organisée sur les mérites passés de la France, une histoire focalisée sur le traumatisme de la conquête, les attentes contradictoires de l'année 1855 et les projections rétrospectives de la légende.

Chez les Canadiens français dans leur ensemble, on voit manifestement la joie d'une reconnaissance de l'ancienne mère patrie. Le contexte politique est favorable : grâce à l'Entente cordiale et à l'Exposition universelle de Paris[89], ils peuvent exprimer leur attachement à la France sans risquer de passer pour déloyaux envers la Couronne britannique. Les Rouges du *Moniteur canadien* émettent une note discordante, mais restent isolés.

La masse des Canadiens anglais semble indifférente, mais leurs chambres de commerce savent où logent leurs intérêts et reçoivent du mieux qu'elles peuvent la délégation française. *La Patrie* du 31 août 1855 le confirme :

> [l]'accueil fait à l'envoyé du gouvernement français a été unanimement cordial. La population anglaise a rivalisé d'efforts avec la population française, la classe commerciale surtout s'est montrée pleine d'empressement dans les deux provinces ; les marchands les plus distingués se sont fait un devoir de contribuer autant que possible à faciliter la tâche de M. de Belvèze. Et pourquoi, parce qu'ils ont parfaitement compris que ce qu'il venait demander était possible et avantageux ; parce qu'ils n'ont pas eu, et ne pouvaient pas avoir le moindre doute sur la réalité et la sincérité de sa mission[90].

À l'Exposition de Paris, les Canadiens français ont aussi la préoccupation de défendre la meilleure image possible dans l'ancienne mère patrie. Il faut « faire revenir les Européens des singulières idées qu'ils [ont] sur l'état de notre civilisation » et on se félicite que la « bonne mine » du stand canadien a « conduit beaucoup de Parisiens à s'occuper pour la première fois des

---

89.   F. Vaucamps rappelle que dans la presse francophone, la couverture de la visite de Belvèze est immanquablement jumelée à la présence du Canada à l'exposition universelle ; voir *La France dans la presse canadienne [...], op. cit.*, p. 25-114.

90.   Article reproduit par R. D. Lewis Kinsman, *The Visit to Canada [...], op. cit.*, p. A16.

hommes et des choses de notre histoire[91] ». Ici comme avec le voyage de *La Capricieuse*, les échanges commerciaux et la mémoire sont étroitement associés.

On sait que, sur le plan commercial, la France n'a presque pas donné de suite à l'intérêt qu'elle a soulevé lors de la visite de Belvèze[92] et que son action la plus importante a été l'ouverture d'un consulat général à Québec en 1859. C'était trop peu pour maintenir une mémoire vigoureuse du voyage de *La Capricieuse*.

Il en est resté quelques pieuses légendes. Le livre d'Éveline Bossé en expose les meilleurs morceaux. Cette tradition, pour l'essentiel, est dérivée des écrits d'Octave Crémazie, de Philipe Aubert de Gaspé, de Paul-Henri Belvèze et de Benjamin Sulte, et elle est focalisée sur l'assujettissement assez bien consenti des Canadiens français depuis la Conquête. Elle oscille entre un fantasme rémanent de reconquête, exprimé par le « vieux soldat canadien », et la double loyauté exprimée par mademoiselle de Lanaudière lorsqu'elle dit que « nos bras [sont] à l'Angleterre » et « nos cœurs à la France[93] ». Dans la prétendue disgrâce de Belvèze, qui serait attribuable à la trop grande chaleur de l'accueil qui lui a été fait, il faut lire la punition infligée aux vaincus[94]. L'évocation de « l'affaire Rossillon » (1968) y fait parfois écho[95].

---

91. Voir *La Patrie* du 20 juillet 1855 et *Le Journal de Québec* du 1ᵉʳ décembre 1855 cités dans F. Vaucamps, *La France dans la presse canadienne [...], op. cit.*, p. 91.

92. J. Portes, « "La Capricieuse" au Canada », *Revue d'histoire de l'Amérique française, loc. cit.* : 363-365.

93. É. Bossé, *« La Capricieuse » à Québec, op. cit.*, p. 46 ; la citation originale se trouve dans Philippe Aubert de Gaspé, *Mémoires*, Montréal, Fides, 1971, p. 400.

94. B. Sulte : « Tout vibra de Québec à Montréal durant quelques semaines. [...] Hélas ! ces sortes de choses ne conviennent pas à tout le monde. Les peuples vaincus ont mauvaise grâce à en faire usage. » (« La famille Garneau », *Mélanges historiques*, vol. 2, Montréal, Ducharme, 1923 (1893 pour ce texte), p. 91). J. Portes fait justice de l'invention du cassage de Belvèze, mais signale qu'un malaise a été ressenti dans la diplomatie française (« "La Capricieuse" au Canada », *Revue d'histoire de l'Amérique française, loc. cit.* : 366).

95. Voir Jacques Godin, « Un agent français "plus ou moins secret" à Ottawa en 1855 », *Asticou*, 2 (janvier 1969) : 5 ; Jacques Portes, « La reprise des relations entre la France et le Canada après 1850 », *Revue française d'histoire d'Outre-Mer*, LXII, 228 (1975) : 454n.

Les réactions à cette visite révèlent l'étagement de la mémoire publique en 1855. À un premier degré s'impose massivement la terminologie et l'image de la famille et de la généalogie. Au second degré, articulé dans le déroulement de la commémoration des Braves de 1760, prévaut la collectivité plus abstraite qu'est la patrie ou la nation, énoncée comme une famille d'ordre supérieur. La mémoire historique, troisième degré de cet étagement, se configure à la même époque grâce à François-Xavier Garneau, et irrigue la mémoire commémorative. Mais en 1855, l'histoire n'est encore qu'un chantier et l'heure n'est pas venue de sa domination, comme aujourd'hui, sur la conscience et le discours publics.

La mémoire savante de 2005 exige de faire la part des sentiments et des réalités. L'émotion des Canadiens français de 1855 a été unanime, mais elle n'a pas été partagée par tous au même degré, comme le prouvent les critiques des Rouges. Les visites de Belvèze à Garneau et à Crémazie ont bien eu lieu, et si elles ont été publicisées, c'est qu'on les a aussitôt comprises comme un hommage de la France à la littérature canadienne naissante. L'essentiel maintenant, comme toujours lorsque mémoire et histoire s'entremêlent, est de ramener l'événement à sa plus juste proportion, en concédant que la mémoire est une intelligence affective du passé. Au Québec et au Canada français, elle se nourrit d'une sympathie spontanée pour la France. L'histoire est libre de la juger.

Billet de souscription pour le « Bal des citoyens de Québec » en l'honneur du commandant Belvèze, juillet 1855

Poétique de
La Capricieuse

YOLANDE GRISÉ
Université Simon Fraser

La poésie canadienne-française est née dans la résistance aux éléments étrangers dressés contre les droits des Canadiens[1] dont, au premier chef, l'usage de la langue française. Par le truchement de son verbe, de son comportement, de ses idées et de ses citoyens de passage ou installés à demeure au Canada, la France a tenu une place importante dans la lutte des Canadiens pour leur survie. Le drame de la Cession, qui livra la Nouvelle-France à l'Angleterre, contraignit les Canadiens à forger leur avenir dans l'adversité : un attachement indéfectible aux origines françaises leur a permis de relever le défi. Nourrie par la vague émancipatrice venue d'Europe dont l'idéal de liberté, de démocratie et de justice a façonné la conscience et la vision de ses artisans, la poésie du Canada français aura été non seulement la marque, mais le fer de lance de cette épopée.

---

1. Ce terme désignait les descendants des colons français et les distinguait des autres habitants au Canada : les Français, les Autochtones et les « Anglais », c'est-à-dire les Britanniques.

Des bourrasques en amont de 1855

Si le changement de régime colonial a pu restreindre l'afflux des sources françaises au Canada, il n'en a guère interrompu la contribution à la formation culturelle et sociopolitique des Canadiens. Trente ans après la Cession, alors que Montréal est inondée par le reflux des loyalistes américains, l'activité du poète, musicien, dramaturge et acteur malouin Joseph Quesnel (1746-1809) bénéficie à la fondation du Théâtre de Société de Montréal. Avec ses « Stances sur mon jardin[2] », la poésie canadienne s'ouvre pour la première fois à la nouvelle esthétique romantique. La naissance et l'essor des journaux de langue française au Canada dans la première moitié du XIXᵉ siècle favorisent l'expression de la pensée, qui trouve dans la poésie – notamment dans la chanson – une forme éprouvée pour commenter l'actualité. Pendant le bref séjour au Canada du Lyonnais Joseph-David Mermet (1775-après 1828), venu avec le régiment suisse de Watteville repousser l'invasion américaine, plus de 80 poèmes de sa plume circulent à Montréal, dont son célèbre chant épique « La Victoire de Chateauguay ».

À la faveur de la vague romantique qui déferle sur la France, où le soulèvement de Paris en juillet 1830 ranime l'idéologie révolutionnaire et chasse quelques émigrés au Canada[3], la poésie canadienne s'arrime à la conjoncture mouvementée d'une décennie éprise de sentiment national et de liberté des peuples. Ces idées « nouvelles » atteignent les rives du Saint-Laurent, où se trame le complot de l'Union du Bas et du Haut-Canada, et y font souche. L'«Hymne national» (1829) de Joseph-Isidore Bédard donne le coup d'envoi à l'expression du désir d'autonomie qui gagne les Canadiens. À la menace de l'Union des Canadas répond l'union des Canadiens dans le Bas-Canada : on crée, le 24 juin 1834, la Fête nationale en entonnant le chant « Ô Canada, mon pays, mes amours ». François-Xavier Garneau, qui a visité Paris en 1831, est le poète qui incarne le mieux les aspirations des Canadiens à l'affranchissement politique. Imprégné d'idéal romantique, c'est le premier poète canadien dont les vers connaissent une certaine

---

2.   Parues dans *The British American Register*, (12 mars 1803) : 106 ; Yolange Grisé et Jeanne d'Arc Lortie (dir.), *Les Textes poétiques au Canada français, 1606-1867. Édition intégrale* [dorénavant *TP*], Montréal, Fides, vol. 1, nᵒ 238, p. 482-483. Toutes les pièces citées dans ce texte sont recensées dans Y. Grisé et J. d'A. Lortie, *TP*, Montréal, Fides, 12 volumes.

3.   Par exemple, le jeune prêtre Antoine Joseph Ginguet, N.D.J. Jeaumenne, Léon Potel, qui tous ont commis quelques rimes : *TP*, vol. 3, p. XXXIV, XXXV et XL.

répercussion. Très tôt, des dissensions politiques mettent en péril l'unité des Canadiens : des positions irréconciliables entre les Patriotes radicaux et les partisans bureaucrates mènent au soulèvement de novembre 1837, et à son écrasement.

Commencée sous les auspices assimilateurs du *Rapport Durham*, la décennie 1840 entérine l'Acte d'Union, qui divise les Canadiens français. Les héritiers des Patriotes s'obstinent à défendre les principes républicains et démocratiques : en 1844, ils fondent à Montréal l'Institut canadien, une société littéraire et philosophique chargée d'instruire et de rallier la jeunesse. Pour contrer la tentative d'anglicisation, on avait commencé dès 1821 à compiler les vieux chants populaires, dont la plupart étaient d'origine française[4]. Le mouvement de sauvetage s'accélère devant le bannissement de la langue française au Parlement de l'Union : on entreprend de sauver les meilleurs écrits de la littérature canadienne, vouée jusque-là au support éphémère de la presse. À l'initiative de James Huston, paraît en 1848 un premier *Répertoire national* de littérature : il suit de près la publication en 1845 de la magistrale *Histoire du Canada depuis sa découverte jusqu'à nos jours* de François-Xavier Garneau, qui a délaissé la poésie pour l'histoire. Le passé héroïque du Canada français envahit la scène littéraire. Les poètes canadiens se tournent vers leurs origines françaises pour y puiser l'espoir d'un avenir meilleur et alimenter le patriotisme. La décennie s'achève avec le rétablissement de l'usage officiel de la langue française au Parlement et le versement d'une indemnité aux Bas-Canadiens lésés par les représailles des troupes britanniques pendant la Rébellion. Cette dernière mesure indispose les *tories* de Montréal, qui incendient le Parlement le 25 avril 1849.

La première moitié de la décennie 1850 voit l'arrivée au Canada de voyageurs français, certains pressés par la révolution de 1848 ou expulsés par le coup d'État de Louis-Napoléon le 2 décembre 1851 et la proclamation du Second Empire l'année suivante. Quelques-uns livrent des vers à la presse canadienne[5] : Jean-Sylvain Gentil livre une dizaine de poèmes hantés surtout par l'exil ou le souvenir de la mère patrie à l'instar de Charles Berger ; Félix Vogeli développe des thèmes plus diversifiés. De passage au Canada depuis 1847, Adolphe de Puisbusque versifie sur un drame amoureux, après

---

4.   Maurice Lemire (dir.), *La Vie littéraire au Québec, II : 1806-1839. Le Projet national des Canadiens*, Sainte-Foy, Les Presses de l'Université Laval, 1992, p. 346-347.

5.   *TP*, vol. 5, p. XXV-XLVII.

avoir salué l'œuvre des deux Jacques, Jacques Cartier et Jacques Viger, archiviste et premier maire de Montréal, et composé quelques strophes pieuses. Chez les poètes canadiens, le gain du « gouvernement responsable[6] » apporte une accalmie en politique. De nouvelles alliances transcendent les différends idéologiques, les animosités ethniques et les divisions nationales. Une coalition libérale-conservatrice réunit les réformistes et les conservateurs du Haut-Canada aux réformistes assagis du Bas-Canada. L'opposition s'était un moment regroupée autour de Louis-Joseph Papineau qui appuie le mouvement d'annexion aux États-Unis. Chez tous les Canadiens, les grands épisodes historiques et leurs héros, Cartier, Champlain et Montcalm, demeurent une source de fierté nationale, mais ils soutiennent davantage le souvenir des origines françaises qu'ils n'attisent le débat politique. En fait, les poètes canadiens délaissent la scène nationale pour la scène internationale, où la France se distingue. La question d'Orient et la guerre en Crimée agitent les esprits. Plus que le conflit lui-même ou les principes en jeu, l'alliance des rivaux de jadis inspire les rimeurs. Au pays, les envolées patriotiques, toujours de mise, se font plus rares mais plus intenses à l'occasion d'événements spéciaux comme l'arrivée spectaculaire de la corvette *La Capricieuse* à l'été 1855.

La Capricieuse au fil de la poésie canadienne

La présence officielle de la France au Canada entre le 13 juillet et le 25 août 1855 a inondé de quelque 103 000 mots les neuf journaux de langue française en activité dans le Bas-Canada, sans compter les répétitions[7]. Quelle place les poètes occupent-ils dans ce délire verbal ? Quels aspects de la visite française privilégient-ils ? Que nous apprennent ces rimes sur les liens entre la France et le Canada à la mi-temps du siècle ?

Les principaux artisans du vers au Bas-Canada en 1855

Quatre poètes dominent le genre en 1855, trois du cru, un de la Charente : le Montréalais Joseph Lenoir (1822-1861) ; Charles Lévesque

---

6. Gouvernement suivant lequel l'exécutif est responsable devant l'Assemblée législative.

7. R. D. Lewis Kinsman, *The Visit to Canada of « La Capricieuse » and M.* le Commandant de Belvèze *in the Summer of 1855 as seen Through the French-Language Press of Lower Canada*, mémoire de maîtrise, Département d'histoire, Université McGill, 1959, p. 1-4, n. 17.

(1817-1859), né à Berthier (aujourd'hui, Berthierville) ; Octave Crémazie (1827-1879), natif de Québec et, à 28 ans, le plus jeune des quatre ; Jacques-Adolphe Marsais (1803-1879), un immigrant français de date récente qui, à 50 ans, est non seulement le plus âgé, mais aussi le plus prolifique.

Ni Joseph Lenoir ni Charles Lévesque n'accordent un seul vers à l'arrivée de *La Capricieuse*. Les deux visites accomplies à Montréal, du 27 juillet au 3 août, puis du 13 au 15 août[8], par le commandant de Belvèze et quelque vingt membres de son équipage[9] ne tirent aucun mot de leur plume. Ancrée dans la rade de Québec pendant toute la durée du périple, la corvette n'a pas été exposée à la vue des Montréalais. En revanche, la fête populaire organisée le 2 août sur le Champ-de-Mars en l'honneur des voyageurs français, qui aurait attiré quelque 10 000 curieux[10], n'aura échappé à personne. Le banquet, particulièrement soigné, offert le 14 août par l'Institut canadien aux mêmes voyageurs de retour du Haut-Canada, a rassemblé autour du président[11] quelque deux cents invités dont des habitués de l'Institut. Avocat et journaliste, le poète Joseph Lenoir est un membre de l'organisme depuis 1847. Le 2 mai 1854, lors de l'inauguration des nouveaux locaux de la Société[12], il a rédigé un poème adressé « Aux membres de l'Institut canadien[13] ». À quoi donc attribuer le silence du poète en la circonstance ? De lourdes responsabilités familiales – Lenoir a cinq jeunes enfants et un sixième naîtra à l'automne 1855 –, des difficultés financières aiguës et une santé précaire – il mourra de tuberculose en 1861 – l'auront peut-être empêché de participer à la célébration. Mais ses convictions démocratiques, républicaines, annexionnistes et humanitaires auront sans doute contribué davantage à détourner son attention vers des

---

8. *Ibid.*, p. A130-A132.

9. *Ibid.*, p. 8-79, n. 5 : la majorité de l'équipage des 240 marins de *La Capricieuse* est restée au port.

10. *Ibid.*, p. 8-90.

11. *Ibid.*, p. 10-105, n. 10 : P. R. Lafrenaye.

12. Joseph Lenoir, *Joseph Lenoir. Œuvres*, John Hare et Jeanne d'Arc Lortie (dir.), Montréal, Les Presses de l'Université de Montréal, (Bibliothèque du Nouveau Monde), 1988, p. 20.

13. *TP*, vol. 5, n⁰ 154, p. 343-344.

sujets[14] plus préoccupants. Une grave crise économique sévit alors à Montréal avec l'abolition en Angleterre des *Corn Laws* (1846), qui accordaient un tarif préférentiel au blé canadien, et la disparition du régime seigneurial (1854). Lenoir s'indigne que les journalistes s'intéressent plus à la guerre d'Orient qu'à «l'homme sans pain[15]» et ordonne à ses confrères de s'occuper «aussi du sort du prolétaire[16]».

Si, de son côté, le poète Charles Lévesque ne reste pas insensible aux succès français sur le front russe, c'est pour s'apitoyer sur le fait que la «victoire après elle a laissé des malheurs» et s'affliger des «veuves en deuil» et des «enfants sans pères[17]». De même, devant Sébastopol, il souhaite la victoire de la France qui est «toujours notre mère[18]», mais exhorte surtout les alliés turcs «à la clémence[19]». Patriote convaincu, il garde intact le souvenir des héros de 1837-1838[20] et du peuple affligé par le malheur[21]. Hanté par le souvenir de sa jeune épouse décédée à la naissance de leur premier enfant (1843), ce père de famille inconsolable se complaît dans les thèmes intimes de l'enfance, de la femme, de l'amour; il mettra fin à ses jours en 1859.

Bien que les deux poètes les plus en vogue se taisent sur le passage du messager de Napoléon III, le message de la mission «purement commerciale», quant à lui, n'échappe pas à deux autres poètes versés dans les affaires. Le libraire Octave Crémazie est l'associé de ses frères Jacques et Joseph dans une entreprise florissante à Québec, dont «les livres constituent le fonds

---

14.   J. Lenoir, *Joseph Lenoir [...], op. cit.*, p. 32 et suivantes : l'univers poétique de Lenoir privilégie quatre thèmes, soit l'engagement sociopolitique, la femme et l'amour, le monde onirique, le macabre et le fantastique.

15.   Joseph Lenoir, «À M. J[ean-Sylvain] Gentil. Misère», *TP*, vol. 5, n⁰ 125, vers [v.] 65-72, p. 281-282.

16.   *Ibid.*, v. 67, p. 282.

17.   Charles Lévesque, «Alma. Les Gardes anglaises», *TP*, vol. 5, n⁰ 218, v. 25-26, p. 480.

18.   C. Lévesque, «Devant Sébastopol», *TP*, vol. 5, n⁰ 250, v. 27, p. 557.

19.   *TP*, vol. 5, n⁰ 250, v. 40-44, p. 557.

20.   Vers 1845, Charles Lévesque, qui avait participé dans sa jeunesse aux événements avec son frère Guillaume, consacra des vers aux «Martyrs politiques» des rébellions de 1837 et 1838, par exemple : «Chénier!», *TP*, vol. 4, n⁰ 463, p. 944-946.

21.   Voir, entre autres, son ode sur « [...] Les Abris», *TP*, vol. 4, n⁰ 477, p. 972-975.

principal du commerce[22] », mais qui offre aussi une panoplie de denrées importées de France. On ne connaît pas au négociant en vins Adolphe Marsais, domicilié à Montréal, de maison de commerce attitrée. Ses nombreux et fréquents déplacements dans le pays laissent croire que, indépendant de fortune, il pratique à son gré le métier avantageux de représentant d'importantes maisons françaises.

La bordée de vers de Jacques-Adolphe Marsais

Adolphe Marsais est une curiosité dans l'histoire de la poésie québécoise. Marchand de vin prospère et gazetier d'occasion, ce Français d'Angoulème inondera de milliers de rimes la presse canadienne-française dans la seconde moitié du XIXe siècle[23]. Sa remarquable fécondité ne l'empêchera pas de tomber rapidement dans l'oubli[24]. Il faudra les recherches de Jeanne d'Arc Lortie pour l'en exhumer[25]. On ignore à quel moment précis cet infatigable voyageur aurait quitté la France : il est arrivé au Canada « au commencement de l'année 1854[26] ». Dès la fin de cette même année, il

---

22. Octave Crémazie, *Octave Crémazie, Œuvres I. Poésies*, Odette Condemine (dir.), Ottawa, Éditions de l'Université d'Ottawa, (Présence, no 2), 1972, p. 34.

23. Pour la période couvrant les 14 années depuis l'arrivée de Marsais au Canada en 1854 jusqu'à la fin de l'année 1867, le rimeur charentais a publié plus du tiers du répertoire recensé (2 198 pièces), soit 745 pièces, sans compter ses pièces publiées sous des pseudonymes non identifiés à ce jour.

24. Par exemple, dans les deux éditions du premier tome du *Dictionnaire des œuvres littéraires du Québec*, tome 1 : *Des origines à 1900*, 2e éd., Maurice Lemire (dir.), Montréal, Fides, 1980, les deux titres de Marsais sont signalés dans la « Bibliographie des Œuvres littéraires », mais ne figurent pas dans le corpus des œuvres analysées. C'est en vain que l'on cherche le nom de Marsais dans le *Dictionnaire biographique du Canada (DBC)*. De même, le *Dictionnaire des auteurs de langue française en Amérique du Nord* ignore son existence. Dans *La Vie littéraire au Québec, III : 1840-1869, « Un peuple sans histoire ni littérature »*, Maurice Lemire et Denis Saint-Jacques (dir.), Sainte-Foy, Les Presses de l'Université Laval, 1996 (vol. 3 et 4), on ne s'attarde pas à la production « anecdotique » de ce Français « de passage au Canada ».

25. Jeanne d'Arc Lortie, s.c.o., *La Poésie nationaliste au Canada français (1606-1867)*, Québec, Les Presses de l'Université Laval, (Vie des lettres québécoises, no 13), 1975, en particulier les pages 319-337.

26. Selon la déclaration même de Marsais dans « Rectification chronologique et courte réponse », *L'Événement*, 23 février 1874, p. 2 : « À un savant critique qui fait erreur de

publie son recueil *Romances et chansons*[27], dont un petit nombre sont d'inspiration canadienne. Sont-ce les affaires qui ont conduit le chansonnier sur les rives du Saint-Laurent ou aurait-il été «en rupture de ban avec Napoléon III[28]»? Difficile de trancher entre ces hypothèses qui, cependant, n'ont rien d'incompatible. Marsais lui-même demeure évasif à ce sujet ou, comme tout marchand avisé, se montre prudent en attribuant à sa bonne fortune[29] sa venue au Canada.

Après avoir séjourné un an au pays, il lorgne les États-Unis[30] où il passe l'hiver 1855. Il en rapporte des souvenirs[31], mais surtout l'intime conviction que le Canada est une terre de prédilection[32]: il revient s'y fixer à demeure[33]. Le négociant en vins a tôt fait de découvrir que le marché états-unien n'offrait pas de débouchés pour le jus de la treille et en blâme les sectes puritaines[34]: depuis 1840, plusieurs États américains sont devenus «secs[35]». Une loi passée dans l'État du Maine en 1851 engendre un mouvement en faveur de la prohibition, de sorte qu'en 1855, 13 des 31 États américains adoptent des «lois de tempérance». Marsais publie un opuscule en vers pour dénoncer l'inique règlement[36]. La venue de *La Capricieuse* au

dates en m'attribuant de pauvres vers publiés au Canada de 1810 à 1850, bien que je ne sois venu dans ce pays qu'au commencement de 1854 [...].»

27. Chez les frères Crémazie à Québec en 1854. L'ouvrage compte 80 pages.

28. Michel Carle, «La Politique dans les chansons au milieu du xixe siècle: l'exemple d'Adolphe Marsais», *Cultures du Canada français*, 5 (automne 1988): 196.

29. Tirés de sa «Romance. Souvenirs du Canada» parue dans sa plaquette *Romances et chansons* (p. 11-13), ces vers sont reproduits dans *TP*, vol. 5, no 171, v. 1-8 et v. 68-69, p. 375-376.

30. Jacques-Adolphe Marsais, «Souvenirs du Canada», *TP*, vol. 5, no 171, p. 374-376; «Adieux au Canada», *TP*, vol. 5, no 179, p. 393-394.

31. J.-A. Marsais, «Souvenirs des États-Unis», *TP*, vol. 5, no 182, p. 399-400.

32. J.-A. Marsais, «Retour au Canada», *TP*, vol. 5, no 257, p. 571-572.

33. À partir de 1879, on perd la trace du chansonnier vieillissant.

34. J.-A. Marsais, «Retour au Canada», *TP*, vol. 5, no 168, v. 25-28 et v. 33-36, p. 369.

35. Antoine Bailly, «Vin et sacré, une perspective historique et géographique», dans Gérard Dorel (dir.), *Actes du FIG 2002: Religion et géographie*, voir à: http://fig-st-die.edu cation.fr/actes_2002/bailly/article.htm

36. J.-A. Marsais, *La Loi du Maine ou de Tempérance. Aux États-Unis* [sans éditeur], 1855, 11 pages, suivi d'un feuillet d'*Errata* et d'un appendice, 4 pages.

Canada ne peut donc que réjouir chez Marsais l'immigrant français qui n'a pas revu son pays depuis vingt mois, le marchand de vins qui entrevoit de meilleurs jours pour ses affaires et le chansonnier pour qui toute occasion d'exercer sa verve est une aubaine.

Depuis l'annonce de l'arrivée de *La Capricieuse* jusqu'au départ du voilier pour son port d'attache, l'activité poétique de Marsais ne dérougit pas : entre le 5 juillet et le 25 août 1855, il publie sous forme de chansons 20 des 23 pièces poétiques diffusées dans les journaux, soit un peu plus de 1 300 vers. Elles paraissent dans trois principaux journaux[37] dont l'allégeance politique appuie la nouvelle coalition libérale-conservatrice de Cartier-Macdonald : *Le Journal de Québec* ; *La Minerve* de Montréal, *L'Ère nouvelle*[38] de Trois-Rivières. Certaines pièces sont reproduites dans *La Patrie* (Montréal), un journal de même tendance[39]. La première moitié de ce répertoire, soit dix pièces[40], se rattache au séjour de *La Capricieuse* à Québec ainsi qu'aux pérégrinations d'une partie de son équipage dans le Canada-Est : à Montréal, à Trois-Rivières et à Shawinigan, où le chansonnier français accompagne les voyageurs et paie de sa personne[41]. L'autre moitié du répertoire, à l'exclusion de la dernière chanson, traite de trois sujets distincts. Le plus important par le nombre exploite spécifiquement les avantages de la nouvelle alliance établie entre les rivaux de jadis, la France et l'Angleterre, devenus avec la guerre de Crimée « les arbitres du monde[42] ». Le deuxième sujet est d'intérêt canadien : soucieux de ménager les susceptibilités de chacun et de soutenir la démarche française, Marsais joue de diplomatie en

---

37.   André Beaulieu et Jean Hamelin, *La Presse québécoise des origines à nos jours*, Québec, Les Presses de l'Université Laval, 1973, p. 57, 126 et 178.

38.   Le journal était conservateur à ses débuts en 1852.

39.   En fait, ce journal « est le porte-parole du parti libéral-conservateur de Georges-Étienne Cartier » : A. Beaulieu et J. Hamelin, *La Presse québécoise [...]*, *op. cit.*, p. 190.

40.   *TP*, vol. 5, n° 260, p. 579-582 ; n° 261, p. 583-584 ; n° 264, p. 590-593 ; n° 265, p. 594-596 ; n° 267, p. 599-601 ; n° 268, p. 602-603 ; n° 275, p. 620-622 ; n° 277, p. 625-627 ; n° 278, p. 628-629 ; n° 280, p. 632-633.

41.   Par exemple, lors du banquet offert par l'Institut canadien à Montréal le mardi 14 août, le rédacteur de *La Minerve* du 16 août 1855 rapporte que Marsais, ayant été « appelé à répondre à une santé, chanta la jolie chanson qu'il avait composée exprès pour l'occasion [...] ».

42.   J.-A. Marsais, « France et Angleterre », *TP*, vol. 5, n° 269, v. 7, p. 604.

composant des couplets à l'éloge du Canada-Ouest. Le troisième groupe de chansons réunit des pièces à consonance européenne. Lors de la tournée de la délégation française dans le Haut-Canada, le chansonnier saisit l'occasion d'initier, grâce à ses souvenirs de voyages[43], le public bas-canadien aux mœurs et coutumes de pays européens de foi protestante, où l'industrie et le commerce sont des facteurs de progrès : la Suède, la Norvège, le Danemark, la Belgique, la Hollande et la Suisse. Ces pays, aux yeux de Marsais, marchent sur les traces de la toute-puissante Angleterre, ce modèle de progrès, de succès, de gloire et de liberté, qui est non seulement un allié prestigieux pour la France, mais devient une source d'émulation pour les Français et leurs amis canadiens.

Une dernière chanson, publiée plusieurs jours après le départ de *La Capricieuse*, s'écarte de l'ensemble du répertoire par son propos plus personnel : sur un ton mi-grave mi-léger, Marsais évoque cette fois son propre voilier[44]. Revigoré par le passage de ses compatriotes, par l'accord commercial en vue entre le Canada et la France, par le gage de paix que constitue l'alliance des deux grandes puissances européennes, Marsais invite ses compatriotes canadiens à monter dans son bateau[45], et à mettre le cap sur l'avenir !

Dans tous ces couplets, Marsais exprime le sentiment d'affection qui le lient à son pays natal et qu'éprouvent les Canadiens français pour leurs origines françaises. Il chante la joie des retrouvailles entre la France et le Canada, la nouvelle alliance entre les anciens rivaux que sont la France et l'Angleterre. À son avis, cette « utile et sainte union[46] », si chère à son cœur, ouvre à la colonie britannique du Canada la perspective d'une ère de paix, placée sous le double signe du progrès, engendré par le commerce et l'industrie, et de la prospérité. C'est la position idéologique foncière du libéralisme bon teint au plan économique qu'embrassent uniment chez Marsais l'immigrant, le chansonnier et le marchand de vins. Toutes ses chansons s'attachent à distribuer équitablement les éloges entre les parties intéressées afin d'éviter d'offusquer l'autorité britannique, de compromettre la mission

---

43. J.-A. Marsais, *TP*, vol. 5, n⁰ 273, p. 613-615 ; n⁰ 274, p. 617-619 ; n⁰ 276, p. 622-624. On ignore si Marsais était protestant.

44. J.-A. Marsais, « Le Batelier de la Pointe Levi près Quebec [*sic*] », *TP*, vol. 5, n⁰ 282, p. 640-643.

45. *Ibid.*, v. 89-99, p. 642.

46. J.-A. Marsais, *TP*, vol. 5, n⁰ 275, v. 36, p. 621.

de la délégation française[47], et de s'approprier la sympathie de ses nouveaux compatriotes[48] tant canadiens-français que britanniques. L'analyse détaillée de ces 20 pièces démontrerait que Marsais utilise la venue de *La Capricieuse* à bon escient pour s'incorporer à son nouveau milieu de vie, qu'il aime et qu'il pressent être une formidable promesse d'avenir. En cet été 1855, il s'escrime à chanter cette nouvelle ère « glorieuse » qui s'ouvre pour l'Europe et le Canada. La venue de *La Capricieuse* dans la capitale du Canada-Uni en est pour lui la confirmation, sinon la garantie. La situation historique des Canadiens le persuade que ces derniers bénéficient de l'insigne privilège d'amalgamer les vertus des deux grandes puissances européennes, alliées dans la victoire. L'expression « Anglo-Français », qu'il utilise à quelques reprises[49] dans ses chansons pour désigner le Canadien français, démontre aussi son adhésion au virage politique opéré au Bas-Canada par le nouveau régime libéral-conservateur de Cartier-Macdonald. Et, pour soutenir cette union des contraires, qui lui semble la voie royale de l'avenir tant en Europe qu'au Canada, le rimeur s'ingénie, à l'occasion de ces retrouvailles fraternelles entre la France et son ancienne colonie, à pondérer judicieusement ses vers et ses éloges entre les principaux protagonistes et partenaires de la nouvelle donne économique, politique et sociale, entre la France, l'Angleterre et le Canada, entre le Bas et le Haut-Canada, entre la France et les Canadiens français. Cette stratégie d'équilibriste chez Marsais a l'avantage marqué de respecter à la fois la consigne imposée à la visite de ses compatriotes français et la tendance lourde observée chez ses compatriotes d'adoption sur la scène politique canadienne. Grâce à la presse et au genre – la chanson populaire – qu'il a choisis pour véhiculer et propager son message d'union fraternelle et de paix, Marsais rejoint un large public qui

---

47. O. Condemine, *Octave Crémazie [...]*, *op. cit.*, p. 68, n. 169 : à l'été 1855, la publication de l'ouvrage de Joseph-Guillaume Barthe, *Le Canada reconquis par la France* (Paris, Ledoyen, 1855, XXXVI-416 pages) « aurait pu compromettre la mission » du commandant de Belvèze.

48. Selon le *Journal de Québec* du 7 juillet 1855, J.-A. Marsais a su éveiller « de [...] nombreuses sympathies » depuis son arrivée au Canada.

49. *TP*, vol. 5, n° 277, v. 37, p. 626. Cette appellation fait écho, nous semble-t-il, au mot célèbre de mademoiselle Marguerite de Lanaudière, « vénérable ancienne âgée de quatre-vingts ans », au commandant de Belvèze : « Nos bras sont à l'Angleterre, mais nos cœurs à la France (Séraphin Marion, « "La Capricieuse" et l'histoire littéraire du Canada français », dans *Les Lettres canadiennes d'autrefois*, Ottawa/Hull, Édition de l'Université/Les Éditions L'Éclair, 1944, tome 4, p. 110).

découvre et apprécie sa virtuosité de chansonnier, sa gaieté communicative et son esprit modéré. Marsais veut développer avec son pays d'adoption des liens à son profit certes, mais aussi au bénéfice de ses compatriotes canadiens qu'il cherche, en pédagogue convaincu et pragmatique, à amuser pour instruire, réconforter et entraîner sur la voie de l'avenir. (Voir en annexe au présent texte trois poèmes de Marsais.)

Le vent dans les voiles pour Octave Crémazie[50]

À l'âge de 17 ans, Octave Crémazie avait fondé avec ses frères Jacques et Joseph une des premières librairies de langue française à Québec[51]. En moins de dix ans, il transforme la boutique initiale en une maison de commerce florissante, tout en approfondissant son goût de la lecture. Il deviendra l'un des esprits les plus cultivés de son milieu. En 1848, la publication du *Répertoire national ou Recueil de littérature canadienne* de James Huston attise son imagination, son penchant pour l'exploit[52] et ses aspirations à la renommée[53]. Bien qu'il ne se soit pas livré à la création poétique au collège, il tient le pari de rédiger un poème, qui paraît dans un journal en 1849. L'échec de cette première tentative pour sortir de l'ombre le pousse à parfaire ses connaissances.

Lorsque *La Capricieuse* arrive à Québec, Crémazie est un commerçant prospère qui a déjà passé deux hivers en Europe (1851 et 1853). Il est sans doute l'un de ces négociants avec lesquels le chef de la mission française va s'entretenir. Peut-être Crémazie fait-il part au commandant de Belvèze du

---

50. Sur la vie d'Octave Crémazie, voir l'édition critique d'O. Condemine, *Octave Crémazie [...], op. cit.*

51. O. Condemine, *Octave Crémazie [...], op. cit.*, p. 28, n. 76 : Napoléon Aubin, rédacteur du journal *Le Fantasque*, avait tenté, sans succès, d'ouvrir une librairie française à Québec en 1842.

52. *Ibid.*, p. 102.

53. Dans une lettre adressée depuis son exil parisien à l'un de ses correspondants, Crémazie déclarera en 1866 : « Quand un jeune homme sort du collège, sa plus haute ambition est de faire insérer sa prose ou ses vers dans un journal quelconque. Le jour où il voit son nom flamboyer pour la première fois au bas d'un article de son cru, ce jour-là il se croit appelé aux plus hautes destinées ; et il se rêve l'égal de Lamartine, s'il cultive la poésie ; de Balzac, s'il a essayé du roman [...] » (Michel Dassonville, *Octave Crémazie*, Montréal, Fides, (Classiques canadiens, n° 6), 1956, p. 51-52).

prix élevé des produits français importés pour satisfaire les besoins les plus divers de sa clientèle et répondre à la concurrence : livres, papeterie, ornements d'église, papiers peints, instruments de musique, parfums, vins et autres denrées comestibles[54]. Mais la présence de l'alliée victorieuse de l'Angleterre à Québec dépasse largement ces préoccupations d'épicier. Depuis 1849, l'aspirant poète a affûté sa plume et publié des vers chaque année dans le *Journal de Québec*, dont quelques strophes remarquées sur la question d'Orient[55]. À l'été 1855, il ne peut laisser passer une occasion aussi exceptionnelle de réaliser ses ambitions littéraires : on l'imagine méditer le projet d'un grand poème qui lui permettrait de donner sa pleine mesure, en s'inspirant de ce rapprochement historique avec une France illuminée par ses hauts faits en Crimée. Il va sans doute souvent se promener sur les remparts de la ville pour contempler *La Capricieuse* et méditer à son aise le sujet qui lui trotte dans la tête. Puis, la nuit, il aligne patiemment dans sa mémoire les vers avant de les mettre sur papier[56] pour immortaliser l'événement et projeter dans l'aura de la gloire française le « barde inconnu[57] ».

Pour composer cette œuvre qu'il veut mémorable, Crémazie campe son propos sur le site grandiose où l'histoire du Canada s'est faite et défaite – le promontoire du cap Diamant et le fleuve Saint-Laurent – et évoque le passé dans des formes populaires, chères aux « naïfs paysans de nos jeunes campagnes[58] », que sont le conte et la chanson. Dans cette ville fortifiée de Québec, où l'historien François-Xavier Garneau a tiré de l'oubli les exploits de la Nouvelle-France, le poète met en scène un vétéran d'une autre fameuse victoire française, celle de Carillon[59]. La trame de son « Vieux soldat canadien » est connue[60] : rempli de souvenirs et d'espoir de voir à nouveau les Français fouler les rives du Saint-Laurent, le vieillard, appuyé sur son fils,

---

54. Jean-Louis Roy, « La Librairie Crémazie », dans *Crémazie et Nelligan, recueil d'études préparé sous la direction de R. Robidoux et P. Wyczynski*, Montréal, Fides, 1981, p. [11]-42, p. 13-23.

55. *TP*, vol. 5, no 130, p. 292-295.

56. M. Dassonville, *Octave Crémazie, op. cit.*, p. 9.

57. *TP*, vol. 5, no 281, v. 166, p. 639.

58. *TP*, vol. 5, no 281, v. 159, p. 639.

59. En 1758. Carillon est l'actuel Ticonderoga dans l'État de New York.

60. O. Condemine , *Octave Crémazie [...], op. cit.*, p. 60-69 et 462-466.

se rend chaque jour sur les remparts de Québec scruter l'horizon pour voir si un navire français ne se profilerait pas sur le fleuve, et lui demande inlassablement : « Dis-moi, mon fils, ne paraissent-ils pas[61] ? » Le temps passe sans combler le vœu du vieil homme qui, avant de mourir, prédit : « Ils reviendront ! et je n'y serai pas[62] ! » Le vieux prophète n'a pu voir *La Capricieuse* remonter le fleuve, mais dans son poème Crémazie lui redonne la vie pour accueillir la France qui « ramène aujourd'hui ses guerriers triomphants[63] ». Dans l'« Envoi » dédié « Aux marins de "La Capricieuse" » qui clôt la pièce, le poète regrette de voir les Français quitter à nouveau le pays et souhaite leur retour. À l'instar de son vieux soldat canadien, il s'exclame : « [s]ur ces mêmes remparts nous porterons nos pas ; / Là, jetant nos regards sur le fleuve sonore / Vous attendant toujours, nous redirons encore : / Ne paraissent-ils pas[64] ? » Le « Vieux soldat canadien » paraît le 21 août dans le *Journal de Québec*, peu de temps avant que le voilier français ne quitte le port de Québec. Le commandant de Belvèze s'empresse d'aller remercier Crémazie et de le féliciter pour sa réussite[65]. Ému, Crémazie adressera à Napoléon III un exemplaire de son œuvre mise en musique par Antonin Dessane[66] et imprimée en France. Étape majeure dans la révélation du talent d'Octave Crémazie comme chantre patriotique, et dans sa vocation authentique de poète, l'œuvre « Le Vieux soldat canadien » ouvre au jeune homme la voie convoitée de la renommée. Crémazie a su toucher le cœur de ses compatriotes en donnant libre cours aux sentiments refoulés longtemps au fond d'eux-mêmes et en exhibant au grand jour leur attachement inaltéré à leurs origines françaises, malgré le joug étranger et « une France oublieuse ». Centrés en grande partie sur la nostalgie de la gloire d'autrefois et d'un bonheur envolé, les vers de Crémazie évoquent un passé prestigieux, mais révolu.

Contrairement au chansonnier français Adolphe Marsais pour qui l'alliage des mérites des deux puissantes nations chez ces « Anglo-Français »

---

61.   *TP*, vol. 5, n° 281, v. 56, p. 636.

62.   *TP*, v. 104, p. 637.

63.   *TP*, v. 119, p. 637.

64.   *TP*, v. 167-170, p. 639.

65.   O. Condemine, *Octave Crémazie*, *op. cit.*, p. 65, n. 150 : la démarche et les paroles du commandant français ont été rapportées dans la livraison du 25 août du *Journal de Québec*.

66.   *Ibid.*, p. 63 : cette partition aurait contribué au succès du poème.

que sont les Canadiens français constitue une force vouée à un avenir favorable, Crémazie fait le triste constat que les Canadiens français sont essentiellement partagés entre la France et l'Angleterre[67]. Il mesure la faiblesse, voire la précarité, de cet état peu porteur de lendemains qui chantent. Dans l'immédiat, l'actualité semble lui donner raison. En octobre 1855, le gouverneur général sir Edmund Walker Head, qui avait accueilli si cordialement *La Capricieuse* et les représentants de la France au mois de juillet et assisté à la pose de la pierre angulaire du monument aux Braves sur le champ de bataille de Sainte-Foy[68], tient à Hamilton des propos désobligeants pour les Canadiens français en vantant la supériorité de la « race » anglo-saxonne[69]. Ses paroles rebutent irrévocablement Octave Crémazie qui livre, le 1er janvier suivant, dans des « étrennes » sur la prise de Sébastopol un vibrant panégyrique à la gloire de la seule France[70].

Dans le sillage de *La Capricieuse*

Après le départ de la corvette française, la France continuera d'être le centre d'attention de certains poètes. Ainsi, un rimeur plus discret, Louis-Joseph-Cyprien Fiset (1825-1898), rédigera deux morceaux – un bref dialogue[71] et une courte chanson[72] – au sujet du séjour des marins de

---

67. Crémazie reprend à son tour dans « Le vieux soldat canadien » (*TP*, vol. 5, n⁰ 281, v. 150-152, p. 638) le mot de mademoiselle de Lanaudière (voir la n. 48) : « Unissant leurs drapeaux, ces deux reines suprêmes /Chacune ont maintenant une part de nous-mêmes : / Albion notre foi, la France notre cœur. »

68. Le monument était destiné à perpétuer dans un même souvenir la mémoire des combattants de l'un et l'autre camps tués dans la seconde bataille des Plaines d'Abraham, celle de Sainte-Foy le 28 avril 1760 quand le chevalier de Lévis écrasa avec ses dernières troupes les forces du colonel James Murray dans une ultime tentative française de reprendre Québec aux Anglais.

69. *Le Canadien*, 24 octobre 1855.

70. Octave Crémazie, « Chant du petit gazetier, présenté aux abonnés du Journal de Québec. 1er janvier 1856 », *TP*, vol. 5, n⁰ 305, en particulier v. 151-168, p. 726.

71. Louis-Joseph-Cyprien Fiset, « À Mad.[lle] ***. L'Arrivée de la corvette française "La Capricieuse". Inédit », *TP*, vol. 5, n⁰ 292, p. 681-682.

72. Louis-Joseph-Cyprien Fiset, « [Le jour viendra, ma douce et tendre amie...] », *TP*, vol. 5, n⁰ 296, p. 693-694.

La Capricieuse à Québec, qui aurait suscité beaucoup d'effervescence dans la vie quotidienne des habitants de la capitale : la présence des marins français aurait tourné la tête des jeunes filles et éveillé la jalousie des jeunes gens, dont peut-être celle de Fiset lui-même. Condisciple d'Octave Crémazie au Petit Séminaire de Québec[73], ce futur protonotaire (1856) préférait, toutefois, à cette date consigner ses rimes dans un recueil personnel demeuré inédit au dix-neuvième siècle[74].

Le succès de son « Vieux soldat canadien » incitera Crémazie à récidiver en composant deux autres poèmes[75] qui lui sont liés par le sujet ou l'esprit. L'année 1858 marque le centenaire de la plus célèbre victoire française[76] en Nouvelle-France. Crémazie rédige une pièce, « Le Drapeau de Carillon », qui exploite la veine du « Vieux soldat canadien ». Le poète évoque les souvenirs d'un porte-enseigne de Montcalm et la démarche tentée, en vain, par ce vieux soldat à Versailles pour intéresser la France à sa colonie canadienne. De retour au pays, le vétéran déçu se rend à Carillon pour y mourir enveloppé dans le fleurdelisé qu'il avait conservé. Poursuivant sur sa lancée de 1855, Crémazie entretient dans le cœur de ses compatriotes la mémoire et l'amour de cette France glorieuse, que la venue de *La Capricieuse* avait ravivés. Son épopée déclenche aussitôt un enthousiasme fracassant[77] qui indispose le rédacteur du journal *Military Gazette*[78]. Pour éviter les tensions avec leurs concitoyens de langue anglaise, les responsables de la Fête nationale du 24 juin 1858 retirent le poème du programme des célébrations. Ce geste contribue à la renommée de Crémazie comme le premier poète national du Canada français.

---

73. O. Condemine, *Octave Crémazie, op. cit.*, p. 27, 108 et 116.

74. Louis-Joseph-Cyprien Fiset, « Miettes de mes Poésies Intimes inédites » : ces poèmes sont publiés pour la première fois dans *TP* et sont répartis chronologiquement dans les volumes 4 (1838-1849) à 11 (1865-1866) inclusivement.

75. Octave Crémazie, « Le Drapeau de Carillon », *TP*, vol. 6, nᵒ 159, p. 312-318 ; « Un soldat de l'Empire », *TP*, vol. 7, nᵒ 52, p. 139-146.

76. Le 8 juillet 1758, les 3 600 recrues de Montcalm défirent les 16 000 soldats d'Abercromby.

77. Odette Condemine, « Le Drapeau de Carillon », *Dictionnaire des œuvres littéraires du Québec, op. cit.*, p. 202 : quatre stances mises en musique par Charles Wugk Sabatier furent présentées en concert le 15 mai 1858 et contribuèrent à la renommée du poète.

78. Voir son commentaire dans « L'Empereur », *The Quebec Mercury*, 23 février 1858.

L'année suivante, Crémazie publie un long poème à la mémoire, cette fois, d'un vétéran français, François Évanturel père[79], un Provençal enrôlé dans la Grande Armée, que les hasards de la guerre firent échouer sur les rives du Saint-Laurent, où il se fit jardinier à Québec jusqu'à sa mort survenue le 18 mai 1852. Le poète reprend le procédé qui l'a si bien servi déjà. Il rappelle la venue de *La Capricieuse* à Québec et évoque le défunt enterré dans le cimetière de Sainte-Foy : les détonations accueillant le voilier français tirent de son sommeil éternel le vieux soldat français qui « [...] du fond de sa bière / Salue aussi son vieux drapeau[80] ». Pourquoi Crémazie compose-t-il si tardivement cet éloge au défunt ? Poète désormais réputé, il rédige cette pièce pour l'album de la fille d'Évanturel. Mais la dimension du poème dépasse largement les morceaux destinés à cet usage. Crémazie saisit, encore une fois, une occasion propice à la satisfaction de son amour de la gloire, littéraire tout autant que militaire, tout en rappelant la grandeur de la France aimée. L'année 1859 favorise les évocations historiques par la double commémoration à Québec du centenaire de la bataille des Plaines d'Abraham et du bicentenaire de l'arrivée de monseigneur de Laval à Québec. Le poète national s'applique alors à rappeler dans son poème les liens d'affection qui unissent les Canadiens aux Français et à exprimer son attachement à une France victorieuse, que la deuxième guerre d'indépendance de l'Italie en cette même année 1859 remet sous les feux de la rampe. Outrepassant le cadre de l'élégie, Crémazie ravive la légende napoléonienne et se plaît visiblement à évoquer la gloire indéfectible de la mère patrie, à y puiser son inspiration, et à y rattacher son nom.

L'année 1859 marque aussi l'installation du premier consul de France à Québec, le baron Charles-Henri-Philippe Gauldrée-Boilleau, dans la foulée de la mission du commandant de Belvèze. Crémazie ne relève pas ce fait administratif. Mais Adolphe Marsais ne laisse pas l'événement passer inaperçu : le 1er septembre, alors qu'il séjourne au Bic dans le Bas-du-Fleuve, il compose une chanson, « Un consul français au Canada », qu'il adresse au rédacteur du journal *Le Canadien* avec cette remarque : « [...] j'ai essayé de noter par quelques vers, cet événement dont j'augure l'importance, et d'exprimer en même temps mon espoir de relations commerciales prochaines,

---

79. Son fils portait le même prénom et était un ami de Crémazie.

80. *TP*, vol. 7, no 52, v. 244, p. 145.

et plus étendues que par le passé, entre la France et le Canada[81].» Si les promesses de l'ouverture des marchés anticipée en 1855 tardent à se réaliser, la joie des retrouvailles n'est pas oubliée : le chansonnier rappelle la solidarité de la grande famille française de part et d'autre de l'Atlantique et invite, à son tour, les Français à revenir en «ces lieux où nos flottes, / combattirent avec honneur. / Grâces [*sic*] au sort qui pour nous change, / Nos vaisseaux pourront désormais / Y faire un lucratif échange[82]». D'autres poètes d'origine française, tels Félix Vogeli, Charles Berger et Adolphe de Puisbusque, continuent de soutenir, à leur façon, l'élan de la poésie canadienne au cours de la seconde moitié de la décennie 1850. Ils composent des vers sur des thèmes de circonstance[83], où les avancées du progrès technologique et la détérioration des conditions de vie suscitée par la récession de 1858 démontrent leur intérêt pour leur pays d'élection. La décennie 1850 s'achèvera dans l'inquiétude pour le Bas-Canada devant la faillite de l'Union, le poids démographique du Haut-Canada et la menace assimilatrice. La conjoncture nationale, empreinte d'incertitude, regagne l'attention des rimeurs. Les commémorations historiques de 1858 et de 1859, qui favorisent le resserrement des liens qui unissent les Canadiens français entre eux et à la France, serviront à rassurer les Canadiens sur la vigueur de leurs racines françaises tout en appuyant la tendance d'un patriotisme conservateur dans un Canada uni sous la protection du drapeau et des institutions britanniques.

La décennie 1860, qui s'ouvre avec la visite extraordinaire du prince de Galles au Canada dans le cadre de l'inauguration du pont érigé à Montréal en l'honneur de la reine Victoria, suscitera d'importantes polémiques. Les plumes trop empressées de rimeurs français nouveaux-venus au pays, tels Alphonse Lonclas et Édouard Sempé dont la cantate mise en musique par Charles Wugk Sabatier connaîtra un éclat certain, raviveront les querelles politiques parmi les Canadiens français. Elles démontrent l'importance accrue, depuis 1850, de la contribution des plumes «étrangères», notamment françaises, à la production versifiée du Canada français. Ces strophes hors de proportion avec le petit nombre de leurs auteurs enrichissent les débats et les combats politiques et en élèvent le ton et la forme. Mais, en même temps, elles créent une distorsion et brouillent le tableau d'une opinion publique plus

---

81. *TP*, vol. 7, n° 171, p. 445-447.

82. *TP*, v. 51-56, p. 447.

83. *TP*, vol. 6 et 7.

protéiforme qu'il n'apparaît. Cette distorsion se révèle aussi dans les vers consacrés à la politique internationale[84], qui appréhendent le monde presque exclusivement par la lorgnette française, dans la guerre d'Italie, l'expédition en Chine ou l'affaire des chrétiens de Syrie. Cette tendance francocentrique sera aussi le fait de poètes canadiens comme Crémazie ou Louis-Thomas Groulx.

La venue de *La Capricieuse* et des marins français au Canada aura eu l'insigne mérite de poser au plan culturel la question fondamentale de l'identité nationale, soulevée par le commandant de Belvèze lors de sa visite à Marguerite de Lanaudière[85]. Indéniablement l'habitant du Bas-Canada est profondément marqué par sa condition historique. Mais, à l'encontre de la définition que formulera le chef libéral-conservateur George-Étienne Cartier à la reine Victoria lors de son passage à Londres en 1858, le Canadien français refuse de se considérer comme un « Anglais qui parle le français[86] ». L'ascendance française, ouvertement et largement déployée à la venue de *La Capricieuse*, occupe une place privilégiée parmi les facteurs identitaires des Canadiens. Les célébrations du centenaire de la victoire de Sainte-Foy en 1860 seront l'occasion pour les poètes du cru, et les poètes français installés au Canada, de le rappeler haut et fort en louant non seulement le génie civilisateur de la France, mais celui de la meilleure France : celle des héros. Ces « figures de titans[87] » dont la « vaillance surhumaine » aura permis au Canada français de résister, d'échapper à l'assimilation et de revendiquer leur appartenance à un pays défriché, cultivé, parcouru et défendu par les ancêtres français, inspireront les poètes. Le Canada fut cédé par la France, il ne fut pas vaincu : l'histoire, la vivacité de la langue et de la foi ainsi que l'essor de la vie intellectuelle l'attestent. Cette commémoration de Sainte-Foy est la réponse des Canadiens français à la pression assimilatrice de l'Union : le refus de la défaite. On transformera l'issue des armes de Sainte-Foy en victoire morale et spirituelle, prenant appui sur l'idée que les lettres et les arts peuvent assurer le fondement intellectuel et esthétique du Canada français et de l'identité nationale.

---

84. Par exemple, chez Marsais : *TP*, vol. 8, n⁰ˢ 123, 130, 134, 149 et 160.

85. Voir les notes 49 et 67.

86. Jean-Charles Bonenfant, « Cartier, Sir George-Étienne », dans *DBC*, vol. 10, p. 158.

87. Édouard Sempé, « Salut aux aïeux », *TP*, vol. 8, 1860, n⁰ 92, v. 35 et v. 47, p. 234.

En somme, l'apport culturel de la venue de *La Capricieuse* à Québec aura connu plus d'impact sur les Canadiens que la mission commerciale de son capitaine.

Annexe

Trois chansons de Jacques-Adolphe Marsais publiées à l'occasion de la venue dans le port de Québec de la corvette *La Capricieuse* à l'été 1855.

LA CORVETTE « LA CAPRICIEUSE »[88]

AIR : *J'ai cueilli la rose, etc.*[89]

Pourquoi la foule joyeuse
Accourt-elle avec transport ?
C'est que la « Capricieuse »
Jette l'ancre en notre port[90].
   Ah ! corvette, viens,
   Viens, viens,
Visiter les Canadiens[91] !

Ces eaux, jadis sillonnées
Par les navires[92] français,

Durant de longues années,
Pour eux furent sans accès.
   Ah ! corvette, viens, etc.

---

88. Croyant que le navire français était attendu à Québec au début du mois de juillet, le chansonnier avait rédigé en guise de chant de bienvenue une première version de cette pièce, que le *Journal de Québec* fit paraître dans sa livraison du 5 juillet 1855.

89. Le titre exact de la chanson est *J'ai cueilli la rose rose*. Le texte complet de la chanson est reproduit sur l'Internet ; il est tiré de Joannès Dufaud, *300 Chansons populaires d'Ardèche*, Saint-Julien Molin Molette, Jean-Pierre Huguet éditeur, 2000.

90. *Journal de Québec*, 5 juillet 1855 : « Fait route vers notre port. ».

91. *Ibid.*, « Chez les Canadiens ! ».

92. *Ibid.*, « Par les marins français, ».

Aujourd'hui le canon gronde,
Mais c'est pour te faire accueil ;
Fends la vague ; elle est profonde ;
Ne redoute aucun écueil.
      Ah ! corvette, viens, etc.

Tu verras, sur ce rivage[93],
Des Normands les fils pieux ;
Ils ont gardé le langage
Que parlèrent leurs aïeux.
      Ah ! corvette, viens, etc.

Hier, notre hôte chérie,[94]
Quand tu parus à nos yeux,
Ta bruyante artillerie
Répétait celle des cieux.
      Ah ! corvette, viens, etc.

En ce jour, belle corvette[95],
Du soleil luit la splendeur,
Et toute la ville, en fête,
Te reçoit avec bonheur.
      Ah ! corvette, viens, etc.

Le pavillon de la France[96]
Flotte au sommet de tes mats ;
C'est un signal d'alliance
Tout nouveau pour ces climats.
      Ah ! corvette, viens, etc.

---

93. *Ibid.*, le quatrain est placé en cinquième position.

94. *Ibid.*, le quatrain est absent.

95. *Ibid.*, le quatrain est absent.

96. *Ibid.*, le quatrain est placé en quatrième position.

Toi, si noble et si jolie[97],
Sous tes haubans pavoisés,
Viens au Canada ! relie
Des nœuds forcément brisés.
    Ah ! corvette, viens, etc.

Puisse un commerce prospère
Enrichir ces deux pays,
Qui resteront, je l'espère,
Éternellement amis.
    Ah ! corvette, viens,
    Viens, viens,
Visiter les Canadiens !

    A. MARSAIS.

Québec, 14 juillet 1855.

(Dédié à M. de Belvèze, commandant de « La Capricieuse ».)

(*Journal de Québec*, 14 juillet 1855 ; reproduit dans *TP*, vol. 5, n⁰ 260, p. 581-582.)

LES MARINS FRANÇAIS AU CANADA

AIR : – *Trou la la, trou la la !*

Dans les murs de Montréal,
De Québec digne rival,
Les marins français sont mis
Au rang des meilleurs amis.

---

97. *Ibid.*, « Viens ! au Canada relie / Des nœuds brisés forcément, / Et que la mère-patrie / Regrettait amèrement. / Ah ! corvette, viens, etc. ». On notera la révision toute diplo-matique apportée par Marsais eu égard aux amers regrets prêtés à la France... Nul doute qu'entre le 5 et le 13 juillet, date de l'arrivée de *La Capricieuse* dans le port de Québec, le chansonnier aura eu le loisir de se renseigner sur la mission toute commer-ciale, et pacifique, du commandant Belvèze au Canada.

Gai ! chantons ! (*bis*)
Le verre en main répétons :
Les Français (*bis*)
Trinquent avec les Anglais !

Jadis ils se chamaillaient
Et parfois se mitraillaient ;
Ils se jurent, en ce jour,
Alliance sans retour.
    Gai ! chantons ! (*bis*)
Le verre en main répétons :
    Les Anglais (*bis*)
Serrent la main aux Français !

On les traite en des repas
Où les vins sont délicats,
Les mets à profusion,
Jusqu'à l'indigestion.
    Gai ! chantons ! (*bis*)
Le verre en main répétons :
    Les Français (*bis*)
Dînent avec les Anglais !

On invite ces marins
À tant de bals, que je crains
Qu'on ne les fasse lasser,
À trop polker et valser.
    Gai ! chantons ! (*bis*)
Le verre en main répétons :
    Les Français (*bis*)
Dansent avec les Anglais !

Nos amis, depuis cent ans,
De ces ravages absents,
Par calcul bien entendu,
Regagnent le temps perdu.

Gai ! chantons ! (*bis*)
Le verre en main répétons :
Les Français (*bis*)
Chantent avec les Anglais !

J'ai longtemps cru que l'Anglais
Ne riait presque jamais ;
Mais ce jour, en vérité,
Il nous égale en gaîté.
        Gai ! chantons ! (*bis*)
Le verre en main répétons :
        Oui l'Anglais (*bis*)
Rit tout comme le Français !

Inkerman, Balaklava,
Comme fait le Canada,
Ont vu flotter leurs drapeaux
Joints sur la terre et les flots.
        Gai ! chantons ! (*bis*)
Le verre en main répétons :
        Les Français (*bis*)
Marchent avec les Anglais !

Ensemble ils foulent le sol
Autour de *Sébastopol* ;
Ensemblent ils l'occuperont ;
Ensemble ils le garderont.
        Gai ! chantons ! (*bis*)
Le verre en main répétons :
        Les Anglais (*bis*)
Vaincront avec les Français !

        A. MARSAIS
        Montréal, 31 juillet 1855.
(*La Minerve*, 31 juillet 1855 ; reproduit dans *TP*, vol. 5, n° 267, p. 599-600.)

LES LACS[98] DU CANADA

AIR : *Old folks at home*[99]

Poëtes, qui cherchez
    Des sujets pour votre lyre,
Au Canada marchez ;
    Vous aurez de quoi décrire,
Au sein de ses forêts,
    Vieilles autant que le monde,
Vous peindrez à grands traits
    Ses beaux lacs, à l'eau profonde.

CHORUS.
Poëtes ! chantez leurs bords
    Baignés de flots limpides ;
Mariez vos accords
Au murmure des *rapides*.

Quels que soient ici-bas
    Les lieux où le sort vous pousse,
Vous ne trouverez pas
    Ailleurs telles mers d'eau douce.
De leur gouffre profond,
    Qu'agite parfois l'orage,
L'œil ne sonde le fond,
    Ni n'aperçoit le rivage.

---

98. *Ibid.*, nᵒ 272, p. 611-612. Bien que le titre de sa chanson ne l'indique pas, Marsais désigne ici les Grands Lacs qui bordent les États-Unis et l'actuel Ontario au Canada : « Vous ne trouverez pas / Ailleurs telles mers d'eau douce. » (v. 15-16). Il fait toutefois erreur en parlant plus loin du « lac Manitoulin » (v. 41) ; il veut sans doute désigner le lac Huron où se trouve l'île Manitoulin, la plus grande île en eau douce du monde, située dans le nord du lac Huron, à la frontière des États-Unis et du Haut-Canada (aujourd'hui l'Ontario).

99. Créée en 1853 par le légendaire compositeur américain Stephen Collins Foster (1826-1864), dont les chansons connaissent alors un immense succès.

CHORUS, & C.
En été le Zéphire
      Ride à peine leur surface.
Leurs flots semblant dormir,
      Sont unis comme une glace.
On y voit des *steamboats*
      Nager, poissons gigantesques,
Et de légers canots
      Raser leurs bords pittoresques.

CHORUS, & C.
Coupe au sein colossal,
      Chacun de ces lacs s'écoule,
En nappe de cristal,
      Et jusqu'à l'Océan roule.
Par ses ardents rayons
      Le soleil les vaporise ;
Le sol, aux environs,
      S'embellit, se fertilise.

CHORUS, & C.
Avant que les chrétiens
      Eussent peuplé ces parages,
Là vivaient des païens,
      Populations sauvages.
Au lac *Manitoulin*
      Restait selon leur croyance,
Leur *Manitou* divin,
      Grand esprit en décadence.

CHORUS, & C.

A. MARSAIS.

(*La Minerve*, 2 août 1855 ; reproduit dans *TP*, vol. 5, n⁰ 272, p. 611-612.)

Rameau de Saint-Père, la France et la vie intellectuelle en Amérique française

PIERRE TRÉPANIER
Université de Montréal

« Une course triomphale[1] ». Par cette exclamation, l'abbé Eugène-Raymond Biron résume le second voyage de Rameau de Saint-Père en Amérique française, celui de 1888, le premier ayant eu lieu en 1860-1861. Cette sorte d'apothéose marque un temps fort des relations intellectuelles entre la France et ses anciennes colonies un tiers de siècle après *La Capricieuse*. Quel rôle Rameau de Saint-Père a-t-il joué dans la vie de l'esprit au Canada français ? Comment en rendre compte du point de vue de son itinéraire personnel et du point de vue des attentes différenciées des Canadiens français ? Quelle idéologie a surtout profité des tris opérés par ces derniers ? L'exemple du Canada français a-t-il exercé en France l'influence que Rameau souhaitait ? Car l'observateur est en présence d'une double appropriation sélective : par l'intellectuel français, du destin de l'Amérique française ; par les Canadiens français, les Acadiens et les Franco-Américains, du message qu'il leur propose et du miroir qu'il leur tend.

---

1. Eugène-Raymond Biron à Edme Rameau de Saint-Père, 28 août 1888, Centre d'études acadiennes de l'Université de Moncton [CEA], fonds Rameau [FR], 2.1-27. Inspiré par les écrits de Rameau, cet ecclésiastique français émigra au Nouveau-Brunswick en 1875 et enseigna au Collège Saint-Louis à partir de 1876. Il retourna en France en 1882, ne cessant de s'intéresser au sort des Acadiens.

Naissance d'une curiosité

Rameau de Saint-Père commence à s'intéresser au Canada français vers 1853-1855[2]. Il le découvre sous l'angle d'un «phénomène singulier» : «la résistance calme et solide des familles françaises» dans l'Amérique anglaise et «l'intensité de leur progrès[3]». On remarquera que cette curiosité n'est pas d'abord politico-militaire, mais sociale. Cela mérite explication. Rameau est un intellectuel qui se donne pour mission de penser la colonisation française, surtout dans le cadre de l'Algérie, expérience coloniale qui le passionne au plus haut point. C'est à partir de ce problème qu'il aborde l'histoire de l'Acadie et du Canada français. Rameau l'Africain croit trouver dans l'Amérique française l'argument décisif du néo-impérialisme pacifique qu'il souhaite, puisqu'il y observe, dans le passé et dans le présent, la reconstitution non politique et non militaire de la Nouvelle-France et la preuve des aptitudes colonisatrices des Français. Le mouvement colonial se présente à lui comme un des moyens principaux par lesquels la France peut jouer son rôle éminent dans la civilisation. Car si l'empire accroît la richesse et la puissance, là ne réside pas sa légitimation principale, qui est essentiellement morale.

Le second problème qui passionne Rameau est celui de la réforme de la société[4]. Et les deux problèmes sont imbriqués. Rameau le sociologue perçoit la colonisation passée et future comme un champ d'expérimentation de l'utopie sociale dont il rêve. Il aspire à une société harmonieuse de chefs de famille libres et responsables, qui, appuyés sur la propriété-économat et sur la religion catholique, construisent la paix sociale. Dans sa jeunesse, que l'on pourrait presque appeler proudhonienne, il pensait y parvenir par l'édification d'une République démocratique et puritaine, incarnation des idéaux évangéliques de charité et de partage. Il appartenait alors, en effet, à la gauche démocrate du mouvement catholique. Son ami le représentant Pierre Pradié,

---

2. Il ne semble pas que *La Capricieuse* et l'Exposition universelle de 1855 aient été déterminantes dans la «découverte» du Canada par Rameau, même s'il est normal de penser qu'elles n'y ont pas été tout à fait étrangères.

3. Edme Rameau de Saint-Père, «Lettre de France», 16 octobre 1892, *Le Courrier du Canada* (7 novembre 1892): 1.

4. Au XIXᵉ siècle, *sociologue* désigne autant l'essayiste préoccupé par la justice sociale que l'analyste des phénomènes sociologiques.

engagé avec lui dans l'aventure du journal *La République universelle*, résume bien l'ambition politique qui les anime :

> [...] créer au sein du grand parti démocratique, sinon un parti religieux dans toute la force du terme, du moins un parti puissant et influent sur les mœurs et qui prendrait sa règle dans la justice, la vérité et la morale éternelles[5].

L'échec de la République de 1848, le coup d'État de Napoléon Bonaparte, son emprisonnement et la proclamation de l'Empire ont guéri Rameau de sa foi dans le suffrage universel et l'ont rendu sceptique en matière politique. Mais la politique n'était qu'un moyen. La découverte de l'École de Frédéric Le Play lui permet de rester fidèle aux deux grandes préoccupations de sa jeunesse et de persévérer dans l'engagement, cette fois davantage social que politique. D'où, sa vie durant, son œuvre d'historien, qui fonde sa démarche et fournit l'argumentation, et son œuvre de publiciste-sociologue, car toujours il s'efforcera de rendre le présent et l'avenir conformes aux meilleures leçons du passé.

Sa lecture du passé canadien-français et son programme pour l'avenir de l'Amérique française sont dans une bonne mesure surdéterminés par son adhésion à la mission colonisatrice de la France et par sa recherche d'une réforme de la société. L'Acadie et le Québec feront en quelque sorte office de laboratoire, le fourniront en démonstrations et en exemples et le conforteront dans ses convictions.

Les affinités électives

L'Amérique française ou plutôt ses élites modérées – conservatrices et libérales – tout autant que franchement traditionalistes obtiennent de Rameau la confirmation de leurs choix idéologiques. À travers son évolution, ce dernier n'a cessé de se définir comme catholique, ce qui lui assurait un sauf-conduit idéologique. Son acceptation du parlementarisme rendait ses idées plus immédiatement convertibles que s'il avait été un champion de la Contre-Révolution. Car conservateurs et traditionalistes de l'Amérique française avaient été politiquement éduqués par les institutions britanniques et les avaient intégrées à leur culture politique. L'insistance de Rameau sur le rôle des autorités sociales, cléricales et laïques, donnait un surcroît de

---

5. [Pierre Pradié] à E. Rameau, 24 octobre 1851, Archives privées de Monsieur Henri Decencière-Ferrandière (Paris) [ADF].

légitimité aux groupes dominants au sein de la société canadienne-française. De même leur programme de développement territorial, économique, culturel et religieux trouvait chez Rameau un écho valorisant. Par son truchement, la Vieille France semble adouber la Nouvelle et consacrer sa mission. Pour un petit peuple conquis en 1760 et humilié de 1837 à 1840, ce n'est pas sans importance. D'où le recours à l'hyperbole, par l'abbé Jean-Baptiste Proulx, par exemple, esprit enthousiaste mais indépendant : « M. Rameau est le meilleur ami de notre nationalité, son bienfaiteur, le philosophe de notre histoire, le prophète de nos destinées[6]. » À un autre correspondant, Rameau adressera cette mise au point :

> Je ne me targue pas d'être prophète ! Seulement il est bien certain que j'ai eu, un des premiers, la perception des qualités et des aptitudes propres à la population canadienne, et je crois même pouvoir ajouter sans trop de fatuité que j'ai été le premier (au moins en Europe) à avoir la vision bien claire des résultats considérables que pouvaient produire, dans l'avenir, de telles aptitudes[7].

Il est certain que si le prophète n'avait pas proféré les paroles souhaitées il aurait été renvoyé au désert sans état d'âme aucun. Il ne s'agit pas de nier son influence sur tel ou tel individu, en particulier les chefs de file du mouvement de colonisation. À Paris, le curé Labelle l'a reconnu dans une réunion de leplaysiens : « c'est M. Rameau [...] qui m'a révélé par ses ouvrages sur le Canada dans quelle direction nous devions pousser avec le plus de fruit l'effort de la colonisation[8] ». Et ce qu'il proclamait en public, il le redisait volontiers en privé, comme dans cette lettre à Rameau : « C'est vous qui avez allumé chez moi le feu sacré pour cette belle région[9]. » On pourrait citer d'autres documents. Il n'en reste pas moins que le mouvement de colonisation était inscrit dans la géographie du Québec et dans l'histoire du Canada

---

6.   Jean-Baptiste Proulx à Thérèse Rameau, 14 décembre 1885, Archives nationales du Québec à Montréal [ANQM], fonds Séminaire de Sainte-Thérèse [FSST] ; voir aussi la lettre du même à Rameau, 10 février 1890, Université de Montréal [UM], collection Jean Bruchési [CJB].

7.   Edme Rameau de Saint-Père, [Lettre à Joseph Tassé], 1er février 1886, *La Minerve* (18 février 1886) : 2.

8.   Antoine Labelle, [Allocution pour porter une santé « à la gloire de la France, du Canada, de F. Le Play et de sa féconde école »], dans J. C[azajeux], « Réunion mensuelle du groupe de Paris. Séance du lundi 27 janvier 1890. Le Canada français », *La Réforme sociale*, 2e série, tome 9 (janvier-juin 1890) : 250.

9.   Antoine Labelle à E. Rameau, 25 septembre 1887, UM, CJB.

français au point que libéraux et conservateurs s'entendaient sur sa nécessité[10]. Les élites canadiennes-françaises – modérées et traditionalistes – procéderont toujours à un tri dans la pensée de Rameau en fonction de leurs besoins à elles, cherchant dans le discours de l'intellectuel français des confirmations, des précisions, des amplifications, des mises en perspective conformes à leurs attentes. Elles s'approprient Rameau comme Rameau s'approprie le Canada français, passé et présent, pour servir sa double recherche, coloniale et sociale. On ne voit pas pourquoi il en aurait été autrement en Acadie, même si les besoins de cette dernière étaient infiniment plus grands et plus pressants que ceux du Canada français. Là les élites portaient l'aspiration vague mais profonde des Acadiens à « faire société » : dans son diagnostic et dans son programme, Rameau s'est porté au devant de ce projet national. Dans *Une colonie féodale*, l'historien affirme que :

> [...] dans cet état de délaissement, un peuple qui n'a pas d'organisation sociale propre, qui n'a jamais vécu que par l'Église et pour l'Église, se trouve dans une position anormale, surtout dans l'état de transformation et de formation où se trouve le peuple acadien[11].

Selon l'abbé Biron, *La France aux colonies* a formé le jeune Pascal Poirier, qui en « a compris toutes les nobles et fécondes idées[12] ». Pour sa part, Poirier était convaincu du rôle irremplaçable que l'historien français était appelé à jouer : « Si M. Rameau ne termine pas son histoire, personne d'entre nous ne peut continuer l'œuvre commencée. » Et ce serait rien de moins qu'une « perte nationale[13] ».

Les réseaux et les actions ponctuelles

Il ne peut être question de dresser ici l'inventaire des actions ponctuelles de Rameau au profit des francophones d'Amérique et en particulier des

---

10.   Cela vaut au XIXe siècle ; au XXe, les libéraux n'investiront dans la colonisation que ce que les groupes de pressions procolonisation et l'électoralisme leur imposeront.

11.   Edme Rameau de Saint-Père, *Une colonie féodale en Amérique. L'Acadie (1604-1881)*, Paris/Montréal, Plon/Nourrit/Granger, 1889, 2 volumes.

12.   E.-R. Biron à E. Rameau, 17 août 1876, CEA, FR, 2.1-15.

13.   Pascal Poirier, [Discours], dans J. Ferdinand Robidoux, *Conventions nationales des Acadiens. Recueil des travaux et délibérations des six premières conventions*, vol. 1, *Memramcook, Miscouche, Pointe de l'Église, 1881, 1884, 1890*, Shédiac (Nouveau-Brunswick), [sans éditeur], 1907, p. 91.

Acadiens. Robert Pichette a consacré des pages documentées à ses instances auprès des bureaux de l'Empire en faveur des Acadiens[14]. Il faudrait évoquer toutes ses démarches en vue de rendre service à des francophones, l'accueil empressé qu'il réservait aux voyageurs canadiens ou acadiens, les dons en argent prodigués aux œuvres de l'Amérique française, les nombreux articles qu'il a signés dans les périodiques français pour faire connaître les Canadiens français, les Acadiens et les Franco-Américains, ses communications devant des cercles et des sociétés savantes, ses efforts pour favoriser l'immigration française au Québec avec les encouragements du sous-ministre Siméon Le Sage, son engagement dans la Société de colonisation du lac Témiscamingue, sa critique du recensement canadien de 1891, et j'en passe[15]. Je m'en tiendrai à sa contribution au règlement de la question religieuse.

Acadiens et Canadiens français, ceux hors du Québec davantage encore que ceux du Québec, comptaient sur la paroisse et l'école catholiques pour offrir à la *survivance* un minimum d'organisation sociale. La nécessité d'un clergé national de langue française s'imposait de soi, – y compris l'épiscopat partout où les Français d'Amérique étaient majoritaires. Cette revendication contredisait la réalité sociologique continentale qui élevait l'anglais au statut de langue d'expansion du catholicisme. La hiérarchie irlandaise et écossaise au Canada et aux États-Unis en avait persuadé le Vatican. Il s'agissait donc, dans un contexte défavorable, d'obtenir de la papauté une juste part des cures et des diocèses. Par exemple, Rameau s'est beaucoup dépensé dans les années 1890 pour la nomination d'un premier évêque acadien. Roberto Perin ne mentionne pas une seule fois le nom de Rameau dans *Rome et le Canada*[16]. En effet, si le prestige de Rameau chez les Acadiens et les

14.   Robert Pichette, *Napoléon III, l'Acadie et le Canada français*, Moncton, Éditions d'Acadie, 1998, *passim*.

15.   Je me permets de renvoyer le lecteur une fois pour toutes aux études suivantes : Pierre Trépanier, «Clio en Acadie», *Acadiensis*, XI, 2 (printemps 1982) : 95-103 ; *idem*, «Rameau de Saint-Père et Proudhon (1852-1853)», *Les Cahiers des Dix*, n° 45 (1990) : 169-191 ; P. et Lise Trépanier, «Rameau de Saint-Père et le métier d'historien», *Revue d'histoire de l'Amérique française*, XXXIII, 3 (décembre 1979) : 331-355 ; *idem*, «Rameau de Saint-Père et l'histoire de la colonisation française en Amérique», *Acadiensis*, IX, 2 (printemps 1980) : 40-55.

16.   Roberto Perin, *Rome et le Canada. La bureaucratie vaticane et la question nationale*, Christiane Teasdale (trad.), Montréal, Boréal, 1993, *passim*. L'auteur relève pourtant les interventions des curés Labelle et Proulx au Vatican.

Canadiens français était indéniable, son influence auprès des autorités politiques et ecclésiastiques à Paris et à Rome était modeste ou même quasi nulle, bien qu'à Rome on lût ses travaux et que des données colligées par lui pussent y faire leur effet.

Son apport doit être cherché ailleurs. Il est d'abord dans son œuvre d'historien et de publiciste, dans l'argumentation chiffrée qu'il monte patiemment. C'est le sens de l'observation d'un correspondant de Rameau à propos du mémoire de 1892 de ce dernier : « Le vôtre aura plus de poids que le nôtre, parce que vous avez fait sur ce sujet des études spéciales et profondes, et que sur les matières d'économie politique, sociale et religieuse, vous êtes une autorité[17]. » *Du mouvement de la population catholique dans l'Amérique anglaise*, d'abord paru dans la *Revue française* du 15 septembre 1890, est un de ces opuscules de référence[18].

Il est ensuite dans sa contribution aux documents que les Acadiens, les Canadiens et les Franco-Américains adressent à Rome à l'appui de leurs suppliques. Rameau a rédigé en 1887 un mémoire sur les difficultés des Franco-Américains avec le clergé et l'épiscopat irlandais, que l'archevêque Taschereau s'est engagé à communiquer aux cardinaux de la curie[19]. En 1890, il fait déposer un mémoire à la Propagande sous son propre nom[20]. Il apporte des matériaux au mémoire de Mgr Antoine Racine et de l'abbé Proulx, qui date de 1892[21].

Il est encore dans les conseils qu'il distribue à ses correspondants. Il est enfin dans ses efforts pour intéresser quelques évêques français au sort des catholiques de langue française d'Amérique, tels M[grs] Charles Lavigerie et Léon Thomas, sans qu'on en puisse évaluer le degré de succès

17. J.-B. Proulx à E. Rameau, 10 janvier 1892, ANQM, FSST.

18. Edme Rameau de Saint-Père, *Du mouvement de la population catholique dans l'Amérique anglaise*, Paris, extrait de la *Revue française*, 1890, 11 pages.

19. Henri-Raymond Casgrain à Rameau, 23 février 1887, UM, CJB.

20. J.-B. Proulx à E. Rameau, 7 juin 1890, ANQM, FSST.

21. E. Rameau à François-Xavier Chagnon (brouillon), avril 1892, Archives nationales du Québec à Québec [ANQQ], fonds Rameau [FR]. Ce mémoire est sommairement présenté par Yves Roby, *Les Franco-Américains de la Nouvelle-Angleterre. Rêves et réalités*, Sillery, Septentrion, 2000, p. 149-152.

ou d'échec[22]. Quoi qu'il en soit, les dirigeants acadiens apprécient son dévouement, et beaucoup auraient pu contresigner l'éloge de Pascal Poirier : « Dans tous les cas, M. Rameau, si l'Acadie a jamais une histoire c'est-à-dire une existence de quelque importance, votre nom sera intimement lié à ses premiers succès[23]. »

L'influence, l'efficacité passent par les réseaux, qui délimitent et restreignent autant qu'ils soutiennent et démultiplient. Les Amis du Canada en France désignent la collectivité informelle des Français qui, à titre individuel ou au sein d'une société, vouent un intérêt particulier, à la fois intellectuel et patriotique, au Canada français et à l'Acadie. Outre Rameau, les individualités marquantes en sont le professeur de droit Claudio Jannet, un catholique fervent, et le géographe protestant Onésime Reclus, frère d'Élisée, plus connu et géographe aussi. Réduits à leurs seules forces, les Amis du Canada auraient compté pour peu et, s'ils n'ont pas compté davantage, c'est en raison même des réseaux dont ils ont pu exploiter les ressources. Ils n'ont réussi que partiellement à se constituer en réseau de réseaux. Ici aussi on observe un déséquilibre. Les relations canadiennes de Rameau sont de premier plan : premiers ministres, ministres, sénateurs, députés, hauts fonctionnaires, évêques et autres membres influents du clergé. En France, après 1852, Rameau a du mal à se faire reconnaître en dehors des milieux religieux et intellectuels, des cercles d'érudits et des sociétés savantes. Même là, il ne faut rien exagérer : il n'y obtient jamais de succès de librairie, malgré une presse généralement bonne. La seconde édition d'*Une colonie féodale* a été, selon l'éditeur, « à peu près entièrement absorbée par le marché américain[24] ». L'action de Rameau et des Amis du Canada risquait d'être confinée aux réseaux religieux, érudits et savants, d'autant que se manifestait une réelle réticence à l'égard de l'Alliance française. Heureusement, des hommes comme Honoré Mercier, Antoine Labelle et Hector Fabre, politiques, fonctionnaires et diplomates, lui assureront un rayonnement plus large.

Parmi les sociétés religieuses avec lesquelles Rameau et les Amis du Canada ont été en rapport, mentionnons la société de Saint-Vincent de Paul, la société de Saint-François de Sales, le Cercle catholique du Luxembourg,

---

22. Edme Rameau Saint-Père, « Fin du mémoire pour Mgr Lavigerie », [vers 1890], ADF ; Rameau à J.-B. Proulx (brouillon), 3, 4 ou 5 mars 1892, ANQM, FSST.

23. Pascal Poirier à E. Rameau, 10 juillet 1890, CEA, FR, 2.1-29.

24. E. Plon, Nourrit et Cie à E. Rameau, 24 juillet 1890, ADF.

la Propagation de la foi de Paris et celle de Lyon et le mouvement mission-naire en général, où les catholiques français étaient très actifs. Il convient d'ajouter quelques congrégations religieuses, dont les Pères du Saint-Sacrement d'Angers.

Du côté des intellectuels, trois catégories retiennent l'attention. Pre-mièrement, les milieux intéressés à l'expansion coloniale de la France et, au premier chef, la Société des études coloniales, qui avait pour organe la *Revue française de l'étranger et des colonies*, dont Rameau était un des collaborateurs.

Deuxièmement, des groupes qui se consacrent aux sciences sociales naissantes ou encore à la recherche de solutions pratiques à la question sociale. Les déconvenues politiques de Rameau et son évolution idéologique le poussaient tout naturellement de ce côté. Il s'est tourné en premier lieu vers la Société d'anthropologie de Paris, dont il devenait membre corres-pondant en 1860, membre titulaire en 1862, au moins jusqu'en 1879, et à laquelle il a communiqué des documents sur les Canadiens et les Acadiens[25]. Lors de son premier voyage en Amérique, Rameau avait été chargé par la Société d'anthropologie de recueillir des observations comparées sur les races. Prenant le contre-pied de Tocqueville et de Michel Chevalier, il concluait à la «dégénérescence des Américains», à une «décadence assez marquée au matériel comme au moral[26]».

Mais il se sentait à l'étroit dans une Société qui se concentrait sur l'an-thropologie physique; ses besoins intellectuels et moraux n'y trouvaient pas à se satisfaire. La découverte de l'œuvre de Frédéric Le Play, qu'il appellera son maître, le mettra en possession de la méthode de travail et du corps de doctrine vers lesquels à son insu s'étaient orientés les tâtonnements de sa

---

25. Ces renseignements sont tirés de Edme Rameau de Saint-Père, «Notes sur les modi-fications subies par les Européens transplantés en Amérique. Lecture», séance du 5 décembre 1861, *Bulletins de la Société d'anthropologie de Paris*, 1ʳᵉ série, tome 2 (1861):615-629, et des *Mémoires* de la même société.

26. Edme Rameau de Saint-Père, «Notes sur les modifications subies par les Européens transplantés en Amérique. Lecture», *op. cit.*:615-629. L'anglicisme *lecture* était parfois usité en France au sens de conférence (*Dictionnaire historique de la langue française* d'Alain Rey [Le Robert]). Le *Nouveau Dictionnaire national* de Bescherelle Aîné précise que «*lecture* se dit quelquefois pour leçons, cours publics». Quant au *Larousse universel en 2 volumes*, il atteste l'acception «leçon, cours fait par un particulier».

recherche intellectuelle. Il deviendra membre de la Société internationale des études pratiques d'économie sociale et du Groupe de Paris des Unions de la paix sociale. Le mouvement leplaysien sera un des principaux points de ralliement des Amis du Canada dans la capitale française. Les visiteurs canadiens-français importants y seront accueillis et appuyés. Et le mouvement leplaysien fournira à Rameau l'occasion de son initiative intellectuelle la plus féconde au Canada, comme on le verra.

Troisièmement, Rameau contribua plus que tout autre à la présence du Canada et de l'Acadie parmi les objets d'étude des historiens et érudits français. Ses interventions au congrès annuel des sociétés savantes de France ont été relevées dans le *Bulletin du Comité des travaux historiques, section des sciences économiques et sociales*, dont une étude comparée sur la propriété et la distribution du sol chez les Hollandais, les Anglais et les Français en Amérique du Nord[27].

La vie de l'esprit en Amérique française : l'histoire

La contribution de Rameau à l'historiographie acadienne et québécoise est paradoxale car elle est à la fois importante et insignifiante. On peut le considérer comme le fondateur de l'historiographie acadienne ; pour le meilleur ou pour le pire, certaines de ses interprétations ont été reprises inlassablement par ses successeurs[28]. Mais, mis à part quelques exceptions comme Benjamin Sulte, dont un manque de méthode amoindrit la portée de l'œuvre, l'historien Rameau n'a pas fait école en Amérique française. Personne en Acadie n'a appliqué le questionnaire et les méthodes de Rameau. Le contraste est très net avec l'œuvre de François-Xavier Garneau, qui est réellement inaugurale en ce qu'elle a dessiné les contours d'un schéma interprétatif sans cesse reconduit par les historiens, les orateurs et les essayistes jusqu'à la Révolution tranquille. La lecture de son *Histoire du Canada*, au milieu des années 1850, a contribué puissamment à susciter l'intérêt de Rameau pour l'Amérique française, à faire naître en lui le désir de la visiter

---

27. Pierre Trépanier, « *Du système colonial des peuples modernes*. Un inédit de Rameau de Saint-Père », *Revue d'histoire de l'Amérique française*, XXXVI, 1 (juin 1982) : 73.

28. Par exemple, voir Naomi Elizabeth Saundans Griffiths, *From Migrant to Acadian. A North American Border People, 1604-1755*, Moncton, Canadian Institute for Research on Public Policy and Public Administration ; Montréal/Kingston, McGill/Queen's University Press, 2005, p. 34.

et à lui inspirer l'idée de la mission qu'il s'est donnée d'en promouvoir la connaissance en France[29]. Il tenait le grand historien en haute estime. Pourtant sa conception de l'histoire diffère sensiblement. Qu'on en juge par ces lignes tracées en 1878 :

> On a trop long-temps [*sic*] écrit cette histoire en partant d'Abstractions pures et préconçues, en insistant outre mesure sur les questions purement politiques et militaires ; il serait utile de partir aujourdhuy [*sic*] de l'Étude des faits et des hommes, et de revivifier l'histoire dans ces observations curieuses et fécondes que présente l'Étude des populations, des familles elles-mêmes, qui sont la trame essentielle des sociétés que l'on décrit. [...] On ne saurait trop appesantir son attention sur ces études, et on doit y recueillir la trame d'une histoire toute nouvelle, plus vivante et plus pittoresque que dans l'État des intrigues de quelques grands personnages, ou des commérages politiques du temps passé[30].

Rameau se range parmi les représentants de l'école historique catholique, bien supérieure, selon lui, à l'école historique révolutionnaire des «vieux canards comme Henri Martin[31]». Cette historiographie traditionaliste, indissociable de l'École des chartes et de la *Revue des questions historiques*, a été illustrée par des savants comme Léopold Delisle. Rameau y puise en partie ses interrogations et ses méthodes. L'autre source d'inspiration vient de la monographie leplaysienne et des recherches de l'économie sociale.

La vie de l'esprit en Amérique française : l'économie sociale

Si les études historiques de Rameau ont davantage influé sur les idéologies que sur la pratique du métier d'historien, son œuvre et son action ont été plus utiles à l'avènement de la sociologie. Il ne faut pas oublier qu'avant de s'institutionnaliser la sociologie a été un peu partout une curiosité intellectuelle d'amateurs. On connaissait déjà le rôle de Léon Gérin dans cette histoire au Québec, mais on n'avait pas rendu justice au travail de pionnier de Rameau[32]. Lors de son deuxième voyage au Québec, il a fondé la Société

29. Un lecteur, «François-Xavier Garneau, sa vie et ses œuvres par Monsieur Chauveau», *La Minerve* (4 juillet 1883) : 2.

30. E. Rameau à Siméon Le Sage, 25 février 1878, ANQQ, fonds Siméon Le Sage [FSL].

31. E. Rameau à Eugène Dumez (brouillon), 18 février 1878, CEA, FR, 2.1-17.

32. Jean-Philippe Warren, *L'Engagement sociologique. La tradition sociologique du Québec francophone (1886-1955)*, Montréal, Boréal, 2003, p. 25-47.

canadienne d'économie sociale de Montréal, affiliée au mouvement leplaysien de Paris, qui a favorisé l'initiation des Canadiens français aux sciences sociales naissantes et qui a exercé ici une influence idéologique certaine dans le sens du conservatisme traditionaliste. D'une certaine façon, l'École sociale populaire en poursuivra au moins la fonction pratique, la fonction théorique ou de connaissance étant assumée par Gérin puis par l'université.

Le traditionalisme canadien-français

Les historiens ont surtout retenu l'influence de Rameau sur la Renaissance acadienne, sur le mouvement de colonisation et sur l'évolution des idéologies. Ce qui revient à dire qu'ils ont évalué les effets de l'intensification des relations culturelles franco-canadiennes sur l'histoire des idéologies en Acadie et au Québec. Les jugements ont varié ; les plus sévères, ceux de Michel Brunet, par exemple, dénoncent les méfaits du ruralisme et du messianisme accrédités par Rameau, tenu responsable de l'irréalisme de la pensée canadienne-française d'avant la Révolution tranquille[33]. D'autres, sensibles à la dimension d'affirmation nationale et de reconquête que Rameau prête à la colonisation intérieure du Québec, apprécient plus positivement son emprise[34].

De toutes les idéologies, c'est le traditionalisme qui a le plus profité du rayonnement exercé par son œuvre d'historien, de sociologue – d'économiste, selon l'expression des contemporains – et de publiciste. Quand Rameau a commencé à s'occuper sérieusement de l'Amérique française, il avait amorcé l'évolution qui le ferait passer de l'extrême gauche catholique au traditionalisme. Mais son aversion nouvelle pour le substantialisme constitutionaliste, principe selon lequel la forme de l'État détermine le destin de la société, l'a préservé des thèses extrêmes de l'école contre-révolutionnaire, et sa sensibilité aux problèmes sociaux donnait à sa pensée un tour concret et pragmatique, de sorte que tous les libéraux non radicaux, à une époque aussi tardive que celle du second voyage, pouvaient encore lui faire fête.

---

33.   Michel Brunet, « Trois dominantes de la pensée canadienne-française : l'agriculturisme, l'anti-étatisme et le messianisme », dans Michel Brunet (dir.), *La Présence anglaise et les Canadiens. Études sur l'histoire et la pensée des deux Canadas*, Montréal, Beauchemin, 1958, p. 159-165.

34.   Gabriel Dussault, *Le Curé Labelle. Messianisme, utopie et colonisation au Québec, 1850-1900*, Montréal, Hurtubise HMH, 1983, p. 82-87.

Dès les années de son premier séjour, ses réserves à l'égard de l'expérience américaine et son rejet du libéralisme matérialiste avaient heurté les radicaux. Ainsi, en 1868, refusant d'étendre aux Acadiens le principe des nationalités, *Le Pays*, organe du rougisme, s'en prenait à Rameau et tournait en dérision sa reconnaissance de l'existence d'un peuple acadien, d'une nation acadienne :

> Mais la nationalité acadienne ! Qu'est-ce que c'est que cela ? [...] Or, quelques milliers de pêcheurs pauvres, ignorants, disséminés sur le littoral d'une vaste colonie, voilà ce qu'on appellera une nationalité, ce que M. Rameau veut mettre en face de l'énergique, de l'entreprenante race anglo-saxonne, cette race à laquelle est réservée [*sic*] l'univers, comme l'a si bien compris et exprimé Prévost-Paradol[35] !

Deux conceptions de la nation s'opposent ici : d'une part, la conception culturelle d'une communauté historique définie surtout par l'identité et la généalogie ; d'autre part, la conception contractualiste d'une association libre de propriétaires ordonnée au développement économique et justifiée par ce dernier. Quant à la Révolution, Rameau ne faisait pas mystère de son éloignement des illusions de sa jeunesse. Mais les libéraux et les conservateurs modérés – en somme les centristes qui composaient l'essentiel du personnel politique des deux grands partis – pouvaient se reconnaître en Rameau, qui, s'il n'accordait plus autant d'importance aux libertés parlementaires en 1877 et en 1889 qu'en 1859, ne leur manifestait aucune hostilité fondamentale dans le contexte canadien, surtout que le système politique québécois reposait sur une large décentralisation, incarnée dans les conseils municipaux, les commissions scolaires et les fabriques.

La faiblesse du socialisme et l'inexistence de l'anarchisme expliquent en partie le manque d'intérêt des milieux intellectuels québécois pour les prises de position de Rameau dans les années 1840, époque où il s'employait à dégager tout le positif de l'œuvre de penseurs comme Fourier, Toussenel, Cabet[36] et surtout Proudhon. Son essai de christianisation du proudhonisme

---

35. *Le Pays*, 11 août 1868, cité par Pierre Trépanier, dans Pierre-Maurice Hébert (dir.), *Les Acadiens du Québec*, Montréal, Éditions de l'Écho, 1994, p. 454.

36. En 1851, sans souscrire à ses idées, Rameau présentait « la figure calme et paisible de Cabet, tenant, sans prétention, dans sa main, la plus puissante des forces de ce monde, la conscience d'hommes convaincus ». Cabet se retrouvait devant la cour d'appel. « Nous aimons la justice, la vérité et le dévouement, écrivait Rameau, et, dans cette grande crise de la société moderne qui cherche des principes dignes de sa foi et des

ne semble pas avoir intrigué la jeunesse canadienne-française ni attisé sa curiosité : elle n'a pas été attirée par cet esprit libre et audacieux.

Bref ce sont les conservateurs traditionalistes qui se sont sentis le plus en communion de pensée avec Rameau. J'appelle traditionalisme l'idéologie des intellectuels de conviction conservatrice qui sont tels non pas par attachement au *statu quo* ou aux privilèges, mais à la suite d'une critique de la modernité, critique qui n'exclut nullement *a priori* le réformisme, même audacieux. Ces néotraditionalistes n'opposent pas à la modernité la tradition-prison de la répétition du Même, mais une sagesse critique. Au Canada français, le traditionalisme n'est pas le plus souvent partisan de l'absolutisme monarchique et a subi l'influence de Burke et des institutions britanniques. Il se réclame de la tradition nationale : catholicisme traditionnel et souvent ultramontain[37], vieux fond français, intégration du gouvernement représentatif à sa culture politique, prééminence de la famille, valorisation des élites dans tous les domaines, responsabilité personnelle, solidarité nationale s'exprimant par le catholicisme social. Il peut être nationaliste comme Jules-Paul Tardivel, qui était aussi républicain, ou plus réservé à ce chapitre comme Thomas Chapais, loyal à la patrie canadienne et à la couronne anglaise. Voilà le courant intellectuel le plus à même de sympathiser avec Rameau dans les années 1880 et 1890.

Le ruralisme et le messianisme de Rameau se portent à la rencontre du ruralisme et du messianisme des traditionalistes canadiens-français. Dans les deux cas, il ne s'agit pas de mépriser la richesse, de protéger l'ignorance et de glorifier l'ilotisme. « Accorder un souci moindre à l'industrie et au commerce, s'adonner davantage à l'agriculture » n'a jamais signifié pour Rameau « négliger le nécessaire » et se refuser à « un mouvement d'industrie et de commerce proportionné à l'importance de son pays ». Aussi juge-t-il qu'il n'est « rien de plus naturel que de voir s'établir des écoles spéciales profession-

---

hommes dignes de sa confiance, il n'était pas sans intérêt pour nous d'assister à ce procès. » Edme Rameau de Saint-Père, « Un mot sur le procès de Cabet », *La République universelle*, 8 (1er août 1851) : 229-230.

37.   On ne peut dire de Rameau qu'il professait l'intransigeance ultramontaine. Il ne frappait d'exclusive aucun des membres de la grande famille catholique en France et au Canada français, pourvu que le dogme et l'esprit du catholicisme traditionnel fussent respectés.

nelles ». L'activité économique doit être pondérée de telle façon qu'elle favorise la vocation intellectuelle du Canada français :

> S'attacher avec la plus grande sollicitude, non pas seulement à répandre l'instruction, mais à en rehausser le niveau en même temps que celui de l'intelligence générale, marier l'élévation des idées à la science la plus sérieuse, et rehausser par la beauté de la forme la solidité de la pensée, voilà le but que les Canadiens doivent se proposer, et l'essence même du caractère national, se faisant jour par leurs tendances et leurs goûts, les y portera naturellement[38].

Toute la démonstration de Rameau repose sur la théorie du caractère national. Les Canadiens français et les Acadiens prouvent par leur histoire que la France est colonisatrice et que les colons français sont les meilleurs, supérieurs très certainement aux colons d'origine britannique. La profondeur de la religion, la frugalité patriarcale, la moralité conjugale et la fécondité des familles, l'audace de l'explorateur, du soldat et du missionnaire ainsi que la vocation terrienne caractérisent l'histoire canadienne-française, ancienne et récente, à un degré inégalé dans le passé et le présent états-uniens. Le goût des choses de l'esprit indique bien que le caractère national s'est perpétué sur les bords du Saint-Laurent et de la baie des Chaleurs. La simplicité des mœurs des Canadiens et des Acadiens, « premier fondement de leur force », établit même que le caractère national s'y est mieux préservé qu'en France, en partie grâce à une plus grande fidélité au catholicisme. Il importe donc à la démonstration de Rameau en faveur de la vocation coloniale de la France que les Canadiens français et les Acadiens restent eux-mêmes, ne changent pas fondamentalement au sein du développement économique et des progrès techniques. La permanence du caractère national français chez les Acadiens et les Canadiens français est l'assise de son raisonnement procolonial en appui à l'Algérie française.

Rameau ne mâche pas ses mots : l'antiaméricanisme est un préservatif indispensable du caractère national car rien ne menace plus ce dernier que l'américanisme, marquant ici aussi son accord avec les traditionalistes et son désaccord avec les libéraux avancés, pour qui, depuis les années 1830, les États-Unis sont le modèle par excellence.

---

38. Edme Rameau de Saint-Père, *La France aux colonies. Études sur le développement de la race française hors de l'Europe. Les Français en Amérique. Acadiens et Canadiens*, Paris, A. Jouby, 1859, 2ᵉ partie, p. 264-267.

Si [les Canadiens], insiste-t-il, ont défendu et gardé avec une persistance héroïque leur religion, leur langue et leur patriotisme, ce n'est qu'en déployant plus d'énergie encore qu'ils parviendront à défendre leurs mœurs et leur identité. Pour réussir dans cette tâche, il faut nécessairement renoncer à toute espèce de transaction avec les usages américains ; que la répulsion nationale, mieux qu'une barrière de douanes, mette embargo sur tout ce qui sent l'américanisme à la frontière du pays canadien, que chacun se méfie et repousse avec dédain la funeste contagion de cette civilisation malsaine, et pour finir par une expression vulgaire et toute française, qu'il soit à la mode d'être Canadien et ridicule d'être Américain[39].

La fidélité des Canadiens français à leur religion et l'accroissement du rôle du clergé de leur nationalité importent beaucoup à l'avenir du catholicisme en Amérique du Nord. Rameau est peu édifié par la discipline, la science et le dévouement du clergé irlando-américain, dont il croit qu'il n'a jamais accepté franchement le concile de Trente, pierre de touche du catholicisme traditionnel à ses yeux[40]. Le clergé irlandais des États-Unis est contaminé par l'américanisme, il est « à moitié catholique, à moitié protestant[41] ».

La fin des illusions

Traditionalistes et libéraux s'entendent au milieu du XIXᵉ siècle pour déplorer l'émigration aux États-Unis et pour chercher dans la colonisation intérieure l'une des parades à ce mouvement débilitant. Le camp traditionaliste se divise cependant sur cette question dans le dernier quart du XIXᵉ siècle, certains interprétant l'exode comme un prolongement de la mission providentielle du Canada français. Pour sa part, Rameau aurait préféré que les mouvements de population des Canadiens français ne se fissent pas au profit des États-Unis, l'intérêt national commandant la concentration plutôt que la dispersion. « Véritable danger pour l'avenir de la nationalité canadienne », l'émigration aux États-Unis menaçait aussi « son influence dans le gouvernement confédéré[42] ». Si cet exode ne peut être durablement endigué, on doit alors grouper le plus possible les établissements

---

39. E. Rameau, *La France aux colonies [...]*, *op. cit.*, p. 262.

40. E. Rameau à J.-B. Proulx, 25 décembre 1891, ANQM, FSST.

41. E. Rameau à Jules Le Sage, 14 novembre 1897, ANQQ, FSL.

42. Anonyme, « Réunion canadienne à Paris », *Le Courrier du Canada* (18 mars 1874) : 1.

franco-américains[43]. Vers 1879-1881, il ne se refuse pas à envisager le scénario optimiste selon lequel «ce mal de l'émigration pourrait devenir au contraire un élément de développement de la Patrie canadienne[44]» et à considérer la Nouvelle-Angleterre comme un des «postes d'avant-garde», à la condition expresse toutefois que ces projections soient «maintenu[e]s avec énergie». Mais elles n'offrent pas les garanties que présente l'expansion des Canadiens français vers le Nord et vers les frontières de l'Ontario, «où la pression de leur masse fera toujours peu à peu reculer l'élément anglais[45]». Dans les années 1890, il devient, hélas! de plus en plus évident pour Rameau que les Canadiens de la Nouvelle-Angleterre sont menacés d'une «américanisation» par la paroisse et par l'école, d'où leur caractère national sortirait adultéré[46].

La menace de l'américanisation devient une obsession chez Rameau pendant la dernière décennie de sa vie. L'antiaméricanisme paraît de salut public. Déjà, à cet égard, son second voyage en Acadie lui avait laissé une impression pénible, lui qui avait anticipé le jour où les Acadiens domineraient au Nouveau-Brunswick. Il avait été «douloureusement frappé» par l'intensité de l'émigration acadienne aux États-Unis[47]. Or si même les Acadiens cèdent au «mirage américain», aucun groupe français en Amérique n'est à l'abri d'une défection. Et l'argument du caractère éminemment propre à la colonisation du Français était affaibli, sinon récusé. En 1894, il consigne cette constatation attristée :

> Les États-Unis, voilà aujourd'huy l'exemple et le mirage, qui impressionne, qui entraîne, qui annule [*sic*] un assez grand nombre de jeunes têtes parmi vous qui pourraient être utiles et qui ne deviennent que des brouillons. C'étaient [*sic*] bien la peine que depuis deux siècles, tout un peuple se soit

---

43. E. Rameau à Hospice-Anthelme Verreau, 3 mars 1873, Archives du Séminaire de Québec, fonds Verreau.

44. E. Rameau à Benjamin Sulte, 20 juin 1879 (brouillon), ANQQ, FR.

45. E. Rameau à [B. Sulte] (brouillon), [20 mars 1881], ANQQ, FR.

46. Edme Rameau de Saint-Père, «Les Canadiens dans la Nouvelle Angleterre. Dangers de leur "américanisation"», *La Réforme sociale*, 3e série, tome 3 (1892):701-707.

47. Edme Rameau de Saint-Père, «M. Rameau de Saint-Père», *Le Moniteur acadien* (9 mai 1890):2.

évertué à éviter l'absorption et l'imitation de l'étranger, à conserver son originalité propre, pour aboutir à cet amour de l'imitation[48].

Le système de Rameau l'Africain et de Rameau le sociologue s'écroulait. Le pays canadien, qui avait été pour lui une « révélation salutaire », était engagé sur une pente qui risquait d'être fatale. En 1899, trois mois avant sa mort, après avoir tracé un portrait pessimiste de l'évolution de la France, il consignait ce constat désabusé, que je reproduis malgré sa longueur :

> Notre France d'outre-mer présente une situation non moins grave. C'était une tradition constante que l'ennemi du Canada, que l'ennemi héréditaire, le danger contre lequel il fallait se mettre en garde, c'était les Yankees et la force de résistance que les Canadiens avaient manifesté [*sic*] contre leur envahissement matériel et moral ont [*sic*] été le signe caractéristique de cette revivis-cence du Canada qui a motivé l'admiration et la surprise du monde moderne depuis 25 à 30 ans. Mais aujourdhuy [*sic*] les choses sont bien changées : il est à craindre qu'une partie de la jeunesse canadienne ne montre une tendance fâcheuse vers une admiration irraisonnée pour les Yankees, leurs habitudes et leurs mœurs. C'est le résultat de l'œuvre de ces jeunes bavards inexpérimen-tés et peu instruits qui se groupent [*sic*] derrière Laurier, vers la ruine des tra-ditions qui avaient avec tant d'énergie et de bon sens victorieusement lutté depuis 150 ans pour conserver la nationalité canadienne[49].

Un an plus tard, au sujet de la colonisation canadienne-française et de l'im-migration française au Canada, l'un des correspondants de Rameau, Auguste Bodard, tirait la conclusion que « tout est bien changé depuis 15 ans » : « C'était le bon temps alors, le temps des illusions qui auraient pu devenir des réalités, si nous avions été soutenus [...][50]. » Il confirmait les pires craintes de Rameau et de son ami Onésime Reclus : « Je suis sous l'impression qu'en dehors de la Province de Québec et d'une partie d'Ontario, notre race est per-due et noyée au milieu de populations étrangères et souvent hostiles [...][51]. »

---

48. E. Rameau à Siméon Le Sage, 27 juin 1894, ANQQ, FSL.

49. E. Rameau à Siméon Le Sage, 3 septembre 1899, ANQQ, FSL.

50. Auguste Bodard à J.-B. Proulx, 15 novembre 1900, ANQM, FSST.

51. *Ibid.*

Conclusion

Ni l'Algérie, ni le Canada en dehors du Québec n'ont été des réussites de la colonisation française. Ni le Québec, ni l'Acadie n'ont réussi, par le maintien intégral de la tradition nationale, à préserver le caractère national ou à assurer la paix sociale. L'américanisation triomphe, et même en France à certains égards. Avec le recul du temps, les relations franco-canadiennes dont Rameau s'est fait le promoteur persévérant paraissent avoir été dominées par une vision utopique. Au Québec, le traditionalisme a mis à profit l'apport de Rameau. Le conservatisme social français, celui du mouvement leplaysien en particulier, s'est en partie édifié sur l'exemple canado-acadien. Mais contrairement à ce qu'il avait espéré, l'argument canado-acadien n'a guère influé sur l'idée coloniale en France, même si Rameau était en rapport avec Jules Duval et l'abbé Pierre-Auguste Raboisson, et collaborait à *L'Économiste français* du premier[52]. Les parallèles qu'il a établis entre les colonies algérienne et canadienne n'ont pas eu l'efficacité attendue. Avec des moyens matériels nettement supérieurs, la colonisation algérienne, estime-t-il, n'a pas donné des résultats aussi satisfaisants que la colonisation intérieure du Québec. L'explication lui paraît résider dans les « embarras de mécanisme » de la première, c'est-à-dire l'obsession des théories, des constitutions, des formules, des bureaux, des réglementations, bref de facteurs extérieurs à la qualité morale des colons eux-mêmes. Au contraire, les succès de la seconde sont à mettre au compte de l'énergie et de la responsabilité individuelles, du spiritualisme, des mœurs. Son étude comparée établit « la supériorité des forces morales sur les forces mécaniques, de l'économie sociale sur l'économie politique[53] ». L'émigration française au Canada n'a jamais pris son essor. À considérer le phénomène de la colonisation dans sa globalité et sur les deux rives de l'Atlantique, les réseaux constitués ou utilisés par les Amis du Canada n'ont été ni assez puissants, ni assez durables pour changer – même modestement – le cours des choses.

---

52. Raoul Girardet, *L'Idée coloniale en France de 1871 à 1962*, p. 43-75. Cette étude devenue classique passe d'ailleurs sous silence la *Revue française de l'étranger et des colonies* ainsi que ses animateurs, Édouard Marbeau et Georges Demanche.

53. Edme Rameau de Saint-Père, « L'expansion des Franco-Canadiens et la colonisation française en Algérie. Études comparées d'histoire contemporaine », *La Réforme sociale*, 2ᵉ série, tome 8, 1889, p. 667. Les chercheurs devraient ranger le mouvement leplaysien et son organe, *La Réforme sociale*, parmi les forces intellectuelles du mouvement colonial.

Rameau et son réseau ont tout de même joué un rôle non négligeable dans la vie de l'esprit au Canada français. En confirmant de son autorité quelques grandes intuitions canadiennes-françaises, il a affermi la confiance en eux-mêmes des Acadiens et des Québécois. La colonisation intérieure du Québec a atteint un des objectifs qu'il avait fixés : la colonisation par les Canadiens français de l'œkoumène québécois ; mais elle a été impuissante à peser sur le phénomène massif de l'émigration aux États-Unis. L'acadianisation du haut clergé est devenue un fait accompli après sa mort. Parce qu'elle s'est institutionnalisée dans la Société canadienne d'économie sociale puis, en partie du moins, dans l'École sociale populaire, la solution leplaysienne à la question sociale est de ce côté de l'Atlantique la contribution la plus tangible de Rameau. Mais c'est l'idée d'une mission intellectuelle française en Amérique et d'une littérature nationale qui a sans doute eu le plus de répercussions. Elle a enflammé la jeunesse intellectuelle. En 1860, le jeune Siméon Le Sage se réjouissait du « magnifique avenir » intellectuel que traçait Rameau aux Canadiens français : « qu'il fait bon au cœur d'entendre d'aussi éloquentes et d'aussi rassurantes paroles[54] ». Laurent-Olivier David, un libéral, qui souhaitait le développement industriel du Québec pour y retenir la population canadienne-française, n'en était pas moins convaincu, en 1877, « qu'un bon livre vaut mieux pour la gloire d'une nation qu'un chemin de fer, qu'une magnifique page de poésie l'emporte sur une manufacture[55] ». La préférence de Rameau pour la prose d'idées aux dépens des œuvres d'imagination ainsi que son orientation idéologique guident son appréciation de la littérature canadienne-française. Il fait grand cas de Charles Thibault, orateur à la personnalité vigoureusement originale, dont il cite ces lignes audacieuses : « Les Yankees disaient qu'ils étaient entraînés par une *manifest [destiny]*. Ils se trompent, parce qu'ils n'en sont point dignes. C'est vous [Canadiens français] qui avez une *manifest [destiny]*[56]. » Vivre de la francité et la faire vivre ici a fourni à des générations d'intellectuels québécois leur raison d'être et

---

54. S. Le Sage à Louis-François-Georges Baby, 24 octobre 1860, UM, collection Baby.

55. Laurent-Olivier David, [Discours], dans Anonyme, « Le 25ᵉ anniversaire de la fondation de l'Institut canadien-français d'Ottawa », *L'Opinion publique*, VIII, 44 (1ᵉʳ novembre 1877) : 18.

56. Edme Rameau Saint-Père, *La Littérature canadienne (1878-1888)*, extrait du compte rendu des travaux du Congrès bibliographique international tenu à Paris du 3 au 7 avril 1888 sous les auspices de la Société bibliographique, Paris, Société bibliographique, 1888, p. 8.

justifié à la fois leur attachement au Canada français et leurs sévérités à son endroit. D'une certaine façon, Olivar Asselin, Jules Fournier, Lionel Groulx, Victor Barbeau ou Jean Éthier-Blais ont appliqué, chacun dans sa tonalité propre, la leçon enthousiaste d'Edme Rameau de Saint-Père.

Les communautés religieuses françaises au Québec (1792-1914)

GUY LAPERRIÈRE
Université de Sherbrooke

Quelle influence a eue la venue au Québec des communautés religieuses françaises entre 1792 et 1914 ? À première vue, tout le monde s'entend pour dire qu'il s'agit là d'un phénomène culturel de première importance. Les exemples sont on ne peut plus clairs : la venue de prêtres chassés par la Révolution en 1794-1796 ou de frères et sœurs enseignants qui quittent le sol français à la suite des décrets combistes de 1902 à 1904 a sur le Québec catholique une influence majeure. La perspective de *La Capricieuse*, un événement qui se situe au cœur de la période en question, permet cependant de jeter un œil neuf sur la question, d'élargir le regard et d'examiner le phénomène sur la longue durée d'un siècle. Il en sortira peut-être des conclusions étonnantes. Ainsi, pour ne citer que le cas le plus connu, les appels de Mgr Bourget à des congrégations françaises dans les années 1840 pourront apparaître sous un jour nouveau.

Nous avons choisi de regrouper les arrivées en trois grandes périodes : 1) 1792-1840 : la Révolution et les Sulpiciens ; 2) 1840-1880 : Mgr Bourget ; 3) 1880-1914 : les lois républicaines. Pour chacune d'entre elles, nous examinerons successivement les moments de cette immigration, son poids et la signification du phénomène.

1792-1840 : la Révolution et les Sulpiciens

La Révolution française est le premier mouvement majeur qui nous concerne. En consultant l'étude fondamentale de Narcisse-Eutrope Dionne sur la question, reprise en grande partie par Claude Galarneau[1], on peut, en supprimant quelques éléments douteux[2], conclure que 42 prêtres français vinrent alors au Canada, après avoir refusé de prêter le serment constitutionnel de 1791 et être passés en Angleterre, la plupart en 1792. C'est l'évêque de Saint-Pol-de-Léon, Mgr Jean-François de La Marche, qui les orienta pour la plupart vers le Canada. Leur arrivée s'échelonne de 1792 à 1799, le plus grand nombre (29) arrivant entre 1794 et 1796. Dix-sept d'entre eux étaient sulpiciens ; les 25 autres séculiers.

Les Sulpiciens sont installés à Montréal depuis 1657 ; ils sont les seigneurs de l'île depuis 1664 et y dominent tant la vie religieuse que la vie économique. Depuis 1760, cependant, les autorités britanniques leur ont interdit tout nouvel apport de personnel français, de telle sorte qu'en 1792 le Séminaire de Montréal ne compte plus que 5 Canadiens et 2 Français. L'immigration de 17 sulpiciens français entre 1793 et 1796 allait complètement changer la donne et permettre aux Français de conserver le poste de supérieur au Séminaire jusqu'en 1917[3]. Par la suite, jusqu'en 1840, les autorités britanniques se montrèrent de nouveau réticentes à accepter au

---

1. Narcisse-Eutrope Dionne, *Les Ecclésiastiques et les royalistes français réfugiés au Canada à l'époque de la Révolution, 1791-1802*, Québec, [sans éditeur], 1905, 447 pages ; Claude Galarneau, *La France devant l'opinion canadienne (1760-1815)*, Québec/Paris, Les Presses de l'Université Laval/Armand Colin, 1970, 401 pages. C. Galarneau traite des prêtres émigrés lors de la Révolution aux p. 180-193, 211-222 et 283-286.

2. En utilisant les notices du *Dictionnaire biographique du Canada*, la meilleure autorité en la matière (www.biographi.ca), nous avons pu corriger quelques données du tableau de Dionne, p. 171-172. Ainsi, les abbés Jean-Baptiste Allain et François Lejamtel sont arrivés de Saint-Pierre-et-Miquelon en 1792. En reproduisant la liste de Dionne, p. 192-193, C. Galarneau a malencontreusement remplacé Louis-Joseph Desjardins par Claude Rivière, ainsi nommé deux fois. La liste de Dionne contient 45 noms ; nous avons supprimé ceux de Périnault, un Canadien, de Thorel et de Boussin, arrivés plus tard, ce qui nous conduit à notre total de 42.

3. Voir *Les Prêtres de Saint-Sulpice au Canada, grandes figures de leur histoire*, Sainte-Foy, Les Presses de l'Université Laval, 1992, qui reproduit les biographies de sulpiciens publiées dans le *Dictionnaire biographique du Canada*, avec des introductions substantielles.

Bas-Canada de nouveaux sulpiciens (ou prêtres) français. Il en vint cependant sept entre 1823 et 1828, mais nous n'avons pu faire la même vérification pour les séculiers.

À la fin de la période, il faut signaler un ajout important : celui de l'arrivée d'un contingent de frères des écoles chrétiennes, qui s'établirent à Montréal, invités par les Sulpiciens[4]. C'est que ceux-ci disputaient à l'évêque établi à Montréal depuis 1821, leur confrère (canadien) Jean-Jacques Lartigue, l'autorité religieuse et institutionnelle sur la ville et tenaient la main haute sur l'organisation religieuse. Leurs démarches pour faire venir les frères de La Salle avaient commencé en 1829, avec M. Joseph Quiblier (supérieur français de 1831 à 1846), et aboutirent en 1837 avec l'arrivée de quatre frères à Montréal. Cinq autres frères français allaient venir jusqu'en 1846, puis 17 entre 1847 et 1849 et le courant ne se tarirait pas jusqu'à la Grande Guerre. Au moment de leur arrivée, il n'y avait aucune autre communauté de frères enseignants au Québec.

Quel poids eut l'arrivée de ces religieux ? Réglons rapidement le cas des Frères : comme ils sont les seuls, on constate que leur influence à Montréal, Québec (1843) ou Trois-Rivières (1844) est forcément majeure. Mais elle touche surtout la période suivante, à partir de 1840.

C'est surtout l'arrivée de prêtres au moment de la Révolution française dont il faut tenter de mesurer le poids. Poids numérique d'abord. Pour 1793, on cite le chiffre de quelque 140 prêtres pour 150 000 catholiques pour tout le diocèse de Québec, qui couvre alors le Bas-Canada (Québec), le Haut-Canada (Ontario) et les Maritimes, et ce, jusqu'en 1817. Les 42 prêtres français qui arrivent en sept ans, tous très bien formés et la plupart relativement jeunes – le plus grand nombre (23) était né dans les années 1760 –, constituent un apport numérique inestimable : ces prêtres forment le quart du clergé du pays (sans compter que d'autres Français faisaient partie des 140 prêtres alors en exercice).

Ce poids augmente encore si on considère l'importance des fonctions exercées par ces prêtres. Les séculiers, au nombre de 25, détinrent souvent des postes importants : vicaire général, curés de grosses paroisses, aumôniers des principales communautés (Ursulines, Hôtel-Dieu), missionnaires pour

---

4. Nive Voisine, *Les Frères des Écoles chrétiennes au Canada*, Sainte-Foy, Éditions Anne Sigier, 1987-1999, 3 volumes.

de vastes territoires (ainsi, l'eudiste François-Gabriel Le Courtois, curé de Rimouski, devait s'occuper du territoire allant de Trois-Pistoles à Sainte-Anne-des-Monts, et y ajouter la desserte du Saguenay, du Lac-Saint-Jean et de la Côte-Nord). Dix-sept firent de longs séjours (vingt ans et plus). Treize d'entre eux figurent dans le *Dictionnaire biographique du Canada*. Citons les deux plus connus : l'abbé Jacques de Calonne, frère du ministre de Louis XVI, aumônier des Ursulines de Trois-Rivières, prédicateur de grand style, qui exerça une profonde influence ; Jean Raimbault, curé de Nicolet pendant 35 ans et premier supérieur du Séminaire (il partageait l'autorité avec un directeur). Plusieurs œuvrèrent dans les Maritimes (Gaspésie, Îles de la Madeleine, Île du Prince-Édouard, Acadie [Nouveau-Brunswick et Nouvelle-Écosse] : j'en ai dénombré dix. Le plus célèbre est le père Jean-Mandé Sigogne, dont on a écrit qu'il a contribué « plus que personne à maintenir les traditions françaises et catholiques parmi les Acadiens du sud-ouest de la Nouvelle-Écosse », où il œuvra de 1799 à sa mort en 1844[5]. Plusieurs de ces prêtres se trouvèrent regroupés autour du lac Saint-Pierre, à tel point qu'on en vint à désigner cette région comme la *Petite France*. J'en ai relevé huit surtout, principalement entre 1810 et 1830 ; quatre d'entre eux ont été curés pendant de longues années de paroisses contiguës sur la rive sud : Baie-du-Febvre (Charles-Vincent Fournier, 1810-1836), Nicolet (Jean Raimbault, 1806-1841), Bécancour (François Lejamtel, 1819-1833) et Gentilly (Claude-Gabriel Courtin, 1795-1830).

La présence des 17 sulpiciens français arrivés à la même époque eut tout autant de poids, surtout dans la région de Montréal. Là encore, 12 de ces 17 ont leur biographie dans le *Dictionnaire biographique du Canada*. Que ce soit à la paroisse Notre-Dame, qui couvrait alors toute la ville, au Collège de Montréal, appelé alors Saint-Raphaël, ou auprès des communautés religieuses – les sulpiciens étaient alors les aumôniers des trois grandes communautés religieuses de la ville, les Hospitalières de l'Hôtel-Dieu, les Sœurs grises et la congrégation de Notre-Dame –, leur influence est considérable, d'autant que, au moins jusqu'en 1840 et même après, ils tiennent tête aux évêques de Québec et de Montréal et constituent par eux-mêmes un pouvoir, très identifié comme français et plutôt hostile aux Canadiens. Il suffit de mentionner des noms comme Candide-Michel Le Saulnier, curé de

---

5. Bernard Pothier, « Sigogne, Jean-Mandé », *Dictionnaire biographique du Canada*, vol. 7 ; Gérald C. Boudreau, *Le Père Sigogne et les Acadiens du sud-ouest de la Nouvelle-Écosse*, Montréal, Bellarmin, 1992.

Notre-Dame de 1793 à 1829, J.-H.-A. Roux, supérieur du Séminaire de 1798 à 1831, ou Jean-Baptiste Thavenet, agent des sulpiciens à Londres, Paris ou Rome de 1815 à 1844, pour mesurer l'importance que ces hommes purent tenir, et nous n'en avons nommé que trois !

Quel sens donner à cette arrivée massive de prêtres français au Canada entre 1792 et 1799 ? Le premier qui a étudié à fond la question, le très conservateur N.-E. Dionne (il y a cent ans exactement, en 1905), voyait en eux « de nobles héros à la foi inébranlable ». Reprenant la question, C. Galarneau partage à peu près le même point de vue : « Ces prêtres ont donné un second souffle à l'Église canadienne et l'on peut affirmer sans trop exagérer que la France révolutionnaire a établi une seconde fois, et sans le vouloir, l'Église catholique au Canada », ou encore : « D'une instruction supérieure et d'une qualité intellectuelle et morale exceptionnelle, ces prêtres ont été l'un des plus importants supports de la culture française chez les Canadiens durant 60 ans[6] ».

Commençons par ce côté de la culture, avant d'essayer de mesurer leur influence proprement religieuse. Forts eux-mêmes d'une formation plus poussée que celle de leurs homologues canadiens, ces prêtres ont beaucoup travaillé à l'instruction de la jeunesse. Six des sulpiciens français se consacreront de manière significative à l'éducation au Collège de Montréal ; on connaît l'action du supérieur Raimbault au Séminaire de Nicolet ou celle de l'abbé Sigogne à la Baie Sainte-Marie en faveur de l'éducation. Du côté artistique, l'abbé Jean-Denis Daulé, celui du groupe qui mourut le dernier (1852), était musicien et publia en 1819 un *Nouveau recueil de cantiques à l'usage du diocèse de Québec*. Et on a beaucoup parlé de la collection Desjardins : l'abbé Philippe-Jean-Louis Desjardins, rentré en France en 1802, fit parvenir en 1817 et 1820 à son frère Louis-Joseph, dit Desplantes, à Québec un ensemble de près de 200 tableaux religieux, que ce dernier distribuera aux paroisses et aux communautés religieuses du diocèse de Québec[7]. Cela l'amena à rencontrer et à aider des peintres comme Joseph Légaré ou Antoine Plamondon.

---

6. N.-E. Dionne, *Les Ecclésiastiques [...]*, *op. cit.*, p. ix ; C. Galarneau, *La France devant l'opinion canadienne [...]*, *op. cit.*, p. 221 ; C. Galarneau, « Desjardins, Philippe-Jean-Louis », *Dictionnaire biographique du Canada*, vol. 6.

7. Laurier Lacroix a produit une thèse de plus de 1 000 pages sur le sujet, dont il donne un bon aperçu dans « Les envois de tableaux européens de P.-J.-L. Desjardins à Québec, en 1817 et 1820. Établissement du contenu », *Annales d'histoire de l'art canadien*, XX,

L'action pastorale est encore plus significative. C. Galarneau a calculé que 28 prêtres ont desservi 59 paroisses[8]. Quand on sait l'influence d'un curé dans la société bas-canadienne... Furent-ils des agents de propagation du mouvement contre-révolutionnaire ? Louis Rousseau a étudié le contenu de 339 sermons des sulpiciens montréalais entre 1800 et 1829, la plupart par des prêtres émigrés français. Les malheurs (révolutions et guerres en font partie) sont présentés comme des châtiments du Seigneur, et Rousseau conclut son analyse par le constat d'une religion dominée par la crainte. Mais l'analyse ne permet pas de voir précisément la place que tient la Révolution française dans ce discours[9].

Ce qui paraît plus constant, du point de vue de l'analyse historique, c'est la soumission des Sulpiciens aux autorités britanniques. Cette soumission visait avant tout à consolider leur place dans la société montréalaise, notamment à se garantir la possession de leurs biens, dont ils purent de fait s'assurer durant cette période. Et on ne s'étonnera pas que cette fidélité de corps ait été favorisée par la trajectoire personnelle de chacun : ils étaient tous passés par l'Angleterre avant de venir au Canada ; ce pays les avait accueillis alors qu'ils devaient fuir la France révolutionnaire au péril de leur vie, et il n'est dès lors pas étonnant que la Grande-Bretagne leur soit apparue comme un pays de liberté et qu'ils aient prêché tout naturellement la loyauté à une couronne si bienfaisante.

1840-1880 : Mgr Bourget

Évêque de Montréal de 1840 à 1876, Mgr Ignace Bourget est l'évêque ultramontain par excellence et son action sur tous les fronts pour établir une société catholique au Québec fut incessante et très efficace. Il lui fallait d'abord des ouvriers et, estimant qu'il n'en avait pas assez sur place, il se fit

---

1-2 (1999) : 26-41. Cent-vingt tableaux ont été envoyés en 1817 et 60 en 1820. Lacroix parle de « fonds » plutôt que de « collection ». Voir aussi, du même, « Les tableaux Desjardins, du pillage révolutionnaire à la sauvegarde du patrimoine québécois », dans Michel Grenon (dir.), *L'Image de la Révolution française au Québec, 1789-1989*, LaSalle, Hurtubise HMH, 1989, p. 183-200.

8. C. Galarneau, *La France devant l'opinion canadienne [...], op. cit.*, p. 212.

9. Louis Rousseau, *La Prédication à Montréal, approche religiologique*, Montréal, Fides, 1976, p. 209 et 235.

fort d'aller en chercher en France. Il y fit trois voyages, en 1841, 1846-1847 et 1854-1856, ce dernier se prolongeant pendant près de trois ans.

À chacun de ses voyages, il ramena des communautés religieuses, d'hommes et de femmes. À la suite du premier, ce furent les Oblats et les Jésuites, qui devaient tenir une place si importante au Canada français, les Oblats, dans la région d'Ottawa et dans tout l'Ouest et le Nord canadien, pendant plus d'un siècle (c'est la communauté masculine la plus nombreuse au Canada), les Jésuites par leurs célèbres collèges, dont le premier fut le Collège Sainte-Marie, à Montréal, fondé en 1848. Du côté féminin, il ramena aussi deux communautés : les Dames du Sacré-Cœur, pour l'enseignement, et les Sœurs du Bon-Pasteur d'Angers, auxquelles il donna la mission suivante : «vous travaillerez efficacement à relever la gloire de votre sexe, en faisant régner la justice avec toutes ses aimables vertus là où régnait auparavant la concupiscence avec ses honteux dérèglements[10]». Quand il ne trouvait pas ce qu'il cherchait, Bourget fondait lui-même une nouvelle communauté. Ce fut le cas avec les Sœurs de la Providence en 1843 (œuvres charitables) et les Sœurs des Saints-Noms-de-Jésus-et-de-Marie (1844), qui allaient devenir la congrégation de sœurs enseignantes la plus nombreuse au Québec.

À son deuxième voyage (1847), Bourget ramène deux jeunes communautés, qui connaîtraient aussi un grand rayonnement : les Clercs de Saint-Viateur et la congrégation de Sainte-Croix (pères, frères et sœurs). Et il ne se prive pas d'en fonder d'autres... Enfin, à son troisième voyage, il va chercher à Lyon, pour sa ville natale de Lévis, les Religieuses de Jésus-Marie. C'était l'année même de l'arrivée de *La Capricieuse* (1855). Son action est vraiment incessante.

Quelques autres communautés viendront de France à la même époque : les Sœurs de la Présentation de Marie et les Dominicains dans le nouveau diocèse de Saint-Hyacinthe, les Carmélites à Montréal en 1875, et quelques autres encore.

Ce qui frappe dans ce nouveau mouvement d'implantation, c'est la quantité de communautés qui arrivent dans un temps relativement restreint. Pour l'ensemble de la période 1840-1880, nous relevons 14 implantations, dont deux de Belgique, et 13 fondations, ces dernières toutes de communautés

---

10. Mandement d'établissement cité par Léon Pouliot, *Monseigneur Bourget et son temps*, Montréal, Bellarmin, 1977, tome 2, p. 84-85.

féminines. Toutes les nouvelles communautés masculines sont des implantations, alors qu'une grande majorité des communautés féminines (13 sur 19) sont des fondations. Dix-sept de ces communautés apparaissent au Québec entre 1840 et 1854 et 10 de 1855 à 1879[11].

Un sociologue des religions, Benoît Lévesque, a étudié en détail la venue de sept communautés masculines arrivées de France entre 1837 et 1876 et a comptabilisé les religieux français immigrés au Québec, en distinguant entre prêtres et frères (enseignants ou convers)[12]. À partir de ses chiffres, j'ai tiré les deux tableaux suivants.

Religieux français de sept communautés venus au Québec, 1837-1876[13]

	Prêtres	Frères	Total
1837-1846	20	16	36
1847-1856	50	46	96
1857-1866	39	12	51
1867-1876	23	19	42
Total	**132**	**93**	**225**

---

11. On trouvera une « Liste alphabétique des communautés religieuses du Québec », distinguant les masculines et les féminines, avec leur année de fondation ou d'implantation, dans Bernard Denault et Benoît Lévesque, *Éléments pour une sociologie des communautés religieuses au Québec*, Montréal, Les Presses de l'Université de Montréal, 1975, p. 197-201 (couvre des origines à 1969). Pour un tableau chronologique pour la période 1837-1939, voir Guy Laperrière, *Les Congrégations religieuses. De la France au Québec, 1880-1914*, Les Presses de l'Université Laval, tome 3, 2005, p. 634-635 (1837-1914) et p. 603 (1915-1939).

12. Benoît Lévesque, « Les communautés religieuses françaises au Québec : une émigration utopique ? (1837-1876). Étude de sociologie historique », dans B. Denault et B. Lévesque, *Éléments pour une sociologie des communautés religieuses [...], op. cit.*, p. 119-192. Contrairement à ce que laisse entendre son titre, Lévesque ne traite pas des communautés féminines et ne s'en explique pas. C'est une attitude qu'on pouvait facilement trouver avant le mouvement féministe des années 1975, alors que les femmes étaient absentes de l'histoire.

13. Source : B. Lévesque, « Les communautés religieuses [...] », dans *Éléments pour une sociologie des communautés religieuses [...], op. cit.*, cité à la note 12, p. 168.

Religieux français venus au Québec, 1837-1876, par communauté[14]

	Prêtres	Frères	Total
FEC 1837-1876	-	34	34
OMI 1841-1876	57?	5?	62
SJ 1842-1876	56	15	71
CSV 1847-1876	2	8	10
CSC 1847-1876	12	21	33
FSC 1872-1876	-	10	10
OP 1873-1876	6	1	7
Total	**133**	**94**	**227**

Des 94 frères de ce dernier tableau, on peut estimer que 73 sont des frères enseignants[15], soit plus des trois quarts. Et quand on examine les effectifs canadiens de ces communautés dans les trois tableaux-synthèses des pages 170-172 qui les comparent avec les effectifs français, on constate que, règle générale, les pères sont toujours plus nombreux chez les Français et les frères infiniment plus nombreux chez les Canadiens, qu'ils soient enseignants ou convers. Ce qui laisse entendre que la direction appartient le plus souvent aux Français.

On trouve un autre indice de l'importance des réguliers (communautés toutes venues de France pour les hommes) par rapport aux séculiers (prêtres diocésains, pratiquement tous canadiens) dans les calculs que L. Rousseau

---

14. Source : B. Lévesque, « Les communautés religieuses [...] », *Éléments pour une socio-logie des communautés religieuses [...]*, *op. cit.*, p. 130, 135, 142, 152, 158, 162 et 165. Ce tableau a été confectionné à partir des chiffres détaillés fournis en note par Lévesque pour chaque communauté. Dans les cas des oblats (OMI), il ne fait pas la distinction entre pères et frères, d'où nos points d'interrogation. Le total donne 227 religieux, ce qui ne correspond pas au total de 225 du tableau précédent.

15. Nous avons tenu pour acquis que tous les frères étaient enseignants chez les FEC et les FSC, ce qui est certain, mais aussi chez les CSV et les CSC, ce qui l'est moins. Par contre, ils sont assurément convers chez les OMI, les SJ et les OP.

a effectués pour le Sud-Ouest du Québec. On y voit les réguliers prendre le dessus sur les séculiers lors du quinquennat 1845-1849 (84 contre 66), le perdre entre 1850 et 1854 (71 contre 89) et le reprendre ensuite pour ne plus le laisser[16]. C'est dans cette grande région montréalaise que se sont implantées toutes les communautés étudiées par B. Lévesque, à l'exception des Frères du Sacré-Cœur.

Quel sens peut-on donc donner à la venue de ces communautés françaises ? Il apparaît assez clairement qu'elles font partie du renouveau (ou réveil) religieux qui a marqué le diocèse de Montréal après les rébellions de 1837 et de 1838. La société catholique s'organise, grâce à l'action entreprenante de Mgr Bourget. À son initiative, une douzaine de communautés nouvelles apparaissent dans le diocèse en dix ans. Qu'elles viennent de France ou d'ailleurs, qu'elles soient de fondation québécoise, n'apparaît ici que comme un facteur secondaire. Le sens de ces implantations ou fondations, lui, est clair : il s'agit de mettre sur pied une société catholique, où la religion tiendra la première place. Les communautés constituent à cet égard un outil de tout premier ordre. La France en possédait à cette époque un réservoir assez exceptionnel : l'évêque de Montréal ne se gênera pas pour aller y puiser ressources et inspiration. Le cachet religieux est ici ce qui compte le plus, et la nationalité française ne paraît pas, durant cette période, un élément majeur[17].

Pour le clergé séculier, ce nouveau clergé régulier pouvait être considéré comme un concurrent. On voit ainsi, en 1844, l'abbé Joseph-Sabin Raymond, professeur au Séminaire de Saint-Hyacinthe, écrire au secrétaire de l'archevêque de Québec, Charles-Félix Cazeau : « Pour toutes les fêtes, les retraites, etc., toujours des Français. Pas de Canadien invité. [...] Eh bien si nous sommes si paresseux ou incapables, mettons-nous à genoux devant les

---

16. L. Rousseau et F. W. Remiggi (dir.), *Atlas historique des pratiques religieuses. Le Sud-Ouest du Québec au XIXe siècle*, Ottawa, Les Presses de l'Université d'Ottawa, 1998, p. 209, tableau IV. Ce tableau porte sur les vocations.

17. Il faudrait sans doute excepter Mgr de Forbin-Janson qui, par une tournée de prédication et de retraites en 1840-1841, lança le mouvement de réveil religieux et eut une influence considérable. Mais cet évêque ne peut être compté comme représentant les communautés religieuses. Voir Claude Galarneau, « Monseigneur de Forbin-Janson au Québec en 1840-1841 », dans Nive Voisine et Jean Hamelin (dir.), *Les Ultramontains canadiens-français*, Montréal, Boréal Express, 1985, p. 121-142.

Français[18].» C'était là la réaction d'un intellectuel. Le petit peuple, lui, appréciait peut-être davantage les procédés spectaculaires mis de l'avant par les oblats ou un Forbin-Janson, religion populaire si caractéristique du mouvement ultramontain[19].

B. Lévesque a tenté une explication sociologique de l'implantation de sept communautés masculines venues de France entre 1837 et 1873. Pour lui, ne primèrent ni les raisons politiques, ni les motivations économiques. Il conclut plutôt que le facteur déterminant est une émigration utopique. Les communautés sont vues, sous ce jour, comme des groupes utopistes qui, n'ayant pu réaliser en France leurs aspirations, rêvent de les réaliser en Amérique, dans la grande vague utopique qui se manifeste entre 1830 et 1850, particulièrement à la faveur des révolutions de 1830 et 1848. Les États-Unis sont alors considérés comme la terre promise ; d'ailleurs, quatre de nos communautés s'y sont implantées avant de venir au Canada (SJ, CSV, CSC et FSC) ; les trois autres voyaient le Québec comme une porte d'entrée vers les États-Unis avec, comme avantages, la communauté de langue et de religion de même que les perspectives de recrutement[20].

Ce qui est certain, c'est que le nombre d'entrées en communauté au Québec augmenta de manière fulgurante entre 1840 et 1880. L. Rousseau en a dressé le portrait pour la grande région de Montréal, le taux de croissance le plus fort se situant entre 1840 et 1860. Le nombre moyen d'hommes entrés en religion passe alors de 25 à 40 par année, alors que celui des femmes augmente de 22 à 73 pour la même période (1840-1844 à 1855-1859)[21].

---

18. Cité par Christine Hudon, *Prêtres et fidèles dans le diocèse de Saint-Hyacinthe, 1820-1875*, Sillery, Septentrion, 1996, p. 323.

19. C. Hudon examine cette pastorale «extraordinaire» aux p. 324-335. Voir aussi Nive Voisine, «Jubilés, missions paroissiales et prédication au XIXe siècle», *Recherches sociographiques*, 23 (1982) : 125-137.

20. B. Lévesque, «Les communautés religieuses [...]», *Éléments pour une sociologie des communautés religieuses [...], op. cit.*, p. 166-192, surtout p. 191.

21. L. Rousseau et F. W. Remiggi (dir.), *Atlas historique des pratiques religieuses, op. cit.*, p. 201, tableau I.

1880-1914 : les lois républicaines

Convient-il d'attribuer aux lois ou aux mesures républicaines contre les congrégations religieuses en France entre 1879, l'année de l'arrivée au pouvoir des républicains, et 1914, moment de l'union sacrée, la venue au Québec d'un grand nombre de ces congrégations ou de leurs membres durant la même période ? C'est ce que nous avons examiné dans une recherche sur chacune des cinquante congrégations qui ont envoyé des religieux français au Québec durant ces années[22].

Il y a ici plusieurs moments. Le premier est celui des décrets du 29 mars 1880, qui s'en prennent à la Compagnie de Jésus et aux congrégations non autorisées. Les établissements des Jésuites sont fermés à partir du 30 juin et 261 autres expulsions de communautés masculines auront lieu en octobre et novembre. C'est à la suite de ces expulsions que s'implanteront au Québec les Trappistes à Oka (1881), les Montfortains (Compagnie de Marie) dans les Laurentides (Montfort, 1883), où ils ouvrent un orphelinat pour garçons, et leur congrégation-sœur, les Filles de la Sagesse (1884), au même endroit, pour s'occuper des enfants plus jeunes.

Le deuxième moment est celui de la législation scolaire de Jules Ferry, et particulièrement la loi du 30 octobre 1886 laïcisant le personnel enseignant des écoles publiques[23]. C'est à l'occasion de ces lois sur l'instruction gratuite, obligatoire et laïque que plusieurs congrégations de frères enseignants s'implanteront au Québec, soit les Frères Maristes à Iberville (1885), les Frères de l'instruction chrétienne de Ploërmel au Collège Sainte-Marie (1886) et les Frères de Saint-Gabriel à Montréal (1888), ces derniers à l'appel des Sulpiciens pour tenir un orphelinat[24].

Le troisième moment est sans doute le moins connu : c'est la loi militaire de 1889 qui établissait le service de trois ans et supprimait plusieurs exemptions, dont celles au clergé, ce qui l'a fait surnommer la loi des « curés

---

22. G. Laperrière, *Les Congrégations religieuses [...]*, *op. cit.*

23. L'article 17 de cette loi stipulait : « Dans les écoles publiques de tout ordre, l'enseignement est exclusivement confié à un personnel laïque. »

24. Les Frères de Saint-Vincent-de-Paul s'étaient implantés à Québec en 1884, pour prendre en charge l'Œuvre du Patronage, à l'appel des Conférences de Saint-Vincent de Paul ; un des premiers arrivants, le père Édouard Lasfargues, écrira un *Catéchisme expliqué* qui connaîtra un vif succès (1,2 million d'exemplaires jusqu'en 1961).

sac au dos». L'article 50 exemptait cependant de tout service les jeunes gens résidant hors d'Europe de l'âge de 19 à l'âge de 30 ans. Plusieurs congrégations, tant de pères que de frères, voulurent profiter des dispositions de cet article et envoyèrent bon nombre de leurs jeunes sujets au Canada à cette fin. Certaines s'y établirent même à cette occasion, surtout des congrégations cléricales : Franciscains, Capucins, Eudistes, Pères du Saint-Sacrement, Chanoines réguliers de l'Immaculée-Conception (CRIC) et Missionnaires du Sacré-Cœur. Dans quatre cas, l'implantation ne se fit pas d'abord au Québec : les Capucins s'implantèrent à Ottawa, les Eudistes à la Baie Sainte-Marie (Nouvelle-Écosse), les CRIC au Manitoba et les Missionnaires du Sacré-Cœur en Nouvelle-Angleterre. Où l'on peut mesurer la réalité du Canada français... On le voit : nous n'avons pratiquement mentionné jusqu'ici que des congrégations masculines[25].

Mais le plus grand moment fut celui des décrets faisant suite aux lois anticongréganistes de 1901 et 1904, familièrement connus sous le nom de décrets Combes, du nom du président du Conseil (1902-1905). La loi du 7 juillet 1904 atteignait particulièrement les congrégations de frères et de religieuses, puisqu'elle interdisait l'enseignement «de tout ordre et de toute nature» aux congrégations. Ce sont alors surtout des congrégations féminines, à la recherche de refuges, qui vinrent s'établir au Québec. Nous en avons relevé 16 pour le seul Québec entre 1901 et 1914, dont 10 principalement enseignantes. Ce sont ces dernières qui seront de loin les plus nombreuses en personnel : Filles de Jésus, Sœurs de la Charité de Saint-Louis, Sœurs du Sacré-Cœur de Jésus, Filles de la Charité du Sacré-Cœur de Jésus et Sœurs de Saint-Joseph de Saint-Vallier, pour nommer les plus nombreuses[26].

En général, l'implantation des autres congrégations à cette époque n'a pas tant à voir avec la législation française qu'avec leur désir d'expansion. Ce sont des communautés contemplatives (Clarisses, Trappistines, Servantes du Très-Saint-Sacrement, Rédemptoristines, Sœurs de Marie-Réparatrice, Bénédictins), de garde-malades (Sœurs de l'Espérance) ou missionnaires

---

25. Parmi les féminines, il faut surtout relever les Servantes du Saint-Cœur de Marie, congrégation fondée à Paris par un père du Saint-Esprit et implantée en Beauce en 1892, par un concours de circonstances et de relations personnelles.

26. Les autres sont les Sœurs de Saint-François d'Assise de Lyon, les Sœurs des Saints-Cœurs-de-Jésus-et-de-Marie, les Sœurs de l'Enfant-Jésus de Chauffailles, les Sœurs des Sacrés-Cœurs de Mormaison et les Sœurs de Sainte-Chrétienne.

(Sœurs blanches, Pères blancs, Pères du Saint-Esprit). Au total, 23 communautés se sont implantées de France au Québec entre 1901 et 1914 ; pour la période de 1880 à 1914, le total est de 18 communautés masculines et de 20 communautés féminines.

L'apport relatif de ces nouvelles congrégations venues de France peut s'évaluer de bien des manières. On peut d'abord apprécier les missions spécifiques des différentes communautés. Prenons l'exemple des communautés contemplatives. Du côté des hommes, on voit s'implanter les Trappistes en 1881 et les Bénédictins en 1912 ; pour les femmes, nous avons les Franciscaines missionnaires de Marie en 1892, les Clarisses et les Trappistines en 1902, les Servantes du Saint-Sacrement en 1903, les Rédemptoristines en 1905 et les Visitandines en 1910. Il n'y avait avant cela que deux communautés contemplatives, le Carmel et l'importante fondation des Sœurs adoratrices du Précieux-Sang, à Saint-Hyacinthe en 1861, qui compte déjà dix maisons en 1901. C'est dire que cette période a vu l'implantation de la vie contemplative masculine au Québec, qui en était complètement dépourvu jusque-là, et la multiplication des monastères de vie contemplative féminine dans la plupart des diocèses québécois, à peu près également partagés, vers 1910, entre monastères du Précieux-Sang et de communautés diverses venues de France. Nous avons donné ici l'exemple des communautés contemplatives ; on pourrait faire le même exercice à propos des communautés dites de vie active, principalement dans le domaine de l'enseignement, mais aussi dans celui des missions. Ainsi, pour les congrégations de frères enseignants, on passe de cinq communautés avant 1880 à dix en 1905.

Mais le nombre de religieux français venus au Québec peut paraître plus significatif que le nombre de communautés implantées. Notamment, nous avons estimé à 1 113 le nombre de religieuses et de religieux français arrivés au Québec en 1903 et 1904, les deux tiers faisant partie de congrégations déjà implantées avant 1901[27]. Nous avons aussi tenté de voir quel poids représentaient les religieux français par rapport au nombre total de religieux au Québec en 1901 et 1911. Cela a donné le tableau suivant[28].

27. G. Laperrière, Les Congrégations religieuses [...], op. cit., tome 2, tableaux 13 et 15, p. 499 et 502.

28. Ibid., tome 3, tableau 9, p. 441 (avec corrections), où l'on trouvera les précisions méthodologiques pertinentes.

Nombre total de religieux au Québec, 1901 et 1911
et nombre de religieux français arrivés au Québec, 1900-1914

Québec	1901	1911	Religieux français, 1900-1914
Hommes	1 984	3 039 (+ 1 055)	+ 1 187
Femmes	6 628	9 964 (+ 3 336)	+ 889
Total	8 612	13 003 (+ 4 391)	+ 2 076

La conclusion qu'on en peut tirer est que l'arrivée de religieux est numériquement beaucoup plus importante que celle des religieuses. On peut même estimer qu'en 1911, environ la moitié des religieux résidant au Québec étaient Français, alors que, probablement, cette proportion n'atteint pas 10 % chez les femmes. La différence s'explique par la présence de nombreuses et fortes communautés féminines fondées au Québec, alors qu'il n'y en a pratiquement aucune du côté masculin. Chez les hommes, si on compare maintenant les pères et les frères, on voit qu'en 1903 et 1904, les deux années où il est arrivé le plus de religieux, nous comptons 175 pères nouvellement arrivés pour 566 frères, soit trois fois plus de frères (76 %) que de pères (24 %)[29]. L'apport des frères enseignants fut donc particulièrement marquant pour toute la période.

Quel sens donner à cette arrivée d'une quarantaine de communautés et de plusieurs centaines de religieux et religieuses entre 1880 et 1914 ? La crise religieuse en France atteint son paroxysme entre 1901 et 1905, et la vague d'arrivée de religieux atteint son sommet entre 1902 et 1904. Il est certain que l'image de religieux, et peut-être surtout de religieuses, considérées comme inoffensives, expulsés par la force de leurs couvents, et l'autre image, correspondante, de ces *exilés* qui arrivent au Québec, victimes de la *persécution* combiste, créent une forte impression sur les populations, dont l'accueil est particulièrement chaleureux. Les témoignages sont innombrables à ce sujet. À ces occasions, les évêques et les religieux eux-mêmes développent l'image d'une Église de France persécutée, victime du gouvernement sectaire et franc-maçon. Citons Mgr Blais, évêque de Rimouski, en 1903 : « Que Dieu [...] vous préserve des malheurs de la persécution et de la proscription

---

29.   Calculs effectués à partir de *ibid.*, tome 2, tableau 13, p. 499.

dont vous menace la malice des renégats qui étreignent aujourd'hui la France pour la déchristianiser![30] » Et un religieux, Eugène Meyer, qui publie une « Chronique religieuse et politique de France » : « Nous assistons en effet à une des crises les plus violentes de persécution religieuse que la France ait jamais traversées. [...] L'expulsion des religieux n'était pas un but, mais une étape ; le but final était la destruction de l'Église catholique de France[31]. »

Cette présentation des choses est la vision dominante, incontestable. A-t-elle marqué les esprits durablement ? Ambroise Lafortune l'affirme dans ses mémoires, à propos de la formation reçue à l'école primaire des Frères de l'instruction chrétienne :

> Les frères nous enseignaient autre chose encore, surtout ceux qui [...] avaient été chassés par la France radicale anticléricale. Ce qui avait marqué leur vie et celle des frères canadiens qui dépendirent d'eux dans leur formation. Cela nous fut dit sur tous les tons, nous ne pouvions y échapper.
>
> « La République française était une prostituée, l'école laïque était l'image terrestre de l'enfer et conduisait à la damnation, la France de la Royauté était la seule vraie France. » Toute une génération d'entre nous allait recevoir cette formation qui, plus tard, nous fera facilement pétainistes[32].

Dans quelle mesure pareille image fut-elle répandue ? Il est difficile de le dire. D'autres témoignages projettent une autre image. Le courant nationaliste est très fort chez plusieurs religieux français, qui tiennent à donner une bonne image de la France. On le voit par exemple chez M. Charles Lecoq, supérieur des Sulpiciens à Montréal, lors de la querelle sur le drapeau en 1903 : « Il y a tout un Canada, écrit-il, qui aime la France et qui veut garder son drapeau[33]. » Par ailleurs, la plupart des supérieurs français insistent auprès de

---

30. Mgr Blais au frère Firmin, supérieur général des Frères de la Croix de Jésus, vœux du nouvel an, 26 janvier 1903, Archives de l'archevêché de Rimouski, RL, Q, p. 594.

31. Eugène Meyer, *La Nouvelle-France*, 11 mai 1903 : 284 et 288. Meyer est le futur supérieur général des Missionnaires du Sacré-Cœur. *La Nouvelle-France* est une revue mensuelle très cotée fondée à Québec en janvier 1902 et qui se présente comme la « revue des intérêts religieux et nationaux du Canada français ».

32. Ambroise Lafortune, *Dieu écrit droit [...]*, Montréal, Leméac, 1982, p. 52-53.

33. Charles Lecoq à Mgr Paul Bruchési, [s.d.], Archives de l'Université de Montréal, fonds Jean Bruchési, P57/1047. Dans sa lettre, Lecoq se plaint de l'attitude des Jésuites : « Il y a deux attitudes envers l'état actuel de la France : garder pour elle les sentiments d'une fille envers sa mère et pleurer ses douleurs ; – la répudier en bloc. Sans le vouloir

leurs religieux pour qu'ils se fassent Canadiens avec les Canadiens. Dans ce contexte, on les voit mal ressortir les événements qui leur ont fait quitter la France...

Par ailleurs, nous avons parlé de vision majoritaire. C'est qu'il se trouve une petite minorité, de radicaux anticléricaux, à Montréal surtout, mais ailleurs aussi, qui approuvent les mesures du gouvernement français, y compris pour contrôler les congrégations. Un bon exemple en est le journaliste français Édouard Charlier, qui vante la loi du 1er juillet 1901 en ces termes : « tout le monde reconnaît aujourd'hui [...] que cette loi était nécessaire, qu'elle a débarrassé le pays d'un tas de sangsues qui le ruinaient et qu'enfin elle restera comme une des meilleures qui aient été adoptées par la Législature[34] ».

Les bien-pensants de la bonne ville de Québec s'insurgeaient devant pareille attitude, l'ensemble de l'opinion y étant beaucoup plus conservatrice. On le voit bien, notamment, au moment des débats autour de la question de l'instruction publique, avec les prises de position des Thomas Chapais, Louis-Adolphe Pâquet, Basile Routhier et autres... Plus on s'éloigne des années 1902-1907, cependant, plus le ton devient modéré. La situation se transformera complètement avec la Première Guerre mondiale et l'Union sacrée : le contexte s'est alors modifié du tout au tout.

Par contre, chez les évêques québécois, une vision forte leur est restée dans l'esprit, accentuée par leurs passages réguliers en France, en route vers Rome pour leurs visites *ad limina* : il faut éviter à tout prix que se reproduise au Québec la tragédie qui a frappé la France :

> Si je vous parle si longuement et même trop longuement de cette lamentable déchéance de la France, c'est parce que je redoute pour notre Canada l'invasion des mêmes idées pernicieuses et des mêmes vices qui ruinent notre

---

clairement, les Jésuites ici sont en train de prendre cette seconde attitude. » En 1903, les Jésuites militaient pour l'adoption du drapeau Carillon-Sacré-Cœur. Sur cette querelle du drapeau, voir Luc Bouvier, « Du tricolore canadien au fleurdelisé québécois : le Carillon et le Carillon-Sacré-Cœur », *L'Action nationale*, LXXXVI, 6 (juin 1996) : 91-102 ; Pierre Savard, *Jules-Paul Tardivel, la France et les États-Unis, 1851-1905*, Québec, Les Presses de l'Université Laval, 1967, p. 438-445.

34. *Les Débats*, 13 avril 1902. Quelques jours plus tard, il parle de « l'admirable gouvernement qui préside aux destinées de la France »... Pour le contexte, voir G. Laperrière, *Les Congrégations religieuses [...], op. cit.*, tome 2, p. 543-545.

ancienne mère-patrie. Nous devons tirer de tous ces tristes événements une salutaire leçon pour nous-mêmes. Le clergé a besoin de prudence, de zèle, de charité et surtout de sainteté, s'il veut que le peuple Canadien, encore si bon, si religieux, ne se laisse pas entraîner peu à peu sur la même pente fatale et vers les mêmes abîmes que le peuple français[35].

Conclusion

Que conclure, au sujet de cette implantation de communautés religieuses françaises au Québec ? Entre 1793 et 1914, le mouvement d'implantation fut continu, mais avec des concentrations : 1793-1799, 1841-1847, 1884-1888, 1890, 1902-1904. Ces temps forts correspondent à des réalités fort différentes, selon les époques que nous avons identifiées. Pour la première période, il est clair que l'arrivée des Sulpiciens et des prêtres séculiers est en lien direct avec la Révolution française et que l'impact de la Révolution est un marqueur indélébile.

La deuxième période, avec l'action prédominante de Mgr Bourget, est complètement différente. La demande vient du Québec, on devrait même dire de Montréal, et les quatorze congrégations qui s'implantent à ce moment-là songent d'abord à leur expansion, voire à leur survie. La note française est plutôt pâle : certaines viennent même des États-Unis. Très rapidement, ces communautés deviennent canadiennes et quand les Français sont présents – on pense aux Sulpiciens ou aux Dominicains – leur présence, particulièrement chez les supérieurs, fait l'objet de contestation par les Canadiens.

Pour la troisième période, de 1880 à 1914, le tableau est plus nuancé. Certes, la plupart des arrivées de nouvelles congrégations, et l'exode de centaines de religieux entre 1902 et 1904, sont directement attribuables aux mesures combistes. La concentration des arrivées et leur poids numérique ont certainement une forte influence, au moment où elles se produisent, sur les populations, notamment sur les autorités religieuses. La signification de ces arrivées, surtout pour la dernière période, reste difficile à évaluer. Par exemple, on pourrait lancer une hypothèse sous forme de paradoxe : plus l'influence française est forte dans une congrégation, moins celle-ci se développe au Québec. Le cas des Capucins est assez net à cet égard : leur noviciat restera longtemps pratiquement vide. Dans d'autres cas, même si

---

35. Louis-Nazaire Bégin à son vicaire général, Vichy, 9 mai 1904, Archives de l'archevêché de Québec, 20A, Évêques de Québec, vol. 9, p. 60.

l'origine de la congrégation est française, son caractère international atténue la spécificité française. On peut citer, dans cette situation, les Religieuses du Sacré-Cœur, les Franciscaines missionnaires de Marie ou la Société de Marie-Réparatrice. Le schéma est tout différent pour les petites ou moyennes congrégations «locales», par exemple celles issues de Bretagne : très attachées à leurs traditions françaises, voire bretonnes, elles craignent que la moindre dérogation dans leurs us et coutumes n'entraîne une division dans la congrégation, qu'elles redoutent par dessus tout.

Enfin, on pourrait prendre en compte le poids de certaines personnalités. Nous en avons cité plusieurs parmi les prêtres venus au Bas-Canada au moment de la Révolution : les Le Saulnier, Roux ou Quiblier, les frères Desjardins, les Raimbault, Sigogne ou de Calonne, ont certes marqué fortement les régions où ils ont vécu. D'autres religieux français seront de grandes figures dans leur milieu à la fin du XIXe ou au début du XXe siècle : on pense à l'oblat Victor Lelièvre, au père Alexandre Nunesvais (SVP) ou au père Alexis (capucin) à Québec, au frère Réticius, à M. Lecoq ou à dom Antoine Oger à Montréal. On pourrait aussi nommer tant et tant de supérieures ou de supérieurs qui restèrent longtemps en poste dans tel ou tel couvent, quartier ou village, tel enseignant qui fait figure de légende dans son milieu et dont l'origine française ne fut jamais perdue de vue. La plupart de ces religieux maintenaient des contacts avec la France, soit par la correspondance, soit par des voyages qu'ils y effectuaient à peu près tous les dix ans.

Revenons pour terminer sur *La Capricieuse*. Au moment de sa venue à Québec, en 1855, la France en est au plus fort de l'expansion de ses congrégations religieuses. Mais on n'a pas d'équivalent au Canada français. Certes, de nombreuses communautés françaises furent appelées dans les années 1840 au Québec par Mgr Bourget. Mais très rapidement, elles sont devenues tout à fait canadiennes. Paradoxalement, la venue de *La Capricieuse* correspond donc peut-être au moment où, durant ce long siècle, l'influence française dans les congrégations québécoises fut peut-être la moins élevée, entre les deux sommets que constituent la Révolution française et la politique anticongréganiste des années 1880-1914.

L'autre province perdue : le Canada dans les livres de lecture scolaires sous la Troisième République

PATRICK CABANEL

Université de Toulouse

C'est un natif de la petite commune cévenole de Saint-Julien d'Arpaon (Lozère) qui signe ce chapitre : sa vieille maison se presse contre la falaise de schiste que domine le château dont le dernier seigneur s'est appelé Joseph-Louis de Montcalm. Ce trait est à l'origine, localement, d'une innocente fierté ; il constitue également un assez bon observatoire pour réfléchir, sans y mettre trop de prétention, au rapport de la France au Canada perdu, à partir d'un matériau précis, une poignée de livres de lecture répandus dans les écoles primaires publiques de la Troisième République et qui ressortissent à un genre scolaire et littéraire alors bien codifié, le tour de la nation par des enfants[1]. On imagine aisément que ces territoires lointains, et plus même coloniaux, ne pouvaient occuper une place majeure dans ce type de production. On n'en assiste pas moins à leur étonnant retour, dans une République, il est vrai, très soucieuse de son territoire, de sa mémoire et de son panthéon.

J'ai parlé en titre, par analogie, de *province perdue* : car l'on sait bien que la France est littéralement malade, pendant deux ou trois décennies, de sa défaite de 1870 et de la perte de l'Alsace et d'une partie de la Lorraine,

---

1. Patrick Cabanel, *Le tour de la nation par des enfants. Livres scolaires et espaces nationaux en Europe (19ᵉ-20ᵉ siècles)*, Paris, Belin, 2006 (à paraître).

devenues désormais, dans les livres, les chansons, les cartes, les images (songeons à Hansi), les représentations d'une nation, les «provinces perdues». La crise allemande de la pensée française, pour reprendre le titre classique du livre de Claude Digeon[2], s'est révélée d'une acuité particulière. Sommée de se reconstruire sans aucun espoir, au moins à moyen terme, de prendre sa revanche et de reconquérir cette partie amputée d'elle-même, la France a dû apprendre à gérer des espaces aux statuts bien distincts : c'est dans ce nouvel Atlas, à la fois physique et imaginaire, que le Canada allait trouver sa place, modeste mais réelle. Joue à plein, au lendemain de 1870, ce que l'on peut appeler le paradigme de Iéna : puisque l'État a perdu une partie de son territoire physique, qu'il fasse désormais des conquêtes à l'intérieur, en haussant le niveau d'éducation et de développement de son peuple. Ce que le roi de Prusse et la génération d'un Fichte et d'un Humboldt ont fait à partir de 1807, la République de Jules Ferry et des «hussards noirs» va le faire à son profit. Des manuels scolaires d'un nouveau type ont saisi le rôle qu'ils avaient à jouer : *Le Tour de la France par deux enfants*, de G. Bruno (Mme Augustine Fouillée), dont on sait le succès aussi fulgurant que durable à partir de 1877, a d'abord pour fonction de montrer et d'inculquer le paysage, le panthéon et le Code de la nation aux enfants des écoles. S'il est vrai que la France a perdu la guerre et l'Alsace parce que ses instituteurs n'auraient pas su enseigner la géographie et l'histoire de leur pays aux futurs soldats, alors la France va d'abord *reconnaître*, comme on dit sur le champ de bataille, son propre espace.

De l'Alsace au Québec

L'Alsace-Lorraine, «les provinces perdues», ne sont pas délaissées pour autant : c'est même l'inverse. Leur tache violette ou noire sur les cartes n'a cessé de hanter, sinon la mémoire collective, au moins la mémoire scolaire : il est facile de le vérifier en revenant au *Tour de la France par deux enfants*. Chaque Français (ou presque) est censé savoir que les deux petits héros du livre, André et Julien, sont les fils d'un charpentier de Phalsbourg, en Lorraine, et s'enfuient clandestinement de leur ville annexée pour retrouver leur patrie. Le lecteur, certes, abandonne la Lorraine dès la première page, puisqu'il s'agit du récit de la fuite nocturne des enfants : mais pas plus qu'eux il ne lui tourne le dos, tout au long du livre la province perdue reste

---

2. PUF, 1959, rééd. 1992.

dans les têtes et les cœurs comme un horizon, fût-il à l'arrière. Un brillant analyste, Daniel Halévy, a pu reprocher dans les années 1930 au manuel d'avoir abandonné à leur sort l'Alsace et la Lorraine, tout à son effort d'exaltation du parcours et de la reconstruction de la nation. Mais c'est une fausse lecture : André et Julien ont fait comme tout un pays jusqu'à la veille de 1914. Ils n'ont rien oublié, même s'ils n'ont jamais préparé quelque guerre de reconquête : il leur a suffi de bâtir une France plus forte et d'attendre de quelque justice immanente que l'heure des retrouvailles sonne. G. Bruno a bénéficié d'une telle longévité à la tête de ses manuels (elle meurt nonagénaire en 1923) qu'elle a même pu continuer à les rééditer au lendemain de la Première Guerre mondiale, en leur adjoignant une succession d'épilogues. Ainsi les descendants d'André et Julien, les cousins Jean et Josette, mariés et enseignants, laissent-ils en 1919 leur école d'un quartier ouvrier de Paris pour prendre un poste double... dans une importante école aux environs de Phalsbourg[3]. La boucle était bouclée : la France n'a jamais perdu de vue ni de cœur les deux provinces arrachées en 1871.

On a donc affaire ici à un premier diptyque : territoire matériel, celui-là même de la France ; territoire pour l'heure immatériel, celui des provinces perdues. À l'extérieur de l'Europe, un autre diptyque se met en place au cours des mêmes années : territoire matériel de l'expansion coloniale, territoire immatériel de l'expansion missionnaire, congréganiste, scolaire, linguistique, culturelle. On sait à peu près tout de la manière dont le premier a été inculqué aux élites et aux masses françaises[4], on commence à mieux percevoir la manière dont se sont diffusées les valeurs et les conquêtes du second[5]. Ici encore, l'angle d'approche que j'ai retenu, le livre de lecture scolaire, fournit des éléments intéressants. Les tours de la nation n'ont guère tardé à proposer des incursions au moins en Algérie : si ce n'est pas le cas du *Tour de la France par deux enfants*, peut-être surgi trop tôt après les désastres de l'année terrible (qui fut également marquée par une dernière grande révolte en Algérie contre le pouvoir colonial), G. Bruno a donné dans *Les enfants*

---

3. G. Bruno, *Le Tour de l'Europe pendant la guerre. Livre de lecture courante*, 15ᵉ éd. augmentée d'un épilogue, Paris, Belin, 1948.

4. Excellent point de départ dans Raoul Girardet, *L'idée coloniale en France de 1871 à 1962*, Paris, Hachette, 2005 [1972].

5. Voir par exemple Chantal Paisant (dir.), *La mission en textes et images XVIᵉ-XXᵉ siècles*, Paris, Karthala, 2004 ; Claude Prudhomme (dir.), *Une appropriation du monde. Mission et missions, XIXᵉ-XXᵉ siècles*, Paris, Publisud, 2004.

de Marcel, publié en 1887, un nouveau tour de la France qui menait directement les héros de la guerre perdue et de l'Alsace à cette Algérie où les vaincus et expatriés de la veille allaient bâtir leur destin nouveau sur la terre d'une France nouvelle. L'Algérie devient bientôt une habituée des livres scolaires, en servant parfois de cadre unique à des pérégrinations destinées à présenter tout son espace aux jeunes lecteurs : ainsi chez Gaston Bonnefont, *Deux petites touristes en Algérie* (1888), Jules Renard, *Les étapes d'un petit Algérien dans la province d'Oran* (1893), ou A. Prignet, *À travers l'Algérie : province de Constantine et Kabylie* (1914). Un manuel à succès se consacrera plus tard à la découverte de toute l'Afrique occidentale française : *Moussa et Gi-Gla. Histoire de deux petits noirs*, de Louis Sonolet et A. Pérès, paru chez Colin en 1916, est réédité jusqu'en 1952.

Reste la question d'autres territoires, immatériels en ce sens que la France n'en est pas ou n'en est plus la légitime propriétaire. Il y a principalement ces zones que les missionnaires et congréganistes conquièrent à la France et à ce qui ne s'appelle pas encore francophonie. Ce sont ici les Frères des écoles chrétiennes qui ont songé à rédiger un *À travers l'Égypte*, manuel collectif qui ne semble pas être allé au-delà du synopsis[6]. Il y a aussi l'ancien empire d'Inde, avec Dupleix, et l'ancien empire nord-américain, de Louisiane en Québec, avec Champlain et Montcalm. Que la France ne les ait pas plus oubliés, en dépit de la double distance dans le temps et dans l'espace, que l'Alsace-Lorraine, peut surprendre mais n'en est pas moins incontestable. Il ne s'agit pas ici de refaire en quelques pages ce qu'ont très bien fait l'abbé Armand Yon et Sylvain Simard[7]. Les livres de lecture scolaires doivent rester notre seul matériau. Je ferai toutefois une exception en faveur d'Antoine Chalamet, le fils d'un député qui fut brièvement sous-secrétaire d'État à l'Instruction publique sous Gambetta, parce qu'il est l'auteur d'un important tour de la France, *Jean Felber. Histoire d'une famille alsacienne* (1891), qui lui aussi prend son origine dans la guerre de 1870 en

---

6.   Il s'agissait du tome quatrième des *Lectures expliquées et illustrées à l'usage des Écoles chrétiennes d'Orient par une réunion de professeurs*. Il aurait dû paraître sous le titre : *Cours complémentaire. À travers l'Égypte*. Deux autres volumes, *À travers la Syrie* et *À travers la Turquie*, auraient dû suivre. Archives générales des Frères des écoles chrétiennes, Rome, NL 201, dossier 18.

7.   A. Yon, *Le Canada français vu de France (1830-1914)*, Québec, Les Presses de l'Université Laval, 1975 ; S. Simard, *Mythe et reflet de la France, l'image du Canada en France, 1850-1914*, Ottawa, Presses de l'Université d'Ottawa, 1987.

Alsace et s'achève avec l'installation de certains de ses héros en Algérie. L'originalité de *Jean Felber* est que le texte principal devait être assorti d'une notice propre à chacun des départements français. L'entreprise a été largement entamée, et l'on découvre ainsi que le département du Gard a donné une série de grands patriotes, souvent entrés dans la légende nationale : au premier rang, bien sûr, Montcalm[8]. En 1886, Chalamet a publié *Les Français au Canada (Découverte et colonisation)*, dans la série « Les grands Français » de la Bibliothèque d'éducation publiée par Picard-Bernheim. Face à la réussite des sociétés nord-américaines, il a cette phrase dont on imagine les résonances pour les Français de l'époque : « On ne saurait trop déplorer les désastres militaires et les fautes politiques qui nous ont chassés [du Canada]. » Chalamet reprend la formule qui veut que le plus grand événement militaire du XVIIIᵉ siècle ait été la mort de Montcalm. Et affirme que le développement actuel des colonies françaises est un bon argument à opposer aux esprits chagrins qui déclarent que les Français sont incapables de fonder des colonies. La démonstration qui suit est évidemment boiteuse, on le verra bien vite, à moins qu'elle fonctionne comme un véritable lapsus ou déni de réalité.

> L'expérience n'est plus à faire : à défaut de l'Algérie, qui devient de plus en plus prospère, et où les voyageurs étrangers admirent l'œuvre que nous avons accomplie, nous pouvons montrer ces florissantes colonies françaises d'Amérique. Elles ne sont plus rattachées politiquement à la France, elles font partie soit de la grande république des États-Unis, soit des possessions anglaises de l'Amérique du Nord, mais leurs habitants parlent toujours notre langue, sont restés Français de cœur, et rien de ce qui les concerne ne saurait nous laisser indifférents[9].

Chalamet n'a pas songé à croiser sa réflexion sur le Canada et son tour de la France (*Jean Felber*). Mais cinq auteurs au moins (il en est certainement d'autres) ont choisi d'insérer une étape canadienne dans un tour de la France d'outre-mer, voire, dans le cas de Georges Lamy, de proposer un livre intégralement dévolu au Canada. Ce sont ces cinq livres de lecture qui vont nous retenir maintenant.

---

8. Antoine Chalamet, *professeur d'histoire au Lycée Lakanal, Jean Felber. Histoire d'une famille alsacienne – La guerre franco-allemande – Excursions à travers la France – Descriptions. Département du Gard*, par J. Arnoux, Paris, Alcide Picard et Kaan, 1892.

9. A. Chalamet, *Les Français au Canada (Découverte et colonisation)*, Paris, Picard-Bernheim, 1886, p. 9-10.

Le Canada français dans les tours de la France d'outre-mer

Passons rapidement sur trois d'entre eux, dont l'objectif se limite à proposer un tour du monde à leurs jeunes héros, avec une simple étape au Canada. Eudoxie Dupuis[10], l'auteur d'un des premiers Tours de la France parus à la suite de celui de G. Bruno, *La France en zigzag* (1882), publie en 1889 *Autour du monde. Voyage d'un petit Algérien*[11]. Tous les ingrédients du livre de lecture scolaire à la française sont ici réunis : le grand-père du héros a été fusillé par les Allemands en 1870, son père, Franz Moser, est un Alsacien de trente-six ans, engagé volontaire lors de la guerre de 1870 ; ayant refusé de perdre sa qualité de Français, il a choisi d'acheter une petite ferme en Algérie[12]. Il fonde une famille à Biskra, et accompagne les expéditions françaises de reconnaissance dans le sud algérien. C'est au cours de l'une d'elles qu'il est fait prisonnier par des rebelles, tandis que son fils Michel, qui le croit mort, est enlevé par une tribu. Au terme d'innombrables péripéties africaines, asiatiques et américaines dont on peut faire grâce au lecteur de cet article, Michel et un camarade africain avec lequel il s'était enfui découvriront les chutes du Niagara, le Saint-Laurent, le Québec, avant que Michel ne rentre en Europe retrouver son père miraculeusement réapparu. Le texte comporte une allusion au marquis de Montcalm, mais rien de plus, il faut bien le dire.

L'allusion est un peu plus consistante dans deux ouvrages parus quelques années plus tard. *À travers nos colonies*[13], d'Eugène Josset, un instituteur devenu professeur au lycée Voltaire, propose une tournée encyclopédique de la France d'outre-mer, avec onze chapitres dont l'un est partiellement consacré à l'Inde et l'autre, le dernier, aux colonies françaises d'Amérique. Le règne de Louis XV, qui a laissé perdre le Canada et les Indes, est sévère-

---

10.　Sur les auteurs de manuels français, on se reportera avec profit à Christian Amalvi, *Répertoire des auteurs de manuels scolaires et de livres de vulgarisation historique de langue française de 1660 à 1960*, Paris, La Boutique de l'Histoire Éditions, 2001.

11.　E. Dupuis, *Autour du monde. Voyage d'un petit Algérien. Livre de lecture courante à l'usage des écoles primaires*, Paris, Delagrave, 1889 ; 24ᵉ édition refondue par Pierre Fonsagrive, 1935.

12.　Dans la seconde version de l'ouvrage, en 1935, Franz Moser a fait la Première Guerre mondiale et est venu s'établir en Algérie après sa démobilisation.

13.　E. Josset, *À travers nos colonies. Livre de lectures sur l'histoire, la géographie, les sciences et la morale*, 200 gravures, Paris, Colin, 1900.

ment critiqué, un trait que l'on va retrouver dans ces manuels rédigés au cœur de la République coloniale à la Jules Ferry. Les auteurs de *Voyage autour du monde. Les neveux du capitaine Francœur* (1893) sont connues, à l'époque, dans le secteur de la littérature scolaire : Clarisse Juranville, institutrice brevetée puis auteur à succès de la maison Larousse[14], et Pauline Berger, institutrice parisienne, ont publié en 1891 leur propre tour de France, mais à destination des jeunes filles, qui a rencontré un certain écho : c'est le *3ᵉ Livre de lecture à l'usage des jeunes filles*. Les neveux du capitaine Francœur effectuent en compagnie de leur oncle un extraordinaire périple mondial, qui les amène à parcourir l'Amérique du Sud et du Nord, avec là encore les États-Unis (dont on sent bien que la fascination qu'ils exercent grandit chez les auteurs français), la Louisiane, les chutes du Niagara[15], et un séjour au Canada, occasion d'un hymne vibrant à l'ancienne colonie et à l'occasion perdue par la France. Voilà 2,5 millions de Canadiens français qui ont fait des collectes en 1870 pour l'ancienne mère patrie, et qui « il y a quarante ans, s'écriaient, en voyant arriver un navire français à Québec : "Voilà nos gens qui reviennent"[16]. » Chacun aura reconnu l'allusion à *La Capricieuse*...

Avec *Yvan Gall, le pupille de la marine*, publié en 1894 par Gabriel Compayré, on change de dimension, à tous égards. L'auteur, député du Tarn, est un des princes de la République laïque, proche des ministres, auteur de manuels d'instruction civique d'autant plus réputés qu'ils ont été condamnés par l'Église catholique. Sans doute désireux d'écrire un Tour de la France, avec les tirages que l'on peut à l'époque en attendre, mais arrivant sur un marché saturé par l'ouvrage de G. Bruno et plusieurs de ses imitateurs et concurrents, Compayré choisit le détour mondial. Son avant-propos annonce, de manière toute classique, son souhait de distraire, voire amuser, mais surtout d'instruire : en suivant son modeste héros, ses lecteurs devraient recueillir un certain nombre de connaissances positives en histoire, géographie,

---

14. *Notice sur Clarisse Juranville*, Paris, Larousse, 1907.

15. J'y insiste, pour mettre l'accent sur le lien entre les grands sites touristiques et leur vulgarisation dans les livres de lecture scolaires. En France, on peut penser que les alignements de Carnac, le cirque de Gavarnie, le canal du Midi ou la source de la Loire, pour prendre divers exemples, doivent beaucoup de leur gloire actuelle à leur présence répétée dans les principaux manuels scolaires.

16. *Voyage autour du monde. Les neveux du capitaine Francœur*, par Raymond (Mˡˡᵉ C.J et Mˡˡᵉ P. Berger), Paris, Larousse, 1903, 5ᵉ éd., p. 228.

sciences physiques et naturelles, mais aussi puiser «un surcroît de forces morales et comme une excitation nouvelle à aimer leurs parents et leur patrie». Mais il reste surtout à expliquer le pari du livre : l'action ne se déroulant pas en France, que peuvent en attendre maîtres et élèves ?

> Au premier abord, vous croirez peut-être que ce récit, dont la plus grande partie vous transportera hors du territoire français, vous éloigne et vous sépare de la France. Détrompez-vous : c'est la France que vous retrouverez à chaque page ; c'est le rayonnement de sa force à l'extérieur, c'est l'expansion de son génie qu'on a voulu vous montrer. Dans les colonies qu'elle a fondées, dans celles qu'elle a conservées comme dans celles qu'elle a perdues ; dans les champs de bataille, sur terre ou sur mer, où vos pères ont versé leur sang pour sa défense ou sa gloire ; partout où je vous conduirai, et où ont passé ses navigateurs, ses ingénieurs, ses marins et ses soldats, et où est allée aussi l'influence de sa pensée, l'action de sa science : ce sont les traces, les souvenirs de la France que vous saluerez au passage ; c'est, à chaque étape de votre voyage, dans tous les coins de l'univers, la grande image de la France qui vous apparaîtra[17].

Non sans habileté, du reste, Compayré prend exemple sur un livre de lecture étranger, le plus grand succès de son genre en Italie, rapidement traduit en français, le *Cuore* de l'écrivain Edmondo De Amicis (1886)[18]. L'un des «récits mensuels» par lesquels le maître de *Cuore* a l'habitude de récompenser ses élèves, véritables romans dans le roman, «Des Apennins aux Andes», raconte la traversée de l'Atlantique par un enfant désireux de retrouver sa mère émigrée comme domestique en Amérique latine ; sa seule présence suffira à sauver sa mère tombée gravement malade. C'est ce conte que le maître d'Yvan Gall a choisi à dessein de raconter à sa classe, pour envoyer un message de réconfort à l'enfant. Le livre tout entier, du reste, n'est guère que l'extension du récit de De Amicis.

---

17.   Gabriel Compayré, *Yvan Gall, le pupille de la marine, livre de lecture courante*, Paris, Delaplane, 1894, p. 4.

18.   *Cuore* peut être comparé au *Tour de la France par deux enfants*, pour le rôle décisif qu'il a joué dans la formation d'une nation par le livre ou nation de lecteurs. Ses tirages ont été plus réduits, mais sa vitalité est intacte aujourd'hui, dans la mesure où l'ouvrage a un tout autre statut littéraire que le manuel de G. Bruno. *Cuore* a été traduit en français dès les années 1890 sous le titre *Grands cœurs* (et non *Les Bons cœurs*, comme l'écrit à tort Compayré) – en Suisse francophone, sous le titre *Du cœur*.

Yvan Gall est breton, fils d'un pêcheur parti en campagne de morue à Terre Neuve ; mais le bateau du père, cette année-là, ne rentre pas. Mariannik, la mère, attend ; elle a déjà perdu son frère, le soldat Le Goff, à la bataille de Coulmiers, contre les Prussiens, en 1871. Le jeune Yvan est confié à l'école des pupilles de la marine à Brest et, à seize ans, s'embarque comme mousse sur le *Jean Bart*. Le commandant raconte à l'équipage, le 14 juillet, l'histoire du célèbre marin français, mais rappelle que les défaites font aussi partie de l'histoire d'un pays ; et de citer Sedan, Pavie, Trafalgar. Le navire a passé le détroit de Gibraltar puis le canal de Suez, poursuit sa route par Aden, l'île de Ceylan (Sri Lanka), Singapour, l'Australie, la Nouvelle-Calédonie, San Francisco ; il reste à Yvan à parcourir en train les États-Unis (il salue avec émotion la statue de Cavelier de La Salle dans un parc de Chicago), le Canada et sa partie québécoise, avant de retrouver son père, miraculeusement rescapé du naufrage de son navire... À mesure que le train s'est rapproché de Québec, les voyageurs n'ont plus parlé que français. La mémoire, à la fois scolaire et nationale, s'éveille chez Yvan.

> Alors il se souvint de ce qu'il avait appris à l'école : que le Canada avait été découvert et colonisé par des Français, par des Normands et des Poitevins surtout, par des Bretons aussi. C'était un Breton, ce Jacques Cartier, né à Saint-Malo, qui, au XVIᵉ siècle, sur l'ordre de François Iᵉʳ, avait exploré, le premier, le Saint-Laurent et les côtes du Canada. Yvan regardait avec curiosité ses compagnons de route : ce n'est pas seulement leur langage qui était français : c'était aussi leur allure, leur type physique. Il lui semblait, en les considérant avec attention, retrouver des physionomies connues ; et il se demandait parfois s'il ne voyageait pas dans un train de Bretagne.

> Quand on sut qu'il était Français, Français de France, ce fut à qui le questionnerait avec sympathie. Où allait-il ? Pourquoi voyageait-il ? Mais Yvan gardait son secret, comme un avare son trésor. Il se laissait pourtant gagner peu à peu par le charme patriotique de cette conversation française, tenue à 1200 lieues de la mère patrie !

> – « Voyez-vous, lui disait-on, nous sommes 3 millions de Canadiens, qui n'avons pas oublié la langue de nos pères et de nos grands-pères. Et notre nombre croît toujours : nous avons des familles nombreuses. Le dernier ministre de l'instruction publique, à Québec, était le vingt-septième enfant d'une famille de paysans... Nous sommes sujets anglais, c'est vrai, puisque le gouverneur est nommé par la reine d'Angleterre ; mais nous restons Français par le cœur... Ah ! pourquoi la France nous a-t-elle abandonnés ? Le Canada

serait, aujourd'hui, la plus belle, la plus riche de vos colonies, si vos rois, au xviiie siècle, avaient su la conserver, au lieu de la céder aux Anglais par le traité de Paris[19]... »

Cette dernière phrase soulage la République d'une faute commise par l'ancienne monarchie, tout comme Sedan était imputé par elle, à juste titre, au Second Empire ; l'essentiel, toutefois, est bien dans l'échange de ces mémoires et fidélités gardées, en dépit de l'appartenance politique à l'Empire britannique. La scène québécoise n'est du reste pas isolée : sur la route du Tonkin, où il allait remporter une victoire dans une opération contre des pirates, le *Jean Bart* n'a pas manqué de faire relâche à Mahé, l'un des comptoirs français de l'Inde. Les souvenirs d'une première défaite, celle de 1870, affluent immédiatement : alors, la population se groupait sur la plage pour attendre avec anxiété les nouvelles qu'apportait le paquebot arrivant de France, une fois par mois. Beaucoup de « naturels du pays » et de colons ont pleuré lorsque le sémaphore, transmettant les signaux du steamer, annonça la fatale nouvelle : « Paris a capitulé. » Mais, on l'a compris, dans ce type de littérature une défaite en cache une autre : la France a perdu l'Inde, comme elle a perdu le Canada. Et quelle puissante nostalgie s'empare d'Yvan Gall : c'est en effet jour d'élection à Mahé, pour remplacer le député de l'Inde au Parlement français. Le jeune marin s'adresse à un « indigène » de haute stature ; son compagnon éclate de rire en lui expliquant que l'autre va lui répondre en tamoul ou en bengali, mais il répond en très bon français, pour avoir étudié à l'école primaire de la ville. Il dit « nos marins, nos soldats » pour parler de ceux de la France. Seul son nom n'est pas français, note Gall : il s'appelle Mourougaïssapoullé. Gall, lui, a trouvé dans la bibliothèque du *Jean Bart* l'histoire de Dupleix, évidemment résumée à l'intention des lecteurs. La conclusion du séjour à Mahé est identique à celle du Québec :

> L'Inde envoie un seul député à la France. Combien lui en donnerait-elle, si les choses avaient suivi leur cours naturel ; si, au lieu d'être une possession anglaise, elle était demeurée sous notre domination ; si les efforts victorieux de Dupleix, le gouverneur général de 1742, n'avaient pas été enrayés par la maladresse, la faiblesse et l'insouciance de nos rois ? En 1750, plus d'un tiers de la péninsule appartenait à la France. Et aujourd'hui c'est l'Angleterre qui possède ce vaste empire, peuplé de près de trois cent millions d'habitants, le cinquième de la population du globe ; c'est l'Angleterre qui le gouverne, avec

---

19. G. Compayré, *Yvan Gall*, *op. cit.*, p. 299.

quelques centaines d'employés civils, avec quelques milliers de soldats, et qui profite de toutes les richesses de cette contrée prodigieusement riche et féconde[20].

Une traversée du Canada : *Voyage du novice Jean-Paul à travers la France d'Amérique*

Quatre ans avant Gabriel Compayré, un autre auteur important a consacré au seul Canada un livre de lecture qui propose à ses lecteurs d'en faire non pas le tour, mais la traversée d'est en ouest. Georges Lamy est alors professeur agrégé au lycée Lakanal à Paris, il sera par la suite maître de conférences de géographie à la Faculté des lettres de Douai et inspecteur général de l'Instruction publique. En 1904, il allait publier en compagnie d'Édouard Petit, un des dirigeants de la Ligue de l'Enseignement, un important livre en forme de tour de la France (et aussi de la Tunisie et de l'Algérie), au ton (et au titre) passablement progressiste, *Jean Lavenir*. En 1890, c'est le *Voyage du novice Jean-Paul à travers la France d'Amérique*. Le but de l'auteur consiste à présenter un tableau d'ensemble de la vie et des mœurs des Français d'outre-mer et des aspects si variés de leur pays ; il s'agit, exclusivement, du Canada. Lamy dénonce la vogue des livres de lecture en forme de « voyages extraordinaires », bourrés de péripéties et d'excitation ; il entend pour sa part apporter des informations, et cite ses sources principales, ce qui est exceptionnel dans ce type d'ouvrages : outre ses souvenirs personnels de voyage, il a utilisé un ouvrage de Sylva Clapin et celui de Francis Parkmann, traduit en français, sur les Jésuites en Amérique du Nord[21]. Ce dernier auteur a « si bien mérité de la France par la chaleur d'âme et de sympathie avec laquelle il a parlé des vaincus ». Quant à Lamy, il conclut ainsi son avant-propos : « Aimer la France, c'est l'aimer tout entière, dans son passé comme dans son présent, c'est l'aimer dans tous les siens et jusque dans les enfants qui lui ont été ravis. Nous souhaitons que ce petit livre engage nos jeunes lecteurs à payer de retour ces Français d'Amérique, si tendrement, si fidèlement attachés à la patrie perdue. »

---

20. *Ibid.*, p. 198.

21. Sylva Clapin, *La France transatlantique. Le Canada*, Plon, Nourrit, 1885 ; Francis Parkmann, *Les Jésuites dans l'Amérique du Nord au* XVIIe *siècle*, Paris, Didier, 1882 (traduction par Mme de Clermont-Tonnerre).

Le héros du livre, Jean-Paul Karlec, est le fils aîné d'une veuve de marin pêcheur de Trescoff. Le père est mort en mer, Jean-Paul s'est engagé comme novice sur un brick qui part de Saint-Malo pour aller à la pêche à la morue sur les bancs de Terre-Neuve. Mais il se retrouve perdu sur la mer avec un compagnon ; un navire norvégien qui va à Québec le recueille, mais heurte un tronc d'arbre en remontant le Saint-Laurent. Dans l'attente des réparations, il faut passer l'hiver à Montréal. Jean-Paul devient le protégé du consul de France, M. de Mauriac, dont la famille est d'origine auvergnate. Il traverse le Canada de part en part, en train, jusqu'à Victoria (Vancouver), non sans faire un crochet à Saint-Jean d'Athabasca, où Mauriac possède une grande exploitation de blé. Les moissonneurs font défaut, lui dit-on, alors qu'ils sont bien payés : ah ! si seulement les émigrants français qui vont chercher fortune dans des pays de langue et de mœurs étrangères, aux États-Unis et en Amérique du Sud, venaient au Canada, combien ils s'épargneraient de déceptions, combien ils seraient bien accueillis ! Bel exemple de la fonction volontiers dévolue aux livres de lecture à composante coloniale ou, ici, canadienne : ils doivent nourrir le savoir et l'imaginaire des écoliers pour mieux préparer un certain nombre de colons et d'administrateurs à l'Empire[22]. Lorsque la domination politique n'existe plus, il reste l'expansion linguistique qui fascine la France, aussi bien par son ampleur que par sa fragilité. Jean-Paul, du reste, ne rentrera pas en Bretagne : il accepte le poste de contremaître dans la ferme de son bienfaiteur. Il a dû triompher d'un scrupule majeur : ne devait-il pas au pays le service militaire, « dette sacrée », « impôt du sang » ? Non, car il est l'aîné d'une veuve. Il peut donc le faire au Canada, après avoir appelé auprès de lui sa mère et ses jeunes frères et sœurs. À deux pas de Québec, il avait du reste pu saluer le frère d'une voisine de Bretagne, marié à une Canadienne et établi sur sa propriété. Il lui avait rendu visite un dimanche, un drapeau tricolore flottait aux fenêtres : « Nous fêtons le dimanche en fêtant la France. Français et Canadien, c'est tout un », lui avait dit le Breton émigré. Qu'il s'agisse des rues de Québec ou de la campagne aperçue en remontant le Saint-Laurent, partout Jean-Paul avait cru reconnaître la France : « Il était sur une terre où règne encore la France, même si son drapeau n'y règne plus, où tous les cœurs battent pour elle. Il n'était

---

22. 20 000 Français émigrent chaque année vers l'Égypte, les États-Unis et l'Argentine, et oublient peu à peu leur langue maternelle ; « eux et leurs descendants seront à jamais perdus pour notre patrie », regrette Eugène Josset. Or la France a besoin de tous : il faut aller aux colonies, « c'est toujours la France, c'est la France d'Outre-Mer », *À travers nos colonies*, op. cit., p. 329.

pas exilé, perdu dans un monde inconnu. C'était l'air natal qu'il lui semblait respirer. Oh ! le bon parfum de la patrie qui s'exhalait autour de lui ![23]» Se promenant sur la Terrasse, avec tous les habitants de la ville, il a écouté un régiment britannique exécuter des hymnes, l'air national anglais, puis la Marseillaise. Le silence s'établit alors, les hommes écoutent le chapeau à la main, l'émotion s'empare de l'assemblée. Émotion encore, mais emplie de tristesse, devant le monument à Wolfe et Montcalm, les deux adversaires du siège. «Jour à jamais déplorable, qui consacra la séparation de la colonie et de la mère patrie ! La France et le Canada portent encore le deuil de l'héroïque Montcalm[24].»

Il est aussi question d'école et d'histoire dans le *Voyage du novice*. Jean-Paul s'est lié d'amitié avec les deux fils du consul, Octave et Georges. Ce dernier, âgé de quatorze ans, révise pour un examen de fin d'année l'histoire du Canada sous la domination française. Il explique à Jean-Paul ce que représente cette partie du programme : «L'histoire du Canada, c'est notre histoire nationale à nous, c'est l'histoire de nos aïeux au même titre que l'histoire de France, ou plutôt l'une et l'autre sont inséparables pour nous, puisque l'histoire du Canada, c'est l'histoire de la France en Amérique.» À quoi Jean-Paul répond d'une phrase qui me paraît d'une particulière profondeur pour dire le rapport de la France à l'histoire de ses pertes : «Ce que je sais le mieux, ce n'est pas son commencement, [...] c'est surtout la fin du Canada.» Mauriac proteste : les héros fondateurs, un Champlain, un Maisonneuve, tiennent toute leur place, le second est le Godefroy de Bouillon ou le Bayard de la conquête du Canada. Mais, à en croire Jean-Paul, c'est Vaudreuil et Montcalm que connaissent aujourd'hui presque tous les écoliers français[25]. Son propre jeune frère n'a-t-il pas parlé du Canada dans son école de Bretagne ? L'ouvrage tout entier est évidemment destiné à faire connaître et désirer cette «France d'Amérique» : il remplit bien la fonction d'arpentage national assumée avec tant de maestria par *Le Tour de la France par deux enfants*, mais il s'agit désormais d'exporter cette fonction dans l'espace

23. G. Lamy, *Le voyage du novice Jean-Paul à travers la France d'Amérique*, Paris, Colin, 1890, p. 29.

24. *Ibid.*, p. 14.

25. *Ibid.*, p. 82-83.

perdu mais toujours français – plus français que jamais, depuis que l'école primaire en fait son objet de lecture et d'imagination[26].

Quelle influence sociale peut-on accorder à ces ouvrages et à leurs lectures, collectives ou personnelles, pratiquées dans l'orbe de la classe et de sa bibliothèque ? On imagine que la réponse n'est pas simple et qu'il serait bien imprudent de prétendre trancher en quelques lignes. Un livre d'école a-t-il pu susciter une seule vocation, ici pour l'émigration au Canada ? C'est prêter beaucoup, en apparence, à des textes dont on connaît très mal la diffusion et l'usage qui pouvait en être fait. Mais on ne saurait, à l'inverse, refuser toute fécondité à ces lectures scolaires. Avec ses 8,5 millions d'exemplaires, ses centaines de réimpressions et son accession en moins d'une génération au statut de classique, *Le Tour de la France par deux enfants* a évidemment contribué à bâtir et diffuser le sentiment national, et aucun historien sérieux ne songerait aujourd'hui à nier cette construction. Précisons à ce propos que les Frères Maristes français installés au Canada, beaucoup d'entre eux après s'être exilés au moment des lois de 1901 et 1904 contre les congrégations religieuses, ont très probablement importé le principe du Tour de la France pour l'appliquer à un *Tour du Canada*, publié en 1927[27]. On doit également considérer que les «excroissances» algérienne ou plus largement coloniales de tels livres, dont on vient de voir quelques exemples, ont pleinement participé, aux côtés des Expositions universelles, de l'imagerie ou des revues et livres spécialisés, à l'inculcation de l'idée coloniale en France. École et colonisation ont fait bon ménage, on le sait, et les autorités du protectorat en Tunisie, par exemple, ont attendu des instituteurs métropolitains, dont certains ont été invités à faire un grand voyage d'études dans la Régence, en 1900[28], qu'ils leur forment et envoient des émigrants.

---

26. Signalons que Colin a publié une «suite» des voyages de Jean-Paul, sous une autre plume : Charles Crosnier de Varigny, *Voyage du matelot Jean-Paul en Australie*, Paris, Colin, 1890.

27. *Cours de lecture par les Frères maristes. Tour du Canada, 4ᵉ livre, 5ᵉ et 6ᵉ années*, Montréal, Librairie Granger Frères, 1927. «Ce manuel de lecture [...] présente sous un genre nouveau au Canada, la réalisation d'un plan déjà employé sous d'autres latitudes» (Avertissement). Au même moment, et dans le même esprit, les Frères Maristes d'Espagne publient *El libro de Espana*. Analyses de ces ouvrages, et de tous ceux qui sont cités dans le présent article, dans mon ouvrage cité note 1.

28. Raymond Rey, *Voyage d'études en Tunisie (10-28 avril 1900)*, Paris, Delagrave, 1900. Voir mon analyse dans «La "colonisation scolaire" : l'exemple de la Tunisie

Les quelques ouvrages à dimension canadienne que j'ai pu citer dans le présent article ont eu pour le moins un double objectif : la conservation d'une mémoire commune, l'apprivoisement d'une direction migratoire que l'on aurait voulu privilégier. En dernière analyse, ils ont revêtu une troisième dimension, peut-être à l'insu même des auteurs : une méditation douloureuse des défaites et des pertes, voire des fautes, du passé. Un Georges Lamy, un Gabriel Compayré, parlaient surtout de la France contemporaine lorsqu'ils ont mis en scène le Canada ou les comptoirs français de l'Inde. Le Québec était une métonymie de l'Alsace perdue – le drapeau avait changé, mais non la langue et la fidélité –, une Alsace dont il était très délicat d'entretenir ses lecteurs, sinon au moment d'en faire sortir les héros fondateurs à l'œuvre dans les livres de lecture scolaires. Nous percevons peut-être mieux que Compayré lui-même, aujourd'hui, combien son livre retrouve la France à chaque page, selon sa formule. Le détour est encore la meilleure façon d'atteindre son but. La célèbre devise gambettiste à propos de l'Alsace, « Y penser toujours, n'en parler jamais », pouvait se formuler : « Y penser toujours, en parler à travers le Québec ». Mais le détour canadien avait assez de force et de charme, et il renvoyait assez la France à cette culture et à cette identité de la défaite qui contribue à la définir, aujourd'hui encore, sans doute, pour s'imposer par lui-même et retenir l'attention et la mémoire, entre douleur de la perte et joie d'une retrouvaille.

---

avant 1914 », *Conquête, colonisation, résistance en Méditerranée : la restructuration des espaces politiques culturels et sociaux*, Tunis, Cahiers du C.E.R.E.S., 2004, p. 283-296.

Un Français «conquis»:
André Siegfried face
à Wilfrid Laurier

GÉRARD FABRE
Chercheur titulaire au CNRS,
Centre d'étude des mouvements sociaux,
École des hautes études en sciences sociales, Paris

J'ai eu l'honneur de faire la connaissance de sir Wilfrid Laurier en 1898, deux ans après son accession au gouvernement. Je viens de le revoir, à Ottawa, trois ans après sa chute du ministère. Il avait été sans interruption au pouvoir de 1896 à 1911, un record de longévité ministérielle sans doute[1].

André Siegfried se trouve à Ottawa quand il rédige ces lignes le 8 juin 1914. Il achève son portrait du premier ministre canadien par une métaphore navale digne de *La Capricieuse*:

> [...] ce qu'il faut retenir de cette belle figure politique, c'est l'équilibre par-fait de tous ses jugements, l'impression d'harmonie qui se dégage de toutes ses conceptions. Le Canada n'a pas eu de meilleur pilote que celui-là. Souhaitons qu'il soit bientôt rappelé à la passerelle du commandement[2].

---

1. André Siegfried, *Deux mois en Amérique du Nord à la veille de la Guerre (juin-juillet 1914)*, Paris, Librairie Armand Colin, 1916, p. 18.

2. *Ibid.*, p. 21-22.

Nous nous appuierons sur deux ouvrages de Siegfried[3] et sur des documents d'archives[4] pour comprendre les raisons d'un tel engouement.

À l'image du cheminement de Siegfried, les Français vont peu à peu apprendre à mieux connaître et apprécier leurs « cousins d'Amérique ». Alors que le XIXᵉ siècle s'achève, ce rapprochement s'inscrit dans un contexte qui touche à la fois le Dominion tout entier et le Québec. Il en résulte un écheveau complexe, à la fois politique, culturel, commercial et idéologique, dont on tentera de tirer les fils les plus significatifs.

Un protestant français dans un Québec catholique

Décédé en 1959, Siegfried est né en 1875 dans une famille fortunée, originaire de Mulhouse, qui a dû s'installer au Havre après le triomphe militaire allemand de 1870 et le dépeçage de la partie frontalière du Nord-Est de la France. En 1898, quand il rencontre pour la première fois Laurier, Siegfried a 23 ans et n'a pas encore de notoriété. Est-il intimidé par une personnalité âgée de 57 ans et déjà au faîte de sa gloire ? En 1914, l'échange est plus équilibré : lors de sa deuxième rencontre avec Laurier, Siegfried approche des 40 ans et n'est plus un inconnu. Qu'elle soit bonne ou mauvaise, sa réputation au Canada n'est plus à faire, puisque son livre *Le Canada, les deux races* a été largement diffusé et commenté. En outre, Siegfried enseigne depuis 1911 à la prestigieuse École libre des sciences politiques. Son portrait de Laurier, tout en éloges, est le fruit d'une longue analyse et non d'un coup de cœur irréfléchi.

Ce protestant français se tourne avec une attention et une sympathie évidentes vers une société structurellement rattachée à l'Empire britannique, mais culturellement dominée dans ses bastions francophones par le clergé catholique, ce pourquoi elle attire d'habitude davantage les intellectuels français se réclamant de cette religion. Il faut dire que la culture protestante dans laquelle a baigné Siegfried l'incite à la modération. Ce n'est pas un

---

3.   André Siegfried, *Le Canada, les deux races*, Paris, Librairie Armand Colin, 1906 ; A. Siegfried, *Deux mois en Amérique du Nord à la veille de la Guerre*, op. cit.

4.   Fonds André Siegfried [FAS], CHEVS, Fondation nationale des sciences politiques, Paris.

anticlérical, comme il en existe beaucoup en France au tournant du siècle : il fréquente des intellectuels catholiques[5].

En dépit de sa conviction que lui-même et ses coreligionnaires n'auraient pas leur place dans une société peu tolérante[6], Siegfried se soucie du devenir des Canadiens français. Volontiers anglophile[7], il ne néglige pourtant pas les descendants américains de la « race » française. Car sa modération politique peut trouver au Canada un terrain de prédilection, presque une voie d'expérimentation. Siegfried est particulièrement sensible à ce que « le succès du parti libéral sous Laurier » soit dû au fait qu'il s'agit d'un « parti d'entente et de diplomatie, qui évite les mots imprudents et les affirmations trop audacieuses, mais qui fait participer la race française au gouvernement du pays[8] ». Il légitime la revendication nationaliste des Canadiens français, à condition qu'elle prenne un tour raisonnable, progressif, et respecte le double cadre supposément consensuel du Canada et de l'Empire britannique. L'esprit de compromis doit, selon Siegfried, présider à la cause nationaliste, sans quoi elle n'aurait nulle chance d'aboutir. De cette perspective d'ensemble, qui enchante Siegfried, Laurier serait en quelque sorte le héraut. D'où la passion avec laquelle le jeune intellectuel français décrit l'itinéraire exceptionnel du premier ministre du Canada.

La IIIe République et le cadre colonial d'une redécouverte du Canada en France

Siegfried consacre le chapitre XXXVI de son ouvrage *Le Canada, les deux races* aux relations entre le Canada et la France[9]. Il n'y évoque pas l'épisode de *La Capricieuse*. Le climat antibonapartiste est encore très présent au tournant du siècle dans une France qui rêve de revanche contre l'Allemagne.

---

5. Notamment ceux qui sont sensibles au christianisme social ou au leplaysisme, tels Georges Goyau, Georges Blondel, Émile Cheysson et Paul de Rousiers.

6. Siegfried sera traité de franc-maçon – injure suprême – par ses détracteurs ultramontains et conservateurs du Canada français.

7. « Les Anglais sont nos amis », affirme-t-il (A. Siegfried, *Deux mois en Amérique [...]*, *op. cit.*, p. 129).

8. *Ibid.*, p. 294-295.

9. A. Siegfried, *Le Canada, les deux races, op. cit.*, p. 392-406.

On comprend pourquoi Siegfried ne désire pas revenir sur un épisode, déjà peu marquant en France, qui eut lieu lors de cet Empire honni.

En revanche, il insiste sur « la guerre de 1870 et l'explosion de sympathies qu'elle provoqua chez les Canadiens[10] ». Il note « le profond amour [que ces derniers] avaient conservé pour leur ancienne patrie, en dépit de son abandon[11] ». Et il ajoute :

> Grâce à la facilité croissante des communications, à la mode de plus en plus répandue des voyages, les deux peuples firent connaissance. Nous apprîmes, car nous le savions à peine, que les 60.000 colons de 1763 s'étaient multipliés dans des proportions merveilleuses[12].

La « redécouverte » daterait donc de la IIIe République. Il faut en expliquer les motifs et le contexte idéologiques. La majeure partie de la classe politique française, gauche en tête, se convertit sous la IIIe République à l'idée – déjà répandue auparavant – d'une mission civilisatrice de la France dans le monde. Les plus fervents partisans de la République laïque avancée s'y rallient, parmi lesquels Léon Gambetta. Ce dernier fonde la Gauche républicaine sur les cendres de la Commune, en s'attachant tous les acteurs importants de ce qui deviendra le lobby procolonial français tels Étienne, Rouvier, Freycinet et Hanotaux. De cette matrice idéologique de centre-gauche, renaît le projet politique de poursuivre et d'amplifier les conquêtes coloniales. L'objectif d'opérer des alliances, notamment avec l'Angleterre, et de posséder le moment venu des monnaies d'échange pour négocier en meilleure position face à l'Allemagne explique les ouvertures tous azimuts de la diplomatie française et l'intérêt que suscite le Canada français. Celui-ci rappelle le lointain mais brillant passé colonial de la France aux Amériques. De plus, il s'est intégré apparemment sans trop de douleurs à l'Empire britannique, dont les gouvernants français attendent beaucoup, comme partenaire commercial et comme allié potentiel en cas de conflit. Rien d'étonnant si des liens se nouent au plus haut niveau entre la France et la province de Québec, pour autant que l'alliance recherchée avec la Grande-Bretagne n'en pâtisse pas.

---

10. *Ibid.*, p. 394.

11. *Ibid.*

12. *Ibid.*

Ces liens s'expriment alors à travers la relation privilégiée que nouent Gambetta[13] et Joseph-Adolphe Chapleau[14]. Les deux hommes se sont liés d'amitié dans des circonstances qui tiennent sans doute au fait que chacun est confronté à de fortes oppositions à l'intérieur même de leur parti, à la droite et à l'extrême gauche du Parti républicain pour le premier, de la part des ultramontains au sein du Parti conservateur pour le second. La bonne entente entre Gambetta et Chapleau conduit à l'ouverture, en 1882, d'une représentation québécoise en France. La nomination d'Hector Fabre[15] comme agent général du Québec à Paris s'inscrit dans un climat favorable aux divers échanges franco-canadiens, puisque Fabre est nommé peu après commissaire et agent commercial du Canada tout entier. Il bénéficie de ses accointances politiques pour obtenir cette double nomination. Siegfried souligne l'attitude offensive de Fabre et le rôle important qu'il joue à Paris auprès des cercles les plus en vue :

> [...] à Paris, des amis fidèles du Canada exercent en sa faveur une active propagande. Des livres nombreux, des articles de journaux innombrables paraissent, des conférences sont organisées. M. Hector Fabre, le distingué commissaire général du Dominion, contribue par son autorité et par son tact à donner à son pays une forte personnalité diplomatique[16].

Mais la persistance du lien colonial avec la Couronne fait que les marges de manœuvre du Canada restent relativement étroites en matière diplomatique[17].

Du côté québécois, des actions sont menées sous le ministère Chapleau, puis sous celui d'Honoré Mercier, lequel dirige la province de 1887 à 1891. Fondé en 1881, le Crédit foncier franco-canadien, piloté par Chapleau, se spécialise dans le prêt hypothécaire, surtout dans les zones rurales du Québec. Les administrateurs y sont québécois et les bailleurs de fonds majoritaire-

---

13. Gambetta (1838-1882) préside la Chambre des députés en 1879 et devient président du Conseil en novembre 1881, mais son gouvernement est renversé le 26 janvier 1882.

14. Avant d'assumer des fonctions ministérielles au fédéral, Chapleau (1840-1898) occupe le poste de premier ministre du Québec de 1879 à 1882.

15. Sur le rôle majeur de Fabre à Paris pour la reconnaissance du Québec et du Canada, voir Sylvain Simard, *Mythe et reflet de la France : l'image du Canada en France, 1850-1914*, Ottawa, Éditions de l'Université d'Ottawa, 1987.

16. A. Siegfried, *Le Canada, les deux races, op. cit.*, p. 395.

17. *Ibid.*, p. 328-329.

ment français. Sous Mercier, les tentatives d'attirer des immigrants français au Québec revêtent un caractère officiel, avec notamment les efforts du fameux curé Antoine Labelle, sous-ministre de l'Agriculture et de la Colonisation du Québec entre 1888 et 1891. En 1894, le gouvernement du Québec contracte un emprunt de dix millions de dollars sur le marché français.

La même année, la signature d'un traité de commerce entre l'Angleterre, la France et le Canada apparaît comme un signe prometteur de rapprochement. S'y ajoute en 1895 une convention de commerce entre les deux derniers pays, dont le dessein est de rééquilibrer des échanges disproportionnés[18]. Ces éléments permettent de comprendre pourquoi Siegfried situe vers la fin du XIXᵉ siècle la redécouverte du Canada en France. Ainsi précise-t-il :

> [...] malgré la divergence évidente des tendances [politiques et religieuses], jamais la cordialité n'a été plus grande entre les deux peuples que depuis vingt ans : les dirigeants apprennent mutuellement à se connaître et à s'apprécier ; les visites réciproques se multiplient et si les chefs canadiens peuvent se déclarer satisfaits de l'accueil qui leur est fait chez nous, ceux de nos hommes politiques qui sont allés sur les bords du Saint-Laurent, non en partisans ou en sectaires, mais en Français, au sens large du mot, ont trouvé là-bas des réceptions telles qu'ils sont incapables de jamais les oublier[19].

Les visites officielles de Laurier à Paris

Les relations bilatérales sont donc déjà largement redessinées quand Laurier accède au pouvoir à Ottawa en 1896. L'image très positive de ce dernier sur la scène internationale permet à la fois le renforcement des liens existants et l'ouverture de perspectives plus larges :

> Le grand public [français] commença à comprendre réellement ce qu'étaient devenus nos frères d'Amérique, lorsqu'il put voir en France, en 1897 et en 1902,

---

18. Les exportations de la France au Canada s'élèvent en 1895 à plus de 2,5 millions de dollars, quand ses importations ne dépassent pas les 336 000 $. Neuf ans plus tard, en 1904, les chiffres cités en francs par Siegfried restent très déséquilibrés : plus de 31 millions s'agissant des exportations françaises au Canada, contre seulement 8 millions pour les importations canadiennes en France (A. Siegfried, *Le Canada, les deux races, op. cit.*, p. 397-398, d'après le *Report of the Department of Trade and Commerce*, 1904, p. 27).

19. A. Siegfried, *Le Canada, les deux races, op. cit.*, p. 143.

un premier ministre canadien, de race et de langue française, en la personne prestigieuse de sir Wilfrid Laurier[20].

Les trois voyages officiels de Laurier à Paris suivent immédiatement des déplacements à Londres durant lesquels il participe à des conférences impériales. Le premier remonte à 1897, à la suite d'un séjour en Angleterre, la reine Victoria le faisant chevalier à l'occasion de son jubilé de diamant.

La deuxième visite date de l'automne 1902. Accompagné de son collègue des Finances W. S. Fielding, Laurier rencontre le ministre français des Affaires étrangères, Théophile Delcassé, pour tenter de conclure un nouveau traité de commerce. Il s'agit certainement de son voyage le plus retentissant en France, en raison d'une couverture de presse sans précédent. Mais le traité de commerce escompté n'est pas signé, ce qui traduit bien les difficultés de réguler les échanges mondiaux dans une période marquée par des tendances protectionnistes en Europe comme en Amérique du Nord. Voici comment Siegfried présente le dossier et explique cet échec :

> Depuis la signature de la convention [de 1895], le régime douanier canadien a subi d'importantes modifications, notamment par l'introduction d'un traitement différentiel en faveur de l'Angleterre. [...] nous avons pensé qu'à titre d'ancienne puissance américaine, la France pouvait prétendre, elle aussi, à des avantages spéciaux dans son ancienne colonie [...]. C'est dans cet esprit que des négociations officieuses et officielles ont eu lieu en 1901 et 1902. Elles allèrent assez loin. La France se montrait disposée à accorder au Canada le bénéfice de son tarif minimum sur tous les articles. [Elle consentit pour sa part à réduire ses prétentions concernant le tarif canadien appliqué à ses propres produits.] [...] Tous les éléments nécessaires pour aboutir se trouvaient réunis et le traité pouvait être conclu sur l'heure. Cependant [...] le premier ministre du Dominion quittait Paris sans que rien ne fût signé. Quelles raisons chercher à cet échec ? M. Laurier fut-il effrayé par une campagne protectionniste que commençait à ce moment même, et sans son assentiment, M. Tarte[21], son ministre des travaux publics ? Crut-il voir que la France ne mettait pas une très grande énergie à soutenir un projet que n'avaient pas mûri des années d'études ? N'y eut-il pas contre ce rapprochement une pression discrète de l'Angleterre, alors notre rivale et jalouse de voir sa colonie s'entendre trop bien avec nous ?

---

20. *Ibid.*, p. 395.

21. Il s'agit d'Israël Tarte, ministre influent dans le cabinet Laurier dont il devient l'un des poids lourds parce qu'il est un « organisateur politique remarquable et ultramontain grand teint pour satisfaire l'Église » (Jacques Portes, *Le Canada et le Québec au xxᵉ siècle*, Paris, Armand Colin, (U Histoire contemporaine), 1994, p. 26).

Toujours est-il qu'on laissa passer ce moment psychologique et que depuis lors les négociations n'ont pas été reprises[22].

Le nouveau traité sera signé en 1907 à l'occasion d'une troisième visite de Laurier à Paris, et ratifié en 1909 par les parlementaires des deux pays. Ce type de traité a des incidences variables, car d'autres éléments de l'activité économique mondiale, qui tiennent à la compétitivité de chaque pays, interviennent sur le volume des échanges internationaux. Sous Laurier, les échanges entre le Canada et la France vont continûment progresser au point d'atteindre leur niveau le plus élevé en 1906 : les Canadiens exportent alors en France pratiquement huit fois plus de produits qu'en 1890 et en importent trois fois plus. Ensuite, bien que Laurier demeure au pouvoir jusqu'en 1911, se produit un tassement des échanges, puis un déclin jusque dans les années 1920 à cause de la guerre et des difficultés françaises de l'après-guerre. La densité des échanges commerciaux reste faible et leur déséquilibre prononcé. 1906 constitue une année record, alors que c'est toujours le traité de 1894 assorti de la convention de 1895 qui est en vigueur.

Une explication de l'attentisme canadien réside dans les graves soucis intérieurs que connaît Laurier à partir de 1905, avec notamment les scandales des chemins de fer et la forte contestation interne provenant des rangs mêmes du Parti libéral, qu'ils soient anglophones ou francophones. Que son gouvernement soit plus réservé vis-à-vis de la France ne doit pas étonner dans un contexte où les partisans du protectionnisme tiennent le haut du pavé à Ottawa. La structure générale des échanges étant déjà à l'avantage des Français, les Canadiens peuvent interpréter la demande française d'un tarif préférentiel proche de celui accordé aux Britanniques comme une prétention illégitime. L'argument avancé à ce sujet par Siegfried repose sur une vision coloniale, qui plus est nostalgique, d'une France faisant valoir ses droits d'ancienne puissance américaine.

La troisième visite officielle de Laurier à Paris en 1907 se déroule dans un contexte ambivalent. D'un côté, les bonnes relations de la France avec le Canada et le Québec sont encouragées : à la signature du nouveau traité de commerce, s'ajoute le voyage de Lomer Gouin, premier ministre du Québec, pour recruter davantage de professeurs en France. D'un autre côté, le courant impérialiste probritannique se renforce au Canada, alors qu'au Québec le

---

22. A. Siegfried, *Le Canada, les deux races*, *op. cit.*, p. 400-403.

nouveau consul de France, Henry Dallemagne, est violemment pris à partie dans la presse ultramontaine parce qu'il incarnerait la France anticléricale, maçonnique et juive.

Grâce à Laurier, le Canada continue de jouir à l'extérieur d'un prestige élevé. Il tient un rôle, que Siegfried se plaît à souligner, de médiateur international, notamment entre la France et le Royaume-Uni, ou entre les États-Unis et l'Empire britannique. Siegfried explique que le ministère Laurier a offert ses bons offices dans des situations litigieuses comme en 1901 pour la question de Terre-Neuve[23]. Laurier s'est continûment préoccupé de la création d'une ligne viable de navigation directe entre la France et le Canada :

> Laurier a nettement montré sa bonne volonté à notre égard en favorisant de toutes ses forces la création d'une ligne de navigation directe entre la France et le Canada. [...]. Une ligne française fut organisée en 1903 et 1904 entre le Havre, la Pallice et le Canada, avec des navires de petit tonnage. Malheureusement elle ne réussit pas [...]. Le chiffre des affaires n'était pas suffisant pour lui assurer un trafic régulier, d'autant plus que bien des articles avaient avantage à passer par l'Angleterre pour s'y dénationaliser et bénéficier ensuite du tarif préférentiel de 33 p. 100. Plus récemment, la grande compagnie [canadienne-anglaise] de navigation Allan a créé une ligne de Londres au Havre et à Montréal. [...] Il est toutefois regrettable qu'une pareille entreprise n'ait rien de français[24].

Les freins aux échanges commerciaux et aux liens de communication directs illustrent bien la complexité de la relation franco-canadienne et les vicissitudes qu'elle connaît sous la IIIe République[25]. L'obstacle culturel de l'Église catholique canadienne, souvent mis de l'avant, ne doit pas faire oublier l'importance des obstacles économiques, ni les manœuvres souterraines des puissances internationales, en particulier de l'Angleterre, laquelle cherche à tirer le meilleur parti de sa position maritime dominante et de son Empire colonial. Malgré des efforts indéniables de part et d'autre, la place de la France dans le commerce canadien demeure réduite. En 1904, elle occupe le quatrième rang derrière les États-Unis, la Grande-Bretagne et l'Allemagne, ce

---

23. *Ibid.*, p. 406.

24. *Ibid.*, p. 403-404.

25. Concernant plus spécifiquement l'attitude de la population du Québec, à l'embellie des années 1880-1890 succède la déception devant les mesures anticléricales prises en France entre 1899 et 1905.

qui revient à un chiffre d'affaires décevant : trente fois moins que les États-Unis, vingt fois moins que la Grande-Bretagne.

Le mouvement général de rapprochement franco-canadien et franco-québécois n'a donc rien de linéaire. Il est soumis à de fortes tensions, qui en relativisent la portée. Dans ce contexte ambivalent, il faut détacher, parmi les facteurs favorables à la coopération, la présence d'un véritable réseau de promotion du Canada en France, dont André Siegfried est l'un des principaux protagonistes[26].

Les deux Siegfried : la même passion du Canada, de père en fils

Le père d'André, Jules Siegfried, constitue le premier maillon intéressant[27]. Il a visité les États-Unis et le Canada en 1861, et y retourne avec son fils 40 ans plus tard, en 1901. Né en 1837 en Alsace et décédé en 1922 à Paris, Jules Siegfried a bâti sa fortune sur le commerce du coton. Il fait partie des milieux d'affaires français tournés vers l'Atlantique. Sous l'étiquette « Républicain de gauche », il est élu député-maire du Havre, alors premier port français de commerce vers la Grande-Bretagne et les États-Unis. Il milite en faveur de l'amélioration du logement des travailleurs et des retraites ouvrières. Ses réseaux politiques et économiques sont si larges et influents qu'il devient pendant quelques mois, en 1892-1893, ministre du Commerce, de l'Industrie et des Colonies dans le cabinet Louis Ribot. Il prend donc une part active aux négociations quand est signé à Paris, le 6 février 1893, l'arrangement en matière de tarifs douaniers entre la France et le Canada, qui assouplit les lois Méline de 1892.

Sur le plan intellectuel, l'imprégnation des milieux leplaysiens n'a rien de négligeable puisque Jules Siegfried apparaît comme une figure centrale du Musée social[28]. Cette institution a été fondée en 1894 par le comte de

---

26. Voir Gérard Fabre, « Un arc transatlantique et sa tangente ou comment se dessine un réseau intellectuel franco-québécois ? », *Globe. Revue internationale d'études québécoises*, VII, 1 (2004) : 43-78.

27. Voir Alfred Siegfried, *Mes souvenirs de la IIIᵉ République. Mon père et son temps. Jules Siegfried, 1836-1922*, Paris, Éditions du Grand Siècle, 1946 ; Colette Chambelland (dir.), *Le Musée social et son temps*, Paris, Presses de l'École normale supérieure, 1998 (le texte de Pierre Ardaillou porte sur Jules Siegfried).

28. Le Musée social entend soutenir les œuvres philanthropiques (aides en faveur des plus démunis, en matière d'habitat, d'hygiène sociale, de mutualisme et de retraites

Chambrun, un ami et disciple de Frédéric Le Play[29]. André collaborera assidûment au Musée. Il sera publié dans la collection du Musée social de la Librairie Armand Colin, maison d'édition dirigée par un autre pilier du Musée, Max Leclerc. Son vice-président, Émile Cheysson, est également un leplaysien notoire et l'un des plus ardents promoteurs en France de l'« ingénierie sociale ». Cette pépinière leplaysienne démontre un vif intérêt pour le Canada, qu'expriment bien sûr André Siegfried, mais aussi Léopold Mabilleau (le successeur de Pinot à la direction du Musée), lequel est invité comme conférencier à Montréal, en 1902, par l'Université McGill.

Jules Siegfried est donc un politicien chevronné doublé d'un redoutable animateur de réseaux d'influence qui pénètrent les salons et les cercles intellectuels importants. Son passage au ministère du Commerce, en 1892-1893, est certes de brève durée, comme le sont souvent les postes de ministre sous la IIIᵉ République. Mais l'impact de son action politique n'en reste pas moins durable car il préside ou fait partie de nombreuses commissions parlementaires (budget, douanes, colonies, commerce, législation sociale), dont il oriente les décisions. À ce titre, il intervient fréquemment dans les affaires franco-canadiennes, ce qui lui vaut la sympathie de Laurier et du sénateur Dandurand. Ainsi préside-t-il la commission parlementaire du commerce quand il obtient, en 1909, en étroite collaboration avec Dandurand, la ratification, par les parlementaires, de la nouvelle version du traité de commerce franco-canadien.

Jules Siegfried connaît suffisamment Laurier et Dandurand pour leur recommander son fils André, ce qui explique la facilité avec laquelle ce dernier peut accéder aux personnages les plus éminents de la scène

---

ouvrières) et les enquêtes sociologiques avec des missions de terrain, en France comme à l'étranger (en particulier dans les pays anglo-saxons). Jules Siegfried préside jusqu'à sa mort le Comité de direction du Musée social.

29.   Le Play (1806-1882) est un théoricien du « réformisme par le haut », selon l'expression de René Rémond. Polytechnicien, il a enseigné à l'École des Mines avant d'embrasser une carrière politique sous le Second Empire (conseiller d'État et sénateur). C'est à lui que Napoléon III confie l'organisation des Expositions universelles de Paris en 1855 et 1867. Il nourrit ses thèses sociales et chrétiennes par des approches scientifiques fondées sur de minutieuses enquêtes empiriques auprès des milieux défavorisés.

politique canadienne. André prolonge les relations chaleureuses que son père a entretenues avec Dandurand[30].

Hanotaux : une autre clé des relations franco-canadiennes

Un deuxième maillon est repérable, bien qu'il soit souvent négligé. C'est Gabriel Hanotaux. Né en 1853 et mort en 1944, cet académicien chartiste de formation est un historien réputé, qui écrit régulièrement dans la célèbre *Revue des deux mondes*. Hanotaux s'oriente vite vers une carrière diplomatique, au cours de laquelle il est amené à traiter des affaires canadiennes et québécoises. Proche collaborateur de Gambetta, ce dernier le fait nommer rédacteur au Quai d'Orsay en 1879. Dans les années 1879-1882 qui marquent l'apogée politique de Gambetta, Hanotaux intervient directement dans les négociations entre la France et le Québec. En 1892, il est encore l'un des principaux négociateurs du traité de commerce signé l'année suivante avec Charles Tupper.

Il devient ministre des Affaires étrangères en 1894-1895 dans un gouvernement dirigé par Charles Dupuy. En 1894, lors de l'emprunt québécois de dix millions de dollars sur le marché français, Hanotaux est en fonction et soutient l'entreprise. Il poursuit la politique de Jules Siegfried en défendant l'arrangement douanier franco-canadien de 1893, qu'il fait ratifier par le Parlement le 4 octobre 1895. En 1896-1898, il obtient dans le ministère Jules Méline le même portefeuille des Affaires étrangères. Hanotaux siège maintenant dans un gouvernement de droite, hostile à la révision du procès Dreyfus et partisan du protectionnisme (Méline est à l'origine des fameuses lois de 1892 sur le double tarif douanier). À ce poste éminent, il doit faire feu de tout bois et défendre à l'étranger une image écornée de la France, jugée trop repliée sur elle-même et d'un nationalisme menaçant.

C'est l'époque où Hanotaux collabore avec Jules Siegfried, celui-ci siégeant dans les commissions parlementaires des colonies, du commerce et des douanes. Tous deux sont des partisans résolus de la présence française en Afrique et en Extrême-Orient et des têtes d'affiche du « Parti colonial »,

---

30. Nous nous basons sur les *Mémoires du sénateur Raoul Dandurand*, présentés par Marcel Hamelin, Québec, Les Presses de l'Université Laval, 1967, ainsi que sur la correspondance Dandurand-André Siegfried, dans laquelle Dandurand ne manque jamais de faire l'éloge des qualités de décision et d'organisation de Jules Siegfried (FAS, cote 2 Si 16).

nom donné à un groupe de pression à la Chambre et au Sénat. Ce lobby, où sont représentées toutes les tendances politiques, modèle alors la politique étrangère de la France. Mis sur orbite politique par la gauche laïque, Hanotaux fréquente sans déparer les réseaux parisiens les plus mondains, où dominent l'aristocratie des salons, l'état-major militaire et les milieux d'affaires. Les hautes fonctions diplomatiques de Hanotaux nécessitent cette capacité d'adaptation, qui fait merveille lorsqu'il fonde en 1911 le Comité France-Amérique. Il joue dès lors un rôle central dans la coopération culturelle franco-canadienne, visitant fréquemment le Québec et y rencontrant l'*establishment* politique et de nombreux intellectuels qui lui vouent une réelle admiration, tel Édouard Montpetit. Hanotaux côtoie André Siegfried dans les réseaux franco-canadiens. Il l'invite à siéger dans le conseil de direction de *France-Amérique* et à y donner des conférences.

En 1918, au lendemain de Versailles, il est nommé délégué de la France à la Société des Nations, à Genève. Il y retrouve Raoul Dandurand et reste en relation étroite avec lui jusqu'à la Deuxième Guerre mondiale[31].

Dandurand : un Canadien francophile à Ottawa

Dandurand est le troisième et dernier maillon. Né en 1861, nommé au Sénat à l'âge de 35 ans par Laurier, dont il est l'un des proches (comme il le sera plus tard de Mackenzie King), c'est l'un des rares francophiles parmi les politiciens d'Ottawa. Le gouvernement français le lui rendra bien[32]. Cette grande figure du Parti libéral, gendre du premier ministre du Québec Félix-Gabriel Marchand, restera sénateur jusqu'à sa mort, en 1942. Président du Sénat de 1905 à 1917, ministre d'État de 1921 à 1930, il prend dans l'après-guerre la tête de la délégation canadienne à la Société des Nations à Genève. De 1925 à 1930, il préside la SDN. Du fait de ses hautes fonctions, Dandurand se trouve souvent en Europe, et de Genève il se rend régulièrement à Paris, ne manquant pas de prévenir André Siegfried et sa famille de ses passages dans la capitale française.

---

31. Voir Raoul Dandurand, *Mémoires du sénateur Raoul Dandurand, op. cit.*, ainsi que la lettre d'Hanotaux à Dandurand, datée du 7 juillet 1919 (Fonds du comité canadien de *France-Amérique*, Université de Montréal, cote P0076/F, 0003).

32. En France, Dandurand est fait chevalier de la Légion d'honneur en 1891, officier en 1907, commandeur en 1912, grand officier en 1935. il est aussi membre étranger de l'Institut de France (Académie des sciences morales et politiques).

Il faut nous attacher à Dandurand car il représente assurément l'une des principales sources d'information canadiennes de Siegfried. C'est son correspondant canadien le plus régulier pendant 30 ans, du début du siècle aux années 1930[33]. C'est lui qui l'introduit auprès de Laurier. Les deux hommes sont suffisamment liés pour que Dandurand suggère à Siegfried des modifications dans ses ouvrages. Le premier évoque et corrige dans sa lettre du 1er mars 1937 les « légères inexactitudes » de l'ouvrage de 1937, et l'on peut remarquer en feuilletant une réédition de 1947 que ce dernier a bien tenu compte des observations de Dandurand. Ces corrections, soigneusement effectuées par un auteur reconnu et âgé de 72 ans, témoignent d'une estime intellectuelle et d'une confiance rares.

Un réseau tissé avec des Canadiens francophones libéraux

Le réseau relationnel qui se dessine à travers la figure de Dandurand reste quasiment le même tout au long de la carrière de Siegfried et de ses travaux sur le Canada (qui se prolongeront jusqu'au lendemain de la Deuxième Guerre mondiale). C'est à l'intérieur de ce réseau qu'il puise ses sources et trouve ses informateurs, autrement dit dans les milieux libéraux. Ceci l'amène à partager la plupart de leurs visions du Canada, et notamment celle d'un territoire uni sous les auspices d'un fédéralisme à dominante anglo-saxonne. Le revers de la médaille, c'est que Siegfried est enclin à sous-estimer la montée en puissance, dans le Québec de l'entre-deux-guerres, d'une nouvelle forme de nationalisme, plus radicale, qui s'exprime par des canaux à la fois politiques, culturels et idéologiques[34] : il néglige l'audience, auprès d'une partie non négligeable des Québécois, de cette nébuleuse nationaliste et de son guide spirituel – Lionel Groulx. Du fait de ses lectures anglo-saxonnes et de ses fréquentations libérales, Siegfried ne semble guère armé pour analyser l'impact de l'idéologie groulxiste. Il demeure très discret dans son ouvrage de 1937 sur la percée de cette dernière, durant les années 1920 et 1930, dans la jeunesse et les milieux intellectuels québécois. Il semble parfois qu'il en soit resté au Canada de Laurier. Pour être sévère, ce constat n'en revêt pas moins une certaine justesse.

---

33. Il existe encore une lettre de Dandurand à André Siegfried datant du 1er mars 1937, alors que Dandurand est âgé de 76 ans (FAS, cote 2 Si 23).

34. Cela est flagrant dans son dernier ouvrage sur le Canada, *Le Canada, puissance internationale*, Paris, Librairie Armand Colin, 1937.

Cependant, l'imprégnation idéologique due aux contacts de Siegfried avec des leaders libéraux francophones d'Ottawa ne doit pas nous abuser. Son approche unitaire et fédéraliste du Canada, qu'il développera avec plus de ferveur encore dans son ouvrage de 1937, n'enlève rien à la pertinence de ses réflexions et à l'acuité de son regard. Les affinités libérales de Siegfried étaient connues au Québec, ce qui a sans doute atténué la portée subversive de sa démonstration. En effet, une méprise se produit en 1906 au Québec dans la réception de l'ouvrage de Siegfried : à cette époque, les journaux ultramontains comme *La Vérité*, mais aussi la presse représentant les autres tendances catholiques conservatrices, l'attaquent en lui reprochant de ne pas bien comprendre ou d'exagérer la position hégémonique du clergé[35]. Or, en 1906, c'est bien l'asymétrie de la situation canadienne – la dualité des « races » – que Siegfried entend mettre en exergue, en même temps qu'il veut montrer que cette dualité procède de mécanismes historiques de domination. Sur ce point, contrairement à ce qu'on peut observer à d'autres occasions, Siegfried ne « naturalise » pas les rapports sociaux. C'est pourquoi *Le Canada, les deux races* est toujours une œuvre précieuse pour comprendre le Québec du tournant du siècle.

Derrière Laurier : l'ombre de Bourassa

Siegfried n'évoque pas la figure de Laurier sans la comparer à celle d'un autre homme politique important québécois, Henri Bourassa. Ainsi se dessinent en parallèle deux trajectoires significatives de la vie politique canadienne, dont la presse française va reprendre les grands traits. Ces portraits, qui vont influer sur la perception française du Canada, produisent des effets de miroir intéressants. Car derrière les clivages politiques du camp francophone, se profilent les divisions qui structurent l'histoire du Québec. Siegfried s'y attache longuement, tout en essayant de les relativiser.

Né en 1868, Henri Bourassa est d'une génération plus jeune que Laurier, plus impatiente aussi que s'affirment à la fois une forte autonomie du Québec fondée sur la reconnaissance de droits linguistiques et religieux (pour les catholiques, s'entend) et un nationalisme pancanadien capable de damer le pion à l'impérialisme britannique et à ses suppôts du Canada. Petit-fils de Louis-Joseph Papineau, mais beaucoup plus fervent catholique

---

35. Pierre Trépanier et Lise Trépanier, « Réactions québécoises au livre d'André Siegfried », *Action nationale*, LXVIII, 5 (1979) : 394-405 ; 6 : 517-525 et 7 : 587-601.

que les chefs de file des Patriotes de 1837-1838, Bourassa a été élu sous la bannière de Laurier en 1896, dont il est respecté, sinon écouté. Mais peu à peu les deux hommes s'opposent, sur la question des écoles séparées pour les catholiques francophones dans les provinces à majorité anglophone, ainsi que sur la politique impériale ranimée par la guerre des Boers (1899-1902). Bourassa démissionnera alors symboliquement de son siège pour se faire réélire aussitôt à la Chambre des communes, mais comme député indépendant. Les pommes de discorde ne manqueront pas dès lors entre les deux leaders canadiens-français. Ils se retrouveront néanmoins dans le même camp lors des élections générales de 1917, s'opposant tous deux à la conscription en temps de guerre défendue par le Parti conservateur de Robert Borden, allié en la circonstance à des libéraux anglophones. Bourassa décédera à 84 ans en 1952, non sans avoir imprimé sa marque dans les milieux nationalistes du Québec en inspirant la Ligue nationaliste canadienne créée en 1903 et son hebdomadaire *Le Nationaliste*, puis en fondant en 1910 *Le Devoir*.

Même s'il y consacre moins de place qu'à Laurier, Siegfried affiche un intérêt certain pour la figure et les idées de Bourassa. Il cite à plusieurs reprises *Le Patriotisme canadien français*, ouvrage phare de Bourassa, et notamment deux extraits qu'il juge particulièrement révélateurs de la perception de la France dans le Québec d'alors[36] :

> Soyons français, comme les Américains sont anglais. [...] Nous avons conservé, beaucoup plus que nos frères d'outre-Atlantique, notre caractère de Normands et de Français du Nord : nous haïssons d'instinct la centralisation, l'organisation administrative, le militarisme légal et tout ce qui constitue le régime essentiellement impérialiste que Bonaparte a donné à la France moderne et que la Troisième République a maintenu, dans toute son intégrité[37].

Le portrait de Bourassa apparaît presque aussi flatteur que celui de Laurier :

> M. Bourassa est un esprit droit, habitué à voir les situations avec netteté et à parler avec courage. Sa façon de poser le problème des relations entre le Canada et la France est dure peut-être, mais vraie ; c'est lui qui exprime la réalité du sentiment de ses compatriotes, et non pas ces orateurs faciles et grandiloquents, qui cachent trop souvent l'imprécision de leur pensée sous la sonorité des phrases. Il faut le dire, non seulement les Canadiens ne regrettent pas la

---

36. A. Siegfried, *Le Canada, les deux races, op. cit.*, p. 143-145 et 289.

37. Henri Bourassa, *Le Patriotisme canadien-français*, Montréal, Compagnie de publication de la Revue canadienne, 1902, p. 11-12.

domination française, mais ils se disent parfois qu'en y échappant ils ont peut-être en même temps échappé à de très grands maux[38].

Laurier et Bourassa incarnent aux yeux de Siegfried les deux visages du Canada français, son ambivalence radicale :

> [...] entre Laurier le diplomate et Bourassa le nationaliste, les Français du Canada n'ont jamais su choisir. Ils sont reconnaissants au premier de les avoir conduits à la victoire avec un incomparable éclat et au second d'exprimer si bien les sentiments, même parfois un peu vifs, qui bouillonnent dans leur cœur[39].

En somme, pour Siegfried, les deux hommes serviraient la même cause, ils seraient les deux faces d'une seule et même identité. Mais cette identité est déchirée, justement parce qu'elle se divise en une face canadienne et une face française. La contradiction qui émerge de cette bipolarité est-elle paralysante, ou au contraire, comme semble le penser Siegfried, enrichissante ? En tout cas, on tentera de la résoudre dans les années 1960 en usant autrement des vocables « Québec » et « Québécois(e)[40] ».

Conclusion

Les deux rencontres de Siegfried avec Laurier ont-elles compté dans son appréciation générale de l'évolution de la société canadienne ? Il n'est guère permis d'en douter. Siegfried a su tirer, de ce face-à-face, des éléments majeurs pour sa compréhension du monde canadien, même si on peut regretter *a posteriori* qu'il ait un peu idéalisé le règne de Laurier et pas assez insisté sur l'épicentre du pouvoir canadien, autrement dit l'Ontario.

Malgré l'anglophilie ambiante des milieux intellectuels hexagonaux, renforcée par l'*Entente cordiale* de 1904, Laurier incarnera en France un Canada capable d'afficher son autonomie et de s'opposer avec finesse aux prétentions britanniques lors des conférences impériales qui jalonnent le tournant du siècle et lui donnent l'occasion de venir à Paris rencontrer les dirigeants français.

---

38. A. Siegfried, *Le Canada, les deux races, op. cit.*, p. 144.

39. *Ibid.*, p. 295.

40. Auparavant, l'adjectif « québécois » avait une autre orthographe : ainsi Siegfried parle-t-il de « paysans québecquois » (*ibid.*, p. 294).

Ce qui commence à s'imposer en France, c'est donc l'image d'un Canada suffisamment affranchi de la tutelle anglaise pour devenir un interlocuteur à part entière. C'est en grande partie grâce à la présence francophone – dont témoigne Laurier au plus haut niveau décisionnel – que cette émancipation peut avoir lieu. Dès lors, le regard intellectuel que porte Siegfried sur Laurier présente un caractère exemplaire du changement général d'attitude de la France à l'égard du Canada. C'est presque une homologie qu'il conviendrait de poser : la relation entre Siegfried et Laurier annonce celle que les Français vont entretenir désormais avec les Québécois. Mais les uns continueront, en un raccourci saisissant de leur histoire commune, à appeler les autres du nom de « Canadiens » – ce qui n'aurait sans doute déplu ni à Siegfried ni à Laurier.

La Station navale de Terre-Neuve et le centenaire de *La Capricieuse* en 1955

JEAN-MARIE HUILLE

Commissaire général de la Marine [2eS]

Contrairement à beaucoup d'entre vous, je n'interviens pas ici en historien, mais plutôt en témoin du temps passé. Témoin, d'abord, d'une véritable institution qui a duré près de trois siècles et qui a disparu récemment, sans fleur ni couronne : je veux parler de la Station navale française de Terre-Neuve, celle que commandait le capitaine de vaisseau de Belvèze. Celle aussi qui m'a valu de participer à la célébration en 1955 du centenaire de la visite de *La Capricieuse*, alors que j'étais jeune officier sur la frégate *L'Aventure*. Car c'est leur appartenance à cette Station navale qui établit le lien entre ces deux navires. C'est pourquoi il me parait indispensable d'en parler avant de dire ce que fut ce centenaire.

La Station navale de Terre-Neuve

Une station navale se définit comme un navire de guerre ou un groupe de navires de guerre affecté en permanence à un territoire d'outre-mer ou à un secteur maritime pour veiller à la défense des intérêts français. Il s'agit le plus souvent de bâtiments de petite ou de moyenne taille. La France en entretient encore de nos jours aux Antilles, dans l'océan Indien, dans le Pacifique.

La plus ancienne de toutes a été la Station navale de Terre-Neuve qui apparut progressivement au début du 18ᵉ siècle. La pêche sur les Bancs de Terre-Neuve, qu'on appelait la « Grande Pêche », était alors, sur le plan économique, de la plus grande importance pour le Royaume. Les gouvernements successifs l'ont toujours reconnu. De plus, ils considéraient cette Grande Pêche, avec ses équipages nombreux, composés exclusivement d'« inscrits maritimes », comme une pépinière de marins pour la marine de guerre. Ils l'ont soutenue, veillant à ce que rien ne vienne l'entraver et maintenant dans les parages une petite force navale pour assister les pêcheurs et, au besoin, les défendre.

Une station navale bien particulière par sa mission, par son « rythme » aussi : la pêche s'arrêtant pendant la mauvaise saison, la Station n'existait plus l'hiver : on était à Brest. Mais, sans faute, à chaque printemps, un, deux ou trois navires de guerre partaient pour Terre-Neuve. Cela a duré pendant des décennies. On y a vu toutes sortes de bateaux car ils changeaient souvent : corvette, frégate, croiseur de 2ᵉ ou de 3ᵉ classe, escorteur, aviso, transport... S'y ajoutaient au 19ᵉ siècle deux à trois goélettes constituant la Station locale de Saint-Pierre et hivernant sur place. L'organisation de la Station a souvent varié, tantôt indépendante, avec l'appellation de Division navale de Terre-Neuve, tantôt rattachée, au moins sur le papier, à la Station navale des Antilles ou bien à une Division navale de l'Atlantique Nord.

Personne, à ma connaissance, n'en a écrit l'histoire, alors qu'on est bien informé sur la Grande Pêche. J'ai glané des informations sur cette Station en 1955 dans les archives des îles Saint-Pierre et Miquelon[1], curieux de savoir ce qui se passait à l'époque de ce commandant de Belvèze dont nous allions célébrer la mémoire.

Puisque j'ai cité ce nom, j'en profite pour dire qu'il n'y a aucune hésitation à avoir sur celui-ci. L'état civil, les archives de la Marine, l'annuaire des Officiers de la Marine ne connaissent que Paul-Henri Belvèze. L'intéressé lui-même n'usait que de ce nom et signait ainsi. L'intéressant ouvrage de Mᵐᵉ Éveline Bossé, La Capricieuse à Québec, donne un fac-similé de l'acte de naissance de Paul-Henri Belvèze. Mais la transcription jointe, avec Paul-Henri de Belvèze, est fautive !

---

1. Il s'agit des archives du Service de l'Inscription maritime, non classées. Elles donnent des informations sur la Station locale, peu sur la Station navale. Les documents les plus anciens sont de 1826.

Ses ascendants s'appelaient, certes, de Belvèze et appartenaient à une famille ancienne dont la noblesse est indiscutable. Mais il y a eu la Révolution, ce cataclysme qui a coûté si cher et bouleversé tant de familles. Pour échapper à la chasse à l'aristocrate, tout simplement pour survivre, beaucoup ont choisi le « profil bas » et laissé tomber la particule de leur nom. Les Belvèze avec eux...

À défaut de demander au Conseil d'État de reprendre leur ancien nom, bien des familles l'ont fait revivre dans la pratique. Lorsque la veuve du Cdt Belvèze édita en 1882 la correspondance de son mari, elle intitula ce recueil *Commandant de Belvèze. Lettres choisies 1824-1875*[2]. Pourquoi ne pas déférer au désir de la famille de retrouver son vrai nom ?

Lorsque M. de Belvèze prit en 1853 le commandement de la Division navale de Terre-Neuve et de l'un de ses bâtiments, il avait sous ses ordres la corvette à vapeur *Le Véloce* et la goélette *La Fauvette* ; en 1854, il s'agissait de la frégate *La Constitution* et de la même goélette ; en 1855, la Station comportait, outre la corvette *La Capricieuse* que vous connaissez, l'aviso-transport à vapeur (et à roues) *Gassendi*, le brick *Ducouëdic* et deux goélettes.

Au début de sa campagne, le commandant de la Station commandait aussi le *Gassendi*. Il est amusant de lire, dans une lettre adressée au Ministre, pourquoi il a transféré sa marque de chef de division sur *La Capricieuse* et pris le commandement de cette corvette. On y sent bien l'attachement du marin de la vieille école pour un bâtiment à voiles : « Le "Gassendi", dit-il, est un vieux bâtiment dont les formes sont disgracieuses et l'installation médiocre. » Or, quatre ans plus tard, le comte de Gobineau fut envoyé en mission par le ministre des Affaires étrangères à Terre-Neuve pour régler des problèmes posés par le French Shore. Il passa près de six mois à bord sans jamais se plaindre du brave *Gassendi*[3]. De plus, d'autres

---

2. Ce recueil, édité en 300 exemplaires, est d'un grand intérêt pour ce qui concerne la visite de *La Capricieuse*. La bibliothèque du Service historique de la marine à Toulon en possède deux exemplaires.

3. En 1860, peu après son retour de sa mission, Arthur de Gobineau publia chez Hachette, sous le titre *Voyage à Terre-Neuve*, un récit vivant et plein d'observations pertinentes. Il a été réédité à Montréal en 1972 par les Éditions du Jour, et à Paris en 1993 par les Éditions Arléa. Ce dernier éditeur a orné la couverture d'un navire à roues pour évoquer le *Gassendi*. Hélas, il s'agit du yacht royal *Victoria and Albert* avec le Royal Standard au grand mât et le pavillon britannique à la poupe. Une inadvertance regrettable.

commandants auraient peu apprécié d'arriver à Québec à la remorque d'un navire anglais : le commandant de Belvèze y a sans doute vu une marque de politesse.

Après celle-ci, aucun navire de la Station navale ne retourna à Québec avant longtemps. Il fallut attendre 1868, treize ans plus tard, pour que la frégate à vapeur *D'Estrées* fasse escale à Québec, une escale dite « de ravitaillement » qui ne dura pas moins de 25 jours[4]. Puis ce fut, en 1873, l'aviso à hélice *D'Estaing*, l'année suivante la frégate *La Magicienne* et l'aviso *Adonis*, en 1878 le croiseur de 2ᵉ classe *Laplace* et l'aviso *Bouvet*. Des relations étaient maintenues avec le Canada : en 1879, on fit construire à Québec pour la Station locale deux goélettes à qui l'on donna aimablement les noms de *La Canadienne* et *L'Évangéline*.

C'est à cette époque que parurent à Québec des navires de guerre français qui n'étaient pas de la Station de Terre-Neuve : on n'avait plus besoin de l'argument de proximité pour se montrer au Canada. Cela n'empêchait pas les navires de la Station de continuer à venir à Québec. Comme le firent, par exemple, du 31 août au 19 septembre 1894, les petits croiseurs *Naïade*, *Nielly* et *Rigault de Genouilly*. Ils constituaient, sous le commandement d'un contre-amiral, la « Division volante et d'instruction », appellation bizarre peu en rapport avec sa mission.

Je possède le journal tenu par un jeune officier de marine du *Rigault*[5]. Il raconte la surprise de trouver, à l'arrivée à Québec, mouillés sur rade, trois croiseurs anglais plus gros, bien sûr, que les navires français : il n'y voit sûrement pas l'effet du hasard. L'escale n'en fut pas moins très réussie. L'auteur, amateur de beau langage, prit la peine de recopier l'éloquente santé portée par le lieutenant-gouverneur de la province de Québec, M. Chapleau, en présence du gouverneur général du Canada, lord Aberdeen, lors du déjeuner officiel donné sur la *Naïade*. Ce n'était plus l'enthousiasme populaire rencontré par le commandant de Belvèze, mais, au moins, les relations officielles étaient au beau fixe.

---

4. Pierre-Georges Roy, « Les vaisseaux de guerre français dans le port de Québec depuis la cession », *Bulletin des recherches historiques*, VII (1901) : 310.

5. Enseigne de vaisseau Louis-Eugène Scias (1868-1963), né et mort à Toulon. Son journal compte 460 pages. Étonnante est celle où il raconte avoir eu la frayeur de sa vie : alors qu'il assurait un quart de nuit, en pleine brume, le bateau, qui marchait à six nœuds, heurta un iceberg et s'en tira avec des avaries somme toute mineures.

L'abandon par la France de ses droits sur le French Shore en 1904 simplifia la mission de la Station navale. La flotte morutière se modernisa de façon décisive avec l'arrivée à la même époque des premiers chalutiers à vapeur. Ils remplacèrent progressivement les « cordiers » dont le dernier disparut en 1950. Les chalutiers prirent l'habitude de monter au Groenland quand la pêche ne « rendait » pas sur le Grand Banc. Il fallait les suivre dans ces hautes latitudes. L'assistance se poursuivait sous diverses formes : soins médicaux, contrôle de l'état des navires, dépannage de matériel, service du courrier, transports occasionnels de matériels et de vivres, etc. La Marine prescrivait de plus en plus souvent des visites aux ports canadiens et américains. Il s'agissait de « faire de la représentation », de « montrer le pavillon ». On devait, en outre, faire des exercices militaires et des observations météorologiques et océanographiques.

Il n'était pas facile d'assumer plusieurs tâches à la fois. Officiers des stationnaires comme pêcheurs estimaient qu'on délaissait trop la mission principale pour des activités qui n'étaient pas essentielles. C'était déjà en 1894 l'avis du jeune officier que je viens de citer. Or la situation ne s'améliora pas sur ce point puisqu'à partir de 1909 on n'envoya plus qu'un seul navire à Terre-Neuve. De 1920 à 1940, ce fut l'aviso *Ville d'Ys* et, à partir de 1947, la frégate *L'Aventure*.

Le centenaire de la visite de *La Capricieuse*

En 1955, pour sa 9e campagne, *L'Aventure* quitta Toulon le 7 avril pour revenir le 2 novembre à Brest, son port d'attache. Dans le programme tracé par l'État-major de la Marine, il y avait, à côté des périodes à passer avec les chalutiers[6], un certain nombre d'escales prévues, en plus des escales de

---

6. La campagne 1955 a comporté une assistance aux 31 grands chalutiers français présents sur les Bancs au cours des quatre périodes passées avec eux : du 23 au 30 mars, du 4 au 21 juin, du 18 août au 5 septembre et du 13 au 29 septembre. En tout 62 jours. Il y a eu 124 pêcheurs à venir en consultation à bord de *L'Aventure* et le médecin s'est rendu également à bord de chalutiers. Plus de 13 000 lettres et près de 300 paquets ont été remis aux chalutiers, pendant que 7 000 lettres étaient reçues à bord pour être acheminées vers la France. Plusieurs dépannages ont été assurés. Dix-sept chalutiers ont été inspectés. Il n'y a eu aucun accident de mer ni difficulté sérieuse. D'excellentes relations ont été entretenues avec le navire garde-pêche portugais *Gil Eanes*, commandé par le capitaine de vaisseau *Tavarès* de *Almeida*, et des contacts pris avec plusieurs chalutiers espagnols et portugais.

routine (Saint-Pierre, Saint-Jean, la base américaine d'Argentia, Sydney, Groenland) : il s'agissait d'Halifax, Boston, Portland, Shediac, Montréal. Il y avait surtout deux anniversaires à célébrer : le centième anniversaire de la visite de *La Capricieuse* à Québec en juillet et, juste après, le 350ᵉ anniversaire de la fondation de Port-Royal par Champlain.

À bord, nous étions 121. Soit onze officiers : le commandant (M. Duval, capitaine de frégate), un lieutenant de vaisseau (officier en second), deux enseignes de vaisseau, un officier-mécanicien, un médecin, un commissaire, quatre aspirants faisant leur service militaire. Et 110 officiers-mariniers, quartiers-maîtres et marins. La moyenne d'âge était très jeune, environ 23 ans.

À la veille de partir pour Québec, nous, les officiers, sentions toute la signification du centenaire de *La Capricieuse* : représenter la France à cette occasion nous revenait de droit. L'équipage appréciait la perspective d'une escale à Québec, comme de toute escale où l'on parle français. À l'exemple de *La Capricieuse*, nous avons quitté Sydney à destination de Québec que nous avons atteint au matin du 13 juillet, le même jour que M. de Belvèze, pour accoster à l'anse au Foulon.

Le poids de cette commémoration allait reposer surtout sur le commandant qui s'y était préparé. Il s'en tira fort bien, répondant avec aisance à tous les compliments reçus, évoquant avec précision ce qui s'était passé en 1855. Je tiens ici à saluer le vice-amiral d'escadre Marcel Duval qui, à 93 ans, vit retiré à Paris. Je suis allé récemment l'informer de la tenue de ce colloque. Touché par le soin mis à sauvegarder la mémoire qui nous est commune, il en a souhaité la pleine réussite.

L'escale commença, selon l'usage, par une visite au consul général de France, M. François de Vial, puis au maire de Québec, M. Wilfrid Hamel. Le soir, il y eut une réception offerte par la Société Saint-Jean-Baptiste au restaurant Marino, au cours de laquelle son président, Mᵉ Armand Maltais, et le commandant Duval évoquèrent, bien sûr, la visite de *La Capricieuse* et l'accueil qui lui fut réservé.

Ce qui nous surprit, ce fut l'écho de cette commémoration dans la presse. L'arrivée de *L'Aventure* faisait la « une » des journaux du 13 juillet :

L'Aventure a parcouru au total 27 354 miles nautiques en 148 jours de mer, dont 60 avec de la brume et 65 avec des glaces.

L'Action catholique, *Le Soleil*, *L'Événement*. Flatteur pour nous ! D'ailleurs, il en fut de même la semaine suivante lors de l'escale à Montréal avec *La Patrie* et d'autres. Le commandant fut étonné d'être interviewé par la télévision, car, à cette époque, elle démarrait à peine en France. Par contre, motus et bouche cousue dans la presse de langue anglaise. À peine un entrefilet à Québec, guère plus à Montréal.

Le 14 juillet, le consul général de France offrait sa réception traditionnelle pour la fête nationale : sans doute, prenait-elle cette fois-ci un caractère particulier. Puis, le Comité France-Amérique, présidé par le ministre Antoine Rivard, offrit un déjeuner au Château Frontenac. J'y participais et j'ai gardé le texte de la santé portée par le commandant Duval à nos hôtes.

La « parade d'église » du 17 juillet 1955

Quarante-huit officiers, officiers-mariniers et hommes d'équipage de « L'Aventure » ont été désignés pour participer au défilé jusqu'à l'église de Saint-Pascal derrière la musique du 22ᵉ Régiment Royal.

La compagnie est commandée par l'enseigne du vaisseau Petit que l'on voit sur la photo, à droite, prêt à donner l'ordre de rompre les rangs pour entrer dans l'église. Cet excellent camarade désireux de se faire « activer » s'est porté volontaire pour devenir officier-fusilier et servir à la Demi-brigade de Fusiliers-Marins en Algérie. Il a été tué en 1957.

Au premier rang, les trois officiers sont, de droite à gauche, moi-même (Commissaire de 2ᵉ classe), le Médecin de 2ᵉ classe Nivière et l'Officier des Équipages mécanicien de 2ᵉ classe Hascoët. Derrière eux, il y a douze officiers-mariniers et trentre-trois quartiers-maîtres et marins.

Cette photo prise par un reporter de *L'Action catholique* m'a été donnée à la fin de l'escale à Québec.

Le soir, à l'initiative de la Société Saint-Jean-Baptiste, eut lieu une cérémonie avec dépôt de gerbes de fleurs au Monument des Braves. C'est vraiment là que le souvenir de la visite de *La Capricieuse* a été célébré puisque le commandant de Belvèze, ses officiers et un détachement de marins français y étaient venus le 18 juillet 1855 pour la pose de la première pierre. Sans en détourner la signification première, je dirais que le Monument des Braves a été, au premier jour de son existence, un témoin des heureuses retrouvailles entre Français et Canadiens. Il était naturel de nous retrouver devant lui cent ans plus tard !

Le 15 juillet, la Municipalité à l'hôtel de ville offrit une belle réception ; puis ce fut la réception donnée à bord de la frégate, plus modeste car le bateau n'était pas très grand. Enfin, l'association France-Canada avait organisé pour l'équipage, dans la grande salle du Manège militaire, un bal-musette qui fut un franc succès.

Cette escale sortant de l'ordinaire ne pouvait s'achever sans une cérémonie religieuse. Elle eut lieu à l'église Saint-Pascal de Maizerets à l'initiative de la Société Saint-Jean-Baptiste. Ce qui donnait à cette cérémonie un caractère inhabituel, c'est la « parade d'église » qui la précéda, manifestation totalement inusitée en France. Un détachement commandé par l'enseigne de vaisseau Petit et composé de 48 officiers, officiers-mariniers et marins[7] défila dans le quartier en passant par la rue de « La Capricieuse[8] », ce qui justifiait probablement le choix de l'église pour la célébration de cette « messe militaire ». Notre détachement était entraîné par la musique du 22ᵉ Régiment royal dont les hommes avaient revêtu l'uniforme rouge et noir des Grenadiers Guards avec bonnet à poil. La messe fut ensuite célébrée par Mᵍʳ Garant, évêque auxiliaire de Québec.

J'ignore si la hiérarchie militaire se hasarderait de nos jours à envoyer à la messe, en rang par trois et au pas cadencé, des hommes désignés d'office. À l'époque, nous avons trouvé cela très bien, puisqu'il était juste de

---

7. La photo du détachement arrivé devant l'église Saint-Pascal a paru dans *L'Action catholique*. Un exemplaire est joint au présent article. Les trois officiers au 1ᵉʳ rang sont (de g. à dr.) : le chef-mécanicien (M. Hascoët), le médecin (M. Nivière) et le commissaire (M. Huille). L'enseigne de vaisseau Petit, qui commandait, était officier de réserve. Désireux de se faire admettre dans le cadre actif, il se porta volontaire pour servir à terre en Algérie. Il y fut tué en opérations en 1957.

8. La rue de « La Capricieuse » a reçu ce nom par une décision de juillet 1923.

reconnaître la part essentielle prise par l'Église catholique, par ses missionnaires et son clergé, dans la création de la Nouvelle-France et, plus encore,
dans la défense de la communauté d'origine française après la Conquête.

Le lendemain, nous levions l'ancre pour aller à Montréal : l'accueil
fut excellent, mais sans cérémonie particulière. Après ces deux escales,
nous n'avions plus qu'à regagner l'océan pour nous en aller, du côté de la
Nouvelle-Écosse, célébrer Champlain, fondateur de Port-Royal avant d'être
celui de Québec. La cérémonie fut plutôt discrète, dans un environnement
moins chaleureux qu'à Québec.

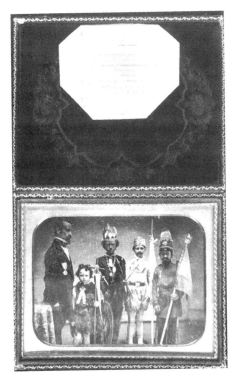

Daguerréotype commandé en 1855 par Alfred Chalifoux, tailleur à Montréal au daguerréotypiste Thomas Coffin
Doane et offert au commandant Belvèze avant son départ. Chalifoux, qui a conçu les costumes des personnages, est
à gauche de l'image. Sur un feuillet fixé à la doublure du boîtier : « Au Commandant de Belvèze / en Canada / Ces
petits personnages qui figurent dans / les Fêtes nationales de Montréal rappellent tous les / souvenirs religieux et
patriotiques / des Canadiens Français / St. Jean Baptiste, Patron du Canada / Jacques Cartier, qui au XVIe siècle
découvrit / le pays et y apporta l'Évangile / Le chef sauvage, qui accueillit les Francs à Hochelaga / Un jeune Canadien, portant les couleurs / de la France / Alfd Chalifoux » (voir au sujet de ce daguerréotype : Joan M. Schwartz,
« Plus qu'un beau souvenir du Canada », *L'Archiviste*, no 118 (1999) : 7-13).

Après cette campagne de 1955, *L'Aventure* poursuivit sa tâche à Terre-Neuve jusqu'en 1964, date de sa 18e et dernière campagne. Pour la remplacer, on désigna un aviso-escorteur tout neuf, destiné à cette mission dès sa construction : le *Commandant Bourdais*. Il briqua à son tour les Bancs de Terre-Neuve. La Station navale jeta alors ses derniers feux : en 1971, après avoir visité Québec et Montréal, le *Commandant-Bourdais* poussa jusqu'à Chicago !

Mais le nombre des chalutiers décroissait et ils avaient moins besoin d'assistance. L'entretien d'un escorteur moderne était coûteux. En 1973, il fut remplacé par un bâtiment de soutien logistique dont l'équipage était moins nombreux. Ce fut successivement la *Loire* et le *Rhône*. Les dernières années virent des navires plus petits : l'aviso *Quartier-maître Anquetil*, les remorqueurs de haute mer *Tenace*, *Centaure*, *Malabar*, et puis, plus rien... Car, après quelques querelles franco-canadiennes relatives à l'épuisement des ressources, il n'y a plus ni Grande Pêche, ni Station navale. Une page a été tournée, sans doute pour longtemps.

Éléments de conclusion

YVAN LAMONDE et DIDIER POTON

Le colloque sur le 150ᵉ anniversaire de la venue de *La Capricieuse* en Amérique du Nord britannique et au Bas-Canada en 1855 fut l'occasion de revoir les relations/représentations de la France et du Québec, «poupe et proue», en amont et en aval de 1855.

En amont de 1855, les recherches des vingt historiens français et québécois ont permis de jeter un regard nouveau et parfois radicalement nouveau sur la connaissance-méconnaissance réciproque de la France et du Québec d'alors. Ils ne se sont pas empêchés de voir et de parler de «méconnaissance», de nommer des déséquilibres dans les projets ou attentes réciproques. Sur l'amont de 1855, les travaux du présent colloque renouvellent l'historiographie du sujet : sur les aspects économiques et commerciaux qui fondent sur le long terme l'entreprise de la venue de *La Capricieuse* dans les eaux du Saint-Laurent, sur le désert politique et intellectuel des années mal connues de 1815 à 1830 qui compte quelques oasis culturels, sur la décennie révélatrice de 1830 et sur la diplomatie anglophile durable de la France au temps du séjour de Papineau à Paris.

La présence d'historiens d'universités de la France atlantique a été fondamentale dans le renouvellement du regard sur les relations entre la France et le Québec avant 1855. Vues de La Rochelle et de Bordeaux, les velléités de reprise de contact après 1763 font bien voir qu'elles relevaient d'une « nostalgie mercantile » et que l'éclairage économique et commercial sur les dimensions culturelles et politiques était incontournable pour comprendre ces dernières. Le retour à l'archive des chambres de commerce ou au Tableau général du commerce extérieur de la France avec l'étranger et ses colonies donne la mesure commerciale de la difficulté de sortir de la « nostalgie » : de 1835 à 1895, la valeur des échanges commerciaux des colonies d'Amérique du Nord britannique avec la France ne correspond respectivement qu'à 16 % puis à 9 %. Et encore, le Tableau du commerce réfère à ces contrées comme aux « possessions anglaises », aux « Antilles anglaises » ou « du Nord » et finalement au « Canada » à compter de 1895. Sans parler du fait qu'après la fin (1846) du protectionnisme britannique à l'égard de ses colonies, le commerce français vers l'Amérique du Nord se fait par le transfert des marchandises sur des vaisseaux anglais partant de Liverpool. Face aux deux puissances économiques montantes que sont les États-Unis qui accaparent l'essentiel du commerce extérieur français, et la Grande-Bretagne, le commerce franco-canadien occupe un espace très secondaire, même dans les échanges américains de la France. Il n'y a donc pas de projet durable et réussi de reconquête économique. Et si l'intérêt économique n'y est pas, quel intérêt peut s'y trouver ?

Certes d'autres d'intérêts s'y greffent. L'importance des Bossange dans la reconduction de relations entre la France et le Bas-Canada constitue un cas de figure : les relations avec les Fabre et les Papineau, par exemple, se créent sur des initiatives commerciales (l'apprentissage de la librairie d'Hector Bossange à New York, la librairie Bossange/Denis-Benjamin Papineau à Montréal), sur des trames familiales (Julie Fabre devient madame Hector Bossange) et politiques (Édouard Bossange, l'ami indéfectible de Louis-Joseph Papineau). Le corridor Bossange est d'autant plus fluide que les Bossange circulent en Amérique et en Europe, et à Londres en particulier, dans des corridors qui sont ceux des Canadiens. Grâce à la famille élargie des Bossange, des Fabre, des Papineau, des Masson, se construit un réseau élargi par les individus et par la diversité des intérêts.

L'ouverture du blocus napoléonien en 1815 facilite en principe la circulation des personnes et des biens sans réactiver pour autant l'attention de la France à l'égard de son ancienne colonie. Car c'est une chose que de valoriser la réouverture des communications, de l'échange de la nouvelle et des biens culturels, mais c'en est une autre que d'évaluer l'intérêt de la

France pour l'ex-Nouvelle-France, perdue ou cédée. Les années 1815-1830 semblent bien avoir été le passage à vide le plus important des relations des deux pays. Le regard posé par Alexis de Tocqueville sur le Bas-Canada durant une semaine, en août 1831, confirme la méconnaissance du destin de l'ancienne colonie française aux yeux d'un observateur français qui ne pouvait être guère plus perspicace[1]. Si les efforts isolés d'un Isidore Lebrun et la parution exceptionnelle de son *Tableau statistique et politique des deux Canadas* tranchent sur l'indifférence française, il faut des rébellions dans les deux Canadas pour que la France s'éveille un tant soit peu à l'actualité de la colonie britannique, comme l'a révélé Françoise Le Jeune.

Dans une conjoncture internationale où la France et la Grande-Bretagne font front commun sur la question d'Orient et où cette bonne entente est l'occasion pour la France de sortir de l'ère napoléonienne et de la gêne du traité de Vienne et de prétendre à une nouvelle égalité avec Londres, non seulement la presse française s'alimente-t-elle en nouvelles et débats dans la presse britannique, mais à partir de cette information, les journaux partisans instrumentalisent les événements de 1837 et de 1838 et leur signification en les infléchissant dans le sens de leurs positions, de leurs combats et de leurs projets. Ce qui est reçu l'est à la manière du recevant et les rébellions au Bas-Canada sont interprétées dans la perspective anglophile du pouvoir et de la presse ministériels et royalistes et sous l'angle républicain de la presse d'opposition qui parvient toutefois à donner une dimension universelle à l'éveil nationalitaire d'outre-Atlantique. Quant à la diplomatie française, elle a tôt fait son camp : pour le comte Molé, ambassadeur de France aux États-Unis, Papineau, pour lequel il a peu d'admiration, peut bien aller en France : il n'y trouvera « rien au-delà » de la sympathie. Et comme l'indique Françoise Le Jeune, pour le comte Sébastiani, ambassadeur de France à Londres, la France a tôt fait de trancher contre les « anarchistes » en faveur de ses relations avec la Grande-Bretagne. Ce choix est fait pour une première fois, à un moment crucial de l'histoire bas-canadienne.

Papineau est confronté au même choix lors de son double exil à Paris entre 1839 et 1845. La presse française l'accueille à l'enseigne des appartenances partisanes et, surtout, Papineau échoue à trouver des appuis publics significatifs et durables, ses amis républicains défavorables à l'alliance

---

1. Voir Yvan Lamonde, *Histoire sociale des idées au Québec, 1 : 1760-1896*, Montréal, Fides, 2000, p. 137-138, 203, 228.

franco-britannique étant dans l'opposition d'un gouvernement libéral modéré et royaliste ardemment favorable à cette alliance. En 1837 et en 1838 tout comme dans l'immédiat après-Rébellions, la France hisse son drapeau à côté de celui de la Grande-Bretagne.

Au début de la période de l'Union canadienne de 1840, la venue de quelques Français (Mgr de Forbin-Jeanson, le philanthope Alexandre Vattemare, quelques membres de communautés religieuses recrutées par Mgr Bourget chez les Jésuites, les Oblats, les Clercs de Saint-Viateur), la circulation de l'information journalistique et historique (Pierre Margry) et des biens de la librairie donnent une impression de relations minimales entre la France et le Bas-Canada.

La « nostalgie mercantile » qui ne mène à aucune reconquête économique du Bas-Canada et l'anglophilie privilégiée par la diplomatie française au temps de 1837-1838 et du séjour de Papineau à Paris constituent le fond de scène des attitudes de la France à l'égard du Canada **en 1855**, alors que la conjoncture internationale éclaire de nouveau la signification de la remontée du Saint-Laurent par *La Capricieuse*.

Napoléon III est favorable à l'émancipation des nationalités à condition qu'elle ne soit pas l'occasion d'instabilité. Face aux visées russes sur l'Empire ottoman, pressé par le parti catholique d'assurer les Lieux saints, l'empereur fait alliance avec les Anglais contre les Russes auxquels les alliés déclarent la guerre en mars 1854 avant de débarquer en Crimée en septembre puis à Sébastopol. L'empire et la monarchie célèbrent cette alliance, Victoria et Albert recevant Eugénie et Napoléon III à Londres en avril 1855, qui les reçoivent à Paris en août. Parallèlement, Napoléon développe une politique coloniale et crée en mai 1854 un ministère de l'Algérie et des Colonies qui deviendra le ministère de la Marine et des Colonies. Le gouvernement encourage l'immigration à telle enseigne que près de 100 000 colons sont établis en Algérie en 1852. La politique américaine de Napoléon III s'énonce essentiellement lors de l'appui de la France au Mexique ; celui-ci déclare : « Nous avons intérêt à ce que la république des États-Unis soit puissante et prospère, mais nous n'en avons aucun à ce qu'elle s'empare de tout le golfe du Mexique et soit la seule dispensatrice des produits du Nouveau-Monde. » Il ajoute : si le Mexique conserve son intégrité, « nous aurons rendu à la race latine de l'autre côté de l'Océan sa force et son prestige ». Cette politique, qui ne concerne pas la « race latine » au Bas-Canada, prévaut jusqu'à ce que les États-Unis sortent de leur guerre civile, refusent de reconnaître l'empereur Maximilien et exigent, au nom de la doctrine Monroe, le retrait des troupes françaises du Mexique[2].

C'est dans ce contexte qu'on doit comprendre la venue de *La Capricieuse* qui ne peut d'aucune manière correspondre à la célébration d'un échec historique de la France, celui de 1763. Pour répondre à la question de savoir si *La Capricieuse* relève d'une politique officielle ou personnelle de Napoléon III, d'une politique des Affaires étrangères ou d'une initiative approuvée du commandant Belvèze, il faut dans un premier temps distinguer les initiatives de Napoléon III à l'égard de l'Acadie, bien documentées par Robert Pichette, des événements qui se passent dans la vallée du Saint-Laurent en 1855. Pour comprendre ces événements, il fallait saisir l'importance de la Station navale de Terre-Neuve dans l'initiative que prend le commandant Belvèze l'année même de l'Exposition universelle de Paris à laquelle participe le Canada-Uni, colonie britannique. Il n'y a rien pour le Bas-Canada dans les cales de *La Capricieuse* ; ce que Belvèze, avec l'assentiment d'instances des Affaires étrangères, destine au Canada est dans la timonerie, dans sa propre tête. Sa mission est purement commerciale et ne doit donner lieu à aucune fausse interprétation. C'est la garantie d'une poursuite de la bonne entente avec la Grande-Bretagne dont la diplomatie ne se soucie guère de l'initiative, si l'on se fie à l'absence de documents à ce sujet dans les archives du Foreign Office. La conjoncture est bonne pour qu'une initiative de relance des échanges commerciaux soit prise, mais les intentions françaises incarnées par Belvèze ne doivent en aucune façon indisposer le lion britannique. Les discours prudents de Belvèze au Canada, signes non ambigus d'un « travail d'équilibriste », ne font pas de doute quant aux intentions du voyage de la frégate. Belvèze en rajoute même, par précaution, en qualifiant de « publication absurde », la même année, l'ouvrage de Joseph-Guillaume Barthe, *Le Canada reconquis par la France*. Belvèze n'a d'autre prétention que de donner quelque réalité à une déjà ancienne « nostalgie mercantile ».

Que le geste ait été perçu autrement et reçu à la manière de ceux qui le recevaient ne surprend guère. Encore faut-il faire la distinction entre une offre économique et une demande symbolique. « Nos gens » étaient-ils

---

2. Nous nous inspirons ici de Philippe Séguin, *Louis Napoléon le Grand*, Paris, Bernard Grasset, 1990, p. 229-283, et de Pierre Milza, *Napoléon III*, Paris, Perrin, 2004, chapitres 11 et 18 ; citations dans Milza, p. 530 et 531.

vraiment revenus ? Oui, mais d'abord pour établir un consulat commercial qui sera en place en 1859.

Car **en aval de 1855**, le discours de conciliation des deux mères patries continuera de dominer les relations entre le Québec et la France. La formule poétique « Nos bras sont à l'Angleterre, nos cœurs à la France » deviendra chez Hector Fabre ou chez Wilfrid Laurier la formule politique « Nous devons notre existence à la France, notre liberté à l'Angleterre ». Au temps même de Laurier, André Siegfried mettra en des mots lumineux sa compréhension et sa promotion d'un Canada à la jonction des chemins de la France, de la Grande-Bretagne et des États-Unis. À telle enseigne que ce sera l'alliance de la France et de la Grande-Bretagne qui dira au Québec où loge en 1835, en 1855 et en 1905 la fidélité de sa première et ancienne mère patrie.

1855 est sans doute un lieu commun de mémoire, mais d'une mémoire singulièrement différente.

Table des matières

114 x 64

MARQUIS

MEMBRE DU GROUPE SCABRINI

Québec, Canada
2006